TRAIÇÕES LEGÍTIMAS

Nora Roberts

A Pousada do Fim do Rio
O Testamento
Traições Legítimas
Três Destinos
Lua de Sangue
Doce Vingança
Segredos
O Amuleto

Trilogia do Sonho

Um Sonho de Amor
Um Sonho de Vida
Um Sonho de Esperança

Trilogia do Coração

Diamantes do Sol
Lágrimas da Lua
Coração do Mar

Trilogia da Magia

Dançando no Ar
Entre o Céu e a Terra
Enfrentando o Fogo

Trilogia da Gratidão

Arrebatado pelo Mar
Movido pela Maré
Protegido pelo Porto

NORA ROBERTS

TRAIÇÕES LEGÍTIMAS

7ª EDIÇÃO

Tradução
Milton Chaves de Almeida

BERTRAND BRASIL

Título original: *True Betrayals*

Capa: projeto gráfico de Leonardo Carvalho

2006
Impresso no Brasil
Printed in Brazil

CIP-Brasil. Catalogação-na-fonte
Sindicato Nacional dos Editores de Livros, RJ.

	Roberts, Nora
R549t	Traições legítimas / Nora Roberts; tradução Milton Chaves de
7ª ed.	Almeida. – 7ª ed. – Rio de Janeiro; Bertrand Brasil, 2006.
	448p.
	Tradução de: True betrayals
	ISBN 85-286-0602-3
	1. Romance norte-americano. I. Almeida, Milton Chaves de. II. Título.
	CDD – 813
97-0273	CDU – 820(73)-3

EDITORA BERTRAND BRASIL LTDA.
Rua Argentina, 171 – 1° andar – São Cristóvão
20921-380 – Rio de Janeiro – RJ
Tel.: (0XX21) 2585-2070 – Fax: (0XX21) 2585-2087

Atendemos pelo Reembolso Postal.

Para Phyllis Grann e Leslie Gelbman

CAPÍTULO 1

QUANDO RETIROU A CARTA DE SUA CAIXA DE CORRESPONDÊNCIA, Kelsey não poderia imaginar que o remetente era uma mulher falecida. O envelope creme, a caprichosa caligrafia que indicava seu nome e endereço, e o carimbo postal do Estado da Virgínia eram tão corriqueiros, que ela simplesmente o colocou sobre a pilha de correspondência sobre a velha mesa Belker junto à janela da sala de estar enquanto se livrava dos sapatos.

Foi até a cozinha e serviu-se de um copo de vinho; para beber vagarosamente, planejou, antes de abrir a correspondência. Não era preciso álcool para enfrentar aquela fina carta, os panfletos da propaganda, as contas e o delicioso cartão-postal enviado por uma amiga em curtas férias no Caribe.

O que a perturbou foi o envelope timbrado de seu advogado, que ela sabia conter os papéis definitivos de seu divórcio. Os documentos legais que lhe mudariam o nome, de Kelsey Monroe para Kelsey Byden novamente, o estado civil, de casada para divorciada, e a condição de cara metade para mulher sozinha.

Era tolice pensar nessas coisas, e ela sabia disso. Ela só estivera casada com Wade no mais estrito senso técnico e legal durante dois anos, quase o tempo em que tinham sido marido e mulher.

A papelada, entretanto, fazia tudo tão definitivo, muito mais do que as discussões e as lágrimas, a separação, os honorários do advogado e os estratagemas legais.

Até que a morte nos separe, pensou ela gravemente, e sorveu um gole do vinho. Que tolice; fosse verdade, estaria morta aos 26 anos. E ela estava viva — viva e muito bem; e de volta ao misterioso universo dos disponíveis.

Kelsey estremeceu a esse pensamento.

Ocorreu-lhe que, provavelmente, naquele instante, Wade estaria comemorando com sua esperta e exuberante colega da agência de publicidade, com quem ele tivera um caso, mas, segundo suas próprias palavras para a atordoada e furiosa esposa — ela —, fora uma ligação que nada tinha a ver com ela ou com o casamento deles.

Engraçado, Kelsey não pensou dessa forma. Não acreditou ser necessário suicidar-se ou matá-lo para desfazer os laços do matrimônio, mas levaria a sério o resto de seus votos de casamento, renunciando aos que estavam no topo da lista.

Não, ela achou que a pequena e atrevida Lari, com seu corpo aerobicamente esculpido e seu sorriso de chefe de torcida organizada tinha tudo a ver com ela.

Wade não teve uma segunda chance. Sua escapulida, como ele mesmo denominara, nunca se repetiria. Kelsey mudou-se imediatamente da adorável casa em que moravam, no centro de Georgetown, deixando para trás tudo o que haviam conquistado durante o casamento.

Fora humilhante voltar repentinamente para a casa do pai e da madrasta, mas o orgulho tinha limites, tanto quanto o amor. E seu amor se apagara, como uma lâmpada, no momento em que surpreendeu Wade e Lari confortavelmente instalados na suíte do Hotel Atlanta.

Surpresa... relembrou ela, com um sorriso irônico. Sim, na verdade grande surpresa para três pessoas quando entrou na suíte do hotel segurando sua mala na mão e agasalhando no pensamento a intenção tolamente romântica de passar com Wade o fim de semana de sua viagem de negócios.

Talvez tivesse sido rigorosa, inexorável, insensível, todas as coisas de que Wade a acusou quando ela se recusou a recuar em seu pedido de divórcio. Mas Kelsey assegurou-se de que estava certa.

Tomou o restante do vinho e voltou à imaculada sala de estar do apartamento de Bethesda. Não havia uma única cadeira ou castiçal da sala ensolarada que tivesse ficado em Georgetown. Separação; foi o que ela quis e obteve. As cores suaves e os quadros que agora a circundavam eram exclusivamente seus.

Procurando ganhar tempo, ligou o aparelho de som estéreo e colocou um CD, enchendo a sala com a *Pathétique*, de Beethoven. Seu gosto por música erudita lhe havia sido passado por seu pai. Era uma das muitas coisas que partilhavam. Na verdade, partilhavam o amor pelo conhecimento em geral, e Kelsey sabia que correra o risco de se tornar uma estudante profissional antes de conseguir seu primeiro emprego sério, com a Monroe Associates.

Mesmo depois de ter começado a trabalhar, sentiu-se compelida a continuar a estudar, assistindo a aulas de disciplinas que variavam da antropologia à zoologia. Wade divertia-se, aparentemente intrigado com sua instabilidade, que a fazia saltar de um curso para outro e trocar de emprego seguidamente.

Kelsey demitiu-se da Monroe quando se casou com ele. Seu rendimento e o salário de Wade permitiam-lhe não precisar trabalhar e ela preferiu dedicar-se à reforma e decoração da casa que haviam comprado no centro de Georgetown. Adorava cada minuto que passava raspando a tinta das paredes, lixando o assoalho, percorrendo lojas de antigüidades à procura de peças específicas para cada ambiente. Trabalhar no minúsculo pátio, esfregar e limpar os azulejos e tijolos ingleses, arrancar ervas daninhas e planejar o elegante jardim inglês proporcionava-lhe grande prazer. Um ano depois, a casa ficara um brinco, testemunho de seu bom gosto, de seus esforços e de sua paciência.

Agora, entretanto, não passava de um patrimônio que fora avaliado e dividido entre eles.

Ela retornou à universidade, o paraíso acadêmico que afastava a realidade durante algumas horas todos os dias. E trabalhava agora, em regime de meio expediente, na Galeria Nacional de Artes, graças a seus cursos de história da arte.

Não precisava trabalhar para garantir seu sustento. O rendimento deixado pelo avô paterno proporcionava-lhe conforto suficiente para passar de um interesse a outro a seu bel-prazer.

Era, portanto, um mulher independente. Jovem, pensou, e, observando a pilha de correspondência, solteira novamente. Qualificada para fazer um pouco de tudo e muito de nada. A única coisa em que acreditava poder alcançar a perfeição — o casamento — fora um fracasso absoluto.

Deixando escapar um suspiro, aproximou-se da mesa Belker. Tamborilou sobre o grosso envelope que seu advogado enviara; seus dedos finos e longos, adestrados nas aulas de piano e de arte; dedos que sabiam datilografar, cozinhar com requinte e programar um computador; competente mão que usara um dia uma aliança.

Kelsey afastou o volumoso envelope, ignorando a delicada voz que se insinuava em sua cabeça, repetindo a palavra *covarde*, e pegou outro, subscritado com caligrafia estranhamente parecida com a sua. O mesmo desenho forte e rebuscado, elegante, sim, mas talvez um pouco exagerado. Meio curiosa, abriu-o.

Cara Kelsey: Imagino que você se surpreenda por receber notícias minhas.

Ela continuou a ler, o vago interesse de seus olhos transformando-se em espanto que, afinal, passou à incredulidade. E, então, a incredulidade se aproximou de algo muito semelhante a medo. Tratava-se de um convite feito por uma mulher morta que, por acaso, era sua mãe.

Em momentos de crise, Kelsey sempre, desde suas mais remotas lembranças, recorrera a uma única pessoa. O amor que sentia por seu pai e a confiança que nele depositava formavam a única constância de sua natureza irrequieta. Ele estava sempre disponível, não apenas um porto em meio à tempestade, mas uma firme mão para segurar até a tempestade serenar.

Suas memórias mais antigas eram dele, seu rosto belo e grave, as mãos suaves, a voz serena e paciente ao extremo. Lembrou-se dele prendendo laços em seus longos cabelos escorridos, escovando seus cachos louros, ao som de Bach ou Mozart. Fora ele que beijara seus machucados, ensinara-lhe a ler e andar de bicicleta e lhe enxugara as lágrimas.

Ela o adorava e se orgulhava absolutamente de suas realizações como diretor da Faculdade de Língua Inglesa da Universidade de Georgetown.

Não sentiu ciúmes quando ele se casou novamente; aos 18 anos, ficou radiante com o fato de ele finalmente encontrar alguém para amar e partilhar a vida. Kelsey reservou um lugar para Candace no lar e no coração, e secretamente orgulhou-se de sua maturidade e seu altruísmo na aceitação da madrasta e de um meio-irmão adolescente.

Talvez tudo tenha sido facilitado pela profunda certeza de seu coração de que nada nem ninguém poderia abalar sua ligação com o pai.

Nada nem ninguém, pensava agora, exceto sua mãe, que ela julgava estar morta.

O choque da traição misturava-se a um ódio frio e duro enquanto ela forçava caminho no tráfego congestionado da hora do *rush* em direção às exuberantes e suntuosas fazendas de Potomac, Maryland. Apesar de, na pressa de sair, não ter levado o casaco e de ter esquecido de ligar o aquecedor do seu Spitfire, não sentia o frio usual das noites de fevereiro. A raiva lhe havia corado as faces, acrescentando matizes de rosa à tez de porcelana e centelhas aos olhos cinzentos.

Tamborilou os dedos sobre o volante enquanto esperava o sinal abrir, ansiando pela luz verde para que pudesse correr, correr. Comprimia os lábios generosos numa linha fina, tentando manter a mente vazia.

De nada lhe adiantaria pensar naquele momento. Decididamente nada lucraria pensando que sua mãe estava viva, viva e morando no Estado da Virgínia, a pouco menos de uma hora de carro do seu apartamento. Melhor não pensar nisso ou Kelsey poderia começar a gritar.

Mas suas mãos começaram a tremer quando ela entrou na majestosa rua ladeada de árvores onde passara sua infância e mais ainda quando estacionou diante da casa de três andares em estilo colonial onde crescera.

A casa parecia tão tranqüila e asseada quanto uma igreja, as vidraças brilhando, as madeiras tão brancas quanto uma alma imaculada. Fios de fumaça espiralavam-se sobre a chaminé da lareira, e os primeiros tímidos açafrões abriam suas delicadas campânulas em volta do velho olmo do jardim da frente.

A casa perfeita na vizinhança perfeita, sempre considerara. Segura, confortável, elegante, a poucos minutos da agitação e da vida cultural do D.C.* e com ares de requinte de tranqüila e respeitável opulência.

Ela saltou bruscamente do carro e correu em direção à porta da frente da casa, abrindo-a sem cerimônia; naquela casa ela nunca precisara bater à porta. Assim que começou a andar sobre a passadeira Berber, que cobria parte do piso de lajotas brancas, Candace saiu da sala de estar.

Candace estava, como sempre, impecavelmente vestida. A esposa perfeita de um acadêmico, vestindo tradicional lã azul-marinho, os cabelos prateados escovados para trás a exibir o belo rosto ainda jovem e discretos brincos de pérolas.

— Kelsey, que surpresa agradável. Espero que possa ficar para o jantar. Vamos receber alguns convidados da faculdade, e eu poderia...

— Onde ele está? — perguntou Kelsey, interrompendo-a.

Candace pestanejou, estranhando o tom de voz de Kelsey, e logo em seguida percebeu seu estado de absoluta irritação. A última coisa que desejava a uma hora da chegada de seus convidados era uma crise nervosa da enteada. Automaticamente, mudou a abordagem.

— Algo errado?

— Onde está papai?

— Você está nervosa. É Wade novamente? — Candace abanou a mão, insinuando menosprezo pelo problema. — Kelsey, divórcio não é uma coisa agradável, mas também não é o fim do mundo. Venha, sente-se um pouco.

— Não quero sentar-me, Candace. Eu quero falar com meu pai. — Suas mãos apertavam os quadris. — Você vai me dizer onde ele está ou terei de procurá-lo?

— Oi, mana. — Channing desceu as escadas aos saltos. Tinha as mes-

* Distrito de Colúmbia, área que constitui a capital e abriga a administração central do governo dos EUA. (N. do T.)

mas belas feições maternas e uma avidez por aventuras que, segundo sua mãe, não fora herdada de ninguém. Embora tivesse apenas 14 anos quando Candace se casou com Philip Byden, seu extremo bom humor facilitou a adaptação. — O que houve? — perguntou ele.

Kelsey respirou profunda e deliberadamente, tentando controlar a vontade de gritar.

— Onde papai está, Channing?

— O mestre está no escritório, ocupado com o livro que está escrevendo.

Channing ergueu as sobrancelhas, reconhecendo, ele também, indícios de um acesso de cólera — o brilho no olhar, o rubor nas faces. Algumas vezes, ele se mantinha ao largo para aplacar paixões domésticas; outras, divertia-se atiçando-as.

— Ei, Kels, você não vai ficar enfurnada aqui dentro esta noite com esse bando de traças devoradoras de livros, vai? O que acha de sairmos para dançar?

Ela balançou a cabeça e irrompeu pelo corredor, na direção do escritório do pai.

— Kelsey — a voz de Candace, forte, aborrecida, acompanhou-a. — Você precisa ser tão ríspida?

Sim, pensou Kelsey enquanto abria abruptamente a porta do santuário favorito de seu pai. *Sim.*

Ela bateu violentamente a porta e deteve-se por alguns instantes sem nada dizer, as palavras, fogosas e aceleradas, agitando-se em sua garganta. Philip estava sentado à sua escrivaninha de carvalho, parcialmente escondido pelas pilhas de livros e pastas de arquivo, segurando uma caneta em uma de suas ossudas mãos. Ele sempre defendera a idéia de que os melhores trabalhos nascem da intimidade do ato de escrever e se recusava, obstinadamente, a redigir suas obras num computador.

Seus olhos, atrás das lentes de seus óculos de prata, mostravam a expressão de coruja que sempre assumiam quando Philip se alienava da realidade à sua volta. Seu olhar se iluminou lentamente, e ele sorriu para a filha. A luminária da escrivaninha fazia reflexos em seu cabelo prateado de corte baixo.

— Minha menina! Chegou no momento certo para ler o rascunho de minha tese sobre Yeats. Temo ter tido uma nova crise de verborragia.

Ele parecia tão normal! Foi tudo o que pôde pensar. Tão perfeitamente normal, sentado ali em seu casaco de sarja escocesa e sua gravata de nó perfeito. Bonito, tranqüilo, cercado por seus livros de poesia e arte.

E o mundo dela, cujo núcleo central era ele, acabara de despedaçar-se.

— Ela está viva — Kelsey explodiu. — Está viva, e você mentiu para mim durante toda a minha vida.

Ele ficou extremamente pálido, e seus olhos afastaram-se do olhar da filha que, numa fração de segundo, percebeu neles pasmo e medo.

— Sobre o que você está falando, Kelsey? — Mas ele sabia, sabia e precisou de todo o seu autocontrole para não comprometer suas palavras.

— Não minta mais para mim — ela gritou na direção da escrivaninha. — Não minta para mim! Ela está viva. Minha mãe está viva, e você sabia. Você sempre soube, durante todo o tempo em que me disse que ela estava morta.

O pânico tomou conta de Philip, cortante como um bisturi.

— De onde você tirou essa idéia?

— Dela. — Tirou da bolsa a carta e completou: — De minha mãe. Vai-me contar a verdade agora?

— Posso ver a carta?

Kelsey inclinou a cabeça para o lado e o fitou. Era um olhar tão penetrante, que parecia chegar até os ossos.

— Minha mãe está morta?

Ele vacilou, acalentando a mentira no coração tão intimamente quanto a própria filha. Mas sabia, embora desejasse que tudo pudesse ser diferente, que manter uma significava perder necessariamente a outra.

— Não. Posso ver a carta?

— É tão simples assim? — As lágrimas que ela vinha prendendo afloraram perigosamente à superfície. — Um mero *não*? Depois de todo esse tempo, de tanta mentira?

Uma única mentira, pensou ele, e nem durante tempo suficiente.

— Tentarei explicar tudo da melhor maneira possível, Kelsey. Mas eu gostaria de ver a carta.

Sem dizer palavra, ela lhe entregou o envelope. Depois, não podendo mais suportar a visão de seu pai, virou-se para a estreita e alta janela, através da qual viu a noite fechar-se sobre os últimos matizes de claridade da tarde.

A folha de papel tremia tanto nas mãos de Philip, que ele foi forçado a apoiá-la sobre o tampo da escrivaninha. A autenticidade da caligrafia era iniludível. Terrificante. Ele leu, cuidadosamente, palavra por palavra.

Cara Kelsey:

Imagino que você se surpreenda por receber notícias minhas. Pareceu-me insensato ou pelo menos injusto entrar em contato com você antes. Embora uma ligação telefônica pudesse ter sido mais pessoal, achei que você iria precisar de tempo para meditar. Uma carta lhe permite mais opções sobre a atitude a tomar.

Devem ter dito a você que eu morri quando você era muito pequena. De certa forma, foi verdade, e eu concordei com a decisão de poupá-la. Mais de vinte anos já se passaram, e você não é mais uma criança. Acredito que tenha o direito de saber que sua mãe está viva. Talvez não lhe agrade receber tais notícias. De qualquer maneira, tomei a decisão de procurá-la e não vou me arrepender.

Se quiser me ver ou simplesmente fazer perguntas que, acredito, merecem ser respondidas, será bem-vinda. Moro em Three Willows Farm, próximo a Bluemont, na Virgínia. O convite está feito. Se decidir aceitá-lo, terei muito prazer em recebê-la pelo tempo que você quiser. Se não entrar em contato comigo, entenderei que não queira estabelecer nenhum relacionamento. Espero que a curiosidade que tinha quando criança a estimule pelo menos a me responder.

Um abraço,

Naomi Chadwick.

Naomi. Philip fechou os olhos. Meu Deus, Naomi.

Já se haviam passado vinte e três anos desde a última vez que ele a vira, mas lembrava-se de tudo que dizia respeito a ela com absoluta clareza. O perfume que ela usava, lembrando florestas escuras e úmidas, a contagiante gargalhada, que sempre revirava cabeças, a cascata de cabelos louros muito claros que lhe descia pelas costas, os olhos de mel e o corpo esbelto..

Tão nítidas eram as lembranças da ex-esposa, que, abrindo os olhos, acreditou vê-la à sua frente. O coração subiu-lhe abrupta e violentamente à garganta, em parte por medo, em parte por desejo longamente sufocado.

Mas era Kelsey, dando-lhe as costas, observando o horizonte à sua frente.

Como poderia ter esquecido Naomi, perguntou-se ele, quando lhe bastava olhar a filha para ver a ex-esposa?

Philip levantou-se e serviu-se do uísque de uma garrafa de cristal destinada às visitas. Ele raramente bebia qualquer coisa mais forte do que um gole de licor de amoras silvestres. Agora, entretanto, precisava de algo que o ajudasse a controlar o tremor das mãos.

— O que pretende fazer? — perguntou ele a Kelsey.

— Não sei ainda. — Ela se mantinha de costas para ele. — Minha decisão vai depender em parte do que você me contar.

Philip quis aproximar-se dela, abraçar seus ombros. Sabia, entretanto, que ela não o receberia bem naquele momento. Desejou, então, sentar-se e esconder o rosto nas mãos. Isso, porém, seria fraqueza, que ele não deveria demonstrar.

Mais, muito mais do que isso; ele teve vontade de voltar vinte e três anos no tempo e fazer alguma coisa, qualquer coisa, para impedir que o destino definitivamente atropelasse sua vida.

Mas isso era impossível.

— Não é um assunto fácil, Kelsey.

— Mentir geralmente é difícil.

Ela se virou então, e os dedos dele, apreensivos, apertaram o cristal. Ela se parecia tanto com Naomi, os cabelos luminosos cuidadosamente despenteados, os olhos castanhos, a pele sobre os maxilares proeminentes luminosamente ruborizada pela paixão. Algumas mulheres alcançam o auge da beleza quando seus sentimentos abrigam pontos perigosamente críticos; como Naomi, por exemplo; como sua filha.

— Foi o que você fez durante todos esses anos, não foi? — prosseguiu Kelsey. — Mentir para mim. Minha avó, também. — Kelsey apontou a carta sobre a escrivaninha. — Se essa carta não chegasse vocês teriam continuado a mentir para mim.

— Sim, enquanto eu acreditasse que era o melhor para você.

— Melhor para mim? Como poderia ser melhor para mim acreditar que minha mãe estivesse morta? Como uma mentira pode ser o melhor para alguém?

— Você sempre teve absoluta certeza do certo e do errado, Kelsey. É uma qualidade admirável. — Ele fez uma pausa e tomou um gole da bebida. — E aterradora. Mesmo quando criança, sua ética era inabalável; de prática difícil para os simples mortais.

Os olhos dela faiscaram. A acusação era próxima, muito próxima da que Wade lhe fizera.

— Então, a culpa foi minha — ela concluiu.

— Não. Não. — Ele fechou os olhos e esfregou o centro da testa. — Nada disso foi culpa sua, mas tudo foi por sua causa.

— Philip. — Depois de bater à porta do escritório, Candace abriu-a. — Os Dorset chegaram.

Um penoso sorriso desenhou-se em seu rosto.

— Distraia-os, querida. Preciso de alguns minutos com Kelsey.

Candace envolveu a enteada com um olhar de reprovação misturada com resignação.

— Está bem. Mas não demore. A mesa está posta para sete pessoas; devo providenciar mais um lugar, Kelsey?

— Não, Candace, obrigada. Não vou ficar.

— Tudo bem, mas não atrase muito seu pai — disse ela, fechando a porta suavemente.

Kelsey inspirou profundamente, esticando a coluna.

— Ela sabe?

— Sim. Tive de dizer-lhe antes de nos casarmos.

— Teve de dizer a ela — repetiu Kelsey. — Mas não a mim.

— Não foi uma decisão irrefletida. Ninguém deixou de pensar muito. Naomi, sua avó e eu, todos achamos que seria o melhor para você, que tinha apenas três anos, Kelsey, pouco maior do que um bebê.

— Já sou adulta há algum tempo, papai, já me casei; já me divorciei.

— Você não imagina como os anos passam rapidamente. — Ele se sentou novamente, abrigando o copo nas mãos. Convencera-se de que aquele momento não aconteceria; que sua vida era suficientemente tranqüila e estável para recair de repente num torvelinho. Mas Naomi, pensou ele, nunca se conformaria com uma vida tranqüila.

Tampouco Kelsey. E, agora, era a hora da verdade.

— Já lhe contei que sua mãe foi minha aluna; era bonita, jovem, vibrante. Nunca pude entender por que se interessou por mim. De fato, tudo aconteceu muito rapidamente. Nós nos casamos seis meses depois de nos conhecermos. Nenhum de nós dois teve tempo suficiente para compreender que éramos completamente diferentes. Morávamos em Georgetown. Ambos viemos do que poderíamos chamar de ambientes privilegiados, mas ela possuía um senso de liberdade com o qual jamais pude rivalizar. Uma impetuosidade, uma volúpia pelas pessoas, pelas coisas, pelos lugares. E, claro, por seus cavalos.

Ele sorveu outro gole, a fim de atenuar a dor da recordação.

— Acho que eram os cavalos, mais do que qualquer outra coisa, que nos separavam. Depois que você nasceu, ela quis desesperadamente voltar a morar na fazenda, na Virgínia; queria que você fosse criada lá. Minhas ambições e esperanças para o futuro estavam aqui. Eu estava trabalhando na minha tese de doutorado, mas já tinha expectativas de me tornar o diretor da Faculdade de Língua Inglesa da Universidade de Georgetown. Durante algum tempo, mantivemos um acordo, e eu passava na Virgínia todos os fins de semana de que podia dispor. Não foi o suficiente. É mais simples dizer-lhe que nos separamos.

Mais seguro, pensou ele, fitando o copo de uísque. E, certamente, menos doloroso.

— Decidimos, então, nos divorciar. Ela queria que você ficasse com ela na Virgínia. Eu queria que você ficasse aqui comigo. Eu não entendia, mas também não me importava com as pessoas que a cercavam, jogadores jóqueis, apostadores. Discutimos violentamente, e, depois, cada um contratou um advogado.

— Para obter minha custódia? — perguntou ela, fitando o pai, espantada e boquiaberta. — Vocês disputaram em juízo a minha guarda?

— Foi algo horrível, incrivelmente abjeto. Como duas pessoas que se haviam amado, que juntos haviam criado uma criança puderam tornar-se inimigos mortais? É algo verdadeiramente patético da natureza humana. — Ele ergueu o olhar novamente, encarando-a, afinal. — Não me orgulho disso, Kelsey, mas eu acreditava do fundo do meu coração que você me pertencia. Ela já estava saindo com outros homens. Corria o boato de que um deles tinha ligações com o crime organizado. Uma mulher como Naomi sempre atrai muitos homens. Era como se ela os exibisse, assim como as festas, e seu estilo de vida, para desafiar a mim e ao mundo no sentido de condená-la por fazer o que bem entendesse.

— E você ganhou — disse Kelsey serenamente. — Você ganhou a causa e minha guarda, e então decidiu dizer-me que ela havia morrido. — Ela deu-lhe as costas novamente, voltando-se para a janela sobre a noite agora já completamente fechada. Vislumbrava na vidraça o fantasma de si mesma. — As pessoas já se divorciavam na década de 1970. As crianças sobreviviam; havia visitas. Eu deveria ter tido permissão para vê-la.

— Ela não queria que você a visse. Nem eu.

— Por quê? Porque ela fugiu com um de seus amantes?

— Não. —Philip pousou cuidadosamente o copo sobre um descanso de prata. — Porque ela matou um deles. Porque passou dez anos na prisão por assassinato.

Kelsey virou-se lentamente, bem lentamente, porque o ar pareceu-lhe subitamente carregado.

— Assassinato. Você está dizendo que minha mãe é uma assassina?

— Gostaria de nunca precisar contar-lhe isso. — Ele se levantou então, com a plena certeza de poder ouvir o ranger de seus ossos no absoluto silêncio do escritório. — Você estava comigo. Dou graças a Deus por você estar comigo em vez de na fazenda na noite do crime. Ela o matou a bala. Ele se chamava Alec Bradley. Estavam no quarto, discutiram, e ela pegou a arma na gaveta da mesa-de-cabeceira e o matou. Estava com 26 anos, a mesma idade que você tem agora. Foi julgada e condenada por assassinato em segundo grau. A última vez que a vi, na prisão, disse-me que preferia que você acreditasse que ela morrera. Jurou que não entraria em contato com você se eu concordasse e manteve a palavra, até agora.

— Não consigo entender nada. — Atordoada, Kelsey levou as mãos ao rosto, pressionando os dedos sobre os olhos.

— Eu a teria poupado disso tudo. — Philip segurou gentilmente seus pulsos, abaixando-lhe as mãos para ver seu rosto. — Se ter tentado preservá-la foi errado, eu errei, mas não lhe pedirei desculpas. Eu a amo, Kelsey. Você é a minha própria vida. Não me odeie por isso.

— Não, eu não o odeio. — Como de hábito, ela apoiou a cabeça no ombro dele, descansando do turbilhão de idéias e imagens de sua mente. — Preciso pensar. Tudo parece tão impossível. Eu nem me lembro dela, papai.

— Você era muito criança — ele murmurou, fortalecido pelo alívio. — É impressionante, mas posso garantir-lhe que você se parece muito com ela; e que ela era uma mulher dinâmica e fascinante, apesar dos seus defeitos.

Um crime violento sendo um deles, pensou Kelsey.

— Tenho tantas perguntas a fazer, mas não sei por onde começar.

— Por que não fica aqui esta noite? Logo que eu puder, voltaremos a conversar.

Era tentadora a sugestão; refugiar-se na segura intimidade de seu velho quarto, deixar seu pai aplacar a dor das mágoas e dúvidas, como ele sempre fizera.

— Não, preciso voltar para casa. — Ela se afastou dele para não fraquejar. — Preciso ficar sozinha por algum tempo. E Candace já está aborrecida comigo por mantê-lo longe dos convidados.

— Ela compreenderá.

— Claro que sim. É melhor você ir. Acho que vou sair pelos fundos. Prefiro não encontrar ninguém neste momento.

O rubor da emoção desaparecera de seu rosto, ele notou, devolvendo-lhe a palidez e a delicadeza da pele.

— Kelsey, eu gostaria que você ficasse.

— Eu estou bem, acredite. Tudo o que preciso é assimilar o que aconteceu. Conversaremos depois. Vá ver seus convidados agora. — Ela o beijou tanto em sinal de perdão como para apressá-lo. Assim que ficou só, Kelsey caminhou até a escrivaninha e fitou a carta.

Alguns minutos depois, dobrou-a e guardou-a na bolsa.

Fora um dia infernal, pensou ela. Tinha perdido o marido, mas havia recuperado a mãe.

CAPÍTULO 2

ÀS VEZES É MELHOR DEIXAR-SE LEVAR PELOS PRÓPRIOS IMPULSOS. Talvez não seja o melhor, ponderou Kelsey enquanto guiava em direção ao oeste, ao longo da Rota 7, percorrendo as ondeadas colinas da Virgínia. Mas é certamente satisfatório.

Talvez tivesse sido mais sensato voltar a conversar com o pai. Ganhar tempo para avaliar os fatos. Mas era muito mais eficaz simplesmente entrar no carro e tomar o rumo de Three Willows Farm, e enfrentar a mulher que desempenhara o papel de morta durante duas décadas.

Sua mãe, pensou Kelsey. A assassina.

Para se desvencilhar dessa idéia, Kelsey aumentou o volume do rádio, de forma que Rachmaninoff ecoasse através da janela entreaberta. Era um belo dia para um passeio de carro. Foi o que ela argumentou para si mesma ao sair apressadamente de seu adorável apartamento naquela manhã. Não admitira, então, o rumo que pretendia tomar, embora tivesse consultado um mapa, escolhendo o melhor caminho para chegar a Bluemont.

Ninguém sabia que ela estava indo para lá. Ninguém saberia para onde ela teria ido.

Tal procedimento tinha a marca da liberdade, considerou Kelsey, pisando mais intensamente o acelerador, deleitando-se com a velocidade, o assobio do vento janelas adentro e a força da música. Podia ir a qualquer lugar, fazer qualquer coisa. Não tinha a quem prestar contas nem ninguém para questionar. Era ela, agora, quem tinha todas as perguntas a fazer.

Talvez se tivesse vestido com zelo um pouco maior do que o exigido por uma simples viagem ao campo. Era, com certeza, orgulho. O tom de pêssego de sua jaqueta de seda e de suas calças era perfeito para ela, realçando seu corpo esguio.

Afinal, qualquer mulher que estivesse prestes a se encontrar com a mãe pela primeira vez depois de se ter tornado adulta iria querer impressioná-la o mais positivamente possível. Havia penteado os cabelos em elegante trança e demorado mais do que o normal para se maquiar e escolher os acessórios.

Os preparativos lhe haviam acalmado os nervos, mas estava começando a senti-los tensos novamente à medida que se aproximava de Bluemont.

Posso mudar de idéia, pensou Kelsey quando parou o carro em frente a uma mercearia. Pedir orientação de como chegar a Three Willows Farm não significava que a fosse seguir. Poderia, se quisesse, simplesmente dar meia-volta e retornar a Maryland.

Ou poderia simplesmente seguir em frente. Atravessar a Virgínia, na direção dos dois Estados da Carolina. Poderia rumar para o oeste, ou para o leste, em direção ao litoral. Uma de suas maiores satisfações era pegar o carro e guiar para onde lhe desse na veneta. Passara um impulsivo fim de semana num hotelzinho encantador logo depois de ter se separado de Wade.

Bem que poderia voltar lá agora, devaneou ela. Um telefonema para o trabalho, uma rápida passagem por alguma loja no caminho, e estaria pronta.

Não seria uma fuga, mas uma simples saída.

Por que, então, parecia tanto uma fuga?

A pequena mercearia era tão abarrotada de prateleiras e de caixas, e tinha as paredes tão cheias de ferramentas, que os três fregueses daquele momento formavam uma multidão. O velho atrás do balcão tinha, próximo ao cotovelo, um cinzeiro repleto de guimbas, a cabeça tão calva e lustrosa quanto uma moeda nova em folha, e um cigarro recém-aceso pendurado num dos cantos da boca. Seus olhos semicerrados fixaram Kelsey através de uma nuvem de fumaça.

— Por favor, poderia informar como chego a Three Willows Farm?

Ele a fitou ainda por alguns instantes, suas vistas avermelhadas pela fumaça, semicerrando agora as pálpebras por simples especulação.

— Por acaso está procurando a sra. Naomi?

Inconscientemente, Kelsey tomou emprestado um dos olhares de sua avó, exatamente o que colocava o interlocutor definitivamente em seu devido lugar.

— Estou procurando Three Willows Farm. Creio que é por aqui.

— Oh, sim, isso mesmo — confirmou ele, sorrindo, e seu cigarro, desafiando a lei da gravidade, manteve-se no canto da boca. — Bem, é só seguir por esta estrada, digamos, por cerca de duas milhas. Então vai encontrar uma cerca, uma cerca branca. Então dobre à esquerda e pegue a Chadwick Road, e siga em frente por mais ou menos cinco milhas. Vai passar por Longshot e seguir em frente. Um pouco mais adiante vai ver um grande portão de ferro forjado com um nome inscrito nas folhas. Não há como errar. Depois disso, na primeira curva, vai ver duas pilastras de pedra, cada uma com um cavalo empinado. É Three Willows.

— Obrigada.

Ele tragou o cigarro e soltou a fumaça.

— Seu sobrenome por acaso é Chadwick?

— Não, não é. — Kelsey saiu da loja, a porta balançou atrás dela, que sentia o olhar do comerciante seguindo seus movimentos até o momento em que entrou no carro e pegou a estrada.

Compreensível, supôs. Era uma cidade pequena, e ela, uma estranha. Apesar disso, não gostou do jeito como ele a fitou.

Avistou a cerca branca e dobrou à esquerda, saindo da cidade. A distância entre as casas aumentava à medida que ela avançava, contornando as colinas ainda não abandonadas pelo cinzento do inverno nem de todo envolvidas pelo verde da primavera. Cavalos pastavam, as crinas eriçadas pela brisa. Éguas, ainda com os pêlos densos do inverno, mordiscavam ramagens de árvores, e seus filhotes cabriolavam alegremente por perto, sobre as pernas longas e roliças. Aqui e ali um pedaço de terra lavrada para o plantio da primavera, quadrados de fértil solo marrom, cortando o verde.

Kelsey reduziu a velocidade ao se aproximar de Longshot. Não era uma estrada, como supusera, mas uma fazenda. O portão de ferro, arredondado, que exibia o nome da propriedade, permitiu-lhe ver a longa curva de caminho de pedra que se estendia até a frente de uma casa de cedro e pedras no topo da colina. Encantadora, pensou ela. Imponente. Os vários pavimentos e sacadas deveriam proporcionar ampla vista deslumbrante.

O caminho era ladeado de olmos que pareciam mais velhos e tradicionais do que a casa, arrogantemente moderna, embora plantada no alto da colina com orgulho territorial.

Kelsey deteve-se ali por algum tempo. Não que estivesse particularmente interessada na arquitetura ou na paisagem, por mais atraentes que fossem. Sabia que se prosseguisse por aquela estrada, não teria mais possibilidade de volta.

Longshot *, considerou ela, era o ponto decisivo, aliás, ironicamente apropriado. Fechando os olhos, procurou acalmar-se. Tratava-se de algo que deveria ser feito fria e pragmaticamente. Não seria um encontro em que ela se lançaria, chorando, nos braços da mãe por tanto tempo ausente.

Eram desconhecidas que precisavam decidir se assim permaneceriam Não, corrigiu-se Kelsey. *Ela* iria decidir se continuariam ou não desconhecidas. Estava ali à procura de respostas, não de amor; nem mesmo de justificativas.

E não as obteria, Kelsey observou, se não seguisse em frente e fizesse as perguntas.

Nunca fora covarde; podia acrescentar isso à sua lista de vaidades, pensou Kelsey, ligando o carro novamente.

Mas percebeu que suas mãos estavam frias quando segurou o volante, quando passou por entre as duas pilastras que sustentavam os cavalos empinados, quando entrou no caminho de cascalho que conduzia à casa de sua mãe.

No verão, a casa certamente deveria receber a sombra dos três graciosos salgueiros que lhe emprestavam o nome. Agora, entretanto, seus galhos arqueados estavam apenas tocados pelo tenro verde da primavera que se aproximava. Kelsey pôde ver, por entre os galhos, as brancas colunas dóricas erguendo-se na ampla varanda, as curvas sutis da casa de três andares em estilo rural. Feminina, pensou ela, quase suntuosa, e tão graciosa e imponente quanto a época que celebrava.

Havia jardins que, ela imaginou, explodiriam em cores em poucas semanas. Podia imaginar facilmente o zumbido das abelhas e o chilreio dos pássaros, e até mesmo o inebriante perfume de glicínias e lilases.

Ergueu instintivamente o olhar em direção às janelas superiores. Em que quarto?, perguntou-se. Em que quarto se havia desenrolado a cena do crime?

Kelsey sentiu um calafrio percorrer-lhe a espinha quando parou o carro. Embora pretendesse encaminhar-se diretamente para a porta da frente e bater, encontrava-se agora dirigindo-se para um pátio lateral de pedras limitado por grandes portas corrediças envidraçadas.

De onde estava, podia ver as construções anexas da propriedade. Galpões bem cuidados, um estábulo quase tão imponente quanto a própria casa. Mais adiante, na curva das colinas, alguns cavalos pastando e o brilho do sol refletido na água.

---

* Em inglês, *long* significa longo, e *shot*, disparo. (N. doT.)

De repente, outra cena invadiu sua contemplação. Havia abelhas zumbindo e pássaros cantando. O sol estava quente e brilhava intensamente, e ela pôde sentir o cheiro de rosas, um perfume forte e doce. Alguém ria e a levantava, levantava, até que ela sentisse a forte segurança do dorso de um cavalo sob suas pernas.

Com um pequeno grito de pânico, Kelsey levou uma das mãos à boca. Ela não se lembrava daquele lugar. Não se lembrava. Aquilo era apenas o produto de sua imaginação. Só isso. Imaginação e nervos.

Mas ela podia jurar que ouvira aquela risada, de rebelde e livre sedução.

Abraçou o próprio corpo, buscando agasalhar-se, e deu um passo atrás. Precisava do casaco, pensou Kelsey. Tinha de pegar seu casaco no carro. Então, viu um homem e uma mulher contornando a lateral da casa, de braços dados.

Eles eram tão belos parados sob a nesga de luz do sol, que por um momento Kelsey pensou que os estivesse imaginando também.

O homem era alto, alguns centímetros mais do que 1,80m, e tinha a elegância que certos homens parecem trazer do berço. Seus cabelos escuros, despenteados pelo vento, encaracolavam-se sobre o colarinho de sua desbotada camisa de cambraia. Kelsey observou seus olhos, profunda e radiosamente azuis, sobressaindo no rosto sombreado por feições angulosas e momentaneamente arregalados pela provável surpresa.

— Naomi, você tem visita — disse em voz arrastada, mas não tão lenta quanto sonora, como um fino conhaque envelhecido.

Nada do que seu pai lhe dissera a preparara. Era como se olhar num espelho no futuro; um espelho tão polido, que ofuscava os olhos. Talvez Kelsey estivesse olhando para si mesma. Por um alucinado instante, receou que realmente estivesse.

— Bem. — A mão de Naomi apertou com força o braço de Gabe, uma inevitável reação de que ela não se deu conta. — Não pensei que fosse ter notícias suas tão cedo, muito menos vê-la. — Ela aprendera há muitos anos que as lágrimas são inúteis; portanto, seus olhos mantiveram-se secos enquanto observava a filha. — Íamos tomar chá. Por que não entramos?

— Aceito seu convite numa próxima ocasião — desculpou-se Gabe, mas Naomi pendurou-se em seu braço, fazendo-o de escudo ou tábua de salvação.

— Não se preocupe — Kelsey escutou a própria voz vindo de muito longe. — Não posso demorar.

— Então, vamos entrar logo, sem perder o pouco tempo que você tem.

Naomi tomou a frente, conduzindo-os pelas portas do pátio até a sala de estar tão encantadora e elegante quanto sua proprietária. Um fogo suave ardia na lareira, neutralizando o frio do final de inverno.

— Por favor, sente-se. Fique à vontade. Preciso apenas de alguns minutos para providenciar o chá. — Naomi relanceou rapidamente o olhar por Gabe e se retirou.

Ele era um homem acostumado a situações difíceis. Sentou-se, pegou um charuto e sorriu para Kelsey, tentando alcançar sua simpatia.

— Naomi está um pouco alvoroçada.

Kelsey ergueu uma sobrancelha. Aquela mulher lhe parecera tão fria quanto uma estátua de gelo.

— Está?

— É compreensível, eu diria. Você lhe provocou um grande choque. Até eu fiquei balançado. — Ele acendeu o charuto e se perguntou se o nervosismo evidente no olhar de Kelsey lhe permitiria sentar-se. — Sou Gabe Slater, um vizinho. E você é Kelsey.

— Como você sabe?

A rainha e o plebeu, pensou ele. Aquele tom de voz normalmente desafiaria um homem, principalmente um homem como Gabriel Slater. Mas ele deixou passar.

— Eu sei que Naomi tem uma filha chamada Kelsey, que ela não vê há muito tempo. E você é um pouco mais jovem para ser sua irmã gêmea. — Ele esticou as pernas e as cruzou na altura do tornozelo, exibindo despretensiosamente as botas. Ambos sabiam que ele se cansaria de ficar olhando para ela. Mas ele também sabia que não tinha a mínima pressa.

— Você agiria com muito mais dignidade se se sentasse e fingisse relaxar.

— Prefiro ficar em pé. — Ela se aproximou da lareira, desejando conseguir aquecer-se.

Gabe simplesmente deu de ombros e recostou-se. Afinal de contas, a questão não tinha nada a ver com ele. A menos que ela tentasse ofender Naomi. Não que Naomi não soubesse se defender. Jamais conhecera uma mulher mais capaz ou, na opinião dele, mais sagaz. De qualquer maneira, gostava dela demais para permitir que alguém, até mesmo a própria filha, a magoasse.

Também não lhe dizia respeito o fato de Kelsey claramente ter decidido ignorá-lo. Deu uma tragada em seu charuto e ficou observando. Os ombros empertigados e a coluna rígida não a prejudicavam, ele pensou. Um belo contraste entre os membros longos e graciosos e o cabelo elegantemente penteado.

Perguntou-se com que facilidade ela se assustaria, e se ficaria tempo suficiente para que ele mesmo pudesse testá-la.

— O chá está quase pronto. — Recuperada, Naomi voltou à sala. Cravou o olhar na filha e sorriu-lhe, formalmente. — Esta situação deve ser bastante constrangedora para você, Kelsey.

— Não é todo dia que minha mãe volta do túmulo. Era necessário que eu tivesse que acreditar que você estava morta?

— Pareceu-me que sim naquela ocasião. Eu me encontrava numa situação em que a minha sobrevivência era prioritária. — Ela se sentou, parecendo confortável em seu impecável traje de montaria castanho-escuro. — Eu não queria que você me visitasse na prisão. E, mesmo que quisesse, seu pai nunca teria concordado. Portanto, eu estaria fora de sua vida durante dez ou quinze anos.

Seu sorriso amorteceu.

— Como reagiriam os pais de seus amigos se você lhes dissesse que sua mãe estava cumprindo pena por assassinato? Duvido que você conseguisse ser popular ou feliz.

Ela parou de falar e desviou o olhar quando uma mulher de meia-idade, trajando uniforme cinza e avental branco, surgiu no corredor, empurrando um carrinho de chá.

— Essa é Gertie. Você se lembra de Kelsey, não se lembra, Gertie?

— Sim, madame — respondeu a criada, com olhos marejados. — Era quase um bebê a última vez que a vi. Você costumava me pedir biscoitos.

Kelsey nada disse; nada poderia dizer àquela mulher de olhos úmidos. Naomi pousou a mão sobre a de Gertie e a apertou gentilmente.

— Terá de fazer alguns quando ela vier aqui novamente. Obrigada, Gertie. Eu mesma sirvo.

— Sim, madame. — Ela se retirou, fungando, mas virou-se quando alcançou a soleira da porta. — Ela se parece muito com a senhora. Muito.

— Sim — disse Naomi brandamente, olhando para a filha. — Parece.

— Não me lembro dela. — Havia desafio na voz de Kelsey, quando deu dois passos em direção à mãe, e disse: — Não me lembro de você.

— Não esperava que você se lembrasse. Açúcar, limão?

— É necessário tanta civilidade? — perguntou Kelsey. — Mãe e filha conversam enquanto tomam chá. Você imaginou que eu me sentaria aqui e tomaria chá preto chinês educadamente?

— Na verdade, acho que é Earl Grey*, e, para lhe ser sincera, não sei o que imaginei. Raiva certamente. Você tem direito de estar zangada. Perguntas, acusações, ressentimentos. — Com mãos surpreendentemente firmes, Naomi passou uma xícara para Gabe. — E, para ser honesta, não creio que haja algo que você possa dizer ou fazer que não seja justificado.

— Por que você me escreveu?

Ganhando algum tempo para ordenar seus pensamentos, Naomi serviu outra xícara.

— Por vários motivos. Alguns egoístas, outros não. Esperava que você ficasse suficientemente curiosa para se encontrar comigo. Você foi uma criança curiosa, e sei que sua vida neste momento está meio sem rumo.

— Como sabe qualquer coisa sobre minha vida?

Naomi ergueu os olhos, fitando o vazio com olhar tão indecifrável quanto a fumaça de uma chaminé.

— Você pensava que eu estivesse morta, Kelsey. Mas eu sabia que você estava viva, bem viva. Eu acompanhei todos os seus passos. Mesmo na prisão, pude fazer isso.

Um acesso de cólera fez com que Kelsey avançasse, porém se conteve, refreando o ímpeto de arremessar longe a bandeja com o serviço de porcelana. Seria tão gratificante, tão gratificante. Mas também a faria parecer uma tola. Apenas isso a impediu de prosseguir.

Enquanto bebericava impassivelmente seu chá, Gabe observava seu esforço para recuperar o autocontrole. Exaltada, considerou ele. Mas suficientemente inteligente para não se deixar levar por impulsos menos dignos. Ela provavelmente era mais parecida com a mãe do que ambas poderiam imaginar.

— Você mandou alguém me espionar — disse Kelsey, com crueldade. — Contratou quem? Detetives?

— Nada tão melodramático assim. Meu pai a acompanhou enquanto pôde.

— Seu pai. — Kelsey sentou-se. — Meu avô.

— Sim. Ele morreu há cinco anos. Sua avó faleceu no ano seguinte ao que você nasceu, e eu era filha única. Você foi poupada de uma série de tios, tias e primos. Eu responderei a quaisquer perguntas que você fizer, mas gostaria muito que nos concedesse algum tempo antes de tomar uma decisão a meu respeito.

* Antiga marca registrada de um tipo de chá preto, de cheiro e sabor muito peculiares pelo óleo utilizado em seu processo de industrialização. (N. do T.)

Havia apenas uma pergunta que lhe ocorreu fazer, uma pergunta que martelava sem parar sua consciência. Então, ela perguntou, rapidamente, antes que desistisse de fazê-la.

— Você matou aquele homem? Você matou Alec Bradley?

Naomi ficou paralisada, mas logo em seguida levou a xícara aos lábios, fixando o olhar nos olhos de Kelsey por sobre a borda de porcelana. Depois pousou a xícara sem o mínimo ruído.

— Sim — disse simplesmente. — Eu o matei.

27

— Desculpe, Gabe. — Naomi estava à janela, observando a filha partir. — Foi realmente imperdoável fazê-lo participar de tudo isso.

— Conheci sua filha, só isso.

Naomi piscou lentamente os olhos, rindo, ao mesmo tempo, frouxamente.

— Você, sempre o mestre da contemporização, não é, Gabe? — Ela então se virou, ficando sob a forte luz do sol, sem se importar com a exposição das finas rugas em torno dos olhos, que lhe evidenciavam a idade. Estava muito longe disso. Muito longe. — Senti medo. Quando eu a vi, tantas coisas do passado afloraram... Algumas previsíveis, outras não. Eu não conseguiria enfrentar essa situação sozinha.

Ele se levantou e se aproximou dela, pousando-lhe as mãos nos ombros e acariciando os músculos fortes e tensos.

— Se um homem não é capaz de se sentir feliz em ajudar uma bela mulher, é melhor que ele morra.

— Você é um bom amigo. — Ela ergueu uma de suas mãos e a apoiou sobre a dele, apertando-a reconhecidamente — Um dos muito poucos para quem não preciso fingir. — Seus lábios curvaram-se para beijá-lo. — Talvez porque ambos tenhamos cumprido pena.

— Nada como a vida na prisão para ensinar a solidariedade — disse ele, erguendo os cantos da boca num breve sorriso.

— Nada como a vida na prisão. Naturalmente, nem sempre uma discussão por causa de um simples jogo de pôquer termina em assassinato, mas...

— Lá vem você de novo, tentando me sobrepujar.

Ela riu.

— Nós, os Chadwick, somos muito competitivos. — Afastando-se dele, Naomi ajeitou um vaso de tenros narcisos amarelos sobre uma mesa, empurrando-o alguns centímetros para a direita. — O que você achou dela, Gabe?

— Ela é bonita. O seu retrato.

— Pensei que estivesse preparada para isso. Meu pai tinha me falado, e havia as fotografias. Mas olhar para ela e me ver deixou-me atordoada. Eu me lembro dela criança. Eu me lembro muito bem. Agora, vendo-a crescida... — Impaciente consigo mesma, ela sacudiu a cabeça. Os anos haviam passado. Ela sabia disso mais do que ninguém. — Mas, fora isso — ela o encarou por cima do ombro —, que achou dela?

Ele não tinha certeza se poderia ou deveria explicar precisamente o que havia pensado. Ele também havia ficado atordoado e era um homem que raramente se surpreendia. Muitas mulheres bonitas haviam entrado e saído de sua vida, e vice-versa. Ele havia gostado delas, e as tinha admirado e desejado. Mas sua primeira visão de Kelsey Byden quase lhe paralisara o coração.

Analisaria esse pequeno e interessante fato mais tarde; agora Naomi aguardava sua opinião que ele sabia ser importante para ela.

— Ela estava bastante nervosa e descontrolada. Não tem o seu autocontrole.

— E espero que ela nunca precise ter — murmurou Naomi.

— Estava irritada, mas foi muito inteligente e curiosa para se segurar até avaliar a situação. Se ela fosse um cavalo, eu seria obrigado a dizer que eu precisaria conhecer-lhe a andadura para saber se teria ou não valentia, resistência ou graça. Mas o sangue indica, Naomi; sua filha tem estilo.

— Ela me amava. — Sua voz estava trêmula, mas ela não percebia. Como tampouco sentiu a primeira lágrima escorrer pela face. — É difícil explicar a alguém que não teve filhos a sensação de ser o objeto de um amor puro e totalmente desinteressado. Kelsey sentia esse tipo de amor por mim e por seu pai. Eu e Philip, entretanto, falhamos. Nós não nos amávamos o suficiente para manter essa unidade. E então eu a perdi.

Naomi removeu a lágrima com a ponta do dedo. Observou-a como se fosse um exótico espécime recém-descoberto. Ela não chorava desde a morte do pai. Não encontrava um motivo justo.

— Nunca serei amada desse jeito novamente. — Livrou-se da lágrima com um piparote e a esqueceu. — Acho que só hoje me dei conta disso.

— Acho que está tirando conclusões precipitadas, Naomi. Você não é assim. Teve apenas quinze minutos com ela hoje.

— Você observou sua fisionomia quando eu lhe disse que realmente havia assassinado Alec? — Havia um sorriso em seus lábios quando se voltou para Gabe, mas era um sorriso frio e frágil como o vidro. — Já vi essa expressão no rosto de muitas pessoas. Civilizada indignação. Pessoas decentes não cometem assassinato.

— As pessoas, decentes ou não, fazem o que precisam fazer para poder preservar a vida. — Ele tinha razões para saber isso.

— Ela não pensará assim. Pode ser muito parecida comigo fisicamente, Gabe, mas tem os princípios do pai, e, meu Deus, não há ninguém mais digno do que o sr. Philip Byden.

— Ou mais tolo, já que ele permitiu que você se separasse dele.

Ela riu novamente, um pouco mais relaxada dessa vez, e beijou-lhe a boca generosamente.

— Onde você estava há vinte e cinco anos? Brincando com as suas potrancas?

— Não me lembro de ter brincado com elas. Apostando com elas, talvez. Por falar nisso, aposto 100 por 1 que meu cavalo deixará o seu para trás no próximo Grande Prêmio, em maio.

Naomi ergueu as sobrancelhas.

— E quais são as chances de ele vencer a corrida?

— Cinqüenta por cento.

— Está apostado. Que tal irmos lá embaixo para você dar uma olhadela na minha promissora potranca antes de ir embora? Em poucos anos, deixará comendo poeira qualquer cavalo que concorra com ela.

— Que nome você lhe deu?

Os olhos dela brilharam enquanto ela abria as portas do pátio.

— *Naomi's Honour**.

Ela foi tão fria, pensou Kelsey enquanto abria a porta de seu apartamento. Naomi admitira ter cometido um assassinato tão serenamente quanto uma mulher poderia admitir que tivesse tingido os cabelos.

Que tipo de mulher era ela?

Como pôde servir chá e conversar normalmente? Tão polida, tão tranqüila, tão despreocupada. Encostada na porta, Kelsey passou as mãos sobre as têmporas, tentando acalmar uma terrível dor de cabeça. Parecia um sonho louco — a casa enorme e bonita, o lugar tranqüilo, a mulher idêntica a ela, um vigoroso homem.

* Em português, *Honra de Naomi.* (N. do T.)

O mais novo amante de Naomi? Dormiriam no mesmo quarto em que outro homem havia morrido? Ele parecia capaz disso, considerou ela. Parecia capaz de qualquer coisa.

Com um arrepio, Kelsey entrou em casa e fechou a porta.

Por que Naomi tinha escrito a carta?, perguntou-se. Nenhum arroubo de emoção, nenhuma calorosa recepção nem comovidas desculpas pelos anos perdidos. Apenas um formal convite para um chá.

E a serena e firme confissão de culpa.

Portanto, Naomi Chadwick não era hipócrita, pensou Kelsey ironicamente. Apenas criminosa.

Quando o telefone tocou, ela se virou e viu que a secretária eletrônica estava piscando. Kelsey os ignorou. Ainda dispunha de duas horas antes de ir para o museu cumprir seu turno, e não precisava nem queria falar com ninguém até chegar lá.

Agora só tinha de se convencer de que o reaparecimento da mãe não deveria alterar sua vida. Continuaria exatamente como antes — seu trabalho, suas aulas, seus amigos.

Deixou-se cair no sofá. Afinal, a quem estava tentando enganar? Seu emprego não representava mais do que um passatempo, suas aulas um vício, e seus amigos... Quase todos eles eram partilhados com Wade e, portanto, durante o processo de separação, dividiram-se em dois grupos ou simplesmente saíram de cena, protegendo-se dos traumas.

Sua vida estava um caos.

Ignorou a batida à porta.

— Kelsey — outras pancadas rápidas e impacientes. — Abra a porta ou pedirei ao síndico para abri-la para mim.

Resignada, Kelsey levantou-se e obedeceu.

— É sua avó.

Depois de oferecer o rosto para o esperado beijo, Milicent Byden entrou no apartamento. Estava, como sempre, impecavelmente vestida e penteada. Os cabelos tingidos de brilhante castanho-avermelhado estavam presos, exibindo um rosto requintado que, de relance, aparentava sessenta em vez de oitenta anos. Mantinha a silhueta à base de ginástica e dieta rigorosas. Seu conjunto Chanel, tamanho médio, era azul-claro. Tirou as luvas de pelica, que deixou casualmente sobre uma mesa e, depois, pendurou seu *vison* numa cadeira.

— Você me decepciona, enfurnando-se em casa como uma criança. — Os negros olhos amendoados da avó fixaram-se na neta enquanto ela se sentava e cruzava as pernas. — Seu pai está desesperadamente preocupado com você. Eu e ele já lhe telefonamos hoje pelo menos uma meia dúzia de vezes.

— Eu saí. E papai não tem motivos para se preocupar.

— Não? — Milicent tamborilou no braço da cadeira com as unhas pintadas. — Você o procurou ontem à noite com a notícia de que aquela mulher a procurou e depois você some e se recusa a atender ao telefone.

— Aquela mulher é minha mãe, e você e ele sabiam que ela estava viva. Acredito, vovó, que tenha considerado de mau gosto um descompasso emocional, mas eu acho perfeitamente justificável.

— Não fale comigo nesse tom. — Milicent inclinou-se para frente. — Seu pai fez tudo para protegê-la, proporcionar-lhe uma educação decente e um lar estável. E você o ataca?

— Eu o ataco? — Kelsey ergueu as mãos para cima, mesmo sabendo que o gesto lhe seria prejudicial. — Eu o enfrentei e pedi respostas. Eu exigi dele a verdade.

— E agora, que você a obteve, está satisfeita? — Milicent inclinou a cabeça para o lado. — Você estaria em melhor situação, todos nós estaríamos em melhor situação, se, para você, ela continuasse morta, mas ela sempre foi egoísta, sempre se preocupou mais com ela do que com qualquer outra pessoa.

Por razões que Kelsey nunca poderia explicar, resolveu comprar uma briga com a avó.

— E a senhora sempre a odiou?

— Eu sempre soube o que ela realmente era. Philip deixou-se cegar por sua aparência, pelo que ele considerou vivacidade e viço. E ele pagou por seu engano.

— E eu me pareço muito com ela — disse Kelsey suavemente —, o que explica por que você sempre olhou para mim como se eu fosse capaz de cometer um crime abominável a qualquer momento ou, pelo menos, uma imperdoável quebra de etiqueta.

Milicent suspirou e recostou-se. Não negaria; nem via motivos para tanto.

— Eu me preocupava, naturalmente, com o quanto ela lhe havia legado. Você é uma Byden, Kelsey, e, na maior parte de sua vida, acrescentou muitos créditos à família. Cada erro que vejo você cometer, entretanto, traz o cunho da personalidade daquela mulher.

— Prefiro admitir que eu cometo os meus próprios erros.

— Como o divórcio — disse Milicent enfastiadamente. — Wade pertence a uma boa família. Seu avô por parte de mãe é senador. O pai dele possui uma das mais prestigiosas e respeitadas agências de publicidade do Leste.

— E Wade é um adúltero.

Depois de um muxoxo de impaciência, Milicent balançou a mão, cintilando o diamante do seu anel de casamento em sua mão de viúva como gelo exposto ao sol.

— Você prefere culpá-lo, em vez de se culpar ou à mulher que o seduziu.

Kelsey sorriu, quase divertida.

— É isso mesmo. Eu o culpo. O divórcio é definitivo, vovó. Desde ontem. A senhora está perdendo o seu tempo aqui.

— E você tem a duvidosa honra de ser o segundo Byden da história da família a se divorciar. No caso de seu pai, foi inevitável. O que você fez, no entanto, foi o resultado do vício que você cultivou durante toda a sua vida: reagir impulsivamente. Mas essa é outra questão. Eu quero saber o que você pretende fazer com relação à carta.

— A senhora não acha que isso é problema meu e de minha mãe?

— Isso é uma questão familiar, Kelsey. Seu pai e eu somos a sua família. — Milicent tamborilou novamente as unhas, enquanto selecionava cuidadosamente o tom de voz e as palavras. — Philip é meu filho único. A felicidade e o bem-estar dele sempre tiveram prioridade em minha vida. Você é a filha única dele. — Com sincero afeto, ela estendeu o braço e tomou a mão de Kelsey. — Eu só quero o melhor para você.

Não havia argumentação possível. Kelsey sabia o quanto era amada, por mais irritantes que fossem os preceitos morais de sua avó.

— Eu sei. Eu não quero discutir com a senhora, vovó.

— Nem eu com você. — Satisfeita, ela acariciou a mão de Kelsey. — Você tem sido uma boa filha, Kelsey. Ninguém que conheça você e Philip pode duvidar de sua devoção. Sei que você não faria nada para magoá-lo. Acho que seria melhor que você me desse a carta, que me deixasse cuidar dessa questão para você. Você não precisa entrar em contato com ela ou se expor a esse turbilhão.

— Eu já entrei em contato com ela; fui visitá-la esta manhã.

— Você... — disse Milicent, erguendo bruscamente uma das mãos e logo a abaixando. — Você a viu? Você foi visitá-la sem conversar conosco antes?

— Eu tenho 26 anos, vovó. Naomi Chadwick é minha mãe, e eu não preciso consultar ninguém para saber se devo ou não visitá-la. Sinto muito se isso a aborrece, mas fiz o que tinha de fazer.

— O que quis fazer — corrigiu-a Milicent. — Sem pensar nas conseqüências.

— Entenda como quiser, mas são as minhas conseqüências. Achei que a senhora e papai concordariam que essa reação em mim é normal. Pode ser difícil para você, mas não consigo entender por que isso a deixa tão furiosa.

— Não estou furiosa. — Mas estava. Furiosa. — Estou preocupada. Não quero que uma tola reação emocional a influencie. Você não a conhece, Kelsey; não tem idéia de como ela é inteligente e vingativa.

— Ela tentou obter a minha custódia.

— Ela queria magoar seu pai, pois ele estava começando a ver quem ela realmente era. Você era apenas um instrumento. Ela bebia e tinha vários homens; alardeava as próprias faltas, pois tinha certeza de que sempre venceria. E acabou assassinando um homem. — Milicent inspirou profundamente. Bastava-lhe pensar em Naomi para seu coração se descontrolar. — Suponho que ela tenha tentado convencê-la de que agiu em legítima defesa. De que estava tentando preservar sua própria honra. Sua *honra*!

Incapaz de se manter sentada por mais tempo, Milicent levantou-se.

— Ah, ela era inteligente e bonita. Se as evidências contra ela não fossem tão condenatórias, ela teria conseguido convencer o júri a absolvê-la. Mas quando uma mulher recebe um homem em seu quarto a altas horas da noite, usando apenas um *peignoir* de seda, é difícil conseguir provar que foi estuprada.

— Estuprada — repetiu Kelsey, num murmúrio perplexo, que Milicent não ouviu.

— Houve quem acreditasse nela, logicamente. Sempre haverá quem acredite nesse tipo de mulher. — Com olhos rancorosos, ela arrebatou as luvas de cima da mesa e começou a batê-las de encontro à palma da mão. — Mas, por fim, eles a condenaram. Ela ficou longe da vida de Philip e da sua. Até agora. E você será tão teimosa, tão egoísta a ponto de deixá-la aproximar-se novamente? Você dará esse desgosto a seu pai?

— Isso não seria uma escolha entre ele ou ela, vovó.

— Seria exatamente isso!

— Para a senhora, não para mim. Sabe, antes de a senhora entrar aqui, eu não tinha certeza se voltaria ou não a vê-la. Agora sei que irei. Porque ela não tentou se defender. Ela não me pediu para fazer uma escolha. Vou procurá-la novamente e decidir por mim mesma.

— Sem se importar com quem possa magoar?

— Até onde posso entender, sou a única pessoa que corre o risco de se magoar.

— Você está enganada, Kelsey, perigosamente enganada. Ela corrompe as pessoas. — Com movimentos rígidos Milicent calçou as luvas, ajustando dedo por dedo. — Se você insistir em cultivar essa amizade, ela fará tudo o que puder para destruir os laços de afeição entre você e seu pai.

— Ninguém é capaz de destruí-los.

Milicent ergueu o olhar, penetrante como um punhal.

— Você não conhece Naomi Chadwick.

CAPÍTULO 3

NÃO, KELSEY NÃO CONHECIA NAOMI CHADWICK. MAS IRIA CONHECER.

Não foram vãos os anos dedicados à educação superior. Se havia algo que ela sabia fazer bem, era pesquisar. Qualquer assunto. Naomi não seria exceção.

Durante as duas semanas seguintes, ela passou a maior parte do seu tempo livre debruçada sobre os microfilmes na biblioteca pública. Sua primeira parada foi na coluna social de um jornal, que anunciava o noivado de Naomi Anne Chadwick, 21, filha de Mathew e Louise Chadwick, de Three Willows Farm, Bluemont, Virgínia, com o professor Philip James Byden, 34, filho de Andrew e Milicent Byden, Georgetown.

O casamento estava marcado para junho.

Kelsey encontrou a reportagem do casamento. Foi um choque ver o pai tão jovem, tão feliz, seus dedos, entrelaçados com os de Naomi, sobre o peito. Na lapela, um botão de rosa. Kelsey perguntou-se se teria sido branco ou amarelo.

Do lado dele, Naomi cintilava. Nem mesmo a impressão granulada do jornal diminuía-lhe o brilho. Seu rosto era inconcebivelmente jovem, deslumbrantemente belo; os lábios curvos, os olhos faiscantes antecipavam o sorriso.

Eles davam a impressão de poder enfrentar qualquer coisa juntos.

Não deveria sofrer. Kelsey disse consigo mesma que era tolice sofrer por causa de um divórcio que havia ocorrido sem que dele tivesse tomado conhecimento. Mas aqueles dois jovens a haviam gerado. E agora não representavam mais do que dolorosas lembranças um para o outro.

Fez cópias das informações que desejava e algumas anotações sobre o resto, como se fosse para um relatório. Divertida e frustrada, deparou-se com a reportagem que anunciava seu nascimento.

Pouco havia depois disso, uma ou outra pincelada sobre o comparecimento a um baile ou a uma festa de caridade. Seus pais aparentemente tinham uma vida tranqüila enquanto durou o casamento, longe do esplendor de Washington.

Depois, encontrou cobertura do processo de custódia, um artigo conciso, que havia merecido espaço no *The Washington Post* devido à posição de seu avô paterno como subsecretário do Tesouro Americano, ela imaginou. Leu os nomes das pessoas citadas — o dela, o de Naomi, o de seu pai — com total isenção. O *Post* não abalaria sua dignidade por causa de uma disputa doméstica.

Kelsey encontrou alguns artigos sobre Three Willows e corridas de cavalo. Um deles mencionava a desventura de um potro promissor que havia quebrado a perna numa corrida e teve de ser sacrificado. A reportagem mereceu uma única foto, de Naomi, o belo rosto desfigurado pelo pranto.

Então vinha o assassinato, em matérias maiores e algumas manchetes.

BRIGA DE AMANTES TERMINA EM TRAGÉDIA

ZONA RURAL DA VIRGÍNIA É PALCO DE MORTE VIOLENTA

Sua mãe foi descrita como esposa separada de um professor de inglês da Faculdade de Letras da Universidade de Georgetown e filha de um famoso criador de cavalos puros-sangues. A vítima, mencionada de forma um tanto irreverente, seria um *playboy* ligado ao submundo das corridas de cavalo.

A reportagem era clara e direta. Alex Bradley havia sido morto a tiro no quarto da casa principal de Three Willows Farm. A arma pertencia a Naomi Chadwick Byden, que havia notificado à polícia. Ela e Bradley estavam sozinhos na casa na hora do crime. A polícia estava investigando.

Os jornais da Virgínia foram um pouco mais informativos. Naomi jamais negou ter disparado o tiro fatal. Alegou, entretanto, por intermédio de seu advogado, que Bradley a atacara, e ela recorrera à arma, em legítima defesa.

Informavam ainda que, segundo se havia apurado, Naomi e Bradley tinham um relacionamento amistoso e vinham se encontrando socialmente há várias semanas. Mencionavam também, como não poderia deixar de ser, que Naomi estava envolvida em tumultuado processo de custódia da filha de três anos de idade.

Uma semana após o assassinato, havia novas manchetes:

MULHER DA VIRGÍNIA PRESA POR ASSASSINATO
Novas Provas Refutam Alegação de Legítima Defesa

Provas novas e condenatórias. Kelsey sentiu o sangue gelar-lhe nas veias ao ver a fotografia tirada por um detetive contratado pelos advogados de seu pai a fim de coletar argumentos para a batalha judicial pela sua custódia. Mais do que o relacionamento ilícito, ele preferiu registrar em seu relatório o assassinato.

Ele também prestou depoimento no tribunal. Obstinada, Kelsey prosseguiu a leitura, página por página: testemunhas que admitiram, sob juramento, que Naomi e Bradley se comportavam, em público, como amigos íntimos; que Naomi era exímia atiradora; que ela adorava festas, champanha, a corte dos homens; que ela e Bradley haviam discutido na noite do crime por ele ter flertado com outra mulher.

Chegou então a vez de Charles Rooney tomar lugar no banco das testemunhas e contar a sua história. Ele havia tirado dezenas de fotografias de Naomi, no hipódromo, na fazenda, em vários eventos sociais. Detetive particular, licenciado pelo Estado da Virgínia, seus relatórios de investigação eram cuidadosamente documentados.

As fotos traçavam o perfil de uma mulher bela e inconseqüente, que adorava emoções fortes e estava ávida por romper os laços de um cerceador casamento com um homem mais velho. E que, na noite do crime, convidou a vítima para ir até sua casa, onde ela estava só e vestindo apenas um robe.

Rooney não foi capaz de relatar o que os dois haviam conversado, mas suas fotografias e anotações diziam tudo. O casal se beijara e tomara conhaque. Em seguida, eles aparentemente discutiram, e Naomi subiu, impetuosamente, sendo seguida por Bradley.

No afã de cumprir os seus deveres, Rooney havia subido numa árvore e apontado suas lentes telefotográficas para a janela do quarto. A discussão prosseguira e se acirrara. Naomi esbofeteara o rosto de Bradley, mas, quando ele se virara para partir, Naomi pegara o revólver da gaveta da mesinha-de-cabeceira. A câmera captara o choque no rosto dele e a fúria no de Naomi enquanto disparava a arma.

Kelsey observou por longo tempo a foto e o título acima dela, que alardeava *CULPADA!* Organizada, fez mais cópias, depois desligou o equipamento e recolheu seus arquivos e anotações. Antes que a lógica pudesse interferir em sua emoção, ela procurou um telefone público e fez uma ligação.

— Three Willows.

— Naomi Chadwick, por favor.

— Quem gostaria de falar, por gentileza?

— Kelsey Byden.

Depois de um som abafado e logo suprimido, ela ouviu:

— A sra. Naomi está no estábulo. Vou transferir a ligação.

Momentos depois, escutou o ruído de alguém atendendo na extensão, e em seguida a voz de Naomi, fria como sorvete.

— Oi, Kelsey. É bom ouvir sua voz novamente.

— Eu gostaria de conversar mais com você.

— Claro. Quando você quiser.

— Agora. Devo levar cerca de uma hora para chegar aí. E preferiria que estivéssemos sozinhas dessa vez.

— Ótimo. Eu a estarei esperando.

Naomi colocou o fone de volta no gancho e enxugou as mãos úmidas nas calças *jeans*.

— Minha filha está vindo para cá, Moses.

— Foi o que imaginei. — Moses Whitetree, treinador dos cavalos de Naomi, empregado de confiança e seu amante há muito tempo, continuou a analisar seus relatórios de adestramento. Ele era meio judeu, meio Choctaw* e não ligava muito para a miscigenação. Usava os cabelos numa trança longa e grisalha, que lhe descia pelas costas, e, no pescoço, uma Estrela de Davi em prata.

Conhecia tudo o que dissesse respeito a cavalos e, com poucas exceções, gostava mais deles do que das pessoas.

— Com certeza fará perguntas.

— Sim.

— Como respondo?

Ele não ergueu os olhos e nem precisava; conhecia todas as nuances do rosto de Naomi.

— Pode tentar a verdade.

— A verdade me tem feito muito bem — disse Naomi, com ironia.

— Ela tem o seu sangue, Naomi.

Para Moses, tudo era tão simples, pensou Naomi impacientemente.

---

* Os *Choctaw*, povo nativo americano que antigamente habitava o sul do Mississípi e o sudoeste do Alabama, mas que agora ocupa apenas algumas áreas do Mississípi e do Estado de Oklahoma. (N. do T.)

— Ela é uma mulher adulta. E espero que seja uma mulher segura. Não me aceitará só porque temos o mesmo sangue, Moses. Na verdade, se isso acontecesse, eu ficaria completamente desapontada.

Ele afastou seus papéis para o lado e se levantou. Não era um homem grande; apenas poucos quilos e alguns centímetros além do necessário para realizar seu frustrado sonho de ser jóquei. Calçado com suas botas surradas, ficava na altura dos olhos de Naomi.

— Você quer que ela a ame e aceite, mas quer que ela faça isso do jeito que você quer. Você sempre quis muito, Naomi.

Com imensa ternura, ela lhe tocou uma das faces coradas pelo vento. Era-lhe impossível irritar-se com ele, o homem que a esperara, que nunca a questionara e sempre a amara.

— Como você já me disse tantas vezes. Antes de vê-la, eu não sabia que iria precisar tanto dela, Moses. Não sabia que ela era tão importante para mim.

— E você gostaria que não fosse.

— Oh, eu gostaria que não.

Isso ele entendia bem; passara a maior parte da vida desejando não amar Naomi.

— Meu povo diz que...

— Qual povo?

Ele sorriu. Ambos sabiam que ele mesmo criava metade dos seus ditados, e a outra metade ele adaptava à conveniência de seus propósitos.

— Apenas os tolos desperdiçam a oportunidade de concretizar seus desejos. Deixe-a perceber o que você é. Isso bastará.

— Moses. — Um cavalariço entrou no escritório e cumprimentou Naomi erguendo levemente o chapéu em sua direção. — Madame. Não estou gostando da maneira como *Serenity* está poupando a perna dianteira esquerda. E está um pouco inchada.

— Mas ela correu sem problemas essa manhã... — Moses franziu a testa. Ele acordara antes do alvorecer para assistir aos exercícios matinais. — Vamos dar uma olhada.

O escritório de Moses situava-se numa pequena área em frente aos estábulos. Era muito pouco espaçoso e freqüentemente cheirava a urina de cavalo, mas, mesmo assim, ele o preferia aquele ao arejado espaço que seu antecessor usara, numa construção caiada próxima dos cercados de pastagem do lado oeste.

Moses costumava dizer que, para ele, o cheiro natural dos cavalos era o mesmo que perfume francês e que não queria saber de um escritório arrumadinho longe de onde as coisas realmente aconteciam.

Na verdade, os estábulos eram quase tão reluzentes quanto um hotel de luxo e, geralmente, mais movimentados. O piso inclinado em concreto era bem conservado e mantido imaculado. Todas as baias tinham uma plaqueta esmaltada, com o nome de cada cavalo gravado em ouro, uma das vaidades do pai de Naomi, que ela decidiu conservar quando assumiu a direção da fazenda.

Havia cheiro de cavalos, de ungüentos, de feno e cereais e de couro — uma miscelânea de que Naomi sentira falta durante os anos de prisão e que jamais deixou de apreciar.

Era, para ela, o cheiro da liberdade.

À passagem de Moses, os cavalos esticavam a cabeça para fora das baias. Ele também tinha seu cheiro, que os animais reconheciam. Os tacões de suas botas podiam ressoar ligeiros na pressa dos afazeres, mas sempre havia tempo para uma rápida carícia, um murmúrio de carinho.

Os cavalariços prosseguiam seu trabalho, talvez agora com mais entusiasmo pela presença de Moses.

— Eu ia levá-la para pastar quando notei que estava mancando — disse o cavalariço, parando ao lado da baia de *Serenity*. — Então vi que estava inchada e achei que você gostaria de observar.

Moses apenas resmungou, passando a mão pelo lustroso pêlo castanho do animal. Examinou os olhos da potranca, cheirou-lhe o hálito, murmurando alguma coisa para ela enquanto descia a mão do focinho ao tórax e à perna.

Localizou a inchação, um pouco acima do machinho e verificou que a região estava quente. Quando ele apertou suavemente, *Serenity* recuou, relinchando.

— Parece que levou uma pancada.

— Reno a montou hoje de manhã — disse Naomi, lembrando-se de que o jóquei a exercitara num trajeto pela fazenda. — Procure saber se ele ainda está aqui.

— Sim, madame — disse o cavalariço já saindo.

— Ela me pareceu muito bem no exercício da manhã. — Com os olhos apertados, Naomi agachou-se ao lado de Moses e examinou a perna machucada, erguendo-a para frente e dobrando-a para trás gentilmente a fim de verificar a probabilidade de torção. — Talvez ela tenha batido com as patas traseiras nas dianteiras — murmurou ela. Notou então sangue pisado sob a pele. Provavelmente, o osso fora atingido, pensou. Se tivessem sorte, não haveria fratura. — Ela está sendo esperada para uma exibição em Saratoga na próxima semana.

— Ela deve conseguir. — Mas, no fundo, ele não acreditava; não, se dependesse daquela perna. — Podemos tratar do inchaço, mas é melhor chamar o veterinário; seria bom radiografar.

— Cuidarei disso e falarei com Reno. — Ela se levantou, passando um braço em volta do pescoço da égua. Os animais eram um investimento, um negócio, mas isso não anulava seu amor por eles. — Ela tem fibra de campeã, Moses. Não quero receber a notícia de que ela não poderá correr mais.

Menos de uma hora mais tarde, Naomi assistia tristemente ao tratamento da lesão. Depois de colocar compressas de água fria, Moses massageava a lesão com uma mistura de vinagre e água fresca. O veterinário preparava uma injeção.

— Quanto tempo até que ela possa voltar a treinar, Matt?

— Um mês. Seis semanas seria melhor — disse o veterinário, olhando para Naomi de relance. Matt Gunner tinha um rosto comprido e agradável, e olhos bondosos. — O osso foi atingido, Naomi, e há lesões nos tecidos, mas nenhuma fratura. Mantenha-a na baia, continue com a massagem e alguns exercícios leves; ela vai se recuperar.

— Andamos a galope — informou Reno. O jóquei detinha-se à entrada da baia, observando as providências. Trocara a roupa de treinamento por um de seus elegantes ternos sob medida. Mas ele era um jóquei. Não havia nada que mais o preocupasse, ou aos colegas de profissão, do que as delicadas pernas de um puro-sangue. — Não notei nenhuma alteração em sua andadura.

— Nem eu — acrescentou Naomi. — Reno diz que ela não tropeçou. Eu assisti ao treino e teria percebido. *Serenity* tem um temperamento calmo; não é do tipo que fica escoiceando na baia.

— Bem, ela sofreu uma pancada forte — disse Matt. — Se o cavalariço não tivesse percebido, teria sido muito pior. Isto vai aliviar a dor. Vamos lá, mocinha. Calma agora. — Ele enfiou a agulha na pele de *Serenity*, pouco acima da lesão. A égua revirou os olhos, resfolegou, mas não se mexeu. — Ela é forte e saudável — disse Matt. — Voltará a correr. Moses, não há nada que eu possa recomendar quanto ao tratamento dessa perna que você não saiba. Ligue para mim se a temperatura da região lesada aumentar. De qualquer forma... — ele se interrompeu, fixando um ponto atrás e acima do ombro de Naomi.

— Com licença — disse Kelsey, apertando a bolsa e uma pasta na mão. — Desculpem-me pela interrupção. Disseram-me lá em cima que eu poderia encontrá-la aqui.

— Ah. — Surpresa, Naomi passou a mão nos cabelos. — Perdi a noção do tempo. Tivemos um pequeno problema aqui. Matt, esta é minha filha, Kelsey. Kelsey Byden, Matt Gunner, meu veterinário.

Matt estendeu o braço, com a seringa ainda na mão, mas logo recuou, enrubescendo.

— Desculpe. Olá.

Apesar do nervosismo, Kelsey sorriu.

— Prazer em conhecê-lo.

— E este é Moses Whitetree — prosseguiu Naomi. — Meu treinador.

Moses apenas acenou-lhe com a cabeça, continuando a massagear a perna da égua.

— Reno Sanchez, um dos melhores jóqueis do circuito.

— *O* melhor — disse ele piscando. — Prazer em conhecê-la.

— E você — Kelsey comentou automaticamente. — Vejo que está ocupada. Posso esperar.

— Não, não há mais nada que eu possa fazer. Obrigada por ter vindo tão rapidamente, Matt. Desculpe-me se lhe atrapalhei o dia, Reno.

— Que nada. Tenho bastante tempo até a linha de chegada. — Ele olhou para Kelsey com indisfarçada admiração. — Precisa ir ao hipódromo e me ver montar.

— Tenho certeza de que vou gostar.

— Moses, voltarei mais tarde para ver como ela está. Vamos subir para a casa? — sugeriu Naomi a Kelsey, gesticulando com cuidado, com extremo cuidado, para não a tocar, e tomou-lhe a frente, conduzindo-a para fora do galpão.

— Um de seus cavalos está doente?

—Machucado, infelizmente. Teremos de mantê-lo longe das pistas durante as próximas quatro ou seis semanas.

— Que pena.

Kelsey olhou em direção a um cercado onde um potro estava sendo adestrado, induzido a marchar a meio galope e em círculos, sob o comando de uma longa guia amarrada ao pescoço. Outro, com um cavaleiro à sela, era levado por um manejador para a área de exercícios. Um cavalariço dava banho em outro, molhando o lustroso pêlo do animal com uma mangueira. Outros cavalos, em diversos pontos, trotavam em grandes e repetitivos círculos.

— É movimentado aqui — murmurou Kelsey, ciente dos olhares que se voltavam em sua direção.

— Ah, a maior parte dos trabalhos é efetuada pela manhã, mas haverá movimento hoje à tarde, quando se encerrarem as atividades do hipódromo.

— Seus cavalos correrão hoje?

— Sempre correm — respondeu Naomi, distraída. — E há sempre uma égua ou outra prestes a parir. Portanto, o que não é feito pela manhã, acaba sendo feito no meio da noite. Elas parecem escolher as altas horas da noite para ter os filhotes — informou Naomi, sorrindo.

— Acho que não tinha imaginado a amplitude de suas atividades.

— Nós nos tornamos, no decorrer dos últimos dez anos, um dos haras mais prestigiados do país. Os três últimos Grandes Prêmios serviram apenas para a exibição de um dos nossos cavalos. Foi um verdadeiro passeio. Ele venceu a corrida de St. Leger e a de Belmont. Ganhou também a Breeders' Cup por dois anos consecutivos. Uma de nossas éguas ganhou a medalha de ouro na última Olimpíada. — Naomi interrompeu os comentários com uma risada. — Não me provoque. Sou pior do que uma avó com a carteira cheia de fotografias dos netos.

— Não se incomode. Eu gosto. — Mais do que podia imaginar, pensou Kelsey. — Aliás, tive aulas de equitação quando menina. Acho que a maioria das meninas passa por essa fase de paixão por cavalos. Papai detestava, mas... — hesitou Kelsey, subitamente compreendendo por que o pai se sentira tão infeliz quando ela desenvolveu a tradicional obsessão infantil por cavalos.

— É natural — disse Naomi, esboçando um débil sorriso. — Perfeitamente compreensível. Mas, de qualquer forma, você teve aulas?

— Sim, insisti até ele me deixar freqüentar o curso. — Kelsey parou e olhou a mãe diretamente nos olhos. Pôde ver os sutis indícios de envelhecimento, que seu excessivo nervosismo não lhe permitira perceber no primeiro encontro. Finas rugas no canto externo dos olhos. Outras, de temperamento ou preocupações, marcavam sua testa alta e clara.

— Deve ter sido muito doloroso para ele ver-me, simplesmente ver-me dia após dia.

— Não, acho que não. Independente do que Philip tenha vindo a sentir por mim, ele a adorava. — Ela desviou o olhar, pois lhe pareceu mais cômodo contemplar as montanhas. Um cavalo relinchou, alta e vigorosamente, um som mais doce para Naomi do que o de qualquer ária.

— Eu ainda não lhe perguntei sobre ele. Como ele está?

— Está bem. Há sete anos é diretor da Faculdade de Língua Inglesa da Universidade de Georgetown.

— Ele é um homem brilhante. Um bom homem.

— Mas não suficientemente bom para você.

Naomi ergueu uma sobrancelha.

— Minha cara Kelsey, eu é que não fui suficientemente boa para ele. Pergunte a quem você puder. — Naomi jogou os cabelos para trás e continuou a caminhar. — Soube que ele se casou novamente.

— Sim, quando eu tinha 18 anos. Eles são muito felizes juntos. Eu tenho um meio-irmão. Chama-se Channing.

— E você gosta deles, de sua família?

— Muito.

Naomi passou pelo mesmo pátio, usou as mesmas portas pelas quais introduzira a filha pela primeira vez na casa.

— O que gostaria de tomar? Café, chá? Vinho, talvez?

— Nada. Não se incomode.

— Gostaria que você fizesse um agrado a Gertie. Ela fez biscoitos quando soube que você estava vindo. Sei que não se lembra disso, mas você significa muito para ela.

Encurralada, pensou Kelsey, pela educação e pela compaixão.

— Chá e biscoitos, então. Obrigada.

— Pedirei que ela os sirva. Sente-se, por favor.

Ela não se sentou. Preferiu ficar em pé e dar uma olhada nas coisas da mãe. A princípio, a sala lhe pareceu discretamente elegante, um mundo à parte do alvoroço e das botas sujas de estrume do estábulo. Havia um fogo brando na lareira, e as cortinas rosadas haviam sido recolhidas aos cantos da janela para receber o sol que iluminava uma dúzia ou mais de encantadores cavalos de cristal em diversas tonalidades. O tapete persa sobre o lustroso assoalho de nogueira realçava as cores das cortinas e os tons cremes do sofá.

Nenhuma ostentação. Nenhum excesso. Até que se olhasse mais atentamente. As paredes eram revestidas de chamalote no mesmo suave tom de marfim da tapeçaria. Mas os quadros, grandes e abstratos, eram explosões de cores carregadas e inquietantes. Trabalhos fortes, Kelsey pensou, inspirados em ódio e paixão. E assinados, ela notou num sobressalto, com as iniciais N. C. num vermelho-sangue.

Obras de Naomi?, perguntou-se. Ninguém lhe havia dito que sua mãe pintava. Não eram trabalhos de um amador, Kelsey considerou, mas de alguém competente, perito, instigante.

Deveriam desequilibrar a harmoniosa dignidade da sala, pensou, virando-se. Mas a humanizavam.

Havia outros indícios ao longo da sala. Uma estatueta de mulher, seu rosto de alabastro esculpido em linhas de insondável angústia, um coração de vidro verde-claro com uma fissura no meio, um pequeno pote com pedras coloridas.

— Essas pedras eram suas.

Constrangida, Kelsey repôs no pote a pedra que retinha na mão e se virou. Gertie havia chegado com o carrinho de chá e a estivera observando antes de lhe dirigir a palavra; agora sorria largamente para ela.

— Perdão?

— Você gostava muito dessas pedras coloridas. Eu guardei quando você... — Seu sorriso constrangeu-se. — Quando você foi embora.

— Ah. — Como deveria responder a isso? — Então você trabalha aqui há muito tempo.

— Estou em Three Willows Farm desde criança. Minha mãe cuidava da casa para a sra. Chadwick. Quando ela se aposentou, eu fiquei no lugar dela. Ela se mudou para a Flórida — relatou-lhe a criada. — Os de chocolate eram os seus preferidos, Kelsey.

A criada dava a impressão de poder devorar Kelsey por inteiro com o olhar. Era difícil encarar seus olhos enternecidos.

— Ainda são — Kelsey conseguiu articular.

— Sente-se, e sirva-se à vontade. A sra. Naomi está atendendo a uma ligação, mas logo estará de volta. — Transbordante de solícita alegria, Gertie serviu o chá e arrumou os biscoitos num prato. — Eu sempre soube que você voltaria. Sempre soube. A sra. Naomi não acreditava. Ela se lamentava o tempo todo. Mas eu lhe dizia: "Ela é sua filha, não é? Então ela voltará para rever a mãezinha, sim." E aqui está você.

— Sim. — Kelsey conseguiu sentar-se e aceitar o chá. — Aqui estou.

— E tão crescida. — Incapaz de conter-se, Gertie passou-lhe a mão nos cabelos. — Uma mulher adulta agora — observou ela, franzindo o rosto, já enrugado, enquanto deixava a mão cair. Em seguida, virou-se e saiu da sala apressadamente.

— Desculpe — disse Naomi ao retornar, instantes depois. — É um momento muito emocionante para Gertie. Você provavelmente deve ter ficado constrangida.

— Não, tudo bem. — Kelsey provou o chá. Dessa vez, chá preto chinês, notou ela, esboçando um pequeno sorriso. Compreendendo-lhe o gesto, Naomi riu.

— Não resisti ao humor — disse ela, servindo-se; depois, sentou-se. — Não estava segura de que você voltaria.

— Nem eu. Não sabia se voltaria ou não, pelo menos tão cedo, se vovó não tivesse me proibido.

— Ah, Milicent. — Tentando relaxar, Naomi esticou as longas pernas. — Ela sempre me detestou. Bem — acrescentou dando de ombros — era mútuo. Você conseguiu satisfazer-lhe os altos padrões?

— Não inteiramente — respondeu Kelsey; um sorriso brotou em seus lábios e logo se retraiu. Pareceu-lhe desleal falar sobre a avó.

— Honra familiar — disse Naomi, acenando positivamente com a cabeça. — Você está absolutamente certa. Não devo estimulá-la a criticar Milicent. Além disso, não sou eu quem deveria estar fazendo perguntas.

— Como isso pode ser tão fácil para você? — Kelsey depôs a xícara na mesinha de centro, com um tinido de porcelana contra porcelana. — Como você consegue sentar-se aí tão calmamente?

— Quando eu estava na prisão, aprendi muito bem a aceitar tudo o que aparecesse. Você tem as rédeas na mão, Kelsey. Tive bastante tempo para meditar e, antes de entrar em contato com você, prometi a mim mesma que aceitaria o que viesse a acontecer.

— Por que esperou tanto tempo? Você saiu da prisão já faz...

— Doze anos, oito meses, dez dias. Ex-condenados são mais obcecados do que ex-fumantes, e sou as duas coisas. — Sorriu novamente. — Mas isso não responde à sua pergunta. Pensei em entrar em contato com você no dia em que saí da prisão. Cheguei até mesmo a ir à sua escola. Durante uma semana, fiquei sentada no carro do outro lado da rua, observando-a no pátio do recreio. Observava você e as outras meninas admirando os meninos e fingindo que nem os notavam. Numa dessas ocasiões, saí do carro e comecei a atravessar a rua. Mas me perguntava se você sentiria o cheiro da prisão em mim. Eu ainda podia senti-lo.

Naomi desencostou-se do sofá e escolheu um biscoito.

— Então, voltei para o carro e fui embora. Você estava feliz, segura, não sabia que eu existia. Então, meu pai adoeceu. Os anos passaram, Kelsey. Toda vez que eu pensava em pegar o telefone ou escrever-lhe uma carta, ou simplesmente reaparecer em sua vida, tinha a sensação de que iria fazer algo errado.

— E por que agora não?

— Porque me pareceu correto. Você não está tão feliz, tão segura, e pensei que seria o momento de tomar conhecimento de minha existência. Seu casamento acabou, você está numa encruzilhada. Talvez você pense que não posso entender como se sente, mas posso.

— Você sabe sobre Wade?

— Sim. E sobre o seu emprego, sua carreira acadêmica. Você tem a sorte de ter herdado a inteligência de seu pai. Eu sempre fui uma aluna medíocre. Se você não quiser os biscoitos, guarde alguns na bolsa, está bem? Gertie pensará que você os comeu.

Com um suspiro, Kelsey pegou um e o mordiscou.

— Não sei o que pensar sobre tudo isso. Não sei o que pensar sobre você.

— A realidade raramente se assemelha àqueles grandiosos e emocionantes reencontros de *Oprah** — Naomi comentou. — A mãe longamente ausente finalmente se reencontrando com a filha. Tudo é perdoado. Não peço que tudo me seja perdoado, Kelsey. Mas espero que você me dê uma chance.

Kelsey estendeu a mão para pegar a pasta ao seu lado, no sofá.

— Estive fazendo alguns levantamentos.

O inferno, pensou Naomi, e pegou outro biscoito.

— Imaginei que fosse fazer isso. Artigos de jornal sobre o julgamento?

— Entre outras coisas.

— Eu poderia conseguir-lhe uma transcrição.

Os dedos de Kelsey tremeram sobre a pasta.

— Uma transcrição?

— Se estivesse em seu lugar, eu iria querer. É domínio público, Kelsey. Se eu tivesse algo a esconder, não teria como.

— Quando vim aqui a primeira vez, perguntei se era culpada e você disse que sim.

— Você perguntou se eu havia matado Alec, e eu disse que sim.

— Por que não me disse que havia alegado ter agido em legítima defesa?

— Que diferença isso teria feito? Eu fui condenada. Paguei minha dívida com a sociedade, e estou, de acordo com o sistema, reabilitada.

— Foi mentira, então? Apenas uma manobra legal você ter dito que havia atirado nele para se defender de um estupro?

---

* *Talk show* de TV, comandado por Oprah Winfrey.

— O júri achou que sim.

— Estou perguntando a você — disse Kelsey bruscamente, exasperando-se. — Um simples sim ou não.

— Tirar uma vida não é coisa simples, quaisquer que sejam as circunstâncias.

— E quais eram as circunstâncias? Você o deixou entrar em sua casa, em seu quarto.

— Eu o deixei entrar em minha casa — refutou Naomi, serenamente. — Mas ele entrou no meu quarto.

— Ele era seu amante?

— Não, não era. — Com as mãos gelidamente calmas, Naomi serviu-se um pouco de chá. — Poderia ter sido, mas não dormi com ele. — Seus olhos buscaram os da filha. — O júri não acreditou nisso também. Eu me sentia atraída por ele. Achava-o um louco encantador, inofensivo, divertido.

— Você brigou com ele por causa de outra mulher.

— Sou possessiva — disse Naomi, sorridente e despreocupada. — Todos sabiam que ele estava loucamente apaixonado por mim — o que para mim significava que eu podia flertar, mas ele não. E porque ele estava começando a me enfastiar e a me importunar, decidi terminar nosso relacionamento. Alec não concordou, e tivemos uma discussão, em público; logo depois, outra, em particular. Ele estava furioso. Xingou-me e tentou algumas grosserias. Eu não me ofendi, mas exigi que ele fosse embora.

Apesar de se esforçar por se manter calma, Naomi não pôde evitar que a voz tremesse.

— Mas ele me seguiu até o quarto e continuou a me xingar e a fazer grosserias piores. Aparentemente, decidira mostrar-me o que eu estivera perdendo forçando-me a deitar com ele. Eu estava irada, e com medo. Nós lutamos, e compreendi que ele iria fazer exatamente o que ameaçara. Consegui desvencilhar-me dele, e peguei a arma. E atirei nele.

Sem dizer nada, Kelsey abriu a pasta e retirou a cópia da foto do jornal. Quando Naomi a pegou, apenas um leve espasmo num dos lados da boca traiu alguma emoção.

— Nada muito lisonjeiro para qualquer um de nós dois, não é? Mas não sabíamos que tínhamos platéia.

— Ele não está tocando você. As mãos dele estão levantadas.

— Sim. Acho que só estando lá. — Ela devolveu a foto. — Não estou pedindo que acredite em mim, Kelsey. Por que você deveria? Quaisquer que tenham sido as circunstâncias, não estou isenta de culpa. Mas eu paguei. A sociedade me deu uma nova chance. Isso é tudo que estou pedindo para você fazer também.

— Por que você me deixou pensar que estava morta? Por que permitiu isso?

— Porque eu mesma me considerava morta. Uma parte de mim estava. E, apesar de meus crimes, eu a amava. Não queria que você crescesse sabendo que eu estava na prisão. Eu não teria sobrevivido àqueles dez anos pensando nisso. E eu precisava sobreviver.

Havia outras perguntas, dezenas delas giravam na cabeça de Kelsey, como abelhas. Mas ela achava que não poderia suportar ouvir-lhe as respostas.

— Eu não a conheço — disse ela, afinal. — Não sei se algum dia sentirei algo por você.

— Seu pai deve ter-lhe ensinado o que é obrigação moral. Milicent, com certeza, lhe ensinou. Vou apelar para seu senso moral e pedir-lhe para vir para cá, para ficar aqui durante algumas semanas. Um mês.

Kelsey ficou completamente surpresa durante alguns instantes.

— Você quer que eu more aqui? — conseguiu finalmente dizer.

— Apenas uma visita prolongada. Umas poucas semanas de sua vida, Kelsey, pela vida inteira que eu perdi. — Ela não queria implorar. Deus do céu, ela não queria implorar, mas iria se não tivesse escolha. — É egoísmo de minha parte, e não muito justo, mas eu quero essa chance.

— Isso é pedir demais.

— Sim, é. Mas, de qualquer forma, estou pedindo. Sou sua mãe. Você não tem como evitar isso. Você tem o direito de me evitar se é isso o que você quer, mas ainda continuarei sendo sua mãe. Teremos tempo para avaliar se há algo entre nós. Se não houver, você partirá. Aposto que você não irá. — Naomi inclinou-se para frente. — De que você é feita, Kelsey? Há Chadwick em suas veias para fazê-la aceitar um desafio?

Kelsey ergueu o queixo. Era um risco. Talvez ela precisasse que fosse assim em vez de um convite.

— Não prometo um mês. Mas virei — respondeu, pasma ao ver os lábios de Naomi tremerem antes de voltarem a exibir o sorriso firme e suave.

— Ótimo. Se eu não conseguir enfeitiçá-la, Three Willows conseguirá. Veremos o quanto você aprendeu nas aulas de equitação.

— Não caio facilmente.

— Nem eu.

CAPÍTULO 4

JANTAR EM FAMÍLIA ERA UMA SITUAÇÃO CIVILIZADA. EXCELENTE COMIDA servida com dignidade, como nos jantares de despedida, pensou Kelsey enquanto tomava a sopa de alho-poró. Ela não queria considerar a noite na casa do pai obrigação, ou pior, julgamento, mas sabia que era exatamente um e outro.

Philip conversava generalidades, mas seu sorriso era forçado. Desde que Kelsey lhe falara sobre a visita que faria a Three Willows, ele não conseguia pensar senão no passado. Parecia-lhe de certa forma desleal com Candace que sua mente se ocupasse inteiramente com a primeira mulher, passando as noites insone e perturbado por lembranças dela. Por mais que se assegurasse de que era insensatez, tolice, e até mesmo fantasia, não conseguia livrar-se do medo de perder a criança por cuja guarda tanto lutara.

Uma mulher agora. Bastava-lhe olhar para ela para lembrar-se disso. Como também bastava fechar os olhos para se lembrar da menina. E da culpa.

Milicent esperou até que a galinha assada fosse servida. Normalmente, detestava discutir assuntos desagradáveis durante as refeições. Mas percebeu que daquela vez não havia alternativa.

— Soube que você partirá amanhã.

— Sim. — Kelsey tomou um gole de água e observou a fina fatia de limão afundar e flutuar. — Pela manhã.

— E seu emprego?

— Pedi demissão. — Kelsey ergueu uma sobrancelha em sinal de desafio e menosprezo. — Na verdade, não passava de trabalho voluntário. Posso conseguir alguma coisa no Smithsonian quando eu voltar.

— Talvez seja difícil conseguir algo com o seu currículo de idas e vindas.

— Talvez.

— A Historical Society está sempre precisando de alguém — interpôs Candace. — Tenho certeza de que eu seria um pistolão para você.

— Obrigada, Candace. — Sempre mediadora, pensou Kelsey. — Pensarei a respeito.

— Cuidado para não pegar a febre das corridas — disse Channing a Kelsey, piscando o olho. — Compre um reprodutor e participe dos rodeios.

— Além de insensato, isso seria inaceitável — disse Milicent, tocando repetida e delicadamente os lábios com a borda do guardanapo. — Essas coisas podem parecer românticas e excitantes na sua idade, Channing, mas Kelsey é suficientemente madura para escolher melhor.

— Acho uma curtição andar pelos estábulos, ir ao hipódromo, apostar — disse ele, dando de ombros e atacando a comida. — Não seria nada mau passar umas semanas no campo.

— Você pode ir visitar-me. Será divertido.

— Isso é tudo em que você pode pensar? — Fumegante, Milicent depôs o garfo no prato com um tinido. — Divertido? Você não consegue imaginar o que isso está causando a seu pai?

— Mãe...

Milicent neutralizou a objeção de Philip com um impaciente aceno de mão.

— Depois de todas as dores e de toda a infelicidade por que passamos, basta aquela mulher estalar os dedos para que Kelsey saia correndo para ela. É espantoso.

— Ela não estalou os dedos. — Sob a toalha, Kelsey cerrou os punhos. Seria fácil demais fazer uma cena, pensou. — Ela convidou, e eu aceitei. Sinto muito se isso o magoa, papai.

— Minha preocupação é com você, Kelsey.

— Estive pensando... — Candace tomou a palavra, na esperança de deter Milicent e salvar parte da noite. — É realmente necessário que você fique lá? Afinal de contas, o lugar fica a mais ou menos uma hora de carro daqui. Você poderia ir aos poucos, ficando lá um fim de semana ou outro. — Olhou para Philip, a fim de avaliar sua reação, e em seguida sorriu sugestivamente para Kelsey. — Seria mais sensato.

— Se ela fosse sensata, nunca teria ido lá.

Kelsey controlou um suspiro ao comentário da avó e recostou-se.

— Eu não assinei um contrato; posso voltar quando bem entender. E eu quero ir. — E, virando-se para o pai, acrescentou: — Quero descobrir quem ela é.

— Acho muito natural. — disse Channing, saboreando um naco de galinha. — Se eu descobrisse que minha mãe morta estava viva e que tinha cumprido pena, era isso mesmo que eu faria. Você perguntou a ela como é dentro da prisão? Sou louco por filmes de mulheres presidiárias.

— Channing — murmurou Candace, horrorizada. — Você precisa ser tão grosseiro?

— É apenas curiosidade — ele continuou, espetando uma batata pri-

morosamente corada. — Aposto como a comida é horrível.

Encantada com ele, Kelsey soltou uma risada.

— Pode deixar que eu vou perguntar a ela. Meu Deus, será que Channing e eu somos os únicos aqui que não encaram a questão como um dramalhão? Vocês deveriam estar aliviados por eu não ter tido de procurar um terapeuta para resolver meus traumas, nem ter decidido afogar uma possível tristeza na bebida. Sou eu quem deve fazer adaptações aqui e estou tentando fazer o melhor que posso.

— Você está pensando apenas em você — disse Milicent por entre os dentes.

— Sim, estou. Estou pensando em mim. — Paciência tem limite, pensou Kelsey e se retirou da mesa. — Talvez lhe interesse saber que ela só disse coisas boas a seu respeito — revelou ao pai. — Não existe nenhum plano insidioso para me colocar contra você. Nada poderia me colocar contra você. — Ela caminhou até ele, e se curvou para beijar-lhe o rosto. — Obrigada pelo jantar, Candace. Preciso voltar para casa e acabar de arrumar as malas. Channing, se você tiver um fim de semana livre, telefone para mim. Boa noite, vovó.

Kelsey retirou-se rapidamente. Assim que fechou a porta, respirou profundamente. O ar tinha o sabor de liberdade, pensou. Que pretendia aproveitar.

De manhã, Gertie veio receber Kelsey à porta.

— Você chegou. — A criada pegou as malas de Kelsey antes que ela pudesse impedir. — A sra. Naomi está nos estábulos. Como não sabia a hora certa de sua chegada, pediu-me que eu a chamasse assim que você chegasse.

— Não a incomode. Tenho certeza de que está ocupada. Deixe-me levar isso. Está pesado.

— Sou forte como um touro — disse Gertie, recuando um ou dois passos e exibindo-lhe o generoso sorriso. — Vou mostrar-lhe onde fica o seu quarto. Você só precisa trazer você mesma.

Gertie podia ser pequena e franzina, mas subiu as escadas com facilidade e sem parar de falar.

— Está tudo pronto. É bom ter o que fazer novamente. A sra. Naomi quase não me dá trabalho. Raramente precisa de mim.

— Tenho certeza de que não é verdade.

— Bem, como companhia é diferente. Mas ela come como um passarinho e cuida das coisas ela mesma, antes que eu pense em cuidar. — Gertie seguiu por um largo corredor, forrado com um tapete de rosas esbatidas. — Às vezes, ela recebe hóspedes, mas não mais como antigamente. Costumava haver muitas festas e muitas pessoas por aqui.

Ela cruzou a soleira da porta de um dos quartos e depôs ambas as malas sobre uma elegante cama de dossel.

O quarto estava iluminado pela luz do sol, que entrava pela sacada voltada para as montanhas e pelas janelas altas e estreitas, de onde se avistava o jardim. Cores vivas e arranjos florais conferiam ao quarto um elegante ar europeu.

— É encantador — disse Kelsey, dando alguns passos até o toucador de cerejeira, onde havia tulipas num vaso de cristal alto e estreito. — É como dormir num jardim.

— Este era o seu quarto. Claro que era decorado de forma diferente, todo rosa e branco, como uma bengala de confeito — disse Gertie, mas logo em seguida mordeu os lábios, ao ver a surpresa estampada nos olhos de Kelsey. — A sra. Naomi disse que se você não gostasse dele, poderia ficar no quarto em frente.

— Este está ótimo. — Questionou-se por um momento se seria bombardeada por alguma recordação sensorial. Mas tudo que sentiu foi um surto de curiosidade.

— Seu banheiro é aqui. — Ávida por agradar, Gertie abriu uma porta. — Se precisar de mais toalhas, basta pedir. Ou qualquer outra coisa, qualquer outra coisa mesmo. Vou chamar a sra. Naomi.

— Não, não vá. — Uma impulsiva Kelsey afastou-se das malas. — Vou descer. Posso desfazer as malas mais tarde.

—Não se preocupe. Eu farei isso para você. Desça e divirta-se; mais tarde você almoça. É melhor abotoar sua jaqueta. Está frio lá fora.

Kelsey lutou contra um sorriso.

— Está bem. Estarei de volta para o almoço.

— Faça sua mãe vir também. Ela precisa comer.

— Falarei com ela. — Kelsey deixou Gertie no quarto, feliz, abrindo as malas.

Era tentador dar uma volta pela casa, explorando quartos e corredores. Mas isso podia esperar. O dia, apesar do frio de fim de inverno, estava esplendorosamente ensolarado. E promissor, ela desejou enquanto saía da casa.

Não iria começar a visita perseguindo fantasmas, embora, naturalmente, mais tarde, isso tivesse que ser feito. Até porque era reconfortante um dia livre de preocupações no campo, o ar impregnado do perfume das flores ainda em botão e da grama renovada, a montanha, os cavalos, o céu. Seria, pelo menos naquele momento, como férias de curta duração. Até pouco antes de ter começado a arrumar as malas, não se dera conta do quanto precisava sair do confinamento de seu apartamento, afastar-se do pseudo-emprego e da entediante rotina de reaprender a ser solteira.

E aqui, pensou enquanto sentia, afinal, o forte cheiro de cavalo, há com certeza algo mais a ser aprendido. Desconhecia o mundo das corridas e seus personagens. Iria, portanto, pesquisar e descobrir. Imaginava que, quanto mais descobrisse, mais e melhor entenderia a mãe.

Como da outra vez, o estábulo estava intensamente movimentado, cavalos sendo conduzidos para o local de seus exercícios diários ou sendo lavados, homens e mulheres carregando selas ou empurrando carrinhos de mão. Kelsey ignorou os olhares, disfarçados ou diretos, e entrou.

Um cavalariço colocava uma bandagem na perna de uma égua na primeira baia. Kelsey hesitou quando os olhos dele a fitaram; à sombra da pala do boné, seu rosto era incrivelmente envelhecido, engelhado como couro abandonado ao sol.

— Com licença, estou procurando a sra. Chadwick.

— Como você cresceu, hein? — O homem deslocou o naco de fumo para o canto da boca. — Soube que você estava vindo. Vamos lá, doçura. Fique calma.

Kelsey levou algum tempo para perceber que as últimas frases eram dirigidas à égua e não a ela.

— Há algo de errado com ela? — perguntou Kelsey. — Com a égua?

— Apenas uma pequena torcedura. Já está velha, mas ainda gosta de correr. Lembra-se daqueles dias, não é, garota? Ela venceu sua primeira e sua última corrida, além de muitas entre uma e outra. Vinte e cinco anos tem ela. Era uma jovem, lépida potranca a última vez que você a viu. — Seu sorriso, quase sem dentes, alegrou-lhe o rosto. — Não deve se lembrar dela; e nem de mim. Sou Boggs. Eu a coloquei no dorso do seu primeiro pônei. Esqueceu como se monta, não é?

— Não. Sei montar — disse Kelsey, estendendo a mão para acariciar o focinho da velha égua. — Como ela se chama?

— *Queen Vanity Fair*. Eu a chamo simplesmente de *Queenie*.

A égua relinchou, seus doces olhos castanhos profundamente cravados nos de Kelsey.

— Está velha demais para correr agora — murmurou Kelsey.

— Ou para procriar. *Queenie* está se aposentando, mas ela continua achando que ainda é uma garota e fica esperando. Se eu trouxer uma sela, ela ergue as orelhas imediatamente.

— Então ela ainda pode ser montada?

— Pelo cavaleiro certo. Sua mãe está no barracão de procriação, lá atrás, à esquerda. Hoje temos muita atividade.

— Ah. Obrigada...

— Boggs. Seja bem-vinda ao lar. — Ele se virou, voltando a ocupar as enrugadas e calejadas mãos, correndo-as carinhosamente sobre a perna da égua. — Melhor usar botas por aqui da próxima vez.

— Sim. — Sem se constranger, Kelsey olhou para os seus delicados sapatos rasos italianos. — Você tem razão.

Ela atravessou o estábulo, dando uma olhada por sobre o ombro antes de parar na baia de *Serenity*. Foi recompensada com bufos de boas-vindas e com o avanço de um focinho requisitando carícias.

Ao sair, não precisou das orientações de Boggs. Havia movimento suficiente no anexo da esquerda para guiá-la.

Ela reconheceu Gabe e por um instante ficou dividida entre quem considerar mais majestoso: ele ou o garanhão castanho cujo empino Gabe tentava controlar. Ele se mantinha próximo à cabeça do animal, botas cravadas, músculos retesados, rédeas reprimidas, enquanto o cavalo tremia e relinchava.

Com os cabelos ao vento, Gabe jogou a cabeça para trás e riu.

— Está ansiosa? Não me surpreendo. Nada como uma bela fêmea pronta para a cópula para fazer o sangue correr nas veias. Bom dia, Kelsey. — Ele continuou tentando controlar o garanhão, sem olhar para trás. Sabia que ela estava ali. Tinha quase certeza de lhe haver sentido o cheiro, como o garanhão havia sentido o da égua. — Você chegou bem a tempo para o melhor do espetáculo. Não está assustada, está?

— Não, não estou.

— Ótimo. Naomi está lá dentro com a égua. Longshot e Three Willows estão prestes produzir um campeão.

Kelsey passeou os olhos pelo cavalo. Manejadores posicionavam-se em torno dele, ajudando Gabe a impedir que o animal investisse contra o barracão onde a égua se encontrava. Era magnífico, o pêlo reluzente de suor, os olhos fogosos, os músculos tensos.

— Você vai soltá-lo sobre a pobre égua desprevenida?

Gabe sorriu.

— Ela me será grata, acredite.

— Ela vai ficar apavorada — discordou Kelsey, entrando no barracão. Viu a mãe e Moses acalmando a égua, que parecia tão ávida por consumar as coisas quanto o garanhão. Ela também era castanha, tão imponente quanto seu pretendente. Embora estivesse maneada e protegida no pescoço por uma grossa jaqueta de couro e lona, ela parecia altiva e valente.

— Kelsey. — Coberta de suor e sujeita, Naomi passou o dorso da mão na testa. — Pedi que Gertie me avisasse quando você chegasse.

— Eu disse a ela para não se incomodar. Estou atrapalhando?

— Não... — respondeu Naomi, olhando hesitantemente para Moses. — Mas as coisas aqui vão ficar agitadas. E bem evidentes.

— Sei alguma coisa sobre sexo — disse Kelsey secamente.

— Fique aqui — interpôs Moses — e você aprenderá mais um pouco. Ela está pronta — disse para um dos manejadores.

— Procure manter-se longe do caminho — Naomi orientou a filha. — Isso não é tão simples quanto uma hora no motel.

Ela podia sentir o cheiro de sexo; quando Gabe e os manejadores trouxeram o garanhão para dentro, o ar do barracão impregnou-se completamente. Forte, penetrante, iniludível. A égua relinchou, em protesto ou boas-vindas, e o garanhão respondeu com um som que fez com que o estômago de Kelsey se contraísse.

Ordens eram dadas; os movimentos eram rápidos. Numa poderosa investida, o garanhão empinou e montou a égua. De olhos arregalados, Kelsey observava Moses intervir tecnicamente na cópula. Sua respiração estancou ao compreender a necessidade da cobertura no pescoço da égua. Sem ela, o garanhão teria arrancado pedaços de sua carne com violentas mordidas, enquanto lançava impetuosamente seu corpo contra o da égua, em frenética necessidade, de alguma forma, quase humana.

Ele a cobriu, dominador, exigente. Ela aceitava, os olhos revirando-se no que Kelsey acreditou ser certamente prazer.

Quase sem se dar conta, ela se aproximou deles, fascinada pelo apaixonado arrebatamento do acasalamento. Seu próprio coração estava descompassado, seu sangue, quente. A dor penetrante e intensa da excitação a atordoava.

Percebeu-se olhando para Gabe. O suor escorria pelas faces dele. Seus músculos retesavam-se sob a camisa. E seus olhos estavam nos dela. Era chocante perceber sua primitiva e inesperada reação refletida nos olhos dele. Desconcertante a visão de ser, como a égua, dominada, feroz, violenta e temerariamente.

Ele sorriu, um lento movimento dos lábios, tão arrogante quanto sedutor. Sorriu, ela considerou, como se ele soubesse exatamente em que ela estava pensando. Como se pretendesse que ela pensasse aquilo.

— Incrível, não é? — disse Naomi, pondo-se ao lado da filha. Aquela fora a terceira égua que eles tinham acasalado naquela manhã, e o corpo de Naomi doía pelo esforço. — Centenas de quilos perdidos na satisfação de uma das necessidades mais elementares.

— Isso — Kelsey pigarreou. — Isso a machuca?

— Duvido que ela perceba se machuca — respondeu Naomi, retirando uma bandana azul do bolso traseiro para enxugar o pescoço suado. — Alguns garanhões cobrem de forma bem gentil, como um amante tímido ou de longa data — disse ela, lançando um malicioso sorriso na direção dos ofegantes cavalos. — Não existe um milímetro de timidez naquele corpo. Ele é uma fera. E qual é a fêmea que não quer ter uma fera uma vez ou outra na vida? — concluiu, olhando para Moses num relance.

O intelecto, pensou Kelsey enquanto seu pulso disparava. Seria melhor ou, pelo menos, mais confortável explorar outra tática.

— Como você escolhe o garanhão para cada égua?

— Por descendência, temperamento, tendências e até cor. Compomos quadros genéticos. E depois cruzamos os dedos. Deus, sei que é um clichê, mas eu preciso de um cigarro. Vamos tomar um pouco de ar. As coisas por aqui estão quase terminando.

Naomi tirou um pedaço de goma de mascar do bolso enquanto saíam do barracão.

— Quer?

— Não, obrigada.

— Um precário substituto do tabaco. — Ela suspirou enquanto levava a goma à boca. — Mas a maioria dos substitutos é precária. — Pendendo a cabeça para o lado, observou a filha mais detidamente. — Você parece cansada, Kelsey. Dormiu mal a noite passada?

— Um pouco.

Naomi suspirou novamente. Sua filha já fora tão aberta com ela, uma tagarela, sempre com novidades e perguntas a fazer. Mas aqueles dias, como muitos outros, haviam passado. — Se você não quiser falar sobre isso, não há problema, mas eu gostaria de saber se Philip é contra esta visita.

— Acho que seria mais apropriado dizer que ele está magoado com a minha decisão de aceitar seu convite.

— Entendo. — Naomi olhou para o chão, e gesticulou positivamente com a cabeça. — Eu ia dizer a você que estava pensando em conversar com ele, tentar tranqüilizá-lo, mas acho que isso só pioraria as coisas.

— Com certeza.

— Está bem, então. Ele ficará apreensivo por algumas semanas. — Seu olhar estava endurecido quando voltou a erguê-lo. Droga, ela merecia um único mês com a filha, depois de tantos anos. — Ele sobreviverá. Não posso ficar morta, só porque algumas pessoas gostariam que eu estivesse. — Lançou um olhar em direção a Gabe enquanto ele conduzia o garanhão para fora do barracão. Um sorriso brotou em seu rosto, suavizando-lhe novamente a expressão — E, então? Acha que teremos um novo garanhão?

— Se não tivermos, não será por falta de tentar. — Ele bateu carinhosamente no pescoço do animal antes de passar as rédeas para o manejador. — O primeiro de muitos, espero. Bem, Kelsey, foi uma boa iniciação na vida de um haras. Se ficar aqui até o começo do próximo ano, verá o resultado dessa função.

— É uma definição interessante do que aconteceu. Ela não teve muita escolha — disse Naomi.

— Nem ele. — Sorrindo, Gabe pegou um charuto. — Esse tipo de atração primitiva não permite escolha. Moses me informará se será necessário ou não repetir o encontro — disse ele a Naomi — mas tenho o pressentimento de que não.

— Confio no seu pressentimento. Só um minuto. Quero ver como ela está — disse Naomi.

Kelsey voltou seu olhar para onde o garanhão estava sendo refrescado.

— Você não deveria estar lá, trocando bravatas e dividindo o charuto com ele?

— Eu parei de contar bravatas sobre minha vida sexual quando fazia o segundo grau. Eu a deixo nervosa, Kelsey, ou é apenas o ambiente?

— Nem um, nem outro. — Ele lhe causava de fato certa comoção, pensou Kelsey, mas isso era problema dela. — Então você é dono da fazenda vizinha.

— Isso mesmo.

— Observei sua casa da estrada; é um pouco menos tradicional do que as outras da região.

— Eu também. O imponente Cape Cod* que havia no topo da colina quando a fazenda passou para minhas mãos não combinava comigo; por isso eu o demoli. — Soltou uma baforada de fumaça. — Você precisa ir lá para conhecer.

— Eu gostaria, mas vou concentrar minhas andanças por aqui; quero conhecer Three Willows primeiro.

— Você não encontrará melhor administração na costa leste. À exceção da minha. — Uma risada zombeteira fez com que ele se virasse e sorrisse para Moses. — Naturalmente, eu teria a melhor do país se conseguisse persuadir Whitetree a vir trabalhar comigo. Pelo dobro do que Naomi lhe paga, Moses.

— Guarde seu dinheiro, garoto. Compre uma roupa bonita com ele — ironizou Moses enquanto entregava a égua para um cavalariço banhá-la. — Empresários como você não se criam.

— Foi o que você disse há cinco anos.

— É o que eu digo agora. Dê-me um charuto.

— Você é um homem de fibra, Whitetree. — Gabe entregou-lhe o charuto.

— Talvez. — Moses enfiou o charuto no bolso, guardando-o para mais tarde. — Aquele seu cavalariço de nariz quebrado... senti cheiro de gim no hálito dele...

O sorriso fácil de Gabe esvaiu-se-lhe do rosto, suas pálpebras cerraram-se.

— Vou tomar providências.

— Diga ao seu treinador para *ele* tomar providências — sugeriu Moses. — É obrigação dele.

— Sim, mas os cavalos são meus — retrucou Gabe. — Com licença. — Gabe dirigiu-se ao reboque em que o garanhão ia ser transportado de volta para sua fazenda.

— Esse aí nunca vai aprender — murmurou Moses.

---

* *Cape Cod* — Um tipo de chalé desenvolvido principalmente em Cape Cod, Massachusetts, EUA, no séc. 18 e começo do séc. 19. É tipicamente um chalé de madeira com um único pavimento, encimado por um telhado de duas águas cuja altura da cumeeira é idêntica à largura de cada uma destas. (N. do T.)

— Não existe equipe de comando quando se trata de Gabe — disse Naomi, abanando a cabeça enquanto o observava abordar o cavalariço. — Você deveria ter falado com o treinador dele, Moses.

— E Jamison não deveria precisar de que eu lhe dissesse o que acontece debaixo do nariz dele.

— Vocês se importariam de me dizer o que está acontecendo? — disse Kelsey erguendo uma das mãos.

— Gabe está demitindo um de seus cavalariços — esclareceu Naomi.

— Assim, sem mais nem menos?

— Não se bebe quando se está trabalhando — ponderou Moses, assobiando quando a voz do enfurecido cavalariço alcançou-lhe os ouvidos. — Os proprietários deveriam ficar longe dos assuntos de estrebaria.

— Por quê? — perguntou Kelsey.

— Porque são proprietários. — Com um abano da cabeça, Moses retirou-se para os estábulos.

— Aqui nunca é monótono — afirmou Naomi, tocando o braço da filha. — Por que nós não... meu Deus.

— O quê? — Kelsey desviou o olhar a tempo de ver o cavalariço tentando esmurrar Gabe, que se esquivou uma, duas vezes, fluido como uma sombra.

Gabe não reagiu, embora o instinto de defesa estivesse presente, mesmo contido no homem civilizado que ele se fizera. O cavalariço era um miserável, pensou ele, e tinha a metade de seu tamanho. O pior, entretanto, era o fato de ter sido necessário que Moses apontasse que um bêbado estava cuidando do seu cavalo.

— Vá pegar suas coisas, Lipsky — disse Gabe mais uma vez, gelidamente calmo enquanto encarava o cavalariço de pé à sua frente e com os punhos erguidos. — Não há mais lugar para você em Longshot.

— Quem é você para me dizer que não tenho mais lugar? — desafiou Lipsky, passando o dorso da mão na boca. Bebera gim apenas o suficiente para sentir-se alto. E mesquinho. — Eu sei mais sobre cavalos do que você jamais saberá. Você subiu na vida por sorte, Slater. Por sorte e por trapaça, e todos sabem disso. Do mesmo modo que todos sabem que seu velho é um perdedor beberrão.

O ódio incendiou os olhos de Gabe, e os manejadores recuaram, formando silenciosamente um círculo. Estava quase na hora do espetáculo, julgaram eles.

— Conhece meu pai, não é, Lipsky? Isso não me surpreende. Venha fazer-lhe uma visita e tomar alguns drinques. Você será bem-vindo. Mas antes, pegue suas coisas e o pagamento a que tem direito. Você está despedido.

— Foi Jamison que me contratou. Estou na Fazenda Cunningham há dez anos. E ainda estarei lá depois que você tiver voltado para a roleta e para a mesa de vinte-e-um

Por sobre a cabeça de Lipsky, Gabe viu dois manejadores trocarem olhares. Então, pensou ele, essas eram as cartas que lhe eram dadas. Ele as descartaria depois; agora precisava terminar aquela rodada.

— A Fazenda Cunningham não existe como não existe lugar para você em Longshot. Jamison pode tê-lo contratado, Lipsky, mas sou eu quem assina seus cheques. E eu não assino cheques para bêbados. Se você se aproximar dos meus cavalos, eu lhe prometo, não será Jamison que lidará com você.

Ele se virou, olhando diretamente para Kelsey que, como os manejadores, assistia ao espetáculo. Teve tempo de pensar que preferiria que o sereno olhar de desprezo estampado no rosto de Gabe não estivesse voltado para ela antes de perceber a lâmina de aço cintilar ao sol.

O aviso estacou-lhe na garganta, mas Gabe já se havia virado para a faca, cuja primeira estocada feriu-lhe muito superficialmente o braço em vez de se cravar em suas costas. A visão e o cheiro de sangue mudaram rapidamente a atitude dos manejadores.

— Afastem-se — ordenou, porém, Gabe, ignorando a dor no braço. Seu erro, pensou Gabe, foi não ter avaliado corretamente até onde o efeito da bebida levaria o cavalariço. — Você quer me enfrentar, Lipsky? — desafiou ele, preparando seu corpo. Quando não se pode evitar uma briga, luta-se e joga-se com a sorte. — Bem, você vai precisar dessa faca. Vamos lá!

A lâmina tremeu na mão de Lipsky. Por um instante, ele não pôde lembrar-se de como ela fora parar ali; seu cabo parecia ter-lhe saltado inexplicavelmente à mão. Mas, agora, ela estava lá, e também o sangue do primeiro golpe. O orgulho atiçado pela bebida não lhe permitiria recuar.

Ele se agachou, preparando-se, movendo-se em círculo.

— Precisamos fazer algo. — O horror que subia à garganta de Kelsey chegava à sua boca com gosto metálico. — Vamos chamar a polícia.

— Não, a polícia não. — Pálida como cera, Naomi apertava as mãos nos quadris. — A polícia não.

— Precisamos fazer alguma coisa, Deus do céu. — Ela observava a lâmina reluzir e se projetar, passando a poucos centímetros do corpo de Gabe. Ninguém se movia, exceto os dois dentro do círculo. O garanhão começou a escoicear no interior do reboque, excitado novamente pelo cheiro de sangue e pela violência.

Sem pensar, Kelsey pegou um forcado que estava encostado no barracão. Desconsiderando as conseqüências de um golpe com aquele instrumento, ela o ergueu e correu, só se detendo quando viu a faca cintilar novamente, voar pelos ares, descrevendo um arco, enquanto Lipsky caía por terra.

Ela não vira o golpe. Gabe não pareceu ter feito o mais insignificante gesto. Mas agora ele observava o cavalariço prostrado no chão, seu olhar frio, seu semblante calmo como se esculpido em pedra.

— Informe Jamison sobre onde você vai se enfurnar. Ele lhe enviará as suas coisas e o seu dinheiro. — Sem esforço, ele ergueu Lipsky pelo cangote.

O cheiro de gim e de sangue embrulharam-lhe o estômago; amargas lembranças. — Não me deixe pegá-lo por aqui novamente ou esquecerei que sou um homem civilizado agora, e o partirei ao meio.

Ele deixou o bêbado prostrar-se no chão novamente, e voltou-se para os seus homens.

— Levem-no para a estrada. Ele pode conseguir uma carona e sumir daqui.

—. Sim, sr. Slater. — Tão impressionados quanto meninos de escola, eles se mobilizaram para cumprir as ordens, soerguendo Lipsky e carregando-o para o caminhão.

— Desculpe-me, Naomi — disse Gabe, tirando os cabelos do rosto com os dedos. — Eu deveria ter esperado até chegar em Longshot para demiti-lo.

Ela tremia e detestava isso.

— Mas eu teria perdido a chance de assistir à proeza. — Ela se aproximou dele, esforçando-se para esboçar um sorriso. O sangue gotejava-lhe do braço. — Vamos até minha casa. Precisamos cuidar desse braço.

— Eu deveria dizer não se preocupe, é apenas um arranhão — tornou ele, relanceando o olhar pelo ferimento, dando graças por não passar disso, embora lhe doesse intensamente. — Mas seria um tolo se recusasse os cuidados de mulheres bonitas — disse ele, olhando para Kelsey.

Ela ainda empunhava com força o forcado, as articulações de seus dedos brancas devido à pressão, as faces rubras, e os olhos intensamente emocionados.

— Acho que já pode largar isso — propôs Gabe, tomando-lhe o instrumento, gentilmente. — Agradeço sua intenção.

Os joelhos de Kelsey começaram a tremer, mas ela os travou firmemente.

— Vai deixá-lo partir simplesmente?

— O que mais deveria fazer?

— As pessoas geralmente são presas por tentativa de assassinato. — Ela olhou para a mãe, e viu-lhe os lábios curvarem-se num sorriso tenso. — É assim que as coisas são resolvidas por aqui?

— Você terá de perguntar a Moses — respondeu Naomi. — É ele quem decide sobre as demissões em Three Willows. — Ela retirou a bandana do bolso para tentar estancar o sangue de Gabe. — Sinto muito por não usar anágua e portanto não ter o que rasgar para amarrar seu ferimento.

— Eu também.

— Segure isso firme aí — instruiu Naomi. — Vamos até minha casa para colocar uma bandagem.

Eles foram, Gabe retardando o passo até Kelsey os alcançar. Ele a olhou e sorriu.

— Bem-vinda ao lar, Kelsey.

CAPÍTULO 5

KELSEY DEIXOU OS PRIMEIROS SOCORROS POR CONTA DE SUA MÃE E O nervosismo e alvoroço por conta de Gertie. Acreditava que uma corrida até o ambulatório seria mais razoável, mas ninguém parecia particularmente interessado em sua opinião. Ferimentos a faca, naquelas fazendas, ao que tudo indicava eram filosoficamente tratados na cozinha.

Assim que o braço de Gabe foi limpo, medicado e enfaixado, tigelas de canja e torradas quentinhas foram servidas, em meio a conversas sobre cavalos, raças e linhagens, tempos e hipódromos. Uma vez que se tratava de um universo que Kelsey não dominava, ela se sentiu à vontade para observar e especular.

Precisava indentificar o tipo de relacionamento existente entre Naomi e Gabriel Slater. Eles pareciam íntimos, espontâneos. Era ele quem se levantava para encher as xícaras de café, e não a anfitriã. Eles freqüentemente se tocavam, casualmente; mãos superpostas, pontas de dedos sobre um braço.

Disse a si mesma que não se importava com o que eles eram um para o outro. Afinal de contas, sua mãe e seu pai estavam divorciados há mais de vinte anos. Naomi era livre para ter qualquer relacionamento que quisesse.

Contudo, alguma coisa fundamental a inquietava.

Certamente, eles eram talhados um para o outro. Além do relacionamento tranqüilo e fluente, acima do interesse por cavalos que empolgava a ambos, havia um traço de violência em cada um. Controlado: congelado; mas, pelo que sabia da mãe e pelo que viria a experimentar com relação a Gabe, mortal.

— Kelsey gostaria de ir ao hipódromo para assistir aos exercícios matinais — propôs Gabe. Ele estava adorando o café, adorando observar Kelsey, quase podendo ver o movimento dos pensamentos em seu cérebro.

— No hipódromo? — interessou-se ela, apesar de ter sido interrompida em suas meditações. — Pensei que exercitassem os cavalos aqui mesmo.

— Fazemos as duas coisas — informou Naomi. — Lá eles se acostumam com as reais condições da corrida.

— E os apostadores têm elementos para apoiar suas apostas — interpôs Gabe. — Há sempre um grupo interessante e eclético no hipódromo, principalmente às primeiras horas da manhã, bem antes da corrida.

— Ele não está exagerando — disse Naomi, sorrindo para a filha. — Talvez você não pretenda começar seu dia tão cedo.

— Não, eu gostaria de ver como é.

— Amanhã? — A curva da sobrancelha de Gabe sugeria desafio.

— Está ótimo.

— Nós o encontraremos lá. — Naomi consultou o relógio. — Preciso ir ao estábulo. Tenho de fazer o pagamento do ferrador. — Quando se levantou, afagou o ombro de Gabe. — Termine seu café. Kelsey, você pode fazer companhia a Gabe? Ele lhe dirá o que esperar de amanhã de manhã. — Naomi pegou uma jaqueta de brim e saiu.

— Ela não fica muito tempo no mesmo lugar — murmurou Kelsey.

— Os primeiros meses do ano são os mais movimentados nesse tipo de negócio — disse Gabe, recostando-se, a xícara de café na mão. — Então, quer saber o que a espera?

— Prefiro surpreender-me.

— Então, diga-me uma coisa: você ia usar aquele forcado?

Ele refletiu, deixando a pergunta no ar.

— Acho que nenhum de nós dois saberia responder a isso.

— Posso apostar que você usaria. Você esboçou um quadro impressionante com aquela atitude, querida. Valeu a pena ter levado uma espetada no braço.

— Você ficará com uma cicatriz, Slater. Teve sorte de ter sido no braço em vez de no seu belo rosto.

— Ele pretendia atingir minhas costas — lembrou-lhe ele. — Eu ainda não lhe agradeci o aviso.

— Eu não lhe avisei.

— Claro que sim. Seu rosto foi tão alarmante quanto um grito. — Ele enfiou a mão no bolso, pegou um velho baralho e começou a embaralhar as cartas. — Você joga pôquer?

Confusa, ela o encarou.

— Não costumo jogar, mas conheço o jogo.

— Se algum dia vier a jogar, nunca blefe. Você perderia mais do que a camisa do corpo.

— Você já perdeu? Mais do que a camisa?

— Mais vezes do que gostaria de lembrar-me. — Automaticamente, ele deu duas mãos de cinco cartas, as duas primeiras a descoberto. — Você apostaria na sua rainha?

Kelsey deu de ombros.

— Talvez.

Ele virou as cartas seguintes.

— Depois de algum tempo, se for esperta, você aprende a não apostar o que não pode perder. Ganhei muitas camisas. Sua rainha ainda está muito alta.

— Parece que sim. — Por alguma razão absurda, ela estava gostando do jogo. À terceira carta, sua rainha de espadas ainda reinava. E também à quarta. — Minha ainda. São as apostas ou os cavalos que lhe interessam?

— Tenho mais de um interesse.

— Incluindo Naomi?

— Incluindo Naomi. — Ele virou a última carta, e sorriu amplamente. — Um par de cinco. Parece que eles batem a sua rainha.

— É uma vergonha perder para cartas tão pequenas — disse ela, esboçando nos lábios alguma coisa muito próxima de um amuo.

— Nenhuma carta é pequena quando vence. — Ele tomou a mão de Kelsey, divertido com a súbita tensão dos dedos. — Uma velha tradição sulista, madame. — Levou-lhe a mão aos lábios, fitando-a nos olhos. —Devo-lhe algo por conta de Lipsky. A retribuição fica a seu critério.

Há muito tempo ela não sentia o sangue fervilhando nas veias. Uma vez que não podia ignorar o fato, tinha de combatê-lo.

— Não acha que é de gosto questionável fazer-me a corte na cozinha?

Deus, ele adorava quando ela dizia frases cerimoniosas naquela voz rouca.

— Querida, isso está muito longe de ser um galanteio. — Segurando-lhe firmemente a mão, ele a virou de palma para cima. — Mãos de dama — murmurou ele. — Mãos de porcelana. Sempre tive fraco por mãos longas, finas, de pele macia.

Gabe pressionou os lábios no centro da palma, sentindo, delicado, o pulso latejar fortemente contra seu queixo.

— Isso — disse ele, fechando-lhe a mão, como que para se assegurar de que a marca de seus lábios seria preservada — foi um galanteio. — No que se refere a gostos, os seus combinam com os meus. Provavelmente você vai querer guardar isso em mente. — Ele lhe soltou a mão, recolheu as cartas e se levantou. — Vejo-a amanhã pela manhã. A menos que você esteja com segundas intenções.

A dignidade, lembrou ela a si mesma, era tão importante quanto o amor-próprio.

— Não estou com nenhuma intenção, Slater, no que se refere a você.

— Claro que está — ele replicou, curvando-se até que ficassem face a face. — Eu lhe avisei para não blefar, Kelsey. Você perde.

Ele a deixou fumegando diante do café gelado. Era pena, pensou ele, que não se pudesse permitir algumas fantasias naquela tarde, mas tinha trabalho a fazer.

Assim que chegou a Longshot, Gabe foi ao encontro de Jamison. O treinador havia sido empregado de Cunningham, mas quando Gabe comprou a fazenda, não teve muito trabalho para convencer Jamison a ficar.

Sua lealdade sempre se voltara mais para os cavalos do que para o proprietário deles.

Era um homem bastante barrigudo, que adorava um bom prato de comida e um copo de cerveja. Embora houvesse treinado várias gerações de cavalos que renderam muito dinheiro, ninguém, exceto seus amigos mais próximos, vislumbraria a possibilidade de ele fazer parte da equipe de Moses Whitetree.

Ele era natural do condado de Kerry, de onde veio ainda bebê, nos braços da mãe. Suas lembranças mais remotas eram as que se referiam às baias, ao cheiro dos cavalos de que seu pai cuidava.

Jamison passara sua vida inteira à sombra dos puros-sangues.

Agora, aos 62 anos, sonhava às vezes em realizar o desejo de possuir uma pequena fazenda e um campeão, apenas um, para lhe garantir uma confortável aposentadoria.

— Oi, Gabe — ele cumprimentou o patrão, pondo de lado um livro de anotações de tempos de corrida e levantando-se. — Despachei *Honest Abe* para Santa Anita, e *Reliance* para Pimlico. Perdi o primeiro páreo. — Sorriu palidamente. — Soube que você teve um pequeno problema e achei que gostaria de conversar comigo antes que eu fosse para o hipódromo.

— Quantas vezes surpreendeu Lipsky bebendo durante o expediente?

Nada de tergiversações ou subterfúgios com Gabriel Slater, pensou Jamison. Ele o conhecia há quase vinte anos e ainda não o compreendia totalmente.

— Duas vezes antes dessa. Eu o adverti que seria despedido se acontecesse novamente. Ele era um bom funcionário. Tinha um fraco pela bebida, é verdade, mas trabalhava nesta fazenda há uma década. — Ele relanceou o olhar pela bandagem no braço de Gabe, e suspirou. — Posso jurar pelo coração de minha mãe que nunca imaginaria a possibilidade de ele ferir você.

— Não se pode confiar em bêbados, Jamie. Você sabe o que eu penso sobre isso.

— Sim, sei muito bem — Jamison, entrelaçou as mãos sobre a barriga. Deveria esta no hipódromo e não ali, engolindo sapos. — E talvez eu entenda por que você não tolera esse tipo de fraqueza. Mas os rapazes são responsabilidade minha, não são? Agi de acordo com meu julgamento pessoal.

— Seu julgamento foi errado.

– Sim, foi.

— Se um funcionário beber durante o expediente, seja você ou o último principiante, estará fora. Basta de advertências, Jamie. Sem exceções.

Embora seus olhos chispassem de irritação, Jamison acenou positivamente com a cabeça.

— Você manda, Gabe.

Satisfeito, Gabe pegou o livro de desempenhos e folheou-lhe as páginas.

— Doravante, passarei mais tempo nas cocheiras e nos galpões. Não quero, entretanto, que você pense que estarei fungando sobre o seu cangote.

— As cocheiras são suas — respondeu Jamison, endurecendo a voz. — Os galpões também.

— Sim, são. Mas ficou bem claro hoje para mim que os funcionários não me consideram parte integrante deste negócio. A culpa é minha. — Ele abandonou o livro. — Durante os dois primeiros anos de posse da fazenda, estive ocupado com a construção da nova casa e tentando entrar no fechado clube dos criadores. Tenho deixado a maior parte do dia-a-dia do negócio nas suas mãos e brinquei de fazendeiro. Mas agora vou pôr mãos à obra. Você é meu treinador, Jamie, e no que diz respeito aos cavalos, aceitarei todo conselho e orientação que você me der. Mas estou de volta ao jogo. E não pretendo perder.

Isso passaria, considerou Jamison. Os proprietários de haras raramente se ocupam do verdadeiro trabalho por muito tempo. Tudo o que eles querem é um lugar no padoque e dinheiro na carteira, pensou.

— Você sabe se conduzir nas baias como ninguém.

— Faz muito tempo que eu não sei o que é empunhar um forcado. — Gabe sorriu quando a imagem de Kelsey empunhando um lhe veio à mente. — Podemos chegar a Pimlico lá pelas 15 horas — disse ele, olhando para o mostrador do grande relógio que Jamison havia pendurado na parede do escritório. — Quem você enviou com a potranca?

— Carstairs. Torky para montá-la e Lynette como cavalariço.

— Veremos que espécie de equipe eles formam.

Uma vez deixada aos próprios devaneios, Kelsey resolveu trocar os sapatos por botas e sair. Não tomou a direção das cocheiras, temendo atrapalhar ou ser olhada como um objeto estranho. Em vez disso, caminhou para as suaves colinas onde os cavalos pastavam.

A paz iniludível e reconfortante daquelas bandas era uma grata alternativa à frenética manhã. Apesar disso, permanecia em seu ser uma inquietação que a exortava a continuar caminhando, movendo-se, até descobrir o que havia além do próximo aclive.

Como era possível ter caminhado por ali quando criança e de nada se lembrar?

Sentia-se frustrada por descobrir que os três primeiros anos de sua vida eram um vazio virtual. Em geral esse período é pouco valorizado. No que lhe dizia respeito, entretanto, essa foi a época em que seu destino foi traçado. Queria esses anos de volta. Queria poder determinar por si mesma o que era certo, o que era errado.

Parou diante de uma cerca branca e bem conservada, inclinando-se sobre ela no exato instante em que um trio de éguas decidiu improvisar uma corrida, seus filhotes cabriolando atrás delas. Outra égua mantinha-se impassível, pastando pacientemente enquanto sua cria mamava.

Era quase perfeito, pensou Kelsey. Um cartão-postal que parecia óbvio demais, belo demais para ser real. Apesar disso, ali estava ela, sorrindo para o potrinho, admirando-lhe as pernas inconcebivelmente delicadas, a inclinação da cabeça prenunciando futura elegância. O que ele faria, perguntou-se, se pulasse a cerca e tentasse acariciá-lo?

— Maravilhosos, não são? — disse Naomi, aproximando-se da cerca. A brisa lhe havia despenteado os cabelos, cortados à altura do queixo, mais por comodidade do que por modismo. — Nunca me canso de admirá-los.

Primavera após primavera. Ano após ano. É uma rotina reconfortante e uma possibilidade excitante.

— São lindos. Um bálsamo, de certa forma. É difícil imaginá-los correndo como um raio pelas pistas.

— São atletas, criados para correr. Amanhã você poderá constatar. — Naomi jogou os cabelos para trás, mas, impaciente, pegou um boné no bolso da jaqueta e o pôs na cabeça. — Vê aquele lá, mamando? Ele nasceu há cinco dias.

— Cinco? — Surpresa, Kelsey observou a égua e seu filhote mais atentamente. Ele era esguio e saudável e parecia ter o porte perfeitamente talhado para as aventuras do padoque. — Incrível!

— Eles crescem muito rapidamente. Em três anos, terá alcançado a pujança de sua raça. Tudo começa aqui, ou para ser mais exata, no barracão de procriação, e atravessa momentos gloriosos naquela mistura de raças e cores na linha de chegada. Ele terá 1,70 m, 1,73 m, e talvez uns 540 kg, e correrá nas pistas com um homem no dorso. É algo muito bonito de se ver.

— Mas não é fácil — observou Kelsey. — Não parece fácil fazer com que algo tão delicado se torne um animal de competição.

— Não — confirmou a mãe, sorrindo. Sua filha já estava entendendo alguma coisa sobre cavalos. Imaginou que estivesse em seu sangue. — São necessários trabalho, dedicação e, freqüentemente, decepções. Mas vale a pena. Sempre. — Ela puxou o boné de forma que a pala lhe sombreasse os olhos. — Desculpe por ter saído, mas o ferrador adora conversar. Ele era amigo de meu pai, e faz o serviço para mim aqui em vez de no hipódromo por conta de velhos laços de amizade.

— Tudo bem. Não espero que você fique me distraindo o tempo todo.

— O que você espera então?

— Nada. Por enquanto.

Naomi tornou a olhar para a égua amamentando, desejando que seu relacionamento com a filha fosse também tão simples.

— Você ainda está aborrecida com o que aconteceu hoje de manhã?

— Aborrecida não seria bem o termo — respondeu Kelsey, virando-se para a mãe a fim de lhe observar o semblante. — Confusa seria mais exato. Todos simplesmente ficaram olhando, sem fazer nada.

— Você não ficou. — Naomi abanou a cabeça, sorrindo. — Pensei que você fosse furar aquele bêbado. Eu a invejo por isso, Kelsey, por essa reação instintiva que parece brotar da ausência de medo ou da presença de honra.

Eu congelei. Sou muito medrosa, e pouca honra me restou. Mesmo que fosse há muito tempo, eu teria hesitado da mesma forma.

Criando coragem, ela mudou de posição para que pudesse encarar a filha.

— Você deve estar questionando o fato de a polícia não ter sido chamada. Gabe não chamou por minha causa. Ele poderia ter agido ou não da mesma forma em sua fazenda, mas aqui... Bem, ele sabe que eu relutaria em conversar com a polícia novamente. Será sempre assim.

— Eu não tenho nada a ver com isso.

Naomi fechou os olhos. O simples fato de as duas precisarem se encarar tinha tudo a ver com Kelsey.

— Não tive medo quando eles vieram prender-me. Estava tão arrogantemente certa de que eles acabariam parecendo uns tolos, e eu uma heroína... Não tive medo quando me sentei na sala de interrogatório com aquele grande espelho, as paredes cinza, a cadeira dura, projetada para arrasar você. — Ela abriu os olhos. — Mas comigo não funcionou. Pelo menos no princípio. Eu era uma Chadwick. Mas o medo vai se insinuando, centímetro por centímetro de seu corpo. É impossível repeli-lo. Não se trata de eliminá-lo, mas de repeli-lo. Antes de sair daquela sala horrível com aquele espelho e aquelas paredes cinza, eu já sentia medo.

Ela respirou reconfortada, lembrando-se de que estava livre daquilo. Livre, exceto das recordações.

— Senti medo durante o julgamento, ao ver as manchetes, os olhares. Mas não queria demonstrar. Eu detestava a idéia de que todos soubessem que eu estava apavorada. Então eles mandam que você se levante para que o júri dê seu veredicto. O seu veredicto, que você não tem como repelir. É um choque e você não consegue respirar. Até pode manter-se briosamente de pé, fingindo estar calma e segura porque sabe que eles a estão observando. Todos os olhos voltados para você. Mas, intimamente, você está trêmula. Quando eles dizem "culpada", é quase um anticlímax.

Ela respirou fundo novamente.

— Portanto, você pode entender agora por que eu me sinto receosa em voltar a falar com a polícia. — Ela parou de falar por alguns instantes, sem esperar resposta. — Você sabia que costumávamos vir aqui quando você era pequena? Eu a sentava sobre a cerca. Você adorava vir ver os potrinhos.

— Sinto muito. — De fato, de repente, ela se ressentiu profundamente. — Não me lembro.

— Não tem importância. Vê aquele lá tomando sol? O negro? É um campeão. Soube disso assim que ele nasceu; tem tudo para se tornar o melhor cavalo que Three Willows já viu nascer.

Kelsey observou o cavalo mais detidamente. Ele era gracioso, sem dúvida, mas para ela nada o distinguia do outro filhote no pasto.

— Como você sabe?

— A diferença está nos olhos. Nos meus e nos deles. Nós simplesmente sabemos.

Ela se inclinou sobre a cerca, contemplando os campos com sua filha. E sentiu-se, por alguns momentos, quase feliz.

Tarde daquela mesma noite, quando a casa se aquietara e o vento soprava sedutoramente junto as janelas, Naomi aconchegou seu corpo ao de Moses. Ela gostava mais das noites em que ele vinha acomodar-se em sua cama, provocando-lhe uma sensação de mais permanência do que quando ela subia até os aposentos dele, localizados em cima do barracão do treinador.

Não que ir até lá não lhe proporcionasse certa emoção. Na primeira vez, na primeira vez deles, ela entrara no quarto, surpreendendo-o sentado na cama usando apenas roupas de baixo, tomando cerveja e computando seus papéis.

Fora difícil seduzi-lo, rememorou ela, acariciando-lhe a curtida pele do tórax. Mas seus olhos o haviam traído. Ele a desejava, como sempre tinha desejado. Ela precisara de *apenas* dezesseis anos para perceber que o desejava também.

— Eu o amo, Moses.

Sempre o comovia ouvi-la dizer isso. E acreditava que seria sempre assim. Segurou a mão de Naomi sobre seu coração.

— Eu a amo, Naomi. Como você conseguiu convencer-me a vir a seu quarto com sua filha instalada aí ao lado?

Ela riu, mudando a posição da cabeça para lhe mordiscar o pescoço.

— Kelsey já é adulta. Duvido que se chocaria se soubesse que o tenho aqui comigo na cama. — Ela rolou seu corpo sobre o dele.

— É difícil discutir isso agora, porque meu sangue desceu todo da cabeça para o colo. — Num hábito antigo, ele deslizou as mãos por seu tronco e lhe envolveu os seios com as mãos. — Você fica mais bonita a cada dia que passa, Naomi. A cada ano.

— Seus olhos devem estar envelhecendo.

— Não quando olham para você.

O coração de Naomi parecia derreter.

— Você me derruba quando fica romântico. Mas basta olhar Kelsey para perceber o quanto mudei. É maravilhoso poder vê-la, tê-la por perto, mesmo que por pouco tempo — concluiu ela, rindo e sacudindo os cabelos para trás. — E eu ainda tenho a vaidade de me comparar com ela diante do espelho, percebendo cada maldita ruga.

— Sou louco por todas essas benditas rugas.

— Ser bonita era tão importante para mim. Como se fosse uma missão; mais do que isso, uma obrigação. Depois, isso nada significou para mim durante muitos anos. Até reencontrá-lo. — Ela sorriu, curvando-se para roçar os lábios nos dele. — E agora você me diz que gosta de rugas!

Moses segurou-lhe a cabeça, atraindo-a para mais perto de si. Mergulhados no beijo, ele rolou sobre Naomi, ergueu-lhe os quadris e depois baixou os seus de modo a penetrá-la profundamente. Observou-a arquear-se para trás, fremindo de prazer em gemidos roucos. Vagarosamente ele a fez acompanhá-lo, cultivando o prazer de ambos.

Do corredor Kelsey pôde ouvir-lhes os sons abafados, o ranger do velho colchão, os gemidos e murmúrios. Parou, a xícara de chá que fora na cozinha preparar em uma das mãos e na outra um livro, aturdida e imobilizada.

Nunca ouvira sons de seu pai e Candace durante a noite; imaginou que fossem muito discretos e polidos para se permitir os barulhos do amor. Certamente não havia discrição ou polidez alguma nos ruídos apenas parcialmente abafados pela porta fechada do quarto.

Tampouco era polido, ela se deu conta, ficar ali escutando. E resolveu recolher-se; com pressa de andar, atrapalhou-se com a maçaneta, derramando o chá.

Sua mãe, pensou ela, em meio a conflitantes emoções, e Gabe Slater, presumiu. Os sentimentos que a presença dele atrás daquela porta lhe evocavam jamais haviam sido exploradas.

Assim que fechou sua porta, ela se encostou nela, com segurança. Uma parte de Kelsey desejou rir do absurdo daquela situação. Uma mulher adulta chocada porque outra mulher adulta, que por sinal era sua mãe, tinha vida sexual ativa.

De qualquer forma, não lhe agradava muito nem a situação, nem sua reação. Tendo perdido a vontade de tomar o chá e de ler o livro, ela os deixou de lado. O escuro e adormecido jardim abaixo de sua janela estava prateado pelo luar. Romântico, ela considerou, encostando a testa na vidraça. Misterioso. Tanto quanto Three Willows.

Mas ela não queria romance; não queria mistério; pelo menos, não queria querê-los. Estava ali porque considerava importante conhecer a metade de sua matriz que fora afastada de sua vida.

Dando as costas à janela, voltou para a cama. Mas só conseguiu dormir muito depois de ouvir a porta do quarto da mãe abrir e fechar, e o ruído de discretos passos ao longo do corredor perdendo-se na escada.

CAPÍTULO 6

O HIPÓDROMO AO AMANHECER ERA UM MUNDO DIFERENTE DO QUE Kelsey imaginara. As corridas para ela significavam mais do que apenas velocidade. Significavam apostas e apostadores, grossos charutos e ternos baratos, o cheiro rançoso de cerveja e o suor dos perdedores.

O cavalariço beberrão que Gabe demitira no dia anterior cabia melhor no quadro que imaginara do que a tranqüila e, de certa forma, mística realidade da alvorada no hipódromo.

A pista ainda estava encoberta pela neblina quando ela chegou com Naomi. Os cavalos tinham vindo bem mais cedo, para serem retirados dos reboques, selados e preparados para os exercícios. Tudo era muito tranqüilo, quase sereno. A névoa parecia abafar o eco das vozes, e as pessoas sumiam e despontavam como se fossem fantasmas. Alguns homens encostavam-se na cerca da pista, sorvendo fumegantes bebidas em copos de papel.

— São os cronometristas — informou-lhe Naomi. — Alguns deles trabalham para o hipódromo ou para o *Daily Racing Form*. Eles ficarão aqui durante horas, cronometrando o desempenho dos cavalos, impondo-lhes *handicaps*. — Ela sorriu. — Perseguindo a velocidade. Na verdade, é o que todos nós fazemos. Achei que você gostaria de conhecer as coisas primeiramente por esse ângulo.

— É... é realmente bonito. A névoa, as árvores apenas esboçadas, as arquibancadas completamente vazias. Não é como eu imaginava. — Ela se voltou para a mãe, uma adorável loura usando jaqueta e calças *jeans*. — Nada, aliás, parece ser — acrescentou Kelsey.

— A maioria das pessoas vê apenas um lado das corridas. Dois minutos em volta da pista e pronto. Um momento excitante, com certeza; às vezes, terrível; triunfante ou trágico. Freqüentemente, homens e mulheres são julgados da mesma forma; sob um único aspecto ou por uma única atitude. — Não havia amargura em sua voz, apenas resignação. — Vou levá-la até o galpão, que é onde acontece de fato a ação.

E se mostra o verdadeiro caráter das pessoas, Kelsey descobriu. Jóqueis idosos, que haviam fracassado nas pistas ou ultrapassado o peso normal, suavam para fazer jus aos 40 dólares que ganhariam por corrida, exercitando os cavalos. Outros, pouco mais do que crianças, brilho ávido no olhar, aguardavam sua chance de mostrar o seu valor. Os cavalos eram analisados, os planos, traçados. Um cavalariço usando um colorido boné de lã exercitava gentilmente um cavalo coxo, cantarolando para ele uma monótona melodia.

Nenhuma excitação especial ou antecipação. Apenas rotina; rotina que se repetia dia após dia enquanto a maior parte das pessoas ainda dormia ou cabeceava sobre a primeira xícara de café.

Avistou um homem de terno azul-claro e lustrosas botas conversando seriamente com outro, de olhar plácido, que usava um surrado cardigã. De quando em quando, o homem de terno enfatizava suas palavras com o dedo em riste, e um exagerado anel de diamantes em forma de ferradura cintilava a cada movimento de sua mão.

— Bill Cunningham — repetiu Naomi, ao identificar quem havia chamado a atenção de Kelsey.

— Cunningham? — tornou Kelsey, franzindo a testa e vasculhando a memória. — Não foi esse nome que o cavalariço demitido por Gabe mencionou ontem?

— Longshot era antigamente Fazenda Cunningham; Bill herdou-a há uns vinte e cinco anos, calculo. — O desprezo na voz de Naomi era indisfarçável. — Ele estava fazendo um trabalho de primeira categoria afundando a propriedade num pântano de incompetência quando a perdeu para Gabe. Agora ele investe em alguns cavalos. Possui um ou dois garanhões medíocres. Ele mora em Maryland. O treinador é Carmine, trabalha para ele e para vários outros criadores. O que vemos ali é Carmine ouvindo as instruções de Bill; um ditando regras, e o outro concordando com tudo. Mas, depois, Carmine agirá como bem entender, pois sabe que Bill é um idiota. Opa — interrompeu-se ela, deixando escapar um suspiro. — Ele nos viu. Peço-lhe desculpas antecipadamente.

— Naomi. — Num andar de longas passadas que exibia suas botas, Cunningham aproximou-se delas. Os olhos dele brilharam como mármore polido quando ele pegou a mão de Naomi. — Uma bela visão numa triste manhã.

— Bill. — Os anos haviam incutido em Naomi grande dose de tolerância para com os tolos, e ela lhe ofereceu a face. — Não é sempre que o vemos nas pistas para assistir aos treinos.

— Comprei uma nova égua. Num leilão em Hialeah. Ela venceu a corrida facilmente, para alegria do jóquei. Agora eu estava orientando Carmine quanto a seu treinamento hoje; não a quero atropelada.

— É natural — concordou Naomi, que acrescentou docemente: — Bill, esta é minha filha, Kelsey.

— Filha? — Ele inflou as bochechas, fingindo surpresa. Assim como todos ali, ele já sabia sobre Kelsey. — Você quis dizer sua irmã, talvez. Prazer em conhecê-la, gracinha. — Ele espalmou sua mão na de Kelsey e a sacudiu vigorosamente. — Vai seguir os passos da mãe, não é?

— Só estou aqui para observar.

— Bem, há muita coisa para ver. Com certeza, nós a teremos viciado até o anoitecer — disse ele, piscando para Naomi. — Confirme suas apostas comigo antes de fazê-las, meu bem. Eu lhe darei umas dicas.

— Obrigada.

— Nada é suficientemente bom para a filhinha de Naomi. Sabe, se eu não tivesse bobeado, provavelmente eu seria seu pai. Bem, preciso ir.

— Nem se a vaca tossisse — murmurou Naomi, enquanto Bill se afastava, possivelmente para atormentar o treinador. — Ele gosta de pensar que tivemos um caso, quando o máximo que aconteceu entre nós foi eu não ter conseguido evitar um beijo desajeitado.

— Aprecio seu bom gosto. Que diabos ele estava tentando dizer sobre o cavalo dele?

Naomi colocou as mãos nas cadeiras e começou a rir.

— Bill gosta de contar vantagens. Acha que as pessoas acreditam que ele sabe das coisas. O que ele disse na verdade foi que conseguiu comprar um cavalo por um bom preço num leilão cujas ofertas são feitas pouco antes de a corrida começar. Ele teve sorte. O cavalo pelo qual ele havia feito uma oferta venceu facilmente. Como a quantia que ele tinha oferecido cobria a expectativa dos donos, ele ficou com o cavalo. E acha que não seria bom alardear suas virtudes nem depreciá-las, durante os treinos — explicou-lhe Naomi, franzindo a testa e mirando as costas de Bill. — Ele é do tipo que paga ao jóquei uma quantia adicional por cada corrida vitoriosa. Mas se seu cavalo não cruza a linha de chegada em primeiro lugar, Bill se sente trapaceado.

— É espantoso como você o trata educadamente.

— Não me custa nada fazer isso — disse ela, dando de ombros. — E sei bem o que é ser pária. Vamos. A essa altura, Moses já deve ter um jóquei nas pistas.

Passaram pela área dos padoques, onde muitos treinadores recebiam apoio para subir na montaria. Quase em pêlo, Kelsey observou. A sela era muito fina, pouco mais do que um pedaço de couro. Os rapazes, como eram chamados independentemente do sexo, ficavam de pé na montaria, apoiados nos altos estribos, e treinadores montados os acompanhavam ao lado ou atrás até a pista.

— Aquele é um dos nossos — disse Naomi, apontando para um baio trotando. — *Virginia's Pride.* Se não conseguir resistir e quiser apostar hoje, eu aconselharia a apostar alguns dólares nele. É um admirável atleta e tem certa predileção por esta pista.

— Você aposta?

— Hum... — Naomi tinha os olhos voltados para Moses, que seguia a meio-corpo atrás do baio. — Sempre detestei recusar uma aposta. Vamos vê-lo correr.

Havia outros cavalos na pista. O nevoeiro se dissipava e eles o atravessavam como se fossem balas atravessando redes, rompendo-lhes facilmente a trama, dilacerando-as. A respiração de Kelsey paralisou-se àquela visão enfatizada pelo som poderoso. Corpos enormes sobre pernas esguias, levantando poeira, seus pescoços estirados para a frente, os minúsculos jóqueis curvados sobre seus dorsos. O coração de Kelsey parecia bater ao ritmo do surdo tropel das patas dos animais.

— Lá — apontou ela, a emoção encorpando-lhe a voz ao apontar. — Lá está seu cavalo.

— Sim, aquele é o nosso. A pista está rápida hoje, mas presumo que Moses tenha instruído o jóquei para completar a volta em pouco menos de dois minutos.

— Como o jóquei poderia saber?

— Ele tem um relógio na cabeça — afirmou Gabe, atrás dela. Embora Kelsey se tivesse sobressaltado, não tirou os olhos do cavalo, que parecia voar em torno da pista. — Ele parece estar bem, Naomi.

— Estará bem melhor na hora da corrida. — Apertando os olhos, acrescentou: — Aquele é um dos seus, não é?

— O dobro ou nada. — Gabe inclinou-se sobre a cerca quando seu cavalo passou. — Ele também estará melhor em maio.

Kelsey não podia entender como. Ambos os cavalos pareciam magnificamente em forma, devorando a pista, atirando pedaços dela para o ar. Eles pareciam voar, suas pernas assombrosamente delicadas perdendo o contato com o solo, como se tivessem asas.

Poderia ter ficado ali durante horas, observando cavalo após cavalo, volta após volta. Na verdade, era apenas um ou dois minutos, os cronometristas de pé junto à pista, de olhos fixos em seus cronômetros, os treinadores com os seus; para ela, entretanto, não havia noção de tempo. Como um quadro vivo em encantadora moldura.

— Já tem o seu favorito? — perguntou-lhe Gabe.

— Não. — Ela não o olhou; não queria que ele ou a recordação do que ouvira na noite anterior lhe estragassem o humor. — Não sou muito de apostar.

— Então, com certeza não vai querer apostar que estará à frente de um dos guichês de aposta antes que a tarde termine.

Ela deu de ombros, mas logo percebeu que não resistiria.

— Bill Cunningham se ofereceu para me dar algumas dicas.

— Cunningham? — Gabe irrompeu em estrondosa gargalhada. — Então espero que você tenha os bolsos bem fundos, querida — advertiu ele, inclinando-se sobre a cerca. Pensou em acender um charuto, mas achou que estragaria o prazer de sentir o cheiro de Kelsey. Suave e sutil; do tipo que penetra os sentidos de um homem e ali permanece por muito tempo depois de a mulher ter ido embora.

— A manhã é a melhor parte do dia — murmurou Naomi, protegendo com a mão a vista dos raios do sol através da névoa, dissipando-a. Nítido cinzento-azulado.

— Possibilidades. — Gabe olhou para Kelsey. — Tudo é uma questão de possibilidades.

Pouco depois, eles voltaram para o galpão. Os cavalos fumegavam pelas narinas em meio ao ar gelado enquanto eram desarreados e levados para caminhar. Suas pernas eram examinadas à procura de entorses, torceduras ou contusões. Os cascos de um ruão estavam sendo lubrificados. Um cavalariço amarrou outro animal e se agachou para identificar possíveis ferimentos. Um ferrador, com um avental de couro e uma surrada caixa de ferramentas, trocava uma ferradura.

— É como um quadro, não acha? — perguntou Gabe, como se se tivesse apropriado da imagem na mente de Kelsey.

— Sim, é.

— Quase tudo que você está vendo aqui já acontecia há cem, quinhentos anos. As pernas de um puro-sangue sempre foram resistentes, e é por isso que somos obcecados por eles. Olhe lá. Para onde o treinador está olhando?

Ela se virou e viu um cavalo sendo conduzido para fora da pista.

— Para as patas do animal.

— E ele manterá os olhos fixos ali. — Ele acenou com a cabeça, indicando outro animal. — Já se fazia isso há provavelmente mil anos.

Um homem com boné de jóquei seguia Moses de perto, como um cão atrás do dono. Ele falava rápido, ofegante por tentar acompanhar os passos do treinador de Naomi.

— Quem é ele?

— Um agente de jóqueis. Eles vão de baia em baia tentando convencer a todos que representam um novo Willie Shoemaker — explicou ele, prendendo amigavelmente parte dos cabelos de Naomi atrás de uma de suas orelhas. — Gostaria que lhe trouxesse um café?

— Adoraria. Kelsey?

— Claro. Obrigada. Haveria algum problema se eu observasse seu cavalo mais de perto enquanto ele faz o relaxamento?

— Vá em frente.

Naomi acomodou-se num balde emborcado. Os trabalhos da manhã estavam quase terminando. E agora só restava esperar, o que ela aprendera muito bem. E com prazer naquele momento, observando a filha rodear o animal suado, fazendo perguntas, presumiu Naomi. Quando criança, Kelsey era um poço de perguntas; mas não era distante ou arredia, como agora.

Por alguns instantes naquela manhã, enquanto se detinham em meio à névoa observando os primeiros cavalos percorrerem a pista de exercícios, ela havia percebido certa desconcentração entre elas. Mas logo depois, o constrangimento voltou, sutilmente. Sua filha tinha, aliás, muitas sutilezas, muitos contrastes em relação à mãe.

Kelsey ria. Foi a primeira vez que Naomi ouviu o som de seu riso, claro, sem reservas.

— Ela se diverte — comentou Gabe, entregando o café para Naomi.

— Sim, e é bom ver isso. Estava aqui sentada dizendo a mim mesma que as coisas não serão sempre tão constrangedoras entre nós duas. — Ela reconfortou a garganta seca com o doce e quente café. — Quero apenas poder tocá-la, abraçá-la, uma única vez que seja. Mas sinto que não posso. Ela poderia permitir por pena, o que seria pior do que rejeição.

— Ela está aqui — Gabe ponderou, passando suavemente a mão nos cabelos dela, descendo-a até o ombro. — E não me parece ser do tipo de fazer o que não quer.

— Não espero que ela volte a amar-me. Mas quero muito que ela me deixe amá-la — suspirou Naomi, levando a mão ao ombro, pousando-a sobre a dele.

Kelsey tentou ignorar a intimidade daquela cena quando voltou a reunir-se a eles. Era problema deles, disse a si mesma. Esboçou um sorriso e estendeu o braço para pegar o café que Gabe lhe ofereceu.

— Obrigada. Acabei de receber as dicas dos prováveis vencedores de todas as corridas de hoje. Garantiram que sairei daqui rica.

— Jimmy tem sempre uma dica — disse-lhe a mãe. — E ele acerta tanto quanto erra.

— Ah, mas essas são certeiras — defendeu-o Kelsey, sorrindo enquanto levava a xícara à boca. — Ele jurou que nunca daria à filha da sra. Naomi um palpite que não fosse infalível. Aconselhou-me a apostar em *Necromancer*, no primeiro páreo, porque a pista de grama está lenta, e ele venceria rindo. — Ela ergueu uma sobrancelha. — Entendi tudo direito?

— Ninguém conseguiria adivinhar que hoje é seu primeiro dia — disse Gabe gravemente.

— Ah, eu aprendo rápido. — Ela olhou em volta. O ritmo dos trabalhos havia claramente diminuído, notou ela. — O que acontece agora?

— Esperamos — respondeu Naomi, levantando-se e estendendo o braço. — Venha. Vamos comprar biscoitos para acompanhar o café.

Esperar, ao que tudo indicava, era o estilo de vida de muitas pessoas envolvidas com os negócios do hipódromo. O dia dos cavalos não escalados para as corridas terminava por volta das 10 horas. Os reboques iam e vinham. A pista recebia cuidados.

Por volta do meio-dia, as arquibancadas começavam a encher. O restaurante envidraçado atrás delas servia almoço aos que preferissem assistir às corridas longe dos odores e do barulho das massas.

Nas baias, os cavalos eram preparados mais uma vez. Pernas inchadas eram tratadas em baldes cheios de gelo. De acordo com a estratégia pessoal, alguns eram excitados, outros, acalentados como bebês. Jóqueis colocavam suas roupas de seda.

Agora, sim, pairava no ar um clima de expectativa. O alvoroço que estivera ausente na manhã velada pelo nevoeiro. Os cavalos pateavam, ameaçavam irromper em desatada carreira, inquietos atletas ávidos por correr. Alguns se acalmavam quando os jóqueis subiam em seus dorsos; outros escoiceavam e empinavam.

Eram conduzidos à pista em fila única, alguns acompanhados pelos cavalariços, outros sozinhos.

Agora as arquibancadas fervilhavam, visitantes misturando-se aos freqüentadores, todos esperançosos de que aquele seria o seu dia. O desfile de apresentação, rito fundamental das corridas, começou com os cavalos entrando na pista. Ao toque da corneta, eles a circundaram para fazer o alinhamento, em ordem de largada. Os apostadores observavam, estudavam os prognósticos, os cavalos, os jóqueis, na esperança de escolher o vencedor.

Se um cavalo estivesse suando, ele poderia estar nervoso. Vantagem ou desvantagem? Cada apostador tinha a sua opinião. Pernas dianteiras enfaixadas. Poderia ser problema. Ah, e aquele protestando contra o bridão? Poderia estar mal-humorado hoje. Ou com muita pressa.

Aquele parece um campeão.

Na linha de chegada, pouco menos de cinco minutos depois de ter começado, o desfile se desfez, como se fosse um punhado de confete colorido atirado ao ar.

Kelsey não se importou. Havia muito mais para se ver. Estranho, a pista não era totalmente plana. Era larga, marcada por sulcos e buracos, uma milha circular de velocidade e sonhos.

Ela podia sentir o cheiro desses sonhos enquanto se detinha junto à cerca da pista. O cheiro dos jóqueis. A variedade de cheiros das arquibancadas. Alguns suaves e florais, outros rançosos, ressecados pela poeira. E ali ela compreendeu como era poderosa a droga que se chamava "querer vencer".

— Acho que vou aproveitar aquela dica para o primeiro páreo — disse Kelsey.

Naomi riu. Estivera esperando isso.

— Você poderia levá-la lá em cima, Gabe? Não se deve encarar o primeiro guichê de apostas sozinho.

— Tenho certeza de que posso fazer isso sozinha — afirmou Kelsey quando Gabe segurou-lhe a mão.

— Todo mundo acha que pode. — Ele subiu com Kelsey até os guichês de aposta, diante dos quais já se formavam filas. — Permita-me dar-lhe uma rápida aula sobre como apostar em cavalos. Você já decidiu quanto quer apostar?

— Em torno de 100 dólares — respondeu ela, franzindo a testa, aborrecida.

— Dobre a aposta. Sempre que pensar em apostar uma certa quantia, dobre-a na hora de fazer a aposta. Depois, considere perdido o dinheiro apostado. Você já deve ter o programa de corridas.

— Sim, tenho. — Ela não o entendera, mas tinha um.

— Normalmente, você precisa de umas quatro horas para estudá-lo, de preferência num lugar tranqüilo, para rever as corridas de que o animal já participou, para eliminar alguns cavalos e eleger outros. É aconselhável restringir as opções a dois ou três animais. Sem binóculos, não é?

— Não pensei que...

— Não se preocupe. Pode usar os meus — propôs ele, conduzindo-a até uma fila e passando amigavelmente um braço sobre seu ombro. Embora tivesse vontade de rir, Gabe se controlou. Ela o escutava como um aluno aplicado escutaria seu velho mestre. — Esqueça as apostas do tipo duplas exatas e exatas simples. Você parece querer apostar somente para ganhar.

— Claro que sim.

— Ótimo. Aposta agressiva; é a própria recompensa. Apostar para se exibir é coisa para os fracos — ponderou ele, tendo a satisfação de ver o homem na fila ao lado retrair-se num ligeiro sobressalto e encolher os ombros. — Você conferiu o quadro de apostas?

— Não — respondeu, sentindo-se uma idiota.

— Seu cavalo está cotado em 4 por 1. Isso é bom. Apostar nos favoritos é para os covardes. Foi uma pena você ter-me dito que não gostava de apostar, senão eu não a teria deixado comer ou beber antes de entrarmos nesta fila.

— O quê?

— Nunca beba ou coma antes de escolher um campeão, Kelsey.

Ela fechou os olhos.

— Você está brincando.

— Não. É sério — e, então, gargalhou. — É tudo tolice. Aposte porque é divertido. Feche os olhos e escolha um número. Cavalos são atletas, não máquinas. Não se pode prever seu desempenho.

— Obrigada. — Contente agora, ela se pôs à frente do guichê. — Dez dólares em *Necromancer* — solicitou ela, relanceando Gabe. — Para ganhar.

Ainda com um dos braços no ombro dela, Gabe mobilizou o outro para pegar a carteira.

— Cinqüenta no número 3. Para ganhar.

Kelsey franziu a testa, segurando seu bilhete.

— Quem é o número 3?

— Não sei — respondeu ele, enfiando o bilhete no bolso.

— Você aposta em um número, apenas em um número?

— É um palpite. Quer fazer uma aposta paralela comigo quanto ao cavalo que chegará na frente? Você com a sua dica e eu com o meu palpite?

— Outros 10 dólares — arriscou ela.

— E você disse que não era muito de apostar.

Chegaram de volta à cerca no exato instante em que os cavalos se alinhavam nos portões de partida. Tão tolo quanto pudesse parecer, seu coração batia aceleradamente, e suas mãos estavam suadas. Ao ouvir o toque de partida, apurou o olhar, fascinada com a mistura de cores.

Aquilo não era um simples exercício sob a névoa, mas uma multidão de corpos musculosos disputando posições, com jóqueis-carrapichos em seus dorsos. Em poucos segundos, atingiram a velocidade máxima, os mais rápidos embaralhando-se na pista. O barulho era espantoso, tropel à frente, urros atrás. E alcançaram a curva.

— O número 3 já ganhou — disse Gabe no ouvido de Kelsey.

— A corrida mal começou — respondeu ela, afastando-se.

Kelsey podia ouvir os jóqueis bradando ameaças ou encorajamentos enquanto seus chicotes estalavam. Mais adiante, na reta, a linha de chegada, e Kelsey havia esquecido completamente a aposta. Suas emoções concentravam-se na corrida, no espetáculo dos atletas, no drama da velocidade. Ela notou então um cavalo vindo de trás, esforçando-se, ganhando terreno por entre os concorrentes. Mal se dando conta da própria atitude, começou a torcer por ele, emocionada com o esforço e a coragem do animal.

Ele alcançou o ponteiro por fora e cruzou a linha de chegada com meio corpo de vantagem.

— Ah, vocês viram? — exclamou ela, atirando a cabeça para trás e rindo. — Ele foi maravilhoso.

Gabe não havia visto o final, mas vira Kelsey. A máscara de formalidade se derretera na excitação, revelando a paixão e a energia de uma mulher que ela ocultava. Ele queria aquela mulher mais do que jamais quisera um cavalo vencedor.

Com os lábios franzidos, Naomi avaliou o olhar de Gabe. Era algo que teria de pensar depois.

— Seu cavalo chegou em quinto — ela informou a Kelsey.

— Não importa. — Kelsey respirou fundo. Ainda podia sentir o cheiro da magia. — Valeu pelo espetáculo. Você viu como ele veio lá de trás? Surgindo do nada...

— O número 3 — observou Gabe e esperou até que os olhos dela fitassem os dele. — Meu palpite deu certo.

— Aquele era o número 3? — Ela se surpreendeu, virando-se para o círculo em torno do cavalo vencedor, dividida entre a irritação de ter perdido para Gabe e o prazer de contemplar o campeão. — Hoje deve ser o seu dia de sorte.

— Você pode estar certa.

— Bem. — Ela ergueu o olhar para ele e sorriu. — Qual o seu palpite para o próximo páreo?

Numa certa hora durante a tarde, Kelsey devorou um cachorro-quente acompanhado de um refresco. Algum tempo antes de lanchar, sentira nas entranhas um surpreendente orgulho pessoal ao ver *Virginia's Pride* vencer facilmente os oponentes. A superioridade dele sobre os demais era tão óbvia, pensou ela, até mesmo para os seus olhos indisciplinados, que não havia como compará-lo aos outros cavalos do hipódromo.

Outra emoção, menos identificável, tomou-a quando o cavalo de Gabe cruzou a linha de chegada em primeiro lugar.

Quando a noite caiu, as arquibancadas estavam literalmente cobertas de bilhetes perdedores, pontas de cigarro e esperanças desfeitas.

— Eu poderia convencê-las a jantar comigo?

— Ah... — Naomi abotoava sua jaqueta, distraída, enquanto procurava Moses. — Ainda vou ficar aqui pelo menos uma hora. Por que você não vai com Kelsey?

Instintivamente, Kelsey aproximou-se da mãe.

— Não me importo de esperá-la.

— Não, vá indo. Divirta-se. Eu a verei em casa daqui a umas duas horas.

— Eu realmente... — Mas Naomi já se afastava, apressada. — Agradeço o convite, Gabe, mas...

— Você é muito educada para recusar — arriscou ele, tomando o braço de Kelsey.

— Não, não sou.

— Então você está com muita fome. Um simples cachorro-quente não pode suprir toda essa energia que você tem. E posso ajudá-la a contar o dinheiro que você ganhou com as apostas.

— Não acredito que isso vá exigir altas matemáticas. — Afinal, ela realmente estava com fome; deixou, portanto, que ele a conduzisse pelo estacionamento até um Jaguar verde-garrafa.

— Bonito carro.

— E muito veloz.

Ele tinha razão. Kelsey recostou-se e desfrutou o passeio pela noite enluarada. Ela sempre gostara de guiar em alta velocidade, capota arriada, rádio ligado. Wade a aconselhara inúmeras vezes, seu coração descompassado pelo excesso de velocidade. Sensato, considerou ela. Responsável.

Mas ele nunca compreendeu que, de vez em quando, ela precisava transgredir, fazer alguma coisa, qualquer coisa proibida. Ele aconselhava moderação, e ela concordava; exceto quando não podia. Um impulsivo surto de compras, uma multa por excesso de velocidade, um desejo súbito de voar para as Bahamas. A intensidade de sua inconstância tinha sido a causa de muitas discussões familiares.

Bobagem, sempre havia achado. Incorretamente, reconhecia agora. O que conseguira com aquela impulsiva visita-surpresa a Atlanta?

Liberdade, lembrou-se ela, e encerrou definitivamente aquele capítulo.

Quando voltou a prestar atenção na paisagem, percebeu que estavam quase chegando a Bluemont.

— Achei que íamos jantar.

— E vamos. Gosta de frutos do mar?

— Sim. Há algum restaurante especializado por aqui?

— Um ou dois. Mas vamos jantar lá em casa. Eu telefonei antes. O que acha de peixe grelhado?

— Parece ótimo. — Ela se endireitou no assento, atendendo ao alarme que lhe soou na mente. — Como você sabia que eu aceitaria vir jantar com você?

— Tive um palpite. — Ele reduziu a velocidade, cruzou a estrada e passou pelos portões de ferro. — Pode dar uma olhada na casa antes de jantarmos.

O jardineiro dele estivera ocupado. Os canteiros haviam sido tratados para receber as flores da renovada primavera. Alguns narcisos prematuros já haviam florescido, seus botões de um amarelo-vivo balançando graciosamente.

Engraçado, ela nunca havia imaginado que Gabe pudesse ser do tipo que gostasse de narcisos.

A porta da frente da casa era ladeada por vidraças com desenhos geométricos. Sob a luz do interior da casa, elas cintilavam como diamantes. Ela se lembrou então que as roupas de seda do jóquei de Gabe também pareciam diamantes; um inquietante cintilar vermelho e branco.

— Você escolheu essas cores inspirado nas sedas?

— Uma série de cinco cartas do mesmo naipe num jogo de pôquer. Ouros, do oito ao rei. — Ele abriu a porta. — Uma mão de cartas. Tirei um dez e um valete. Você ouvirá dizer por aí que foi assim que vim parar aqui. Ganhando uma rodada de pôquer.

— E foi?

— Mais ou menos.

Ela entrou, deparando-se com um átrio ladrilhado, espaçoso, iluminado por clarabóias. O corrimão de bronze que resguardava o segundo andar estendia-se pela escada suavemente espiralada. Enormes vasos de terracota pendiam aqui e ali, com viçosas folhagens.

— Uma bonita entrada.

— Não gosto de lugares apertados. Vou servir-lhe uma bebida.

— Está bem. — Ela o seguiu por uma ampla arcada que dava acesso a uma sala de estar, separada da próxima sala por outra arcada. Portas de vidro convidavam a noite a entrar, recebida por alguns abajures acesos.

A lenha crepitava numa lareira de seixos de rio. Diante dela, uma mesa elegante e requintada. Para duas pessoas, ela notou. Toalha branca, velas. Champanha gelado num balde de gelo sobre um carrinho ao lado.

— Você também teve um palpite de que Naomi não viria?

— Ela geralmente faz uma reunião com Moses depois de um dia de trabalho no hipódromo. — Ele abriu o champanha com um rápido e comemorativo estouro. — Gostaria de dar uma olhada por aí ou prefere jantar logo?

— Já que estou aqui, gostaria de dar uma olhada na casa. — Ela recebeu a taça, notando que ao lado do outro prato não havia taça. — Você não vai comemorar?

— Claro que vou. Mas não bebo. Por que não começamos pelo segundo andar e depois descemos?

Ele seguiu à frente, conduzindo-a pela escada espiralada. Ela contou quatro quartos antes de subirem alguns degraus que davam acesso à suíte principal. Era, na verdade, um ambiente duplex de meio pé-direito, o quarto três degraus acima de uma área de estar. Uma lareira de pedra aquecia os pés de uma cama gigantesca sob uma clarabóia que permitiria, numa noite de insônia, a contemplação da lua.

Assim como o restante da casa, a suíte principal misturava o clássico e o moderno. Uma mesa estilo Chippendale sustentava uma escultura de arte abstrata em bronze e cobre. Um tapete persa fulgurava em cores brilhantes sob os pés de uma irregular mesinha de centro de teca polida.

Jarras de fina porcelana de Meissen ao lado de obras de arte moderna. A arte, a pintura, atraíam-na. Mesmo estando do outro lado do quarto, Kelsey pôde notar alguns trabalhos do mesmo artista que vira na casa de sua mãe.

Muita paixão, pensou, enquanto observava as frenéticas pinceladas, a agressiva justaposição de cores primárias.

— Não me parece uma obra muito repousante para um quarto.

— Achei que ficava bem aqui.

— N. C. — murmurou ela. — Foi Naomi quem o pintou?

— Sim. Você não sabia que ela pintava?

— Não. Ninguém nunca me contou. Ela tem muito talento. Conheço muitos negociantes de arte que lhe suplicariam trabalhos como este.

— Ela não lhe agradeceria por isso. Sua arte é muito pessoal.

— Toda arte é pessoal. — Ela se afastou do quadro. — Ela sempre pintou?

— Não. Você deveria perguntar-lhe um dia desses. Ela lhe dirá tudo o que você quiser saber.

— Antes preciso decidir o que quero saber. — Bebericando o champanha, Kelsey andou pelo quarto. — Não posso imaginar como era o imponente Cape Cod, mas duvido que pudesse rivalizar com esta casa. — Ela se virou, mais à vontade. — A vizinhança se escandalizou ao ver que ele estava sendo demolido?

— Escandalizei todo mundo num raio de 30 quilômetros.

— E se deliciou com cada centímetro do efeito dessa façanha?

— Pode apostar que sim. De que adianta ter fama se você não faz por onde?

— E qual é a sua fama?

— De ser insinuante, querida, muito insinuante. Qualquer pessoa lhe dirá que ficar sozinha comigo no meu quarto é o primeiro passo para a perdição.

— Há uma longa distância entre o primeiro passo e a queda final.

— Nem tanto quanto você pensa.

Ela deu de ombros e tomou o restante da bebida.

— Fale-me sobre o jogo de cartas.

— Durante o jantar — disse ele, estendendo-lhe a mão. — Adoro criar um clima e estou muito mais próximo da queda final do que a maioria.

Intrigada, ela pousou a mão sobre a dele.

— Isso não me parece muito insinuante, Slater.

— Estou apenas começando.

Ao descerem, ele serviu mais champanha para ela. Algum criado invisível já tinha posto sobre a mesa dois pratos com base de prata, acendido as velas, e ligado o som. Eles se sentaram ouvindo Gershwin.

— E o jogo de cartas?

— Ah, sim. O que você sabe sobre pôquer?

— Só conheço qual carta bate esta ou aquela — ela respondeu, saboreando um pedaço do peixe refinadamente grelhado e fechando os olhos. — Hum... sem sombra de dúvida isso supera a comida do hipódromo.

— Direi ao cozinheiro que você gostou da comida dele. Voltando ao assunto, há cerca de cinco anos participei de uma grata rodada de pôquer, uma verdadeira maratona. Altas paradas, jogadores agressivos.

— Por aqui?

— Exatamente aqui. No imponente Cape Cod.

Kelsey piscou os olhos.

— O jogo não é proibido neste estado?

— Chame um tira. Você quer ouvir a história ou não?

— Sim. Você se envolveu numa grande e ilegal rodada de pôquer. E então?

— Cunningham estava passando por uma fase de má sorte. Não apenas durante aquele jogo, mas há alguns meses. Os cavalos dele estavam fracassando. Ele não via a cor do dinheiro há mais de um ano. Tinha uma pilha de dívidas para pagar. Imaginou, como acontece com todas as pessoas falidas, que lhe bastava um único dia de sorte.

— Daí o jogo.

— Exatamente. Eu tinha co-participação na propriedade de um cavalo, e o animal estava muito bem. Portanto, eu estava — ele sorriu maliciosamente — rico. E queria ter uma fazenda como esta, sempre quis. Entrei na jogada achando que se não perdesse a minha parada poderia ter dinheiro suficiente para investir em outro cavalo.

— Parece sensato, embora de uma maneira muito particular. — Temerário, isso sim, pensou ela. Admiravelmente temerário. — É óbvio que você ganhou mais do que um cavalo.

— Não havia como perder. Foi um daqueles raros momentos em que tudo parece cair prodigamente na palma da mão. Ele tinha uma seqüência simples, eu tinha uma seqüência real. Ele tinha um *straight*, eu um *flush*. Seus apuros realmente começaram quando ele não conseguiu mais parar. Ele já perdera sessenta, sessenta e cinco.

— Centenas de dólares?

Fascinado, Gabe pegou-lhe a mão e a beijou.

— Sessenta e cinco mil dólares, querida. Que ele não tinha. Pelo menos não em espécie. Então ele decidiu aumentar a parada e não quis aceitar não como resposta.

— E, naturalmente, você fez tudo o que pôde para demovê-lo desse desatino.

— Eu disse que ele estava cometendo um grande erro. Ele disse que não. — Gabe sacudiu os ombros. — Quem era eu para discutir? Apenas quatro de nós ainda permaneciam à mesa, então. Já estávamos jogando há cerca de quinze horas. Aquela seria a última rodada. Cinco mil cada um, sem limites de aumento.

— Vinte mil na mesa antes de começar?

— E acima de cento e cinqüenta mil quando o jogo se limitou a mim e a Cunningham.

Ela reteve o garfo a meio caminho da boca.

— Cento e cinqüenta mil dólares numa única rodada?

— Ele achou que tinha o jogo na mão e continuou aumentando. No final, acrescentei mais cinqüenta mil, acreditando que isso o iria dissuadir de continuar, mas ele aceitou a parada.

Ela ergueu a taça e bebericou lentamente, umedecendo sua garganta ressecada. Sentia-se como se estivesse ali, as mão suadas e a boca seca, diante de uma pequena fortuna cujo destino dependia de uma mão de cartas.

— Isso perfaz um quarto de milhão de dólares.

Ele riu.

— Você aprende rápido. Senti pena dele, mas não vou dizer que não exultei no instante em que abri meu *straight flush* sobre os três reis dele. Cunningham não tinha dinheiro — disse Gabe, colocando mais champanha na taça de Kelsey. — Melhor, o dinheiro que ele tinha mal cobria a quantia que ele havia perdido. Por conta disso, fizemos um acordo. Eu diria que ele apostou a fazenda e perdeu.

— Você simplesmente o expulsou daqui?

Gabe inclinou a cabeça, estudando a fisionomia de Kelsey.

— O que você teria feito?

— Não sei — disse ela depois de pensar. — Mas acho que não teria coragem de expulsá-lo da própria casa.

— Mesmo depois de ele ter apostado sem ter dinheiro?

— Mesmo assim.

— Você é um coração mole. Nós tínhamos feito um acordo — repetiu ele — que satisfez a nós dois. E, por eu ter arriscado só o que eu tinha, consegui aquilo que desejei durante toda a minha vida.

— É uma grande história. Você deve ter conhecido o azarado Cunningham no hipódromo.

— Não. Eu trabalhava para ele.

— Aqui? — perguntou ela, pousando o garfo sobre o prato. — Você trabalhava aqui?

— Eu levava os cavalos para relaxar e se refrescar, recolhia o estrume, limpava as selas. Fui empregado de Cunningham durante três anos. Ele tinha um ótimo negócio, então. Logicamente, ele nunca deu a mínima para os cavalos. Eles só representavam dinheiro para ele. E se importava menos ainda com as pessoas que cuidavam dos animais. Nossos aposentos pareciam pequenas celas de prisão, apertados, sujos. Ele não acreditava que valesse a pena investir dinheiro no que, para ele, eram melhoras desnecessárias.

— Acho que você não se aborreceu nem um pouco de lhe ter tomado a casa.

— Não perdi noites de sono por causa disso. Quando saí daqui, trabalhei durante algum tempo em Three Willows. Aquela sim, é uma fazenda. Chadwick sabia trabalhar. Como sua mãe, agora. Ao deixar Three Willows, com 17 anos, achei que voltaria um dia, com dinheiro saindo pelos bolsos e compraria uma fazenda por aqui.

— E comprou.

— De certo modo.

— O que você fez enquanto esteve longe daqui?

— Isso é uma outra história.

— Tudo bem. — Reconfortada pela comida e a bebida, Kelsey apoiou o queixo na mão. — Aposto como você odiava Cape Cod.

— Cada maldito centímetro dele.

Rindo, ela se recostou novamente e pegou a taça.

— Acho que estou começando a gostar de você. Só espero que você não tenha inventado tudo isso.

— Não preciso mentir. Sobremesa?

— Não posso. — Com um pequeno gemido, ela se levantou da mesa e começou a andar pela sala. — Quando vi esta casa pela primeira vez, eu a achei arrogante e provinciana. Creio que estava certa. — Ela fechou os olhos por um momento. — Meu ponto sem retorno.

— O quê?

— Nada. — Ela abanou a cabeça e se aproximou das janelas. — Deve ser bom olhar através da janela e ver que tanta coisa lhe pertence.

— O que você vê através da sua?

— Um restaurante, um pequeno *shopping center* com uma fantástica butique e uma maravilhosa padaria. O apartamento fica praticamente ao lado de uma estação do metrô, e eu queria ter conforto.

Ele colocou as mãos nos ombros dela, girando-a de forma que ficassem face a face.

— Mas não tem.

— Não. — Surpreendeu-se com o rápido frêmito que experimentou quando ele deslizou a mão por seu pescoço.

— E o que vai fazer agora?

— Ainda não decidi.

Ele lhe tomou o rosto nas mãos, deixando os dedos penetrarem profundamente seus cabelos.

— Eu já.

Sua boca procurou a dela, de leve, testando; não mais do que um sutil roçar que lhes permitia retroceder. Mas não recuou, não com o hálito de Gabe vibrando em seus lábios, e a entorpecente e inesperada ânsia de tocar e ser tocada.

Ela não recuou, mas avançou, seus braços envolvendo-lhe o pescoço, sua boca colando-se sôfrega à dele.

Tanto para sentir. Ela havia esquecido que havia tanto para sentir. Ou, talvez, nunca tivesse sabido. Não havia nada de civilizado ou recatado naquele abraço. Era envolvente e selvagem, uma explosão de sensações que zombava da suave luz das velas e da música tranqüila.

Ela deixou oca a cabeça de Gabe. Só lhe restara a pura sensação do cheiro de Kelsey; de seu gosto que lembrava o de uma droga exótica; de seu corpo contra o dele, os sons de sua respiração acelerada, à medida que ela o abraçava cada vez mais forte. Seu desejo por ela, aguçado como uma faca, arranhava-lhe o verniz das boas maneiras, boa conduta e ética, que ele cuidadosamente cultivara, revelando o velado homem impulsivo.

Ele precisava tocá-la. As mãos dele moviam-se nervosas por todo o corpo dela, na ânsia desesperada de possuí-la. Kelsey contorcia-se ao contato, ávida por mais. Queria implorar que ele se apressasse, que não a deixasse pensar, que não a deixasse raciocinar.

Erguendo uma das mãos, ele acariciou seu rosto e depois prendeu-lhe os cabelos atrás da orelha. Instantaneamente, a recordação de Gabe fazendo o mesmo gesto com os cabelos de Naomi há apenas algumas horas abordou sua mente.

O horror e a vergonha eram como dois golpes violentos desferidos em seu peito. Ela se afastou, ofegante.

— Não — disse ela, tropeçando ao tentar recuar quando ele fez menção de abraçá-la novamente. — Não me toque. — Ela ainda lhe sentia o gosto; ainda o queria. — Como você pôde fazer isso? Como eu pude fazer isso?

— Eu quero você. — Ele teve de combater todos os impulsos de seu corpo que o impeliam para o que quase havia sido seu. — E você me quer.

Porque era verdade, desesperadamente verdade; ela não tinha escolha a não ser agredir.

— Não sou uma égua para ser maneada e submeter-me à cópula. E não vim aqui esta noite para que você pudesse descobrir se a filha puxou à mãe.

Para tentar controlar suas mãos, Gabe enfiou-as nos bolsos.

— Seja mais clara.

— Não estou me justificando, mas, pelo menos, eu tenho a decência de interromper esse desatino antes que ele vá longe demais. Você não tem decência alguma — acusou ela, jogando os cabelos para trás. Raiva misturada a corrosiva culpa afiava-lhe a língua. — Isso é apenas mais um jogo para você, Slater? Atrair a filha, oferecer-lhe champanha e jantar, e depois levá-la para a cama e ver se ela é tão boa quanto a mãe? Você fez as apostas, calculou os riscos?

Ele levou algum tempo para responder e, quando o fez, nem seu rosto, nem suas palavras revelaram o mínimo ressentimento.

— Você acha que estou dormindo com Naomi?

— Eu sei que está.

— Isso me lisonjeia.

— Você... que espécie de homem é você?

— Você não faz idéia, Kelsey. Nenhuma mesmo. Duvido muito que você tenha conseguido me compreender vivendo nesse seu pequenino, confortável e delicado mundo. — Ele se aproximou dela, segurando-lhe a nuca com uma das mãos. Era uma forma mesquinha, insignificante de compensá-la por aqueles rápidos e bons momentos. Mas ele se sentia naquele momento um homem mesquinho, insignificante.

Embora mantivesse as costas enrijecidas, o corpo dela começou a tremer.

— Tire as mãos de mim.

— Gosto de pôr as mãos em você — disse ele docemente. — Você está com medo, excitada, mas com medo, e perguntando a si mesma o que faria se eu tentasse arrastá-la lá para cima. Diabos, por que eu me daria todo esse trabalho se eu poderia fazer isso aqui mesmo? — A voz dele saía-lhe baixa e melíflua, e havia um brilho em seu olhar, uma perigosa chama. — O que você faria, Kelsey, se eu a possuísse aqui mesmo, agora?

O medo lhe apertava a garganta, alterando-lhe a voz.

— Eu disse que tirasse as mãos de mim.

Ele podia ver o pavor no rosto dela. Era nítido como um grito, mesmo depois que ele a soltou e recuou. E o pavor não diminuiu, como também não diminuíram as sensações de frustração que fervilhavam dentro dele.

— Peço-lhe desculpas por isso. Mas apenas por isso — disse Gabe, estudando-lhe a fisionomia por alguns instantes. O rubor que ele havia afugentado deliberadamente de suas faces voltava a tingir-lhe a pele. — Você julga precipitadamente, Kelsey. E já que você se decidiu, não percamos tempo discutindo realidade ou fantasia. Vou levá-la para casa.

CAPÍTULO 7

NAOMI ESTAVA AMARRANDO A FAIXA DO SEU ROUPÃO QUANDO OUVIU a porta fechar-se violentamente. Surpresa com o som inesperado, hesitou em descer ao vestíbulo. Teria o direito, perguntou-se, de questionar a filha sobre o que acontecera? Naomi não tinha precedentes. Se tivesse vivido os anos da adolescência de Kelsey em sua companhia, se tivessem passado noites conversando, trocando confidências e preocupações sobre os triunfos e as tragédias desse período de vida, ela saberia o que fazer.

Mas ela não tinha por onde se guiar, a não ser pelo próprio instinto. O ruído dos passos apressados de Kelsey na escada acelerou sua decisão.

Naomi abriu a porta do quarto, certa de que poderia ter uma idéia de toda a experiência casualmente. Nada de interrogatórios, apenas um corriqueiro "como foi sua noite". Um vago olhar para a filha, entretanto, desmontou suas intenções.

— O que aconteceu? — Antes que qualquer uma das duas pudesse pensar, Naomi avançou, acarinhando o braço de Kelsey. — Você está bem?

Ainda fremindo de raiva, Kelsey pôs-se imediatamente na ofensiva.

— Como você pôde se envolver com ele, muito menos... Deus, você só faltou me pedir para passar a noite com ele.

— Gabe? — perguntou Naomi, seus dedos pressionando involuntariamente os braços da filha. Ela confiava em Gabe, sem questionar. Mas um receio feminino a dominou. — O que ele fez?

— Ele me beijou — Kelsey retraiu-se, seu rosto incendiando-se diante do ridículo resumo do que realmente acontecera entre eles.

— Beijou você — repetiu Naomi enquanto ondas de alívio a divertiam. — Só isso?

— Você não se importa? — Frustrada, Kelsey desvencilhou-se de sua mãe. — Estou-lhe dizendo que ele me beijou. Nós nos agarramos ardentemente. E teríamos continuado se eu não tivesse lembrado.

Você não está entendendo nada, Naomi, disse ela a si mesma. Se não podiam se relacionar como mãe e filha, talvez pudessem tentar como duas mulheres.

— Vamos entrar e sentar.

— Não quero sentar-me. — Mas Kelsey seguiu Naomi até o quarto.

— Eu quero. — Tentando reordenar as idéias, Naomi acomodou-se no banco de sua penteadeira. — Kelsey, imagino que talvez você não se tenha acostumado plenamente com o divórcio, mas você está divorciada e livre para cultivar outras relações.

Kelsey parou de andar de um lado para o outro e fitou a mãe, boquiaberta.

— *Eu* sou livre? Mas isso não tem nada a ver comigo, e sim com você!

— Comigo?

— O que há com você? — perguntou Kelsey, já misturando algum insulto à sua irritação, indignada com a possibilidade de a mulher que tinha o seu sangue ser tão superficial. — Você não tem amor-próprio?

— Já me disseram que eu tenho até demais — respondeu Naomi, lentamente. — Mas não vejo qual é a relação de uma coisa com outra.

— Estou dizendo que seu amante queria dormir comigo, e você não entende qual é a relação?

A boca de Naomi pareceu recobrar forças antes de voltar a articular palavras.

— Meu amante?

— Só Deus sabe por que você permite que ele ponha as mãos em você — censurou-a Kelsey. — Você o conhece há anos e deve saber muito bem quem ele é. Ah, ele é atraente e encantador, por fora. Mas não tem escrúpulos, honradez, lealdade.

Os olhos de Naomi piscaram, seu queixo se ergueu.

— De quem você está falando?

— Slater. — Eminentemente nervosa, foi tudo o que Kelsey pôde dizer para evitar berrar. — Gabriel Slater. Quantos amantes você tem?

— Apenas um. — Naomi entrelaçou as mãos e inspirou profundamente. — E você acha que é Gabe. — Depois de pensar um pouco, ela sorriu. Em seguida, para espanto de Kelsey, ela começou a rir. — Desculpe. Desculpe. Tenho certeza de que isso não é nada engraçado para você. — Naomi pressionou uma das mãos contra o estômago, sem saber o que fazer. — Mas isso é realmente maravilhoso. Fico muito lisonjeada.

— Ele disse a mesma coisa — rosnou Kelsey por entre os dentes.

— Disse? — Naomi enxugou uma lágrima com a ponta dos dedos, pasma. — Você está tentando dizer-me que perguntou a Gabe se ele dormia comigo? Por Deus, Kelsey, ele tem trinta e poucos anos. Eu tenho quase cinqüenta.

— Que diferença isso faz?

Ela não se conteve. Um sorriso brilhou em seus lábios como um raio de sol.

— Agora eu realmente estou lisonjeada. Você acredita mesmo que um homem deslumbrante, Deus, como ele é deslumbrante, e de sangue quente como Gabe poderia se interessar afetivamente por mim?

Kelsey estudou a mãe tão desapaixonadamente quanto a emoção que a dominava permitiu, observando-lhe as feições clássicas, o corpo esguio e elegante no roupão branco.

— Não estou me referindo a afeto — disse Kelsey secamente.

— Ah. — Naomi acenou positivamente com a cabeça, tentando se recompor. — Bem, então, você acha que Gabe e eu estamos... temos... um caso... dormimos juntos? — Ela franziu os lábios. — Estou me sentindo cada vez mais jovem.

— Antes que você se dê ao trabalho de negar, quero lhe dizer duas coisas. — De cabeça erguida, Kelsey encarou sua mãe. — Primeiro, não me interessa saber com quem você dorme. Isso não é da minha conta. Você pode ter vinte amantes, e eu não tenho nada a ver com isso. Segundo, eu a ouvi ontem à noite. Aqui, com ele.

— Oh! — Naomi perdeu o fôlego. — Isso é constrangedor.

— Constrangedor? — repetiu Kelsey, o adjetivo explodindo em sua boca. — Isso é constrangedor?

Naomi ergueu uma das mãos, percebendo que teria de ser bem clara e objetiva.

— Vamos analisar suas afirmações, em ordem. Primeiramente, apesar do que você possa pensar ou do que lhe tenham dito sobre mim, nunca fui uma mulher promíscua. Pode não acreditar em mim, mas seu pai foi o primeiro homem de minha vida. E não houve ninguém mais até dois anos depois que eu havia saído da prisão. Essa pessoa tem sido o meu único amante desde então. — Ela se levantou, ficando face a face com a filha.

— Se isso é verdade, é ainda pior. Como você não se importa que ele a traia desse jeito?

— Nenhum homem me trairia mais de uma vez — respondeu Naomi, em tom de voz que fez com que Kelsey não apenas acreditasse, mas entendesse. — Não era Gabe que estava comigo no quarto ontem à noite, Kelsey. Era Moses.

Kelsey nada pôde dizer. Era impossível ignorar a verdade estampada à sua frente. Silenciosamente, ela se sentou no banco que sua mãe havia ocupado pouco antes.

— Moses, seu treinador.

— Sim, Moses, meu treinador. Meu amigo e meu amante.

— Mas Gabe... ele está sempre tocando você.

— Correndo o risco do clichê, nós somos muito bons amigos. Gabe é, excetuando Moses, meu amigo mais íntimo. Lamento que você tenha interpretado as coisas erroneamente.

— Meu Deus! — Constrangida, Kelsey cerrou os olhos, humilhada por todas as coisas que dissera a Gabe. — Oh, meu Deus, por isso ele ficou tão aborrecido. As coisas que eu lhe disse!

Enfrentando o risco de ser rejeitada, Naomi afagou os cabelos de Kelsey.

— Imagino que você não se tenha dado ao trabalho de perguntar a ele.

— Não — respondeu Kelsey, as palavras que havia dito a Gabe voltando a sua mente, como projéteis. — Não; eu tinha tanta certeza e fiquei tão envergonhada por ele ter conseguido me envolver, ainda que por um instante... Eu nunca... com Wade foi sempre... não importa — disse ela rapidamente. — O fato é que eu me precipitei e lhe disse algumas grosserias.

— Você estava numa situação difícil. Vou telefonar para ele e explicar tudo.

— Não, eu irei lá amanhã e me desculparei pessoalmente.

— É horrível, não é? Desculpar-se?

— Quase tão ruim quanto estar errada. — Era-lhe sempre difícil engolir o próprio orgulho. — Desculpe.

— Não há necessidade de desculpas no que me diz respeito. Você acabou de entrar num mundo povoado de desconhecidos, Kelsey. Confiou na própria intuição. O que quer que você tenha feito esta noite, você fez porque tem um sólido código moral, um primoroso senso do que é certo ou errado.

— Você está me desculpando.

— Sou sua mãe — disse Naomi tranqüilamente. — Talvez nós duas nos acostumemos com isso com o passar do tempo. Vá dormir um pouco. E, se não quiser enfrentar sozinha o leão na toca amanhã, eu irei com você.

Mas ela foi sozinha. Era uma questão de honra. A princípio, pensou em ir de carro, mas não queria chegar muito rapidamente. Apesar de ter ficado a maior parte da noite sem conseguir dormir, queria abordá-lo com as palavras e a inflexão de voz corretas.

Ela decidiu pedir um cavalo emprestado, para, cavalgando de uma fazenda até a outra, relaxar os nervos e a mente.

Encontrou Moses passando ungüento na garganta de um ruão castrado. Mas, tolamente, não conseguiu dirigir-lhe a palavra, hesitante. Como falar com ele, agora que o sabia amante de Naomi?

Por alguns instantes, ficou parada, observando-o. As mãos dele eram serenas, bronzeadas e de palmas largas. Num dos pulsos, uma pulseira de cobre martelado. Seu cabelo grisalho tinha quase a mesma quantidade de fios brancos e negros. Tinha o rosto bem definido, embora talvez ninguém o considerasse belo, com seu nariz adunco e a pele curtida. Seu corpo era robusto e musculoso, embora não detivesse a sedutora flexibilidade do de Gabe.

— Foi difícil saber, não foi? — disse Moses, com a voz levemente divertida. Ele não precisou virar-se para Kelsey buscando a confirmação do que se lhe refletia nos olhos. — Uma mulher bonita como ela. Rica. Requintada. E um tampinha mestiço como eu. — Ele pôs o ungüento de lado e estendeu o braço para pegar uma tigela de mingau ralo. — Não posso censurá-la por ter-se surpreendido. Eu também me surpreendo o tempo todo.

— Perdão...

— Naomi achou que seria melhor informar-me de que ela havia falado sobre nós dois.

Sobressaltando-se, Kelsey levou uma das mãos ao rosto. Quantos constrangimentos mais ainda teria provocado?

— Sr. Whitetree.

— Moses. Chame-me de Moses, levando-se em conta a situação. Vamos lá, rapaz. — Murmurando, ele estimulava o cavalo a tomar o mingau. — Experimente um pouco. Só alguns golinhos. Apaixonei-me por ela logo que comecei a trabalhar aqui como cavalariço. Ela devia ter uns 18 anos, e eu nunca vira uma mulher igual a ela em toda a minha vida. Não esperava que ela me olhasse duas vezes. Por que olharia?

Kelsey o observava cuidar do cavalo, percebendo sua delicadeza, sua força, sua energia.

— Acho que posso entender por quê — disse ela, fazendo um gesto de quem lhe compreendera o curto relato, e aproximou-se dele na baia até ficar ombro a ombro com ele. — O que há de errado com ele?

— *King Cole* está com laringite.

— Laringite? Cavalos têm laringite? Como você pode saber?

— Vê aqui? — Moses pegou-lhe a mão e a levou até um ponto do pescoço do animal. — Sente que está inchado?

— Sim, coitado — disse Kelsey, acalentando-o com suavidade enquanto lhe acariciava o pêlo. — É grave?

— Pode ser, às vezes. Quando é grave, a traquéia fica obstruída, e o cavalo pode sufocar.

— Você quer dizer que ele pode morrer? — Alarmada, ela pressionou o rosto na lateral do focinho do cavalo. — Mas é apenas uma garganta inflamada.

— Em você seria. Nele é diferente. Mas está melhorando, não está, amigo? Ele não pode engolir comida, e sim um mingau, um chá...

Chá para cavalo, pensou Kelsey.

— O veterinário não deveria dar uma olhada nele?

— Não, a menos que piore. Nós o mantemos aquecido, fazemos inalações de eucalipto, passamos cânfora na língua dele três, quatro vezes ao dia. Ele não está tossindo mais, e isso é um bom sinal.

— Até onde você assume o papel de veterinário?

— Só chamamos Matt quando não podemos enfrentar o problema.

— Achei que o treinador apenas treinasse.

— O treinador faz de tudo um pouco. Às vezes parece que o cavalo é a parte menos importante do seu trabalho. Passe um dia comigo quando puder e você verá.

— Eu gostaria.

Havia sido apenas uma observação casual, nada que ele esperasse que ela viesse a aceitar. Pensativo, ele a fitou.

— Eu começo antes do amanhecer.

— Eu sei. E provavelmente não vai me querer rondando atrás de você. Mas imaginei se não haveria algo que eu pudesse fazer enquanto estivesse aqui. Tirar o estrume das cocheiras, limpar as selas. Não espero poder cuidar dos cavalos, mas detesto ficar sem fazer nada.

A filha de Naomi, pensou Moses.

— Bem, vejamos, então. Há sempre algo a fazer por aqui. Quando quer começar?

— Hoje à tarde, talvez amanhã. Preciso resolver um problema agora de manhã. — Seu entusiasmo diminuiu ao lembrar-se disso. — Preferiria limpar estrume a fazer isso, mas não pode ser adiado.

— Venha, então, logo que puder.

— Eu agradeço. Haveria algum cavalo disponível que eu pudesse usar agora? Eu sei montar.

— Você é filha de Naomi, o que significa que sabe montar e que não precisa de permissão para pegar um cavalo.

— Prefiro pedir.

— Vamos selar *Justice*, então — decidiu ele. — Ele combina com você.

O ruão castrado gostava de correr. Fora aposentado há três anos, mas parecia não ter aceitado sua nova condição de cavalo de sela. Era freqüentemente usado para levar competidores até a pista para participar do desfile de apresentação e, embora preferisse correr, desempenhava suas obrigações com dignidade.

Nunca fora um campeão, como Moses informou Kelsey. Mas também nunca fora um animal medíocre e havia gerado dinheiro regularmente para sua proprietária durante toda a sua carreira.

Kelsey não se importou com o fato de ele ter perdido todas as corridas, não quando ele a levou *voando* por sobre as colinas, o corpo ágil como um motor bem lubrificado sob o seu.

Ele respondia imediatamente à mais sutil compressão dos joelhos dela, mudando prontamente a andadura de sacolejante trote para fluido galope, tão feliz quanto ela por ter o frescor da manhã e os campos ondulados diante de si.

Kelsey deu-se conta de que cavalgar era um prazer que ela se havia negado por muito tempo, mas que não mais se negaria, pouco lhe importando quanto lhe doessem os músculos depois. Mesmo quando fosse embora de Three Willows, encontraria maneira de se permitir esse prazer.

Talvez saísse do apartamento onde morava, mudando-se da cidade.

Não havia razão para não comprar seu próprio sítio e um cavalo. Naturalmente teria de providenciar um estábulo, mas isso não era difícil. Se aprendesse o suficiente com Moses, ela poderia mesmo trabalhar num haras.

Kelsey sorvia o frescor da incipiente primavera: o perfume da grama e da vegetação em pequenas brotações. Por que sempre achara que tinha de ficar num escritório ou numa galeria hora após hora quando podia viver ao ar livre, fazendo algo pelo simples gosto de fazê-lo?

Sacudiu os cabelos para trás e riu enquanto cortavam as águas de um estreito riacho e se lançavam encosta acima.

Ao chegar ao topo, diminuindo o ritmo, observou as construções adiante.

Longshot. Inclinando-se para frente, Kelsey afagou o pescoço de *Justice* e contemplou a paisagem. O passeio lhe havia feito muito bem, mas não lhe resolvera o problema principal. Ainda não tinha a mínima idéia de como abordar Gabe.

— Então, o jeito é improvisar — murmurou, puxando as rédeas, sinalizando para *Justice* um majestoso trote.

Gabe viu-a aproximar-se, mas se manteve perto da cerca, observando um potro ser treinado. Gabe não estava mais calmo do que na noite anterior. Tampouco, ele a desejava menos, percebeu enquanto ela se aproximava, esguia, elegante e dourada no dorso do majestoso puro-sangue.

Puxou o charuto e soltou a fumaça relaxadamente. E aguardou.

Ao apear e enquanto caminhava com o cavalo em direção a Gabe, Kelsey percebeu que já estivera em situações piores. Mas situações passadas nunca são tão terríveis quanto as atuais.

— Você monta bem — comentou ele. — É preciso ter mão firme para controlar um cavalo como esse.

— Costumo ter mão firme. Se tiver alguns minutos disponíveis, eu gostaria de conversar com você.

— Pode falar.

Por que ele facilitaria as coisas?, perguntou-se ela, engolindo outra porção de orgulho.

— Em particular, por favor.

— Tudo bem. — Ele pegou as rédeas e acenou para um cavalariço. — Cuide dele, Kip.

— Sim, senhor.

Gabe caminhou em direção a casa, e Kelsey acelerou o passo para acompanhá-lo.

— Você tem um belo negócio aqui. Tudo parece muito com Three Willows.

— Você quer conversar sobre trabalho?

— Não. — Ela deixou sua frustrada tentativa murchar e morrer. — Sei que está ocupado. Tentarei não tomar muito do seu tempo. — Depois, calou-se, até ele abrir uma porta de vidro nos fundos da casa, que parecia levar aos trópicos.

Plantas exuberantemente florescentes cascateavam de potes e cestos à luz do sol que atravessava o telhado de vidro. Uma piscina oval cintilava ao centro, convidativamente azul.

— Muito bonito — disse Kelsey, seguindo os contornos de um vistoso hibisco vermelho. — Acho que não viemos até aqui ontem à noite.

— Não seria apropriado continuar a excursão pela casa. — Gabe se sentou numa espreguiçadeira listrada e esticou as pernas. — Estaremos seguramente a sós aqui.

Ela observou a fumaça do charuto subir em direção aos ventiladores de teto.

— Vim para me desculpar. — Nada, absolutamente nada, poderia ser mais insípido.

Ele simplesmente arqueou uma sobrancelha.

— De...

— Meu comportamento ontem à noite.

Considerando as palavras, ele botou o dedo indicador no charuto, lentamente, até que a cinza caísse num cinzeiro de prata.

— Você se comportou de várias maneiras ontem à noite; poderia ser mais específica?

Sem conseguir se controlar, ela explodiu.

— Você é odioso, Slater. Frio, arrogante e odioso.

— Essa é uma boa forma de se desculpar, Kelsey.

— Eu me desculpei. Vim até aqui quase sufocando, mas lhe pedi desculpa. Você não tem nem mesmo a decência de aceitá-la.

— Como você mesma disse ontem à noite, eu não tenho decência. — Ele cruzou as pernas na altura dos tornozelos. — Presumo, pelo que posso deduzir dessa sua reviravolta, que você tenha conversado com Naomi e ela lhe tenha feito enxergar as coisas.

A única defesa de Kelsey foi empinar o queixo.

— Você poderia ter negado as acusações.

— Você teria acreditado em mim?

— Não. — Enfurecida novamente, ela lhe deu as costas. — Mas você poderia ter negado. Você deveria procurar entender como me senti ao acreditar no que acreditei e de repente me dar conta de que estava...

— O quê?

— Me atirando para você. — Ela parecia cuspir as palavras quando tornou a se virar. — Não posso negar. Atirei-me em seus braços. Não pensei, não pude pensar. Não me orgulho disso, mas também não posso fingir que a atração não foi mútua. Tenho as minhas necessidades também, meus anseios, e, droga, não sou fria!

Gabe não teve certeza do que o surpreendeu mais: se a veemência com que proferiu as últimas palavras ou as lágrimas brilhando-lhe nos olhos.

— Eu sou a última pessoa que você precisaria convencer disso. Por que, diabos, você precisa convencer-se disso?

Consternada, ela se esforçou para não chorar.

— Não importa. O que importa é que eu cometi um grande erro. Eu lhe disse coisas que você não merecia ouvir e das quais me arrependo. — Ela passou as duas mãos nos cabelos e, em seguida, as deixou cair. — Meu Deus Gabe, achei que você havia estado no quarto dela na noite anterior. Eu tinha ouvido...

— Moses — ele completou.

Kelsey fechou os olhos, suspirando.

— Os tolos são sempre os últimos a saber das coisas. Achei que era você. E a idéia de que pretendia relacionar-se com ela e comigo... de que eu iria deixar... — hesitou novamente. — Desculpe.

Ela estava encantadora, o sol dourando-lhe os cabelos, o arrependimento toldando fascinantemente seus olhos. Ele suspirou.

— Sabe, eu realmente queria continuar ressentido com você. Achei que seria fácil e, Deus sabe, mais seguro. — Ele se levantou da cadeira. — Você parece cansada, Kelsey.

— Tive uma noite horrível.

— Eu também. — Ele estendeu o braço para tocar-lhe o rosto, mas ela recuou.

— Não, por favor. Sinto-me uma idiota dizendo isso. Mais do que uma idiota por saber disso, mas estou num estado muito vulnerável neste momento. E você parece conseguir me transtornar.

— Fico muito lisonjeado por você me dizer isso, querida. Certamente me ajudará a dormir à noite. "Não me toque, Gabe, pois posso começar a abraçá-lo loucamente outra vez".

Kelsey não conseguiu reprimir o sorriso.

— Mais ou menos isso. Por que não começamos tudo outra vez? — propôs ela, oferecendo-lhe a mão. — Amigos?

Ele olhou sua mão e, depois, seus olhos.

— Acho que não. — Sem desviar o olhar, ele se aproximou dela.

— Escute... — Ela sentiu uma onda de calor invadir seus pés. — Não quero envolver-me num caso amoroso. Estou passando por um momento difícil. — Cautelosa, ela deu um passo atrás.

— É uma pena. Estou muito feliz com este momento.

— Já lhe disse. — Ela deu outro passo atrás, no vazio. Kelsey notou o sorriso nos olhos de Gabe segundos antes de cair na piscina. A temperatura da água estava agradável, mas não lhe amenizou o susto. Ela emergiu, tirando os cabelos dos olhos. — Seu miserável.

— Eu não a empurrei. Pensei em fazê-lo, mas não fiz — disse, oferecendo-lhe a mão para puxá-la.

Os olhos dela brilharam. Ela lhe segurou firmemente a mão e puxou. Talvez tivesse sido mais fácil derrubar o tronco de uma sequóia.

— Não blefe, Kelsey — disse Gabe simplesmente, largando-lhe a mão e deixando-a afundar novamente. Dessa vez, ela aceitou a brincadeira com sabedoria e escalou a borda da piscina, sentando-se.

— Bonita piscina.

— Gosto dela — disse Gabe, sentando-se a seu lado com as pernas dobradas — Volte um dia desses, para nadar realmente.

— Farei isso.

— Ela é melhor no inverno; com você aqui, confortavelmente, e a neve caindo lá fora.

— Aposto que sim — concordou ela, torcendo os cabelos despreocupadamente e, de repente, borrifando-lhe o rosto. — Peguei você.

Gabe apenas segurou-lhe a mão, pressionando-lhe a palma molhada contra os lábios enquanto observava seus olhos anuviarem-se.

— Peguei você — ecoou ele.

Ela se levantou, seu coração martelando impetuosamente em seu peito.

— Preciso voltar a Three Willows.

— Você está molhada.

— Está bem quente lá fora. — Ela resistiu, francamente, ao impulso de recuar outra vez quando ele descruzou as pernas e se levantou. — Um perfeito dia primaveril.

Ele se perguntava se ela tinha idéia de quão desejável era, tensa e sem graça.

— Eu a levarei de carro.

— Não, obrigada. Prefiro cavalgar. Quase havia esquecido do quanto gosto disso. Quero aproveitar enquanto estiver aqui, e... — Interrompendo-se, Kelsey comprimiu seu trêmulo estômago. — Oh, Deus, preciso ficar longe de você, Gabe.

— Sem chance — disse ele, enganchando-lhe um dedo no cós da calça *jeans* e a atraindo para mais perto. — Quero você, Kelsey. Mais cedo ou mais tarde, vou ter você.

Ela inspirou e expirou fortemente.

— Talvez.

Gabe riu.

— Faça a sua aposta. — disse, soltando-a. — Vou pegar uma jaqueta para você.

Ela saiu sem demora. Dez minutos depois, voltava a galope para Three Willows. Gabe esperou até que ela desaparecesse de sua vista antes de se virar.

— Bonita potranca.

A voz lhe pareceu uma faca cravando-se num dos lados de seu corpo. Um golpe insidioso, indefensável. Mas ele não se assustava facilmente. O rosto de Gabe era uma máscara quando ele olhou para o pai.

Poucas mudanças, reparou. Rich Slater ainda tinha distinção. Talvez tendendo para a de um vendedor de panacéias, mas, ainda assim, com distinção. Era um homem corpulento, ombros largos, braços compridos. Seu elegante terno de gabardine estava apenas um pouco apertado em torno do tórax. Os sapatos brilhavam como espelhos, e os cabelos, negros e lustrosos, escondiam-se sob o chapéu de feltro cinza.

Ele sempre fora atraente e havia usado a aparência — os sedutores olhos azuis, o sorriso fácil — para fascinar os incautos. Já se haviam passado quase seis anos desde que Gabe o vira pela última vez, mas ele sabia que sinais procurar.

As rugas estriavam-lhe o rosto de tal forma, que nenhum cosmético ou reza forte poderiam desfazer. Os vasos capilares irregulares, o brilho excessivo nos olhos. Rich Slater estava exatamente como estivera seis anos antes e, afinal, durante a maior parte de sua vida. Bêbado.

— Que merda você quer?

— Ei, isso lá é jeito de receber seu velho? — Rich riu calorosamente e, como se Gabe lhe houvesse estendido um tapete vermelho, enlaçou o filho pelos ombros. Gabe percebeu, em seu hálito refrescado com pastilhas de hortelã-pimenta, o inequívoco cheiro de uísque, uma mistura que sempre embrulhava o estômago de Gabe.

— Perguntei o que você queria.

— Só vim ver como você estava, filho. — Ele tapeou as costas de Gabe antes de se afastar. Seu corpo não hesitava nem cambaleava. Rich Slater conseguia controlar os efeitos da bebida, como ele mesmo gostava de dizer.

Até a segunda garrafa. E sempre havia a segunda garrafa.

— Dessa vez, você acertou, Gabe. Tirou a sorte grande. Chega de jogar dados pelas ruas, hein, filho?

Gabe pegou Rich pelo braço e o levou para um canto.

— Quanto?

Embora seus olhos tivessem faiscado, Rich simulou melindre.

— Ei, Gabe, um pai não pode visitar o sangue do seu sangue e carne de sua carne sem que você pense que seu velho tenha vindo atrás de esmola? Eu estou muito bem, e vou dizer-lhe como. Ganhei uma boa parada lá no oeste. Estive apostando em cavalos, assim como você. — Ele riu novamente, o tempo todo avaliando e calculando a riqueza a sua volta. — Mas não gostaria de me estabelecer, assim como você. Você me conhece, meu rapaz, não gosto de esquentar lugar.

Ele pegou um cigarro e o acendeu com um isqueiro folheado a ouro com seu nome gravado.

— Quem era a loura sensual? Sempre de olho nas mulheres, hein, filho? — disse-lhe o pai, piscando-lhe o olho. — E elas sempre estiveram de olho em você. Igualzinho ao seu velho.

O sangue fervia nas veias de Gabe só de pensar no que o pai tinha vindo fazer ali.

— Quanto você quer desta vez?

— Desta vez, eu já lhe disse. Nenhum centavo. — Nenhum centavo, pensou Rich olhando na direção do cercado onde o potrinho ainda estava sendo treinado. Um homem poderia causar sensação com uns dois cavalos daqueles. Uma tremenda sensação. Não, ele não queria alguns centavos. Ele queria muito mais.

— Belo cavalo aquele. Eu me lembro de como você costumava prestar mais atenção nos cavalos do hipódromo do que no jogo.

E quando isso acontecia, rememorou Gabe, ele sentia o dorso da grande mão do pai.

— Não tenho tempo para conversas sobre meus cavalos com você. Tenho trabalho a fazer.

— Quando um homem acerta o alvo como você acertou aqui, não precisa trabalhar. — Ou suar, pensou Rich amargamente. Nem se esfalfar por uns trocados. — Mas eu não vou tomar seu tempo. Não, de forma alguma. O caso é o seguinte: estou pensando em ficar na área por algum tempo, visitar alguns velhos amigos. — Ele sorriu enquanto soltava a fumaça. — Uma vez que vou ficar na vizinhança, eu não me importaria de ficar alguns dias nessa sua casa elegante. Fazer-lhe uma agradável visita.

— Não quero você na minha casa. Não quero você na minha propriedade.

O sorriso fácil de Rich extinguiu-se em seu rosto.

— Você está sendo muito bom para mim agora, não é? É assim? Você se enfeita todo e depois não quer ser lembrado de onde veio. Você é um gato de beco, Gabe — disse-lhe o pai, tocando-lhe o peito com o dedo em riste. E sempre será. Mesmo que more numa bela casa e transe com mulheres refinadas. Você é um gato sem dono. Você se esquece de quem lhe botou um teto sobre a cabeça e encheu sua barriga de comida.

— Não me esqueci de ter dormido na rua e de ter passado fome, porque você se embriagava e perdia cada centavo que mamãe se esfolava para ganhar. — Gabe não queria lembrar. Ele detestava essas recordações que o perseguiam como se fossem a sua própria sombra. — Não me esqueço de ter saído furtivamente de um quarto fedorento no meio da noite porque não tínhamos o dinheiro do aluguel. Não me esqueci de muita coisa. Mamãe morreu na enfermaria de uma instituição de caridade, tossindo sangue. Não me esqueci disso.

— Fiz o melhor que pude por sua mãe.

— O seu melhor era o pior. Agora, quanto me custará fazê-lo desaparecer daqui?

— Preciso arranjar um lugar onde eu possa ficar. — O nervosismo começava a dominá-lo, repassando-lhe a voz de lamuriante entonação. Incapaz de se controlar, ele levou a mão ao bolso traseiro das calças para pegar um frasco de bebida. — Apenas por alguns dias.

— Aqui, não. Nada que lhe diga respeito vai tocar este lugar.

— Deus Todo-Poderoso! — Ele tomou um grande gole da bebida, depois outro. — Vou abrir o jogo para você; estou com problemas. Um pequeno mal-entendido a respeito de jogo em Chicago. Eu estava trabalhando tranqüilamente com um sujeito e, de repente, ele se sujou feio.

— Surpreenderam-no trapaceando, e agora alguém está querendo arrancar suas rótulas.

— Você é um insensível filho da mãe. — O frasco já era da segunda garrafa. Rich estava consumindo rapidamente a bebida. — Você me deve muito. Não se esqueça disso. Preciso esconder-me apenas por algumas semanas, até as coisas esfriarem.

— Mas não aqui.

— Você tem coragem de me expulsar daqui e deixar que eles me matem?

— Ah, tenho. — Gabe observou o pai com um sorriso irônico. — Mas vou dar-lhe uma chance. Cinco mil devem ajudá-lo a sair de circulação e mantê-lo enfurnado seja lá onde for.

Rich passeou o olhar pela fazenda, pelas edificações bem cuidadas, pelos cavalos de pêlos lustrosos. Sua embriaguez nunca o impedia de calcular os prováveis lucros que poderia extrair de determinadas situações.

— Não é suficiente.

— Terá de ser. Fique longe da minha casa e dos meus cavalos. Vou preencher o cheque.

Rich esvaziou o frasco quando Gabe se retirou. Não era suficiente, pensou ele, enquanto a bebida parecia contribuir para envenenar-lhe o sangue. O garoto havia tirado a sorte grande e tudo o que ele queria era uma fatia do bolo.

E ele a obteria, prometeu Rich a si mesmo. Dera uma chance ao filho. Mas agora o jogo prosseguiria de outra forma.

CAPÍTULO 8

ERA TOLICE FICAR NERVOSO. TODAVIA, PHILIP CONTINUAVA A OLHAR para o relógio entre um e outro gole de vinho branco. Kelsey não estava atrasada. Ele é que estava adiantado.

Era mais tolice ainda pensar que ela pudesse ter mudado de alguma forma durante as duas semanas que havia estado fora. Que ela pudesse de algum modo vê-lo com outros olhos agora. Ou achá-lo fútil — do mesmo modo que ele se havia achado fútil quando viu a mulher que amara sendo levada para a prisão.

Não havia nada que ele pudesse ter feito. E não importava quantas vezes ele tinha dito isso a si mesmo, as palavras sempre lhe pareciam vazias. A culpa o corroía há anos, disfarçada apenas pelos cuidados e o amor consagrados à filha.

Duas décadas depois, ele ainda podia ver o rosto de Naomi exatamente como a viu pela última vez.

Era uma viagem de carro de seis horas de Washington até Alderson, West Virginia. Seis horas para sair do civilizado mundo universitário e entrar na cinzenta e amarga realidade de uma penitenciária federal. Ambas as instituições tinham disciplinas rígidas, ambas preservadas para objetivos específicos. Mas uma era movida por esperança e energia, a outra, por desespero e ódio.

Não importando o quanto ele havia se preparado, fora um choque ver Naomi, a vívida e arrogantemente dinâmica Naomi, atrás da grade de segurança. Os meses entre sua detenção e o julgamento haviam feito seu trabalho. O corpo de Naomi perdera as sutis curvas femininas, e ela parecia angulosa e ossuda em seu amorfo uniforme da penitenciária. Tudo era cinzento: suas roupas, seus olhos, seu rosto. Fora necessária toda a sua força de vontade para encarar seu olhar fixo, silencioso.

— Naomi. — Philip sentia-se tolo de terno e gravata, o colarinho engomado. — Fiquei surpreso ao saber que você queria me ver.

— Eu precisava. Você aprende rapidamente aqui dentro que muito raramente quer consideração. — Ela já estava na prisão há três semanas, depois do julgamento, e, em benefício de sua própria sanidade, parara de riscar os dias no calendário mental. — Agradeço por você ter vindo, Philip. Sei que deve estar sofrendo certas reações e embaraços por eu estar aqui. Espero que isso não afete sua posição na universidade.

— Não — disse ele, terminantemente. — Presumo que os seus advogados vão apelar.

— Não tenho esperanças. — Ela entrelaçou as mãos, encadeando os dedos firmemente para impedir que se movessem. A esperança era outro fardo que dispensara friamente pelo bem de sua sanidade. — Eu lhe pedi que viesse, Philip, por causa de Kelsey.

Ele não disse nada. Não pôde. Um de seus receios mais angustiantes era o de que ela lhe pedisse para tomar providências a fim de que Kelsey a visitasse, para que ele levasse a sua menina naquele lugar.

Tinha direito, ele sabia no fundo do coração que ela tinha direito. Mas também sabia que iria lutar até o último suspiro para manter Kelsey longe daquele horror.

— Como ela está?

— Está bem. Ficou na casa de mamãe para que eu pudesse... fazer a viagem.

— Tenho certeza de que Milicent terá todo o prazer em ficar com ela. — O sarcasmo era evidente em sua voz; a dor, em seu coração. Determinada a concluir o que havia começado, ignorou um e outro. — Imagino que você ainda não lhe tenha dito onde estou.

— Não. Parece... não. Ela pensa que você está visitando alguém muito longe por algum tempo.

— Bem. — O espectro de um sorriso aflorou-lhe aos lábios. — Estou bem longe, não estou?

— Naomi, ela é apenas uma criança. — Embora achasse injusto, ele ia lançar mão do amor de Naomi por Kelsey. — Não encontrei ainda a melhor forma de contar-lhe a verdade. Espero, com o tempo, poder...

— Não o estou recriminando — atalhou Naomi. Ela se inclinou para frente, suas olheiras zombando dele. — Não o estou recriminando — repetiu. — Por nada. O que aconteceu conosco, Philip? Não consigo imaginar quando as coisas começaram a desandar. Eu tentei. Acho que se eu conseguisse identificar algo, um momento, um fato seria bem mais fácil aceitar tudo o que aconteceu depois. Mas não consigo. — Ela fechou os olhos, esperando até que pudesse falar sem tremer a voz. — Não consigo entender o que deu errado, mas posso identificar facilmente o que deu certo. Kelsey. Especialmente Kelsey. Penso nela o tempo todo.

O assombroso peso da compaixão amoleceu-o.

— Ela pergunta por você.

Naomi desviou o olhar, vagueando-o pela insipidez da sala de visita. Podia-se ouvir o choro de uma pessoa. Mas lágrimas faziam parte daquele lugar tanto quanto o próprio ar. Ela observou as paredes, os guardas, as fechaduras. Especialmente as fechaduras.

— Não quero que ela saiba que eu estou aqui.

Não era o que ele havia esperado dela. Surpreso, ele hesitou entre a gratidão e a objeção.

— Naomi.

— Pensei muito bem sobre isso, Philip. Tenho muito tempo para pensar agora. Não quero que ela saiba que eles me tiraram tudo e me puseram numa jaula. — Ela respirou fundo, para reanimar-se. — Não será necessário muito tempo para que o escândalo seja esquecido. Fiquei longe de seu círculo social quase um ano. As pessoas têm memória curta. Quando chegar a época de ela ir para a escola, duvido de que haja mais do que um simples rumor, se houver, sobre o que aconteceu na Virgínia.

— Talvez, mas é difícil lidar com isso agora. Não posso simplesmente dizer a ela que você desapareceu, Naomi, e esperar que ela aceite isso. Ela a ama.

— Diga-lhe que estou morta.

— Meu Deus, Naomi, não posso fazer isso!

— Pode. — Subitamente Naomi apertou a mão nas grades de segurança. — Para o bem dela, você pode. Escute-me. Você quer que ela tenha a imagem da mãe dela num lugar como esse? Presa por assassinato?

— Claro que não. Não se pode esperar que ela entenda isso, muito menos que suporte essa situação, na idade dela. Mas...

— Mas — ecoou Naomi. Seus olhos estavam apaixonados novamente, excitados, brilhantes. — Em alguns anos, ela poderá compreender e terá de conviver com isso. Se posso fazer algo por ela, Philip, é poupá-la de tudo isso. Pense nisso — insistiu ela. — Pense. Ela provavelmente terá uns 18 anos quando eu sair daqui. Terá passado todo esse tempo me imaginando aqui. Se sentirá obrigada a vir aqui me visitar? Eu não a quero aqui. — As lágrimas vieram então, rompendo seu autocontrole. — Eu não poderia suportar; nem mesmo a idéia de sua presença aqui, vendo-me desse jeito. O que isso lhe poderia causar? Quanto isso a prejudicaria? Não vou correr o risco. Deixe-me protegê-la disso, Philip. Por Deus, deixe-me fazer essa última coisa por ela.

Ele estendeu a mão de forma que os dedos de ambos se tocassem através da malha metálica.

— Não posso suportar ver você aí.

— Algum de nós dois poderia suportar vê-la sentar-se aí onde você está?

Não, ele não podia.

— Mas dizer a ela que você está morta... Não poderíamos prever o que isso faria a ela. Ou como conviveríamos com a mentira.

— Não é exatamente uma mentira. — Ela retirou a mão da grade e tentou conter as lágrimas. — Uma parte de mim está morta. A outra quer sobreviver. Quer desesperadamente sobreviver. E não conseguiria se Kelsey soubesse que estou aqui. Ela sofrerá, Philip. Ela se entristecerá, mas você estará lá para consolá-la. Em poucos anos, ela mal se lembrará de mim e, depois, não se lembrará de forma alguma.

— Você poderá mesmo conviver com isso?

— Terei de conviver. Não entrarei em contato com ela nem interferirei na vida dela. Não lhe pedirei que venha me visitar novamente e, se vier, não falarei com você. Estarei morta para ela e para você. — Ela cruzou os braços. A visita estava terminando. — Sei o quanto você a ama e o tipo de homem que é. Você lhe proporcionará uma vida boa, feliz. Não estrague tudo, fazendo-a conviver com isto. Por favor, prometa-me.

— E quando você sair?

— Trataremos disso quando acontecer. De dez a quinze anos, Philip. É um longo tempo.

— Sim. — Philip sentiu um nó no estômago ao pensar nisso. Como isso afetaria sua filha, então? — Está bem, Naomi. Para o bem de Kelsey.

— Obrigada. — Ela se levantou, reprimindo a náusea. — Adeus, Philip.

— Naomi...

Mas ela seguiu em direção ao guarda, passando pela porta de segurança, que se fechou metalicamente atrás dela, sem ter olhado para trás.

— Papai? — Kelsey pousou a mão no ombro de Philip e o sacudiu suavemente. — Em que século você está?

Ele se levantou, alvoroçado.

— Kelsey. Não a vi entrar.

— Acho que você não teria visto uma frota de caminhões entrar. — Ela o beijou, afastou-se e, em seguida, riu e o beijou novamente. — É bom vê-lo de novo.

— Deixe-me olhar você. — Ela parecia mais feliz?, perguntou-se ele. Mais calma? A idéia provocou-lhe um súbito e mesquinho cabo-de-guerra na consciência.

— Não posso ter mudado muito em duas semanas.

— Só me diga se se sente tão bem quanto parece.

— Sinto-me ótima. — Ela se sentou numa cadeira e esperou que ele se acomodasse à sua frente para voltar a falar. — Suponho que tenha sido o clima do campo, a comida diferente e o trabalho braçal.

— Trabalho? Você está trabalhando na fazenda?

— Apenas nos afazeres mais subalternos — respondeu ela, sorrindo para a garçonete. — Uma taça de champanha.

— Para mim, mais nada. Obrigado. — Philip tornou a olhar para a filha. — Você está comemorando algo?

— *Virginia's Pride* ganhou uma corrida em Santa Anita hoje. — Kelsey ainda exultava com a vitória. — Eu limpo o estrume de sua baia quando ele fica em Three Willows e, por isso, sinto alguma responsabilidade nessa vitória. Em maio, *Virginia's Pride* vai ganhar o Grande Prêmio. — Ela piscou para o pai. — Com certeza.

Philip bebericou o vinho, esperando que ele lhe desobstruísse a garganta.

— Não pensei que você fosse ficar tão envolvida com... os cavalos.

— Eles são maravilhosos. — Ela pegou a taça que a garçonete acabara de colocar diante dela e a ergueu num brinde. — A *Virginia's Pride*, o macho mais gracioso que eu já vi. Sobre quatro pernas, naturalmente. — Deixou as borbulhas explodirem em sua língua. — Diga-me, como estão todos? Pensei que Candace estaria aqui com você.

— Suponho que ela tenha entendido que eu precisava ficar a sós com você por algumas horas. Ela manda lembranças, naturalmente. E Channing também. Ele arranjou uma nova namorada.

— Imagino que sim. O que houve com a mestranda em filosofia?

— Ele alega que ela falava demais. A nova ele conheceu numa festa. Ela desenha jóias e usa suéteres pretos. E é vegetariana.

— Esse namoro deverá durar uns dois ou três dias. Channing não consegue ficar mais do que isso sem um hambúrguer.

— Candace conta seguramente com isso. Ela achou Victoria, esse é o nome dela, inconstante.

— Bem. — Kelsey abriu o cardápio e o analisou. — Ela vai achar inconstante qualquer uma que se aproxime do filho que, para ela, ainda é um bebezinho.

— A coisa mais difícil para os pais é soltar os filhos. Por isso a maioria não solta. — Ele pousou uma das mãos sobre a mão da filha. — Senti sua falta.

— Na verdade eu não me afastei. Gostaria que você não se preocupasse tanto.

— Um velho hábito. Kelsey — ele apertou a mão da filha —, pedi que viesse jantar comigo por duas razões. Não tenho certeza se achará uma delas desagradável ou não, mas achei que iria preferir tomar conhecimento dela por meu intermédio.

Ela se enrijeceu.

— Você disse que todos estavam bem.

— Sim. É sobre Wade, Kelsey. Ele anunciou seu noivado. — Philip sentiu a mão da filha relaxar. — De acordo com o pouco que sei, vai ser um casamento simples. Daqui a um mês ou dois.

— Sim. — Estranho, pensou ela, que ainda pudesse sentir tantas emoções conflitantes. — Bem, foi rápido — ela observou, suspirando e irritada com a mordacidade de seu próprio tom de voz. — Tolice minha ressentir-me disso, ainda que por um instante.

— Humano, eu diria. O divórcio raramente encerra uma situação, por mais tempo que se esteja divorciado.

— É apenas um papel. Sei disso. Nosso casamento terminou em Atlanta, há mais de dois anos. — Ela pegou a taça e observou o champanha borbulhando. — Estava pensando em ser educada e enviar-lhe os meus cumprimentos. De jeito nenhum — decidiu ela, sorvendo um grande gole da bebida. — Espero que ela transforme a vida dele num verdadeiro inferno. Agora, acho que vou experimentar esse famoso peixe-vermelho. Tenho a impressão de que deve ser delicioso.

— Você vai ficar bem?

— Vou ficar ótima. Estou ótima. — Ela fechou o cardápio. Depois que fizeram o pedido, Kelsey sorriu para o pai. — Você temeu que eu pudesse ter um ataque de nervos?

— Pensei que talvez você fosse precisar de um ombro para chorar.

— Posso chorar no seu ombro sempre, papai, mas não choro mais pelo que já está consumado. O fato de estar trabalhando, trabalhando de verdade, talvez tenha mudado meu modo de encarar a vida.

— Você trabalha há anos, Kelsey. Desde que terminou o segundo grau.

— Eu brinco de trabalhar há anos. Nenhum dos meus empregos me entusiasmava.

— E esse sim? Limpar estrume das baias a entusiasma?

O tom de sua voz a advertiu. Kelsey escolheu cuidadosamente as palavras.

— Acho que me sinto parte de um sistema. Não se trata apenas de uma corrida ou de um cavalo. Há continuidade e todos têm participação. O trabalho às vezes é entediante, outras, bastante ativo, outras, repetitivo. Mas a cada manhã é novo. Não sei explicar.

E ele nunca entenderia. Tudo o que ele sabia naquele momento era que ela estava muito parecida com Naomi.

— Imagino que deva ser muito excitante para você. Diferente.

— Sim, é. E também relaxante. E muito exigente. — Pode-se também encontrá-lo feito, ela pensou, e retomou rapidamente a conversa. — Estou pensando em sair do apartamento.

— Sair do apartamento? E fazer o quê? Mudar-se definitivamente para Three Willows?

— Não necessariamente. — Por que isso o magoava? Por que o magoou saber que Wade estava prestes a se casar novamente? — Ainda não decidi, mas estive pensando em me mudar para o interior. Gosto de ver árvores através da janela, papai. Ver campos em vez do edifício vizinho. Além disso, estou gostando muito do que estou fazendo agora e gostaria de continuar, para ver se tenho jeito para a coisa.

— Naomi a está influenciando. Kelsey, você não pode deixar que simples impulsos a façam trocar um estilo de vida por outro. Você não tem como compreender o mundo com o qual está brincando agora em tão pouco tempo.

— Não, realmente não posso afirmar que o compreendo plenamente. Mas quero entendê-lo. — Ela se recostou enquanto a salada era servida. — E quero entender Naomi. Você não deve esperar que eu me afaste dela antes de conseguir entendê-la.

Não estou pedindo para se afastar dela, mas sim que não mergulhe nesse universo sem considerar todas as conseqüências. Nele não existe só o romantismo de um cavalo ao alvorecer ou o galope final na reta de chegada. Há também grosseria, crueldade, vileza. E violência.

— E tanto de mim quanto o cheiro de livros numa biblioteca universitária.

— Ei, você é Kelsey, não é? A encantadora filha de Naomi. — Bill Cunningham aproximou-se deles, vindo do bar com um copo na mão, seu diamante em forma de ferradura cintilando na outra. — Não há como se enganar com relação a esse rosto.

Perfeita coincidência, pensou ela, e forçou um sorriso.

— Olá, Bill. Papai, este é Bill Cunningham, um conhecido de Naomi. Bill, meu pai, Philip Byden.

— Ora, veja só. Há quantos anos. — Bill estendeu-lhe a mão. — Não posso acreditar que não o vejo desde que você me arrebatou Naomi. Professor, não é?

— Sim. — Philip acenou positivamente com a cabeça, dispensando-lhe a frieza que reservava aos alunos negligentes. — Sou professor na Universidade de Georgetown.

— É muito tempo — Bill sorriu, pousando a mão no ombro de Kelsey e pressionando-o amigavelmente. — Você tem uma verdadeira beldade aqui, Phil. É realmente um grande prazer vê-la no hipódromo. Soube que um dos melhores potros de sua mãe deixou os concorrentes a comer poeira em Santa Anita hoje.

— Sim, ficamos muito contentes.

— As coisas vão ser diferentes em Kentucky. Não a deixe persuadi-lo a gastar o seu salário no potro de Three Willows, Phil. Comprei um campeão. Dê um beijo na mamãe por mim, doçura. Preciso voltar ao bar. Tenho um pequeno encontro.

Quando ele se afastou, Kelsey pegou o garfo e começou a comer, aparentando interesse.

— Esse é o tipo de pessoa com quem você pretende se relacionar?

— Papai, você está parecendo a vovó. "Nível, Kelsey. Nunca rebaixe o nível de suas relações." — Philip não sorriu. — Papai, ele é um idiota. Muito parecido com os fanfarrões pomposos e idiotas com que me deparei na universidade, na agência de publicidade, nas galerias. Não há como evitá-los.

— Lembro-me dele — disse Philip gravemente. — Corriam boatos de que ele subornava os jóqueis para que perdessem ou para que forçassem deliberadamente algum cavalo de encontro à cerca.

Kelsey franziu a testa e pôs a salada de lado.

— Então acrescente corrupto a pomposo e fanfarrão. Mas é um idiota mesmo assim, e não é alguém com quem eu pretenda fazer amizade.

— Ele anda no mesmo círculo de sua mãe.

— Paralelamente, talvez. Há muita coisa que não sei sobre ela ou que ainda não confio. Mas sei que Three Willows é mais do que uma simples fazenda para ela; os cavalos, mais do que um mero patrimônio de seus negócios. Three Willows é a própria vida dela.

— Sempre foi.

— Sinto muito. — Kelsey estendeu as mãos para afagar as dele. — Sinto muito por ela tê-lo feito sofrer. Sinto muito que o que estou fazendo o leve a reviver as amarguras que ela lhe causou. Peço-lhe que confie em mim para que eu possa conhecê-la por inteiro. Peço-lhe que me deixe fazer a minha própria escolha. Preciso ter um objetivo na vida, papai. E acho que o encontrei.

Ele temia que sim e que talvez não a reconhecesse quando ela o alcançasse.

— Só me prometa que dará tempo ao tempo, Kelsey. Não se envolva prematuramente com nada nem com ninguém.

— Tudo bem — concordou ela. Em seguida, hesitou. — Você não perguntou por ela.

— Eu ia perguntar — admitiu Philip. — Queria as suas impressões.

— Ela é muito conservada; um incrível poço de energia. Eu a vi acordar de madrugada e prosseguir até depois do anoitecer.

— Naomi adorava a vida social.

— Estou me referindo a trabalho — corrigiu-lhe Kelsey. — Ela nunca sai de casa. Pelo menos não saiu enquanto estive lá. Para lhe dizer a verdade, com tanto trabalho, não sei como alguém teria energia de sobra para programas. Geralmente dorme antes das 22 horas. — Não havia necessidade, pensou ela, de mencionar que Naomi nem sempre ia dormir sozinha. — É muito controlada, muito comedida.

— Naomi? Controlada? Comedida?

— Sim. — Kelsey interrompeu-se, esperando que o antepasto fosse servido. — Talvez ela nem sempre tenha sido, mas é exatamente assim que eu a descreveria.

— Como se sente em relação a ela?

— Não sei. Estou grata por ela não forçar nada.

— É surpreendente: paciência nunca fez parte do perfil de Naomi.

— Suponho que as pessoas mudem. Talvez eu não a entenda, mas a admiro. Ela sabe o que quer e faz por onde obtê-lo.

— E o que ela quer?

— Não tenho certeza — murmurou Kelsey. — Mas *ela* tem.

Da penumbra do bar, Cunningham observava Kelsey e seu pai conversarem enquanto comiam. Um belo quadro, pensou. Só dignidade e classe. Girou o gelo de seu uísque.

— Muito atraente — disse Rich Slater, sentado ao lado dele. — Há algo de familiar nela. — Ele riu, tomando alguns goles de seu copo. Aquilo não seria suficiente para turvar seu pensamento. — Acho que há algo de familiar em todas as mulheres jovens e belas depois que o homem passa de uma certa idade.

— A filha de Naomi Chadwick. A cara da mãe.

— Naomi Chadwick. — Os olhos de Rich brilharam, com prazer e amargas recordações. Afinal de contas, ele estava ali para recordar. E lucrar com isso. — Uma potranca da qual um homem não se esquece. E, agora, vizinha do meu filho. Mundo pequeno. — Saboreou outro gole de uísque. Mercadoria de primeira; já que Cunningham estava comprando. — Sabe, acho que a vi na casa do meu filho há algumas semanas. Se eu o conheço bem, ele parecia interessado nela.

— Ele é íntimo da mãe dela. Creio que agora é íntimo da filha também. — Gabe Slater não teria tido a chance de ser íntimo de nenhuma das duas, pensou Cunningham, se não fosse uma rodada de cartas; as coisas teriam sido diferentes.

As coisas iriam ser diferentes.

— Se ele souber jogar — prosseguiu Cunningham, remoendo suas mágoas — poderá eliminar a linha que divide as duas fazendas.

Rich olhou Kelsey com mais interesse. Então seu filho estava de olho naquela cadela gelada. Ele poderia se aproveitar da situação.

— Isso me parece interessante. Essa fusão poderia fazer delas o melhor negócio do estado, eu diria.

— Talvez — tornou Cunningham, sinalizando com o dedo indicador o pedido de outra rodada de bebidas. — Não é bem isso o que me interessa agora. Quero primeiramente conseguir abalar um pouco a relação entre eles. — Ele levou a mão à tigela de amendoim e jogou dois ou três na boca. Indiferente. Mantenha-se indiferente, disse para si mesmo. Rich não deveria saber o quanto ele estava investindo. — Bem, quanto àquele negócio de que estávamos falando, deve ser concluído a longo prazo.

Interesseiro, Rich olhou o anel no dedo de Cunningham.

— E esse extra poderia ser um bônus?

— Sim.

— Bem, então veremos o que poderá ser feito. — Olhando para Kelsey novamente; ele continuou. — Veremos o que poderá ser feito. Vou precisar de dinheiro para as despesas de viagem, Billy, meu rapaz.

Levando a mão ao bolso interno da jaqueta, Cunningham pegou um envelope e o entregou a Rich, que o recolheu com mãos ávidas por baixo do balcão. O hábito fez Bill relancear o olhar por sobre os ombros.

— Confira depois.

— Não há necessidade. Não há mesmo. Eu e você nos damos bem, Billy. Confio em você. — Assim que guardou seguramente o envelope, ele ergueu o copo. —É um prazer fazer negócio com você novamente. Aos velhos tempos.

Por volta das 12 horas do dia seguinte, Kelsey estava concentrada em sua aula de adestramento, manuseando a guia cuidadosamente. A égua de cinco anos de idade era dócil, e sabia muito mais sobre o processo de adestramento do que Kelsey.

Não era o animal que estava sendo treinado, mas Kelsey.

— Faça-a trotar, mude sua direção — ensinava Moses. A garota tem potencial, concluiu ele. E queria aprender, por isso iria conseguir. — Ela fará tudo que você quiser. Se pegar um potro verá que não é tão cooperativo.

— Então me deixe tentar com um — propôs ela, e estalou o chicote. — Posso dominá-lo.

— Continue sonhando. — Mas talvez em algumas semanas ele lhe confiaria um. Se ela ainda estivesse por lá. Ela tinha bom controle, notou ele. Boa voz, reflexos rápidos.

— Há quanto tempo ela está fazendo isso? — perguntou Naomi.

— Há meia hora aproximadamente.

Naomi apoiou a bota na trave inferior da cerca.

— Nem Kelsey nem a égua parecem cansadas.

— As duas são resistentes.

— Agradeço-lhe o fato de dedicar um pouco de seu tempo a Kelsey.

— Não é nenhum incômodo, à exceção de que tenho medo de que ela esteja de olho no meu emprego.

Ela riu, mas logo notou que ele não estava brincando.

— Acha mesmo que ela está tão interessada assim em adestramento?

— Cada hora que eu passo com ela, sinto-me como uma esponja sendo sugada. A garota não pára de fazer perguntas. Caí na besteira de lhe emprestar um dos meus livros sobre criação de cavalos há alguns dias. Ao me devolver, ela me fez um interrogatório completo, arrancando-me informações sobre fatores sangüíneos a alelos dominantes e co-dominantes.

— E você passou no teste.

— Raspando. Eu costumava ver você fazendo isso. — Rindo, ele segurou o lóbulo da orelha. — Ah, fantasias. Um homem sem fantasias é um homem sem alma. E, quanto a você, eu tinha uma baita alma.

— Ainda tem. Eu lhe provarei isso mais tarde. Lá vem o Matt.

— Não sabia que você tinha chamado o veterinário.

— Não chamei. — Naomi correu a língua sobre os dentes. — Ele disse que estaria na vizinhança e que havia pensado em dar uma olhada na égua com a canela machucada.

Moses tornou a olhar para Kelsey. Ah, fantasias, pensou ele.

— Sim. Certo.

Rindo, Naomi recebeu o veterinário.

— Então, Matt, qual é o veredicto?

— Ela está melhorando. Não será necessário, nada além do que já está sendo feito.

— Foi gentil de sua parte ter-se dado ao trabalho de passar aqui — comentou Moses.

— Eu estava em Longshot. Um dos potros de Slater está ferido.

— Foi sério? — perguntou Naomi.

— Poderia ter sido. Uma perfuração; pequena; poderia facilmente ter passado despercebida. E estava bastante infeccionada. — Ele admirava Kelsey enquanto falava. — Tive de lancetar. Uma pena. Jamison disse que o cavalo estava escalado para Hialech amanhã.

— *Three Aces*? — Solidária, Naomi colocou a mão no braço de Matt. — Gabe iria junto com ele. Aquele cavalo estava correndo como nunca.

— Os dois vão ficar em casa por enquanto.

— Vou telefonar para ele mais tarde e tentar reanimá-lo.

— Talvez ele esteja precisando mesmo. — Matt tornou a fixar a atenção em Kelsey. — Todos parecem saudáveis por aqui. — Quando Kelsey o cumprimentou, com um rápido aceno, ele sorriu. — Ela dá a impressão de que já faz isso há muito tempo.

Quando Moses se apiedou dele e acenou para que Kelsey parasse, ela caminhou com a égua até a cerca.

— Ela é tão dócil — disse Kelsey, roçando o rosto no focinho do animal. — Gostaria que você me desse um rebelde para que eu me sentisse um pouco capaz.

— Toda viagem começa com um passo. Veremos quantos você precisará dar para viajar.

— Ele está sempre me encorajando a autoconfiança. — Ela inclinou boné de algodão para trás. — Ei, Matt, é uma visita profissional ou social?

— As duas coisas. Tive que ir a Longshot.

— Problemas? — Tão casualmente quanto pôde, Kelsey tirou a égua do cercado.

— Um ferimento. — Ele repetiu o que havia acontecido.

— Mas *Three Aces* parecia maravilhosamente bem a última vez que o vi correr. Quando isso aconteceu?

— Pela aparência, há uns três ou quatro dias.

— Ele correu em Charles Town há três dias. Ganhou com um corpo de diferença. — Kelsey franziu a testa e acariciou a égua. — Uma perfuração?

— Quase do tamanho de um prego de duas polegadas, logo acima do machinho.

— Como isso pôde acontecer?

— Pode ter acontecido durante o transporte, alguma farpa aguçada. É possível. É improvável que tenha sido deliberado.

— Você quer dizer que alguém poderia ter ferido o potro de forma que ele não pudesse correr ou algo pior...

— É improvável — repetiu Matt. — Não foi tão sério assim.

— Como você tratou o ferimento?

Atenta, ela o escutou contar como lancetar, os anti-sépticos que usara e sobre a diferença entre perfuração e rompimento dos tecidos.

— Entende o que eu quis dizer? — murmurou Moses para Naomi. — Seu próximo passo vai ser pegar livros de veterinária. — Ele apertou os olhos quando se virou na direção das cocheiras. — Está esperando alguém?

— Não. — Naomi franziu os lábios e estudou o rapaz que se aproximava. Esguio, de ombros estreitos, belo rosto. Calça *jeans* e camisa de algodão. Simples, disse ela consigo mesma. Mas as botas o traíam. Elas deveriam ter custado uns bons 300 dólares.

— Alguém conhece o vaqueiro?

— Como? — Curiosa, Kelsey virou-se e, em seguida, soltou um grito de alegria. — Channing! — Correu em sua direção, partindo o coração de Matt ao atirar os braços em torno do pescoço do rapaz. — O que você está fazendo aqui?

— Achei que seria interessante conhecer o lugar antes de seguir para Lauderdale. Férias de primavera.

— Você não esqueceu isso ainda?

— Esquecer garotas de biquíni? Acho que não. Ei, olhe só para você. Parece que saiu de um anúncio exaltando a vida no campo. — Channing passou o braço em torno dos ombros dela e relanceou o olhar pelo trio parado próximo à cerca. — Não me diga que aquela é sua mãe?

— Aquela é Naomi. Venha. Vou apresentá-lo a ela. — Kelsey manteve o braço em torno da cintura dele. — Channing, esta é Naomi Chadwick, este é Moses Whitetree, e este, Matt Gunner. Channing Osborne, meu meio-irmão.

— Bem-vindo a Three Willows. — Naomi estendeu a mão, divertida e encantada quando Channing a levou aos lábios. — Kelsey me falou sobre você.

— Apenas coisas boas, espero. Você tem uma bela fazenda.

— Obrigada. Mais tarde nós a mostraremos a você. Espero que possa ficar algum tempo.

— Estou só de passagem. — Incapaz de resistir ao impulso, ele estendeu o braço por sobre a cerca e acariciou o focinho da égua. — Vou seguir até a Flórida para passar uma ou duas semanas de férias lá.

— Vai paquerar as colegas da escola — interpôs Kelsey. — Channing está fazendo vestibular para medicina e chama isso de aulas de anatomia.

Ele riu e estendeu o braço para coçar as orelhas da égua.

— Ora, a juventude passa num piscar de olhos. Estou fazendo algo errado?

— De forma alguma — assegurou-lhe Naomi. — Você chegou bem a tempo de almoçar. Matt, você almoça conosco, não é?

— Eu gostaria. Mas preciso ir à Fazenda Bartlett. Um dos potros da propriedade está com cólicas.

— Ei, você é veterinário? — Channing interessou-se. — Sempre achei que seria demais tratar de cavalos. Eles não reclamam tanto quanto as pessoas, certo? — acrescentou sob o surpreso olhar de Kelsey.

— Isso mesmo. Mas as pessoas geralmente não mordem nem escoiceiam. Fica para a próxima vez, Naomi, obrigado. Kelsey, foi bom vê-la novamente. Prazer em conhecê-lo.

— Eu o acompanho. Kelsey, traga Channing para almoçar quando estiverem prontos.

— Se eu bem o conheço, você já está pronto. Gostaria de conhecer a fazenda depois de comermos?

— Seria ótimo.

— Não sabia que você estava interessado em veterinária.

Ele deu de ombros, embaraçado.

— Só superficialmente. Cisma de criança.

Eles começaram a andar lentamente.

— Lembro-me da ocasião em que você tentou salvar aqueles passarinhos que se chocaram contra a sua vidraça. E aquele vira-lata coxo e pulguento que você trouxe para casa uma vez?

— Sim. — Ele riu, mas o humor não lhe alcançou os olhos. — Mamãe acabou com a festa. Mandou levá-lo para o canil. Devia ter andado os últimos quilômetros em três pernas.

— Tinha esquecido disso. — Ela apoiou a cabeça no ombro dele. — Ela teve medo de que ele voltasse. Ele devia ter uns 100 anos.

— Não era um cão de raça — disse Channing e deu de ombros. — Não era grande coisa. Alérgica como ela é, não poderia ter convivido com animais pela casa. Além do mais, como eu disse há pouco, isso foi apenas coisa de criança.

Por que ela nunca lhe tinha ouvido a voz em tom de resignação antes?, perguntou-se Kelsey. Talvez ela nunca tivesse prestado atenção.

— Você deseja ser médico, Channing?

— Tradição de família — respondeu ele serenamente. — Nunca pensei em ser outra coisa. Exceto astronauta, quando eu tinha 6 anos. Os homens da família Osborne são cirurgiões, e ponto final.

— Candace nunca o obrigaria a fazer algo se soubesse que você não tem interesse.

Rindo, Channing parou e olhou para ela.

— Kels, você tinha 18 anos quando eles se casaram e praticamente já estava com um pé fora de casa. Mamãe manipula as coisas. Ela faz isso sutilmente e muito bem. Mas eu e o mestre simplesmente cumprimos as determinações dela.

— Você está aborrecido com ela. O que houve?

— Diabos, ela suspendeu minha mesada porque eu me recusei a fazer um curso preparatório nas férias de verão. Sabe, eu queria trabalhar. Sentir o gosto do mundo real; tinha conseguido um emprego na construção civil. Sabe, eu queria colocar um capacete e mandar beijos grosseiros para as secretárias que me cruzassem o caminho na hora do almoço. Queria apenas ficar alguns meses longe dos livros.

— Isso me parece sensato. Talvez se eu falasse com ela para você...?

— Não, no momento ela não está muito contente com você também. Isto aqui — disse ele, gesticulando para abranger a fazenda com um movimento do braço. — Ela acha que este lugar é a razão de o mestre estar vivendo uma grande tensão. E Milicent, a magnífica, instiga-lhe mais ainda a neurose.

Kelsey suspirou profundamente.

— Então, estamos no mesmo barco. Diga-me, você está mesmo disposto a seguir para Lauderdale e correr atrás de biquínis?

— Se você está sugerindo que eu volte para casa, beije e disfarce...

— Não. Eu ia sugerir que você passasse as férias aqui. Não acho que Naomi se oponha à sua permanência comigo.

— Brincando de irmã boazinha?

— Sim. Há algo de errado nisso?

— Não. — Ele se inclinou e lhe beijou a testa. — Obrigado, Kels.

CAPÍTULO 9

O NOME DO CAVALARIÇO ERA MICK. NASCERA NA VIRGÍNIA E LÁ FORA criado; gostava de gabar-se de que havia esquecido mais sobre cavalos do que o que qualquer outra pessoa pudesse ter aprendido sobre eles. Talvez fosse verdade. Certamente, durante os seus excêntricos cinqüenta anos como tratador, ele havia funcionado em todos os estágios do negócio. Nos primeiros anos em que trabalhou como empregado de uma cocheira, passou de auxiliar de estábulo a exercitador de cavalos. Freqüentemente jactava-se de ter montado os cavalos de Cunningham durante o auge dos negócios do patrão.

Antes de completar 20 anos, era suficientemente pequeno e leve para ser jóquei. Embora nunca tivesse passado de aprendiz a oficial, havia vestido as sedas e não deixava que as pessoas esquecessem isso.

Por um período curto e imemorável, trabalhara como treinador numa pequena fazenda na Flórida. Chegara mesmo a ter um garanhão castrado durante um ano ou pelo menos 15% dele. Talvez o cavalo nunca tivesse desenvolvido todo o potencial que tinha, demonstrando-se um *Morning Glory* rápido nos treinos e lento nas corridas. Mas Mick havia sido proprietário, e era isso o que importava.

Mick havia voltado para a fazenda de Cunningham quando soube que a propriedade mudara de mãos. O emprego de cavalariço o satisfez sobretudo porque Gabriel Slater lhe dava a impressão de ser um vencedor. E sempre foi, nas recordações de Mick.

Agradava-lhe o fato de os jovens quase sempre aceitarem suas sugestões. Pelas costas, podiam chamá-lo de *Pavão*, por causa de seu inseparável e vistoso boné azul e de seu andar empertigado. Mas, dizia ele, faziam isso por afeição.

Seu rosto estreito e enrugado era conhecido em todos os hipódromos, de Santa Anita a Pimlico. E era exatamente isso o que Mick queria.

— A pista está lenta hoje — comentou Boggs, enrolando meticulosamente um cigarro de palha.

Mick concordou com um aceno da cabeça. A chuva torrencial da manhã caía agora sob a forma de uma garoa incessante, e isso era bom. *Double or Nothing*, um dos cavalos de Slater, brilhava na pista lamacenta.

Os treinos haviam terminado, e, agora, só restava aguardar o momento da corrida. Mick sentou-se num galpão observando a água da chuva gotejar dos beirais e pensando nos 10 dólares que ardiam em seu bolso; pretendia apostá-los no nariz de *Double* e vê-los multiplicados.

Puxou um amarfanhado maço de Marlboro e juntou-se a Boggs.

O ambiente no hipódromo estava tranqüilo. Os jóqueis deviam estar recolhidos a seus alojamentos ou fazendo sauna para perder um quilo ou outro antes do momento da largada. Os treinadores estariam debruçados sobre seus livros, os proprietários dos cavalos, protegidos no conforto do ambiente seco e aquecido do café. Havia pouca atividade junto às baias, mas logo o local voltaria a se agitar.

— É engraçado ver a filha da sra. Naomi por aqui — Mick puxou conversa. — Ela cavalgou até Longshot há algumas semanas e voltou para Three Willows encharcada até os ossos.

Boggs acenou positivamente com a cabeça e soltou uma baforada.

— Ouvi falar sobre isso.

— Ela estava num daqueles ruanos castrados de Three Willows. Ela o dominava bem.

— Monta como a mãe. Um verdadeiro quadro vivo.

E ali sentados permaneceram, dois velhos solteirões, fumando em silêncio.

Mais de cinco minutos se passaram antes que Mick voltasse a falar.

— Outra pessoa esteve lá naquele dia.

— É? — Boggs não lhe perguntou quem foi. Não era a forma pela qual eles se comunicavam.

— Faz muito tempo que eu não o via por lá, mas pude reconhecê-lo. — Ele jogou a diminuta guimba de cigarro numa poça d'água e a observou apagar-se. — Tinha esquecido sua ligação com o homem até ver os dois juntos novamente. Aí me veio à memória. Lembro-me do tempo em que o sr. Slater era empregado do sr. Cunningham.

— Sei. Uns quinze anos atrás. Depois foi trabalhar em Three Willows. Ficou lá por algum tempo.

— Um ou dois anos. Trabalhador, não falava muito. Ainda é assim, a não ser que precise realmente falar alguma coisa. Sempre foi um solitário. Nunca pensei que eu fosse trabalhar para ele.

— Ele se fez sozinho.

— Ah, isso fez mesmo. Muitos pensavam que ele jamais poderia obter sucesso na vida, sempre rondando e jogando cartas. Um simples rato de hipódromo, diziam. Mas eu pensava de outra forma.

— Sempre gostei dele também. — Boggs coçou um ferimento no antebraço feito pela mordida de um potro. — Tinha alguma coisa especial nele. E ainda tem.

— É. Eu estava em Three Willows no dia em que Lipsky tentou esfaqueá-lo. Nem naquele dia falou mais do que tinha de falar.

Boggs cuspiu no solo molhado, mais para simbolizar o que pensava de Lipsky do que por necessidade.

— Um homem não pode ficar bêbado e pretender controlar um garanhão.

— É verdade. — Mick calou-se novamente, e pensou em acender um outro cigarro. — O sr. Slater detesta bêbados. Eu tinha esquecido como o pai dele costumava virar a garrafa, até que o vi novamente perto da cocheira naquele dia.

— Rich Slater? — perguntou Boggs, interessado. — Ele foi a Longshot?

— É o que estou lhe dizendo. No dia em que a filha da sra. Naomi saiu de lá molhada. Estava todo lustroso, como se fosse um vendedor de Bíbiias. — Para realçar a satisfação de repassar informações, Mick decidiu se permitir o outro cigarro. — Eles conversaram por alguns instantes. Não pude ouvir o que o sr. Slater disse nem ver sua expressão. Olhos de jogador é o que ele tem. — Mick soltou uma baforada depois de tragar profundamente, seguro do interesse do amigo. — Contudo, pude ouvir o velho, rindo e falando que estava endinheirado e que tinha passado lá para saber como o filho estava.

— Passou lá para sugar dinheiro, mais provavelmente.

— Pode ser. Não gostei do jeito que ele olhava a fazenda, como se estivesse fazendo cálculos num computador. Polly tinha um potro na guia. *Inside Straight*, esse é o nome que o sr. Slater deu a ele. Essa Polly tem mesmo boas mãos, e como tem.

— Isso mesmo — concordou Boggs, sem comentar o relato de Mick. Com um aceno, cumprimentou um dos cavalariços do hipódromo que passava. — Um bom treinador. Acho que Moses está preparando a srta. Kelsey para ser treinadora em Three Willows. O velho Chip voltou a falar em se aposentar.

— Ele sempre fala. Conversa fiada. Como eu estava dizendo — Mick retomou o fio da meada —, num certo momento, o sr. Slater entrou em casa, e o velho Rich ficou andando pela fazenda, tomando uns tragos de sua garrafa de bolso. De prata, muito brilhante. Encurralou Jamison; tentando arrancar-lhe informações, eu suponho. Pouco depois, o sr. Slater retornou, deu um cheque ao velho e botou ele para correr. Sutilmente, mas não deixou de ser um chute no traseiro.

— Nunca fui com a cara de Rich Slater.

— Nem eu. Diz o ditado que a maçã não cai muito longe da macieira. Mas acho que no caso desses dois há uma grande distância entre eles. Ele tem classe, o sr. Slater. E escuta quando alguém lhe diz alguma coisa. Me perguntou um dia desses o que eu achava da perfuração na perna dianteira de *Three Aces*.

— É um bom cavalo.

— E como é. Eu disse ao sr. Slater que não me parece um acidente, de forma alguma. Ele ficou me olhando e me agradeceu, muito educado. — Mick se levantou, seus ossos estalando. — Vou dar uma olhada em *Double*.

— Acho que vou tomar um café.

Separaram-se e Mick penetrou a penumbra das cocheiras. A chuva tamborilava no telhado, amortecendo o ruído produzido pelo movimento dos cavalos em suas baias. Um cavalariço colocava uma manta sobre uma potranca. Mick se deteve, observando suas linhas.

Muito larga; aquela potranca provavelmente iria patinhar. Não haveria esse problema com *Double*. O garanhão negro tinha os quartos dianteiros bem proporcionados e um corpo robusto e relativamente curto, além de um valoroso espírito de competição.

Acima de tudo, *Double* tinha coragem.

Depois Mick seguiu para a baia de *Double*. Ele gostava de conversar com o animal antes das corridas e avaliá-lo para decidir se seria um bom dia para apostar nele.

— Olá, garoto, providenciamos uma chuvinha especialmente para você. — Mick abriu o portão da baia e franziu a testa, surpreso. — Com todos os demônios, o que você está fazendo aqui, Lipsky? Você não deveria se aproximar dos cavalos do sr. Slater.

Lipsky manteve-se agachado e fitou Mick enquanto corria a mão pela perna de *Double*.

— Estou apenas dando uma olhada. Pensei em apostar alguns trocados nele.

— Vá em frente e faça isso, mas dê o fora daqui.

— Estou indo. Estou indo. — Lipsky inclinou o corpo, mas os olhos de Mick estavam atentos.

— Que diabos você pretende fazer com isso? — Com um preciso movimento, Mick segurou o braço de Lipsky. A faca saltou-lhe à vista, afiada e cintilante, na penumbra da cocheira. — Seu filho da puta. Você ia cortar a perna dele...

— Eu não ia machucar. — Assustado, Lipsky desviou o olhar para o portão da baia; não tinha muito tempo. — Era só uma providência para que ele não corresse hoje. — Ou nunca mais, pensou, uma vez que cortasse um dos tendões do animal. — Slater está recebendo o que merece.

— Pois você já encontrou o que merecia. E ninguém se mete com os meus cavalos. Deve ter sido você, seu miserável, quem feriu *Three Aces* também.

— Não sei do que você está falando. Olhe, foi apenas uma idéia infeliz, mas não houve nada; você mesmo pode ver que nem cheguei a encostar nele.

— Vou dar uma olhada: pode ter certeza. Agora vamos ver o que o sr. Slater vai querer fazer com relação a isso.

Lipsky deu um tranco para trás, furioso pelo fato de o cavalariço velho e magricela ter uma mão de ferro.

— Você não vai me entregar.

— Uma pinóia que não vou. Vou entregá-lo, porque você tentou estragar esse cavalo. E cuspirei no seu túmulo se o sr. Slater resolver acabar com você.

— Eu não toquei nesse maldito cavalo. — Desesperado, Lipsky atacou o velho cavalariço enquanto o cavalo dançava, nervoso, num canto da baia.

A faca zuniu no ar, e, desviada pelo antebraço de Mick, sua ponta atingiu superficialmente o flanco do cavalo.

Provocado pela dor, *Double* empinou. Mick praguejou e inspirou profundamente para poder gritar. Mas já não havia mais ar, porque a faca penetrou suas entranhas, pouco acima da cintura.

— Meu Deus! — Tão abismado quanto seu oponente, Lipsky puxou a faca e viu o sangue espalhar-se. — Por Deus, Mick, eu não queria ferir você!

— Maldito — Mick sussurrou antes de cair para frente, no exato instante em que o potro, excitado pelo cheiro de sangue, empinou. Uma de suas patas atingiu o velho cavalariço na base do crânio. Depois de uma pontada de dor lancinante, ele não sentiu mais nada, nem mesmo quando as patas do animal o esmagaram.

O pânico quase fez Lipsky fugir apressadamente da baia, mas ele se deteve, agachando-se covardemente num canto. Não fora culpa sua, disse a si mesmo. Diabos, ele não era um assassino. Jamais teria enfiado uma faca no velho Mick, sobretudo estando sóbrio como estava. Se pelo menos Mick o tivesse escutado, aquilo não teria acontecido. Limpou o punho na boca suarenta e recuou em direção ao portão. Antes de sair furtivamente da baia, enfiou a faca na bota. Costas arqueadas, correu para a chuva.

Ele precisava de um drinque.

— Isto aqui é demais — disse Channing de pé na arquibancada, comendo um cachorro-quente. — Não poderia imaginar que haveria tanta coisa para ver por aqui. É como assistir aos ensaios de um espetáculo quente da Broadway.

Encantada com ele, Naomi sorria. Se ela pudesse escolher um irmão para a filha, certamente seria Channing Osborne.

— Sinto muito pelo tempo.

— Ei, isso apenas aumenta o drama. Cavalos como relâmpagos na chuva, cores esvoaçantes, lama espirrando. — Ele riu e acabou sua Coca-Cola e seu cachorro-quente. — Mal posso esperar.

— Bem, não vai demorar muito — assegurou-lhe Kelsey. — Aliás, deve estar quase na hora de eles prepararem os cavalos para o desfile de apresentação. Você gostaria de assistir?

— Claro. Você foi muito amável deixando-me ficar, Naomi.

— Me alegra você ter preferido a nossa companhia ao sol, à areia, aos biquínis.

— Aqui é melhor. — Num gesto que Naomi julgou muito sedutor, ele lhe ofereceu o braço. — Quando eu voltar para casa na próxima semana, poderei me gabar diante dos colegas bronzeados e com ressaca por ter-me dado bem com duas mulheres encantadoras.

— E quanto à namorada vegetariana? — perguntou-lhe Kelsey.

— Quem? Victoria? — Ele sorriu desinteressadamente. — Ela me dispensou quando percebeu que eu era um carnívoro irrecuperável.

— Visão meio estreita a dela — opinou Naomi.

— Foi o que pensei. Mas sou um bom partido, não acha, Kels? — Ele se virou para a meia-irmã e percebeu que algo a distraía. Vejam só, pensou ele, estudando Gabe. Channing não via olhar semelhante no rosto de Kelsey há muito, muito tempo. — Alguém que você conhece?

— Hum? Ah — balbuciou Kelsey distraída, levantando a mão para ajeitar a pala do boné. — Apenas um vizinho.

Gabe interrompeu a conversa com Jamison e virou-se para observá-los aproximando-se. Nossa, ela estava encharcada! Desviou o olhar de Kelsey para o homem que lhe envolvia os ombros com o braço.

Jovem demais para ser rival, considerou Gabe. Duvidava de que o garoto tivesse idade suficiente para poder comprar cerveja. Mas havia um senso de propriedade no braço e nos olhos que lhe pareceu uma mistura de curiosidade e advertência.

O meio-irmão, concluiu, se encaminhando para os receber.

— Você ainda não se enxugou? — disse a Kelsey, e observou um lampejo de irritação em seu rosto.

— Já é outro dia, Slater. Este é Channing Osborne. Gabriel Slater.

— Que bom você ter podido vir visitar sua irmã.

— Também acho.

Gabe achou graça no fato de Channing ter-lhe apertado a mão com mais força do que a necessária.

— Como está a égua, Naomi? Estive pensando em passar lá para dar uma olhada.

— Ela está prenhe, com certeza. E saudável. Matt passou lá na fazenda ontem e me contou o que aconteceu com *Three Aces*. Está melhor? — Os pensamentos de Gabe escureceram, mas seu olhar permaneceu límpido.

— Sim. Estará de volta no auge da forma dentro de algumas semanas.

— Você inscreveu *Double or Nothing** para correr hoje, não foi?

Gabe olhou para Kelsey e, sentindo vontade de tocá-la e irritá-la, deslocou o nó de um dos dedos por seu rosto.

---

* Em inglês, *double or nothing*, aposta freqüente no jogo de pôquer e nome do cavalo de Slater.

— Acompanhando o desenvolvimento da competição, querida?

— Pode-se dizer que sim. Seu potro está correndo cabeça a cabeça com o nosso.

— Quer fazer outra aposta comigo? Você ainda me deve 10 dólares.

— Está bem. E para manter o espírito da coisa, eu diria... o dobro ou nada.

— Feito. Quer dar uma olhada no vencedor?

— Já estive olhando *Virginia's Pride*, obrigada.

Ele sorriu e segurou-lhe a mão.

— Venha.

Quando ele a afastou, Channing franziu a testa.

— Isso está acontecendo há muito tempo?

— Estou começando a achar que sim. — Observando-os afastarem-se, Naomi esfregou o nariz molhado. — Isso o preocupa?

— O processo do divórcio foi muito difícil para ela. Não quero que alguém se aproveite da situação. O que você sabe sobre ele?

— Muita coisa, realmente. — Naomi suspirou. — Mais tarde, eu falarei sobre ele. Agora acho melhor irmos atrás deles para você parar de se preocupar.

— Boa idéia. — Ele a olhou enquanto entravam nas baias. — Você é legal, Naomi.

Gratificada, ela lhe deu a mão.

— Você também, Channing.

— Você sabe que quero atropelá-lo nas pistas, Slater, mas sinto muito por *Three Aces*. Suponho que não há nada que eu possa fazer, mas...

— Apaixonou-se por eles não foi?

Kelsey ajeitou o boné para olhá-lo melhor.

— Por quem?

— Pelos cavalos.

Ela deu de ombros e continuou a caminhar em direção às baias.

— E daí?

— Parece fazer-lhe bem. Você se descontraiu. — Ele a retardou deliberadamente, querendo aproveitar um outro momento antes de chegarem às baias. — Quando você voltará?

Ela não fingiu que não o havia entendido, mas decidiu esquivar-se.

— Tenho estado muito ocupada. Moses nos dá muitas coisas para fazer.

— Você prefere que eu a procure?

— Não. — Insegura, ela lançou um olhar por sobre os ombros. Naomi e Channing estavam a apenas alguns passos atrás. — Não — repetiu ela. — E este não é o momento para falarmos sobre isso.

— Você acha que seu irmão avançaria em meu pescoço se eu a agarrasse e a beijasse aqui mesmo?

— Claro que não. — Sua dignidade começava a traí-la. — Mas eu talvez.

— Você está me provocando, Kelsey. — Levou a mão dela aos lábios. — Hoje à noite — murmurou ele. — Quero vê-la hoje à noite.

— Channing veio me ver, Gabe.

— Hoje à noite — ele repetiu. — Você vem a mim ou eu vou a você. A escolha é sua. — Ele parou diante da baia ainda segurando a mão de Kelsey. — Olá, rapaz. Pronto para... — Gabe emudeceu ao ver o filete de sangue, vermelho e ainda fresco, no pêlo negro. — Maldição!

Abriu o portão bruscamente e mal precisou dar o primeiro passo para ver o corpo deformado no chão.

— Não entre. — Sem olhar para trás, ele estendeu o braço para impedir que Kelsey avançasse.

— O que aconteceu com ele? O pobrezinho está sangrando. — De olhos fitos no potro, Kelsey forçou a passagem. Quando Gabe foi forçado a agarrar o cabresto para impedir o cavalo de empinar, ela viu o corpo numa poça de sangue.

— Oh, Deus. Oh, meu Deus, Gabe.

— Segure-o! — ordenou Gabe, prendendo os trêmulos dedos de Kelsey no cabresto.

— O que aconteceu? — Alarmada com a palidez do rosto de Kelsey, Naomi avançou abruptamente. — Vou chamar uma ambulância — murmurou, pressionando uma das mãos sobre a de Kelsey. — Você consegue segurá-lo?

Kelsey pestanejou, abanou a cabeça afirmativamente e em seguida pigarreou.

— Sim, sim, eu estou bem. — Mas estava tão chocada, que se mantinha de costas para o que jazia num dos cantos da baia.

— Minha nossa — Channing engoliu em seco e parou entre Kelsey e Gabe, que estava agachado diante do corpo. — Sou um simples vestibulando de medicina — disse ele serenamente, agachando-se — mas talvez...

Bastou-lhe apenas uma olhada para perceber que, mesmo que fosse um cirurgião tão habilidoso e experiente quanto seu pai havia sido, de nada adiantaria.

Havia sangue por toda parte, poças em coagulação sobre a palha, no afundamento da base do crânio, no conhecido boné azul-vívido, agora encoberto pela palha.

— Este cavalo deve ter enlouquecido — disse Channing gravemente. — Kelsey, saia daqui. Afaste-se dele.

— Não, eu posso segurá-lo. — Esforçando-se por manter a respiração estável, Kelsey acariciou o pescoço do potro. — Ele está tremendo. Está apavorado.

— Dane-se ele; acabou de matar um homem!

— Não foi o animal que o matou — afirmou Gabe num tom de voz baixo e firme. Ele tinha virado gentilmente o corpo de Mick, e sua camisa arregaçada permitia-lhe ver a violenta estocada no abdômen — mas uma pessoa...

Algum tempo depois, Kelsey tiritava sob a garoa, tentando fingir que tomava o café que Channing insistira em lhe trazer.

— Você deveria sair daqui — disse-lhe ele novamente. — Deixe-me levá-la para casa ou, pelo menos, para a sede do hipódromo.

— Não, eu estou bem. Preciso ficar aqui e esperar. Pobre homem. — Ela desviou o olhar para as baias. Já não pareciam excitantes ou fascinantes agora, mas simplesmente lamacentas, tristes. As pessoas haviam se reunido em grupos pequenos e compactos, mantendo os olhos fixos no galpão, aguardando. — Gabe está há muito tempo lá dentro com a polícia.

— Ele sabe se cuidar. — Olhou para Naomi, sentada numa mureta. — Talvez fosse melhor você ficar lá com sua mãe. Ela parece muito assustada.

Kelsey fitou a entrada das baias; queria estar lá dentro, ouvir o que estava sendo dito, saber o que estava sendo feito.

— Gabe e eu o encontramos — murmurou ela. — Sinto-me na obrigação de ajudar.

— Então, vá ajudar Naomi.

Kelsey inspirou profundamente.

— Sim. Você tem razão. — Mas foi difícil caminhar até Naomi e encarar-lhe a vagueza do olhar. — Tome — disse ela, oferecendo à mãe o café intocado. — Um pouco de conhaque seria melhor, mas não há como arranjar agora.

— Obrigada. — Naomi pegou o copo, obrigando-se a alguns goles. Aquilo não tinha nada a ver com ela, dizia-se. A polícia não viria até ela. Não a levaria dessa vez. — Pobre Mick.

— Você o conhecia bem?

— Ele estava na região há um bom tempo. — Ela tomou outro gole de café, que não proporcionava o mesmo cálido conforto do conhaque, mas ajudava. — Ele e Boggs jogavam cartas uma vez por semana e fuxicavam como duas velhinhas. Acho que Mick conhecia tão bem os meus cavalos quanto conhecia os de Gabe. Era um empregado fiel. — Naomi suspirou antes de prosseguir. — E era inofensivo. Não consigo imaginar quem possa ter feito isso com ele.

— A polícia descobrirá. — Depois de certa hesitação, ela pousou a mão no ombro de Naomi. — Quer que eu a leve para casa?

— Não — respondeu Naomi, erguendo a mão e afagando a de Kelsey. As duas se deram conta de que aquela era a primeira vez que se tocavam sem reservas. — Sinto muito, Kelsey. É uma experiência horrível para você.

— Para todos nós.

— Eu deveria tê-la poupado disso. — Ergueu o olhar, e seus olhos encontraram os da filha. — Não fico muito segura nestas circunstâncias.

— Então eu terei de ficar — Kelsey virou a mão, entrelaçando seus dedos nos da mãe, rígidos e gelados. — Você irá para casa — disse ela firmemente. — Os policiais podem querer falar comigo. Por isso Channing a levará.

— Não quero deixá-la aqui sozinha.

— Não ficarei sozinha. Gabe está aqui, e também Moses e Boggs. — Ela se virou para o velho cavalariço, sozinho, chorando sob a chuva. — Não tem sentido você ficar aqui se se sente tão transtornada. Vá para casa, tome um banho quente e deite um pouco. Irei para lá assim que me liberarem. — Falando mais suavemente, inclinou-se sobre o ombro de Naomi. — Não quero que Channing fique aqui. Ele se sentiria importante se a levasse embora daqui.

— Talvez seja uma boa idéia. — Odiando-se por sua fraqueza, Naomi levantou-se. — Está bem, eu irei. De qualquer forma, minha presença no local do crime só serve para aumentar as especulações. Mas, por favor, não fique aqui por mais tempo que o necessário.

— Não ficarei. Não se preocupe.

Sozinha, Kelsey se acomodou onde sua mãe estivera sentada e se preparou para esperar. Mas não precisou esperar muito.

Um policial uniformizado saiu do galpão, observou os grupos de pessoas e fixou o olhar em Kelsey.

— Srta. Byden? Kelsey Byden?

— Sim.

— O tenente gostaria de fazer-lhe algumas perguntas. Lá dentro.

— Sim. — Ela ignorou os olhares curiosos e se levantou.

Dentro, a rotina da investigação estava em andamento: fotos oficiais da cena do crime, isolamento da área dos fundos da baia.

Os olhos de Gabe faiscaram quando viram Kelsey.

— Eu lhe disse que não havia necessidade de ela estar aqui.

— Vocês dois encontraram o corpo, sr. Slater. — O tenente Rossi passou por cima da fita de isolamento e cumprimentou Kelsey com um aceno de cabeça. Era um veterano com mais de vinte anos de serviços prestados à força policial, belas feições marcantes e penetrantes olhos de tira. Seus cabelos negros e densos apenas matizados de respeitável grisalho eram apenas uma de suas muitas vaidades. Seu corpo era um templo, abastecido de vitaminas, de saudáveis sucos, de rigorosas dietas com baixo teor de gordura, e mantido pela prática de exercícios regulares.

Podia passar a maior parte de seu tempo sentado à mesa com o telefone no ouvido, mas isso não significava que tivesse de se deixar decair.

Amava seu trabalho e cumpria suas normas. E detestava assassinatos.

— Agradeço-lhe por ter esperado, srta. Byden.

— Desejo colaborar.

— Ótimo. Pode começar dizendo-me exatamente o que aconteceu esta manhã. A senhorita estava aqui desde o alvorecer.

— Sim. — Ela lhe contou tudo, desde o momento em que os cavalos foram retirados dos reboques até o momento em que realizaram os exercícios. — Nós ainda ficamos na pista por alguns instantes. Era a primeira visita de meu meio-irmão ao hipódromo, e achamos que talvez ele gostasse de observar os cavalos sendo preparados para o momento da largada.

— E isso foi aproximadamente a que horas?

— Por volta de meio-dia. Tudo fica muito tranqüilo entre 10 e 12 horas. Então viemos para cá e encontramos Gabe perto do galpão conversando com seu treinador.

Por sobre os ombros de Rossi, Kelsey viu com absoluto desconforto o lustroso saco plástico ser carregado numa maca.

Praguejando a meia voz, Gabe passou por baixo da fita de isolamento e bloqueou a visão de Kelsey.

— Isto não precisaria ser feito agora. E, com certeza, não aqui.

— Não, está tudo bem. — Corajosa, Kelsey disfarçou sua náusea. — Prefiro acabar logo com isso.

— Aprecio sua compreensão. Então, deparou-se com o sr. Slater do lado de fora das baias.

— Sim. Conversamos durante alguns minutos. Zombamos um do outro, pois os nossos cavalos iriam disputar o mesmo páreo. Depois, entrei aqui com Gabe para dar uma olhada em seu potro. Minha mãe e meu meio-irmão vieram logo atrás.

— Sua mãe?

— Sim. Na verdade, era o cavalo dela que estava inscrito para competir com o de Gabe. Ela é a proprietária da fazenda Three Willows. Naomi Chadwick.

— Chadwick. — O nome acionou algo remoto. Rossi o anotou. — Então vocês quatro entraram aqui.

— Sim, mas eles estavam alguns passos atrás de nós. Eles só entraram na baia de *Double* depois... depois de nós. Acho que Gabe e eu vimos o ferimento no flanco esquerdo do animal ao mesmo tempo. Ele entrou e se deteve. Tentou impedir minha passagem, mas eu estava preocupada com o potro e forcei a entrada. Vi o sangue e o corpo no canto. Segurei o cavalo, porque ele estava querendo empinar, e então Channing e Naomi entraram. Ela foi logo chamar uma ambulância, e Channing se aproximou, pensando, presumo eu, que talvez pudesse ajudar de alguma forma. Pensei e acho que *todos nós* pensamos por um segundo, que tinha sido o potro. Então Gabe virou o corpo, e então vimos... — Ela nunca iria esquecer o que tinha visto. — Vimos que não havia sido ele. Gabe pediu que Channing chamasse a polícia.

— E não havia ninguém por perto quando a senhorita e o sr. Slater entraram?

— Não. Não vi ninguém. Havia alguns cavalariços, naturalmente. Mas ainda era um pouco cedo para a preparação.

— Conhecia a vítima, srta. Byden?

— Não. Estou em Three Willows há apenas algumas semanas.

— Não mora lá?

— Não. Moro em Maryland. Estou apenas passando um mês lá.

— Vou precisar de seu endereço fixo para incluí-lo no registro de ocorrência. — Ele anotou o endereço de Kelsey num pequeno bloco e o guardou novamente no bolso. — Agradeço-lhe a colaboração, srta. Byden. Gostaria agora de fazer algumas perguntas à sua mãe e seu meio-irmão.

— Pedi que Channing a levasse para casa. Ela estava muito transtornada. — Num movimento instintivo, Kelsey mudou a postura, afastando os pés um do outro, endireitando os ombros. — Em todo caso, ambos estiveram comigo durante a manhã inteira. Nenhum dos dois poderia ter visto o que eu não vi.

— Ficaria surpresa se soubesse o que uma pessoa consegue ver, e a outra não. Obrigado. — Ele a liberou, voltando-se para Gabe. — Fui informado de que um homem chamado Boggs teria sido a última pessoa a ver a vítima viva. Ele também trabalha para o senhor?

— Ele trabalha para Three Willows.

— Ele está lá fora — informou Kelsey a Rossi. — Eu lhe direi para entrar. — Kelsey saiu apressada, ansiosa por ver-se livre das perguntas arrastadas e daquele olhar perscrutador. Boggs estava de pé no mesmo lugar em que ela o vira há pouco, simplesmente parado na chuva.

— O tenente Rossi quer falar com você. — Ela segurou as mãos dele nas suas, tentando aquecê-las. — Sinto muito, Boggs.

— Nós estávamos conversando. Sentados ali, conversando. Tínhamos combinado jogar hoje à noite. — As lágrimas escorriam por seu rosto, misturadas à chuva. — Quem poderia ter feito isso com ele, srta. Kelsey? Quem acabou com o velho Mick dessa forma?

— Não sei, Boggs. Venha, eu o acompanho. — Kelsey envolveu-lhe os ombros e o conduziu ao galpão.

— Ele não tinha família, srta. Kelsey. Só uma irmã, que ele não via há mais de vinte anos. Tenho que cuidar das coisas para ele, garantir um sepultamento digno.

— Eu cuidarei disso, Boggs. — Gabe saiu do galpão interceptando-os antes que entrassem. — Diga-me o que você quer para ele, e nós tomaremos as providências.

Boggs abanou a cabeça afirmativamente.

— Ele considerava muito o senhor, sr. Slater.

— Eu também o considerava. Venha falar comigo assim que puder. Providenciaremos o que for necessário.

— Ele apreciaria muito a sua atitude. — Cabisbaixo, Boggs entrou na baia.

— O tenente disse que você está liberada. — Gabe segurou o braço de Kelsey. — Vou levá-la para casa.

— Quero esperar Boggs. Ele não deveria ficar sozinho agora.

— Moses o acompanhará. Quero você longe daqui, Kelsey, longe de tudo isso.

— Não há como. Estou tão envolvida nisso quanto você.

— Você está enganada. — Ele quase a arrastava pelo chão lamacento. — A baia é minha. O potro é meu. E, maldição, Mick era meu.

— Calma. — Ela travou bruscamente o passo e o segurou pela jaqueta. Talvez ele tivesse demonstrado apenas uma ponta de emoção lá dentro da baia, mas estava tenso ainda, pronto para explodir a qualquer momento. Seu olhar agora não era o de um jogador, pensou ela; estava inflamado e ameaçador.

— Você vai sair daqui agora. E vai ficar fora disso.

Ela poderia ter discutido. Ela certamente poderia ter reclamado do firme aperto com que ele lhe segurava o braço. Mas esperou até que chegassem ao carro dele.

Então, simplesmente virou-se e passou os braços em torno dele.

— Não faça isso com você — murmurou.

Ele se enrijeceu, preparando-se para se desvencilhar do abraço e empurrá-la para dentro do carro.

— O quê?

— Não se culpe, Gabe.

— Então quem? — Seu corpo relaxou e aconchegou-se ao dela. Pressionou o rosto no conforto dos cabelos frios e molhados de Kelsey. — Meu Deus, Kelsey, quem mais eu poderia culpar? Ele estava tentando proteger o meu cavalo.

— Você não tem como saber isso.

— Mas sinto isso. — Ele a afastou. Seu olhar parecia mais calmo agora, mas o que quer que estivesse ocorrendo atrás do profundo e frio azul daqueles olhos estremeceu Kelsey. — Descobrirei quem fez isso com ele. Custe o que custar.

— A polícia vai...

— Que façam o trabalho deles. Eu farei o meu.

CAPÍTULO 10

A MORTE NÃO PODERIA INTERFERIR NA ROTINA DE UM HARAS. NEM A DE um cavalo, nem a de um homem. A aurora continuava a sinalizar exercícios. E havia corridas para serem disputadas, pernas para serem enfaixadas, cavalos para serem pesados e selados. A conversa nas baias e nos padoques ao amanhecer podia girar exclusivamente em torno do assassinato e do velho Mick, mas o ritmo dos trabalhos não diminuíra, apesar disso; não poderia.

Havia uma égua com eczema, outra que, com um ano, ainda recusava cavaleiro, e um potro que disputaria uma corrida da qual participariam apenas cavalos que nunca tivessem obtido vitória nas pistas. Luto e boatos tinham de conviver com os trabalhos.

— Talvez queira cuidar de *Pride*, agora que ele terminou o relaxamento, srta. Kelsey. — Embora de olheiras e abatido, Boggs não esmorecia no cumprimento de suas obrigações. Ele passou as rédeas para Kelsey. — Ele parece mais feliz nas suas mãos.

— Está bem, Boggs. — A mão de Kelsey cobriu a do cavalariço, vincada de rugas. — Há algo que eu possa fazer por você?

Os olhos de Boggs vaguearam além dela, parecendo focalizar algo muito particular.

— Não há nada a fazer, srta. Kelsey. Apenas não parece justo. Não parece justo.

Kelsey não conseguiu dar-lhe as costas e cuidar do que lhe cabia.

— Você se importaria de vir comigo? Ainda me sinto um pouco nervosa em cuidar do vencedor do próximo Derby.

Ambos sabiam que era apenas um pretexto, mas Boggs acenou afirmativamente com a cabeça e seguiu ao lado dela. Estava chovendo novamente, a mesma garoa fina e incessante que estragara a tarde do dia anterior. Embora já fossem quase 10 horas, o nevoeiro teimava em permanecer. Nas baias, os aprendizes afanavam-se na limpeza, impregnando o ar com o cheiro de estrume, de palha, de lama.

Ao passarem pela baia de *Queenie*, Kelsey parou e passou as rédeas de *Pride* para Boggs novamente.

— Só um minuto. — Tirou uma cenoura do bolso traseiro e a ofereceu à égua, enquanto lhe afagava as orelhas macias. — Tome lá, gracinha. Não achou que eu fosse esquecer, achou? — A égua mordiscou a cenoura e, depois, gentilmente, o ombro de Kelsey, curvando o pescoço em resposta às suas carícias. Embora consciente de que Boggs a observava, Kelsey completou o que se havia tornado rotina diária com um beijo no focinho de *Queenie*. — Sei que tenho exagerado com as éguas da fazenda. Solidariedade feminina. — Depois de um último afago, Kelsey voltou-se para Boggs e *Pride*. — Mas também já surpreendi mais de um cavalariço paparicando garanhões.

— Seu avô adorava essa égua. — Boggs levou *Pride* para a sua baia, devidamente tratada por Kelsey, que já removera a palha suja da noite, substituindo-a por outra limpa para a comodidade do animal durante o dia. — Ele trazia cubos de açúcar para ela todas as tardes. Nós fingíamos que não víamos.

— Como ele era, Boggs?

— Era um homem bom, justo. Mas tinha o pavio um pouco curto, e às vezes estourava como um raio. — Enquanto ele falava, seus olhos perscrutavam a baia, notando que Kelsey havia providenciado água fresca e feno seco para o cavalo. Normalmente, esse era serviço dele, mas estava compartilhando com ela, assim como o próprio animal. — Não tolerava a preguiça, não, de forma alguma, mas se fizesse o seu trabalho, você era bem pago e recebia no dia certo. Uma vez ele ficou acordado a noite inteira com um cavalo doente e também despediu um funcionário diante dos colegas por causa de serviço malfeito.

Kelsey se agachou, correndo as mãos pelas pernas de *Pride* para verificar se havia tumefações ou ferimentos. Boggs já havia lavado as ataduras e as tinha pendurado, prendendo-as com os pregadores que trazia pinçados nas pernas das calças.

— Devia ser difícil trabalhar para ele. — Satisfeita, ela pegou um pouco de palha para secar a leve umidade da chuva do pêlo do animal.

— Não se você fizesse o que tinha sido contratado para fazer — explicou Boggs, observando-a pegar a escova do estojo de limpeza de *Pride*. — A senhorita pegou logo o jeito, srta. Kelsey.

— Sinto como se tivesse feito isso a minha vida inteira. — O cavalo se mexia e recuava, e Kelsey murmurava palavras de carinho e o acariciava. Como a maioria dos aristocratas, ele era altamente sensível. — Ele está um tanto inquieto hoje.

— Ele está mesmo é louco para correr. Sua mente já está nos portões de partida.

Kelsey continuou a limpar a lama do dorso do animal, da barriga e dos machinhos.

— Soube que ele correu bem ontem. — Ela pôs a escova de lado e pegou o esgaravatador de cascos. — Parece insensibilidade pensar em corridas e no desempenho dos cavalos depois do que aconteceu ontem.

— Não poderia ser diferente.

— Vocês eram amigos há muito tempo?

— Há quase quarenta anos. — Boggs pegou uma lata de tabaco e serviu-se de um bocado. — Ele já estava há algum tempo na fazenda vizinha quando eu cheguei aqui.

— Nunca perdi ninguém muito íntimo. — Kelsey pensou em Naomi, mas era impossível lembrar-se de qualquer pesar que tivesse sentido aos três anos. — Não quero lhe dizer que posso imaginar o que esteja sentindo, mas sei que, se você quiser, Naomi lhe concederia alguns dias de folga.

— Não gostaria de ficar em nenhum lugar que não fosse aqui. Aquele policial, ele tem alguma coisa especial. Ele vai descobrir quem fez aquilo com Mick.

Kelsey umedeceu uma esponja e limpou os olhos do cavalo, do canto interno para fora. Ela adorava o jeito como ele a olhava enquanto cuidava dele, o reconhecimento e a confiança que começavam a estabelecer entre si.

— Tenente Rossi. Não gostei dele. Não sei por quê.

— Bem, ele parece ter sangue-frio. Mas isso significa que vai pensar, pensar e continuar pensando, passo a passo, até descobrir.

Kelsey abandonou a esponja e pegou a escova de pêlo. Lembrou-se do brilho nos olhos de Gabe. A necessidade de vingança parecia espelhar-se neles, pensou ela. Ela entendia esse sentimento muito bem.

— Acha que isso é suficiente, Boggs?

— Terá de ser.

— Ei, achei você! — Channing encostou-se no portão da baia, e por alguns instantes observou as mãos firmes de Kelsey, os músculos que se desenvolviam em seus ombros. — Até parece que você sabe o que está fazendo.

— Eu sei o que estou fazendo. — O que, aliás, sempre lhe proporcionava enorme prazer. — Senti sua falta no café da manhã.

— Dormi demais. — O sorriso dele tinha mais charme do que vergonha. — Meu corpo não está programado para comer às 5 horas. Matt está aqui. Vou acompanhá-lo nas visitas a algumas fazendas.

— Divirta-se.

Ele hesitou.

— Você está bem, não está?

— Claro que estou bem.

— Estarei de volta dentro de algumas horas. Ah, e Moses me pediu que, se eu a encontrasse, lhe dissesse que ele a quer de volta trabalhando na guia.

— Feitor de escravos — murmurou ela. — Sim, assim que eu terminar aqui.

Kelsey não tinha tempo de pensar. Um cavalariço experiente levava uma hora aproximadamente para fazer uma boa limpeza num cavalo, e ela, cerca de quinze minutos a mais. E, depois disso, cuidava do almoço dele, medindo, pesando, misturando aveia, farelo e nozes. Acrescentava à mistura uma colherada de sal, o suplemento vitamínico de *Pride* e, para garantir energia, aquele paladar exigente, uma porção de melaço.

Mais tarde, trazia-lhe uma maçã. Não que pretendesse mimá-lo, dizia-se. Moses lhe explicara que os cavalos necessitavam de gulodices em sua dieta. *Pride* preferia maçãs a cenouras; gostava especialmente de maçãs ácidas, do tipo *Granny Smith*.

— Bem, o senhor está servido — murmurou ela ao lhe trazer a refeição do meio-dia. — E coma tudo, ouviu?

Ele mascava a mistura, e olhava para ela.

— Apostamos muito em você, doçura. E acho que você gostará de entrar no círculo do vencedor com uma manta de rosas vermelhas. — Ele resfolegou, o que Kelsey considerou o equivalente a um dar de ombros. Ela riu, fazendo-lhe um último afago. — Você não me engana, rapaz. Você deseja isso tanto quanto nós.

Revolvendo os ombros, ela saiu do estábulo para encarar o resto de sua jornada.

Duvidava de que Moses tivesse algum tipo de sadismo em mente por fazê-la mourejar exaustivamente pela manhã, mas, de qualquer forma, o resultado era o mesmo. Por volta das 15 horas, seus músculos ainda em desenvolvimento já estavam intensamente doloridos, seu corpo, quase inteiramente coberto de lama, e seu organismo emitindo urgentes sinais de necessidade de abastecimento.

Depois de limpar cuidadosamente as botas, entrou em casa pela cozinha, dirigindo-se diretamente à geladeira. Com um discreto grito de satisfação, atacou uma travessa de frango frito.

Kelsey tinha a boca empanturrada de coxa quando Gertie apareceu na cozinha.

— Srta. Kelsey! — Escandalizada com a perspectiva de sua garotinha encostada no balcão com as calças sujas e comendo daquele jeito, Gertie precipitou-se em direção ao armário para pegar um prato. — Isso não são modos de comer.

— Está ótimo assim — respondeu Kelsey de boca cheia. — Está uma delícia; o melhor frango que já comi em toda a minha vida — acrescentou, engolindo o alimento. — Já estou no segundo pedaço.

— Sente-se à mesa. Vou lhe servir um almoço decente.

— Não, de verdade, não é necessário. — Às vezes, a educação é perfeitamente dispensável, pensou Kelsey, trincando outro pedaço de frango. — Estou suja demais para sentar-me onde quer que seja e faminta demais para me lavar antes de comer. Gertie, fiz três cursos de culinária, um deles no Cordon Bleu, mas nunca consegui fazer um frango como este.

Enrubescendo de prazer, Gertie abanou uma das mãos.

— Claro que consegue. Essa receita era de minha mãe. Eu lhe ensinarei um dia desses.

— Você deixa a Colonel no chinelo. — Kelsey riu ao se dar conta de que Gertie não entendera nada. — Um restaurante de Kentucky, Gertie. Eu poderia compor um soneto em homenagem a esta coxa!

— Ora, você está caçoando de mim. — Vermelha como um pimentão, Gertie pegou um copo de leite para Kelsey. — Exatamente como seu irmão. Parece que ele nunca comeu comida caseira em toda a sua vida.

— Ele esteve aqui seduzindo você para lhe arrancar gulodices, não esteve?

— Gosto de ver garotos saudáveis e de bom apetite.

— Ah, isso ele tem. — E ela também, pensou Kelsey, avaliando a possibilidade de comer mais um pedaço do frango. — Naomi está em casa?

— Precisou sair.

— Hum... — Então, pensou Kelsey, as duas estavam sozinhas em casa. Talvez devesse aproveitar a oportunidade e fazer algumas perguntas a Gertie. — Sabe, Gertie, estive pensando naquela noite. Alec Bradley...

Gertie retraiu-se.

— São águas passadas.

— Você não estava em casa — Kelsey insistiu sutilmente.

— Não. — Gertie pegou um esfregão e começou a polir o imaculado fogão. — E eu me condenei durante muito tempo por isso. Lá estávamos nós, minha mãe e eu, no cinema e comendo pizza enquanto a sra. Naomi estava inteiramente só com aquele homem.

— Você não gostava dele.

— Ufa! — resfolegou a criada desdenhosamente e bateu com o esfregão no fogão. — Matreiro, escorregadio era o que ele era. Tão escorregadio que você não conseguiria segurá-lo se tentasse pôr as mãos nele. A sra. Naomi não tinha nada a ver com ele.

— Por que será que ela... andava com ele?

— Ela tinha lá as razões dela, suponho. A sra. Naomi era uma mulher um pouco teimosa. E acho que a teimosia dela tinha alguma coisa a ver com o seu pai. Além disso, ela estava deprimida por ter perdido um cavalo nas pistas. Ele quebrou a perna, e teve de ser sacrificado. Isso foi muito difícil para ela. E aconteceu mais ou menos na mesma época em que ela estava encontrando aquele homem.

O desprezo na voz de Gertie era evidente. Ela se recusava, sempre se havia recusado, a referir-se a Alec Bradley pelo nome.

— Ele era bonito. Mas beleza não põe mesa, é o que eu sempre digo. Vou lhe contar qual foi o crime, srta. Kelsey. O crime foi terem posto aquela doce menina na prisão por ter feito o que tinha de fazer.

— Ela estava tentando defender-se.

— Se ela disse que estava, então estava — disse Gertie terminantemente. — A sra. Naomi não mentiria. Se eu tivesse ficado em casa naquele dia, ou o pai dela, aquilo não teria acontecido. Aquele homem nunca teria colocado as mãos nela. E ela não teria precisado usar a arma.

Gertie suspirou e levou o esfregão para a pia, enxaguando-o meticulosamente.

— Eu ficava nervosa, sabendo que ela tinha uma arma na gaveta. Mas achei muito bom ela ter naquela noite. Um homem não tem o direito de forçar uma mulher. Não tem mesmo.

— Não — concordou Kelsey. — Não tem mesmo.

— Ela ainda guarda uma arma lá.

— O quê? — Apreensiva, Kelsey pôs a coxa de frango pela metade no prato. — Naomi ainda tem o revólver lá em cima?

— Não o mesmo, eu acho. Mas tem um parecido. Que era do pai dela. A lei diz que ela não pode mais ter armas, mas ela tem assim mesmo. Ela diz que a faz lembrar do que aconteceu. Diga-me, por que ela precisa lembrar-se do que aconteceu? Mas ela diz que há coisas de que você jamais quer se esquecer.

— É, acho que ela está certa — disse Kelsey lentamente. Mas não tinha certeza se poderia dormir bem sabendo disso.

— Talvez eu não deva dizer isso, mas vou dizer assim mesmo. — Gertie fungou e, em seguida, pegou um papel-toalha para assoar o nariz. — Você é o sol e a lua para ela, srta. Kelsey. E o fato de ter vindo para cá tem compensado muito as amarguras que ela sofreu. Não há como reaver o que foi perdido nem como desfazer o que está feito, mas velhas feridas ainda podem ser curadas. E é isso o que você está fazendo.

Seria?, perguntou-se Kelsey. Ela ainda estava bem longe de ter certeza sobre seus motivos e sentimentos.

— Ela tem a sorte de ter você, Gertie — murmurou ela. — Sorte de ter alguém que pensa nela em primeiro e em último lugar. — Desejando secar as lágrimas dos olhos de Gertie, ela completou, brincalhona: — E tem muita sorte também por ter alguém que sabe cozinhar como você.

— Ah, deixe disso. — Gertie abanou a mão e depois enxugou as lágrimas. — Apenas o trivial, é o que eu faço. E você ainda não acabou de comer aquele último pedaço de frango. Você precisa de mais carne em seus ossos.

A campainha da porta da frente soou enquanto Kelsey meneava a cabeça.

— Deixe, Gertie, eu atendo. Senão comerei isto com travessa e tudo.

Kelsey levou o copo de leite com ela, bebericando enquanto se dirigia à porta. Passou em frente de um espelho e revirou os olhos. Bochechas sujas. O boné que usara enquanto trabalhava na baia não impedira o irremediável embaraçamento de seus cabelos. Enquanto tentava limpar um pouco a lama com a manga da camisa suja de esterco, torcia para que o visitante tivesse algo a ver com cavalos.

Longe disso.

— Vovó! — Ao choque misturou-se a vergonha quando Milicent se escandalizou com a aparência da neta. — Que surpresa!

— O que, em nome de Deus, você esteve fazendo?

— Trabalhando. — Kelsey notou o lustroso Lincoln parado em frente da casa, o motorista sentado estoicamente ao volante. — Passeando?

— Vim conversar com você. — Cabeça erguida, Milicent cruzou a soleira da porta com a mesma inquebrantável dignidade que, imaginou Kelsey, os aristocratas franceses exibiam quando se aproximavam da guilhotina. — Achei que era importante demais para ser discutido por telefone. Acredite, não entro nesta casa com tranqüilidade nem com qualquer tipo de prazer.

— Eu acredito em você. Entre, por favor, e sente-se. — Ainda bem que Naomi estava fora de casa, atendendo a algum compromisso. Kelsey poderia agradecer ao destino por isso. — Gostaria de tomar um café ou chá?

— Não quero nada desta casa. — Milicent sentou-se, seu engomado vestido de linho vincando-se escassamente com o movimento. Ela se recusou a dar livre curso à curiosidade observando o ambiente; em vez disso, fixou o olhar na neta. — É assim que você anda agora? Você está tão suja quanto um peão.

— Acabei de entrar. Como você deve ter visto, está chovendo.

— Não fale nesse tom comigo. Desperdiçar seu talento e sua educação é inescusável, Kelsey. Pior do que isso, você está precipitando a família inteira num abismo de contrariedades e preocupações enquanto brinca de representar este drama.

— Vovó, nós já falamos sobre isso. — Kelsey abandonou o copo de leite e foi até a lareira atiçar-lhe o fogo. Fosse pela chuva, fosse pela visita, o ambiente pareceu-lhe subitamente frio. — Estou plenamente consciente dos seus sentimentos e das suas opiniões. Não posso crer que você tenha percorrido todo esse caminho somente para lembrar-me deles.

— Você e eu costumávamos ter consideração pelos desejos uma da outra, Kelsey.

— Não. — Pensativa, Kelsey recolocou o atiçador no lugar e virou-se para a avó. — Acho que nunca tivemos.

— Mas, agora, acredito que sua opinião não será diferente da minha com relação ao que tenho a lhe dizer. Seu nome está nos jornais de hoje. — Seu nome, associado a um assassinato no hipódromo.

Como as notícias se espalham, pensou Kelsey. Ela já estava de pé e trabalhando nas baias antes da primeira entrega de jornais.

— Não previ essa possibilidade, ou teria telefonado para papai, tentando tranqüilizá-lo. Eu estava lá, vovó. O homem que foi assassinado era um cavalariço que trabalhava na fazenda vizinha. Minha participação nas investigações é meramente acessória.

— O fato de você ter estado lá é a questão, Kelsey. No hipódromo, junto com tipo de gente que ele atrai.

Kelsey inclinou a cabeça.

— Eles me atraem.

— Agora você está sendo pueril. — Milicent comprimiu os lábios. — Espero mais de você. Espero que você pense na família.

— O que aquele pobre homem assassinado ontem tem a ver com a família?

— Seu nome está associado ao de Naomi. E o nome dela associado a um assassinato traz à tona velhos escândalos. Eu não deveria precisar explicar isso a uma mulher inteligente como você, Kelsey. Quer que seu pai sofra por isso?

— Claro que não! E por que ele sofreria? Por que ele deveria sofrer? Vovó, um pobre velho foi brutalmente assassinado. Por mera coincidência, fui eu que encontrei o corpo. Naturalmente, tive de prestar depoimento à polícia, mas as coisas terminam aí. Eu nem mesmo o conhecia. E, quanto a papai, ele está completamente fora disso.

— Manchas nunca podem ser completamente removidas. Esse mundo, Kelsey, não é o nosso. Nós a avisamos sobre o que esperar, sobre o tipo de gente com que você iria se misturar. Agora, o pior aconteceu. E porque seu pai tem o coração muito mole para tomar alguma atitude, eu assumo a responsabilidade. E insisto que você arrume as suas coisas e venha para casa comigo hoje.

— Quão pouco as coisas mudam. — Naomi estava de pé junto à porta, pálida como mármore. Seu conjunto azul-cinzento acentuava-lhe ainda mais a delicadeza do corpo. Mas delicadeza não significa fragilidade, pois, quando ela avançou, estava tão elegante e cheia de si quanto uma de suas potrancas campeãs. — Creio que ouvi você dizer algo bem parecido com isso a Philip uma vez.

O rosto de Milicent ficou imóvel, endurecido.

— Vim aqui para falar com minha neta. Não tenho a mínima vontade de falar com você.

— Você está em minha casa, Milicent. — Naomi pôs a bolsa de lado, e, sem muita cerimônia, escolheu uma cadeira. — Você certamente tem toda a liberdade para dizer o que quiser a Kelsey, mas não vai me afastar mais. Esses dias acabaram.

— Vejo que a prisão lhe ensinou muito pouco.

— Ah, você não pode nem imaginar o que ela me ensinou. — Dessa vez o sangue corria frio em suas veias, sem paixão. Isso lhe agradava. Nunca pôde ter certeza de como reagiria quando encontrasse Milicent novamente.

— Você é a mesma pessoa de sempre. Calculista, astuta, inescrupulosa.

Agora quer usar a filha de Philip para satisfazer os seus caprichos.

— Kelsey é dona do próprio nariz. Você não a conhece bem se acha que ela pode ser usada.

— Não, não posso. — Kelsey interpôs-se entre as duas, não para bloquear o rancor, mas para dizer o que pensava. — E não falem como se eu não estivesse aqui; não vou ser um joguete nas mãos de ninguém. Vim para cá porque eu quis e ficarei até quando achar que devo. Você não pode me dar ordens para fazer as malas, vovó, como se eu fosse uma criança, ou uma criada.

As faces de Milicent pareciam incendiar-se.

— Tenho o direito de insistir em que você faça o que é o melhor para a família.

— Você tem o direito de pedir que eu considere o que é o melhor. E eu considerarei.

— Você conseguiu se impor a ela. — Milicent se levantou, seus olhos fulminando Naomi. — Usou de sentimentalismo e sonsa simpatia para atraí-la. Você falou sobre os homens, sobre as bebedeiras, Naomi, sobre o total descaso pelo seu casamento, pelo seu marido e pela sua filha? Você disse a ela que fez tudo para arruinar um homem, para destruir o meu filho, mas que apenas conseguiu destruir você mesma?

— Basta. — Kelsey recuou, quase sem perceber que sua atitude bloqueava inteiramente a visão de Naomi. — Não importam as perguntas que eu tenha em mente; não importam as respostas que me sejam dadas; isso não é da sua conta, vovó. *Eu* farei o meu julgamento.

Milicent tentava manter a respiração uniforme; seu coração batia em ritmo perigosamente intenso. Ela também faria seu próprio julgamento.

— Se você ficar aqui, serei forçada a tomar providências. Não terei escolha senão alterar o meu testamento e usar os recursos de que disponho para anular a pensão legada por seu avô.

Os olhos de Kelsey arregalaram-se e brilharam. Não de choque, mas de pena.

— Ah, vovó, você acha que o dinheiro é tão importante assim? Você faz tão pouco juízo assim de mim?

— Pense nas conseqüências, Kelsey. — Ela pegou a bolsa, certa de que a ameaça submeteria a neta prontamente à sua vontade.

— Ei, Kels, você não imagina o que... — Channing estancou comicamente a dois passos de Milicent. — Vovó!

Enfurecida, Milicent virou-se para Naomi.

— Então, você o enfeitiçou também? A filha de Philip e, agora, o filho que ele considera com se fosse seu!

— Vovó, estou apenas...

— Cale-se! — ordenou Milicent a Channing. — Você pagou uma vez, Naomi. E juro por Deus que você pagará de novo.

Depois que Milicent desabalou porta afora, Channing sacudiu os ombros.

— Puxa, que cena desagradável.

— E, ao mesmo tempo, uma das mais pitorescas. — Esgotada, Kelsey esfregou as mãos no rosto. — Channing, você telefonou para Candace e disse a ela que estava aqui, não foi?

— Sim, telefonei para ela. — Ele enfiou as mãos nos bolsos e as retirou novamente. — Disse-lhe que estava bem e devidamente acomodado. Não mencionei onde. Pensei que assim evitaria problemas. — Ele soltou um suspiro ao ver que Kelsey continuava a olhá-lo fixamente. — Acho que é melhor informá-la antes que as coisas se compliquem.

Kelsey sacudiu a cabeça enquanto Channing subia as escadas.

— Channing parece ingenuamente propenso a omitir partes fundamentais das informações. — Ela se virou para a mãe. — Quer uma bebida?

Naomi conseguiu esboçar um sorriso e recostar os ombros numa almofada.

— Por que não? Dois dedos de uísque devem ser suficientes para anular qualquer veneno.

— Vamos tentar. — Kelsey serviu a bebida. — Sinto muito.

— Eu também. Kelsey; talvez o dinheiro não seja importante para você, mas é a sua herança. Não quero ser responsável por você eventualmente perdê-la.

Distraída, Kelsey corria a ponta de um dedo por um dos cavalos de cristal de Naomi, seguindo-lhe as curvas de vidro, da cernelha à cauda.

— Não tenho a mínima idéia se ela realmente pode impedir-me de receber a pensão. Mas, se puder... bem, não posso dizer exatamente que vim esbanjando o que tenho recebido até agora. — Erguendo os ombros, ela entregou um copo a Naomi. — Na verdade, não gostaria de perdê-la, mas não vou admitir que ela me controle com essas ameaças. Saúde! — Kelsey tocou seu copo suavemente no de Naomi.

— Saúde? — Naomi riu, balançando a cabeça. Fechando os olhos, obrigou-se a relaxar. — Oh, Deus, que dia.

Ela passara as últimas duas horas com seus advogados, ajustando detalhes para conciliar a sua vontade com a do pai no que dizia respeito ao testamento do patrimônio constituído por Three Willows. Agora, pensou ela, se Milicent cumprisse as ameaças de deserdar Kelsey, ela teria de fazer novos ajustes. Abriu os olhos novamente e tomou o primeiro gole da bebida.

— Fiquei absolutamente orgulhosa de você, pelo jeito como se defendeu.

—Foi o que senti por você também. Quando a vi parada na porta, pensei, meu Deus, ela parece um raio. Fria, dura, mortal.

— Ela sempre me fez ficar assim. Não que tudo que ela disse seja completamente equivocado. Cometi erros, Kelsey, erros muito graves.

Kelsey rodava o copo nas mãos.

— Você amava papai quando se casou com ele?

— Sim, claro que sim. — Por breves instantes, a ternura aflorou aos olhos de Naomi. — Ele era tão tímido, tão inteligente. E sensual.

Rindo, Kelsey engasgou-se.

— Papai? Sensual?

— Sim. Com aqueles casacos de *tweed*. Aquele brilho sonhador e poético nos olhos; a voz calma, suave, recitando Byron. Sua gentileza inalterável. Eu o adorava.

— E quando deixou de adorá-lo?

— Não foi uma questão de deixar — respondeu Naomi, pondo de lado o uísque parcialmente consumido. — Eu não era tão paciente nem tão gentil. E nossos sonhos eram diferentes. Quando as coisas começaram a complicar, não fui suficientemente inteligente para contemporizar. Para ceder. Foi um dos meus erros. Achei que eu poderia mantê-lo ligado a mim provando-lhe que eu não precisava dele. Então, me distanciei, fugindo dele. E perdi o páreo. Perdi Philip, perdi você, perdi minha liberdade. Um preço muito alto por meu orgulho.

Ela franziu a testa quando a campainha soou novamente.

— Parece que o dia ainda não terminou.

— Eu atendo. — Pela segunda vez naquela tarde, uma visita indesejável. — Tenente Rossi.

— Srta. Byden, desculpe incomodá-la. Tenho algumas perguntas complementares para fazer-lhe e à sua mãe.

— Entre. Algum progresso, tenente? — perguntou enquanto o conduzia à sala.

— Estamos investigando.

Os olhos experientes assimilaram o relaxante conforto do recinto e os dois copos de uísque, o meio copo de leite. Naomi levantou-se quando ele entrou. Como homem, ele lhe apreciou o encanto; como tira, o autocontrole.

— Tenente Rossi. — Embora sua pele gelasse, Naomi lhe ofereceu a mão. — Não gostaria de sentar-se? Aceitaria um café?

— Agradeço muito, sra. Chadwick, mas já tomei a minha quota diária. Desejo apenas fazer-lhes mais algumas perguntas.

— Claro. — Eles sempre tinham mais algumas perguntas. Ela se sentou novamente, mantendo a coluna ereta. — Como posso ajudá-lo?

— A senhora conhecia a vítima razoavelmente bem.

— Eu conhecia Mick. — Dê respostas curtas, Naomi sugeriu a si mesma. Não diga nada além do necessário.

— Ele estava trabalhando em Longshot há cerca de cinco anos.

— Creio que sim.

— Ele trabalhou também para o proprietário anterior, Cunningham?

— Ele ia e voltava.

— Foi demitido há uns sete anos.

— Se me recordo bem, Bill Cunningham deixou-o ir porque achava que Mick estava velho demais. Naquela ocasião, meu treinador ofereceu a Mick um emprego aqui, mas ele decidiu sair da região.

— A informação que eu tenho é a de que ele trabalhou num hipódromo da Flórida durante esses dois anos.

— Acredito que sim.

— A senhora saberia dizer se ele tinha inimigos?

— Mick? — Ela baixou a guarda por um instante. A pergunta era tão absurda! — Todos adoravam o velho Mick. Ele era uma instituição, uma espécie de monumento ao que há de melhor no universo das corridas. Trabalhador, íntegro, generoso. Não havia quem não gostasse dele.

— Mas alguém o matou. — Rossi fez uma pausa, fascinado pela maneira com que Naomi respondia às perguntas. — O cavalo estava ferido. Mick Gordon tinha a incumbência de cuidar daquele animal como cavalariço. Consta em meu relatório que o cavalo tinha um corte longo e superficial no flanco esquerdo, com aproximadamente 28 cm de comprimento. — Ele pegou o bloco de anotações, como que para confirmar os dados. — De acordo com informes preliminares, o ferimento foi causado pela mesma arma que foi usada contra a vítima.

— Obviamente alguém estava tentando ferir o potro, e Mick tentou impedi-lo — interpôs Kelsey. — Moses me disse que esse animal é muito calmo. Ele nunca teria escoiceado Mick se não tivesse sido ferido ou assustado.

— Talvez. — Rossi precisava aguardar o resultado da autópsia para ter certeza de que a morte de Mick fora provocada pelos ferimentos causados pela faca ou pelo cavalo. Assassinato ou tentativa de assassinato, ele pretendia solucionar o caso. — O potro do sr. Slater ia competir com o seu naquele dia, não é, sra. Chadwick?

— Sim, ia se não o tivessem ferido.

— E seu cavalo venceu a corrida, não é verdade?

Ela manteve o olhar firme e nivelado com o dele.

— Com um pescoço de vantagem como costumamos dizer. E pagou 5 por 3.

— O sr. Slater e a senhora têm uma história de competição. Principalmente no ano passado, entre esses dois cavalos. O potro do sr. Slater tirou o seu do trono várias vezes.

— *Double or Nothing* é um potro admirável. Um campeão. O meu, *Virginia's Pride*, também. Eles são incrivelmente equivalentes.

— Não entendo muito de corridas de cavalo. — Ele sorriu placidamente. — Mas, do ponto de vista de um amador, teria sido vantajoso para a senhora — ele moveu para trás e para frente uma das mãos, espalmada — nivelar as desvantagens.

— Isso é uma acusação descabida, tenente. — Automaticamente, Kelsey pousou uma das mãos no ombro da mãe, solidária. — Absolutamente descabida.

— Não é uma acusação, srta. Byden; é uma observação. Muitas vezes os cavalos são deliberadamente feridos, drogados ou até mortos para aumentar as chances de vitória de outro, não são, sra. Chadwick?

— A conduta inescrupulosa e criminosa está presente em todos os campos da atividade humana — ponderou Naomi, esforçando-se para não tremer. Olhos de tira percebem os mínimos indícios de medo. — Nós, do universo das corridas, preferimos dizer que isso acontece muito mais freqüentemente nas pistas de hipismo do que nas de turfe.

— Three Willows não precisa recorrer a essas táticas — disse Kelsey, furiosa. — E eu já lhe havia dito que minha mãe estava comigo durante aquela manhã. Dezenas de pessoas nos viram juntas.

— Sim, viram — concordou Rossi. — Como veterana do universo das corridas, sra. Chadwick, concorda que um proprietário ou um treinador interessado em aumentar suas chances de vitória contrataria alguém para fazer o serviço em vez de arriscar prejudicar um animal com as próprias mãos?

— Concordo.

— Você não é obrigada responder a perguntas como essas. — A indignação que Kelsey sentia queimava-lhe a garganta.

— Tenho certeza de que sua mãe tem pleno conhecimento de seus direitos — disse Rossi calmamente. — E dos procedimentos relacionados a uma investigação de assassinato.

— Conheço perfeitamente as duas coisas, tenente. E também sei que esses direitos nem sempre protegem o inocente. — Os lábios de Naomi curvaram-se gravemente. — Com certeza, não o meio-inocente. Permita-me lembrá-lo de que o meu cavalo não era o único animal que ia competir com o dele naquela corrida e de que Three Willows, em seus cinqüenta anos de existência, jamais foi intimada por qualquer infração. E tenho certeza de que o senhor sabe disso. Do mesmo modo que sei que um ex-condenado sempre carrega uma nuvem de suspeitas. Há mais alguma informação que eu lhe possa prestar?

— Por enquanto não. — Uma tremenda mulher, pensou ele, e guardou o bloco. Precisava dedicar algum tempo extra a um exame mais minucioso daquela ficha. — Agradeço-lhe o tempo que me foi concedido. Uma coisa, srta. Byden; disse que encontrou o sr. Slater do lado de fora das baias ontem, antes de vocês dois entrarem para dar uma olhada no cavalo.

— Sim, ele estava conversando com seu treinador.

— Obrigado. Posso conduzir-me até a porta sozinho.

— Isso é revoltante! — indignou-se Kelsey quando a porta se fechou. — Como você pôde simplesmente sentar-se aí e aceitar tudo? Ele só faltou acusá-la de ter pago a alguém para cometer o assassinato.

— Eu já esperava isso. E ele não será o único a pensar nessa possibilidade. Afinal de contas, fui culpada uma vez.

— Droga, não fique tão calma!

— Não estou calma. O fingimento foi tudo o que me restou. — Cansada, Naomi se levantou. Precisava de um quarto tranqüilo, de um frasco de aspirina, e da covarde fuga proporcionada pelo sono. Mas resolveu deter-se e arriscar envolver o rosto de Kelsey com as duas mãos. — Você nem sequer pensa nessa possibilidade, pensa? De que eu poderia ter participação nisso?

— Claro que não — respondeu Kelsey, sem hesitar.

— Então estou enganada — murmurou Naomi. — Parece que sei mais do que apenas fingir. Pegue um cavalo e dê um passeio, Kelsey. Tente esquecer a raiva que está sentindo.

Ela saiu, mas a raiva permaneceu. Dirigiu-se para Longshot com duplo propósito. Depois de passar as rédeas de *Justice* para um solícito cavalariço, caminhou da cocheira até a casa.

Ainda muito transtornada para atinar com a propriedade de bater à porta da frente, entrou pelo salão da piscina, saindo da primavera para o verão tropical; subindo alguns degraus, alcançou a temperatura acolhedora de uma sala ampla e despretensiosamente mobiliada.

Deu-se conta, então, sem qualquer indício da direção a tomar, de que estava transgredindo. Polidez e instinto se debateram até que ela virasse à esquerda e passasse por um corredor. Assim, pensou ela, poderia encaminhar-se para a porta da frente, sair e bater. A não ser, naturalmente, que encontrasse Gabe nesse meio-tempo.

Não era a sua voz que ela ouviu, pelo menos não imediatamente. Era a de Boggs, fragmentada, que lhe chegava por uma porta aberta.

— Ele não gostaria de um funeral pomposo, sr. Slater. Nada de flores e música de órgão. Uma vez conversamos, e ele me disse que queria ser cremado e que suas cinzas fossem espalhadas pela pista de treinamento daqui da fazenda; assim, ele ficaria, de alguma forma, fazendo parte do lugar. Acho meio esquisito, mas...

— Se é isso o que ele queria, é isso o que faremos.

— Está bem. Tenho algumas economias. Não sei quanto custa esse tipo de coisa, mas...

— Deixe-me fazer isso por ele, Boggs — atalhou Gabe. — Não sei se eu estaria sentado aqui hoje se não fosse Mick. Eu ficaria muito agradecido se você me deixasse cuidar dele.

— Sei que não é pelo dinheiro, sr. Slater. Talvez eu não devesse dizer, mas ele tinha muito orgulho do senhor. Disse que sabia que o senhor ia ser alguém na vida desde a primeira vez que viu o senhor cuidando de um cavalo no hipódromo. Vou sentir muita falta dele, com certeza.

— Eu também.

— Bem, é melhor eu voltar para Three Willows. — Ele enrubesceu ao cruzar a porta e se deparar com Kelsey. — Senhorita — murmurou, levando os dedos à pala do boné, e desapareceu.

Envergonhada por ter escutado uma conversa particular de forma tão flagrante, Kelsey permaneceu junto à soleira da porta, tentando desculpar-se.

Gabe estava sentado a uma escrivaninha tão bonita quanto antiga, a janela em arco às suas costas deixando entrar a pálida luz do sol. Onde não havia vidraças para receber a claridade, havia livros. A biblioteca, em dois níveis, era espantosa e inequivocamente masculina. Seu proprietário enterrara a cabeça nas mãos.

O constrangimento de Kelsey desfez-se em compaixão, e ela entrou, murmurando-lhe o nome e o envolvendo nos braços antes que ele levantasse a cabeça.

— Não sabia que você gostava tanto dele. Sinto muito, Gabe. Sinto muito mesmo.

Há muito tempo o luto não se aproximava dele. Pelo menos desde a morte de sua mãe. E agora o surpreendia com sua intensidade.

— Ele foi bom para mim. Eu devia ter uns 14 anos a primeira vez que ele ficou no meu pé. Interessou-se por mim, não sei por quê, convenceu Jamie a me contratar e se mantinha informado sobre meu aprendizado. Pombas, Kelsey, ele tinha 70 anos. Deveria ter tido morte natural.

— Eu sei. — Ela se afastou. — Gabe, Rossi esteve há pouco lá em casa.

— Ele não pára. — Gabe passou os dedos pelos cabelos desalinhados. — Ele saiu daqui há menos de uma hora.

— Acho que ele desconfia de que Naomi esteja envolvida. — Gabe manteve-se em silêncio, e Kelsey umedeceu os lábios. — Preciso saber se você também pensa isso.

Recomposto, ele a observou.

— Não, não penso. Nem você, pelo que posso ver. Rossi tem outras hipóteses, como a de que eu teria arquitetado tudo isso. — Ele fez uma pausa. — O seguro de *Double or Nothing* é altíssimo.

— Seria mais fácil você dar um tiro no próprio pé — afirmou Kelsey, suspirando. — Mas essa foi a outra razão por que vim aqui. Quando ele me interrogou, tive a impressão de que ele estava pensando nisso. E achei melhor vir avisá-lo.

— Eu lhe agradeço. — Ele mexeu os ombros para aliviar a tensão. Kelsey, de pé diante dele, em roupas de trabalho enlameadas e com o olhar repleto de compaixão, fez o resto.

— Você parece muito bem, querida.

— Sim, lama é muito elegante.

— Em você. — Ele tomou-lhe a mão e brincou com os dedos dela. — Por que não senta no meu colo um pouquinho?

Divertida, Kelsey inclinou a cabeça.

— Isso é o começo ou o fim da piada, Slater?

Como resposta, ele a puxou, aninhando-a no colo quando ela se desequilibrou.

— O começo. — Inspirou profundamente os cabelos dela. Tinham cheiro de chuva, de primavera. — Eu estava precisando exatamente disso. Fique quieta, Kelsey. Se mexendo sem parar, você só piora a situação. Acredite.

— Não sei ficar sentada no colo de ninguém.

— Então aprenda. — Testando-a, ele mordiscou-lhe a orelha, gratificado com o frêmito que a percorreu. — Você só veio aqui para falar-me sobre o tenente Rossi?

— Sim.

Dessa vez ele suspirou fortemente.

— Tudo bem. Mas terei de descobrir um jeito de fazer você se demorar um pouco aqui. Estou começando a sofrer.

— Acho que você é mais forte do que isso. — Kelsey apoiava a cabeça na curva do ombro de Gabe, e tudo lhe parecia absolutamente confortável, absolutamente tentador. — Não estou fazendo um jogo.

— É uma pena. Eu sempre venço.

CAPÍTULO 11

— TEM CERTEZA DE QUE NÃO QUER UMA VENDA? — BRINCOU KELSEY, passando um braço na cintura de Channing. — Um último cigarro?

Ele abaixou seu óculos Oakley de armação vermelha.

— Você é demais, Kels.

— Talvez não. Sinto-me como se estivesse enviando você para o esquadrão de fuzilamento sozinho.

— Sei lidar com mamãe. — Ele soltou o capacete da traseira de sua Harley. — E com o mestre não há problema.

— E vovó?

Fazendo careta, ele colocou o capacete.

— Ora, tenho conseguido desviar-me daquelas balas durante anos. Enquanto esta minha mente brilhante me mantiver entre os quinze por cento melhores da minha turma, elas não me alcançarão.

— O confiável intervalo de segurança. — Kelsey também usara essa estratégia. — E quanto ao verão?

— Mamãe simplesmente vai ter de aceitar que as necessidades de minha vida não se resumem aos livros.

— Meu mano. — Sorrindo, ela lhe golpeou levemente um dos lados do capacete com a ponta dos dedos. — Capacete de peão!

— Aliás, Naomi me ofereceu um emprego aqui durante as férias de verão.

— Aqui?

— Channing Osborne, aprendiz de cavalariço. Gosto disso. Gosto dela. — Num movimento ágil, ele montou a motocicleta. — Sabe, eu passei por aqui para me certificar de que você estava bem. Eu tinha idéia de que sua mãe tinha feições duras, levava uma vida difícil, com um copo de bebida em uma das mãos e uma pistola na outra.

— Cultivada — disse Kelsey secamente — por Milicent, a magnífica.

— Com alguma colaboração de mamãe. Elas são tão fortemente contra a sua permanência neste lugar quanto foram a favor do seu casamento com Wade.

Channing olhou para a casa, que formava um quadro encantador com os verdes salgueiros, e os botões de jacintos e narcisos explodindo em tons de amarelo, azul e rosa.

— Ela não é nada daquilo que falam dela, não é?

— Parece que não — murmurou Kelsey. — Fico feliz por você ter vindo, Channing. Fico feliz por você a ter conhecido.

Ei, essas foram as férias de primavera mais interessantes que eu já tive. — Ele se inclinou para lhe dar um beijo de despedida. — Eu voltarei. Vejo você novamente daqui a alguns meses.

— Eu... — Ela quis dizer que não garantia ainda estar ali quando ele voltasse, mas Channing ligou o motor e, com uma saudação final, partiu.

Absorta em seus pensamentos, Kelsey voltou para casa. Teria decidido ficar?, perguntou-se. O mês que Naomi lhe pedira estava quase terminando. Todavia, nenhuma das duas mencionara planos para sua partida.

E o que a estaria esperando em Maryland, naquele minúsculo apartamento de Bethesda? A procura de um emprego, refeições solitárias e o ocasional almoço com alguma amiga solidária com a questão do divórcio e que casualmente mencionaria um primo muito amigo, que, por acaso, era solteiro.

A idéia era mais do que deprimente.

Ali, tinha trabalho e um mundo que já amava, um estilo de vida que combinava com sua natureza, pessoas que a aceitavam pelo que ela podia fazer.

E havia Gabe.

Ela não tinha muita certeza do que estava acontecendo entre eles, mas seria muito mais difícil e, certamente, aborrecido tentar descobrir o que era se se afastasse dali.

Seria desonesto afirmar que ele não a fascinava. O estado de espírito dele, impossível de captar num momento, claro como um letreiro em outro. Ela gostava de seu senso de humor, seu encanto espontâneo e sua igualmente espontânea arrogância.

Ele mexia com ela de várias formas. Sua forma de luto pelo velho Mick, demorando-se solenemente na pista de treinamento, sob a suave luz do alvorecer, enquanto Boggs percorria lentamente sua extensão, espalhando as cinzas do corpo do velho cavalariço. Ele lhe dera a mão, lembrou-se Kelsey, confiante de que ela entenderia o ritual.

Esse tipo de fidelidade e amor não podia ser aprendido.

Apesar disso, ele podia ser suficientemente desumano e insensível, para apostar e ganhar uma pequena fortuna. Isso a intrigava, tanto quanto a temeridade de demolir a casa de um homem e construir a sua no mesmo lugar.

E havia a questão da intensa atração instintiva, que ela não sentira por nenhum homem antes. Nem mesmo por seu marido.

— Kelsey? — Naomi se deteve ao pé da escada. Sua filha parecia tão séria, pensou. — Já está sentindo falta de Channing?

— Não, eu estava pensando em... — interrompeu-se, assoprando dos olhos uma mecha dos cabelos despenteados pelo vento. — Em nada, na verdade. — Reordenando os pensamentos, ela observou Naomi. Esguia, forte, auto-suficiente. — Generoso de sua parte ter-lhe oferecido um emprego durante as férias de verão.

— Nem tanto assim. Ele tem costas fortes, mãos dispostas, e gosto de tê-lo por perto. A casa tem estado vazia há muito tempo.

— Acho que ele quer ser veterinário.

— Foi o que ele me disse.

— Ele lhe disse! — Rindo, Kelsey meneou a cabeça. — Ele nunca mencionou isso para mim. Nem uma única vez. Sempre pensei que ele pretendia ser cirurgião, como o pai dele.

— Às vezes, é mais fácil revelar nossos secretos anseios a alguém não muito íntimo. Ele a ama. E a admira. Talvez ele tema desapontá-la.

— Impossível. — Ela suspirou, impaciente. — Candace há anos fala que ele manterá a tradição dos Osborne. Sempre pensei que era isso o que ele queria também. Por que os pais tentam modelar os filhos?

— Honra de família. Uma terrível obrigação.

Kelsey abriu a boca e a fechou novamente. Honra de família. Teria sido por isso que ela se casara com Wade? Quantas vezes lhe haviam dito que ele era perfeito para ela, até que ela acabasse acreditando nisso? Boa família, futuro promissor, excelente posição social. Era obrigação dela, afinal de contas, casar-se bem e apropriadamente.

Deus, ela o amara realmente?

— E quando você não consegue cumprir essa obrigação — disse lentamente — é um dos piores fracassos. Não desejo isso para Channing.

— Ele fará o que for melhor para ele. Como você fez.

— Finalmente.

— Você poderá falar finalmente quando tiver a minha idade. Kelsey... — Naomi não sabia como abordá-la. Despreocupadamente, decidiu, seria a melhor forma. — Estou indo para Hialeah. Quero ver *Virginia's Pride* correr. E quero ficar perto dele o tempo todo depois do que aconteceu em Charles Town.

— Ah! — Então ela não teria a última semana. — Parece sensato. Quando você vai?

— Amanhã de manhã. Achei que você gostaria de ir comigo.

— Para a Flórida?

— Bem, não são férias de primavera, mas sem dúvida será um belo espetáculo.

Tão cautelosa quanto sua mãe, Kelsey abanou a cabeça afirmativamente.

— Eu gostaria de estar lá.

— Ótimo. Que tal tirarmos o resto do dia de folga?

Kelsey ergueu as sobrancelhas. Ela não vira Naomi tirar mais de uma hora de folga durante mais de três semanas.

— Para...

— Para o que mais? — A risada de Naomi foi rápida, contagiante, descontraída. — Senão para fazer compras? Qual a graça de viajar se você não pode gastar uns trocados com roupas antes de partir?

Um sorriso lampejou nos lábios de Kelsey.

— Vou pegar a minha bolsa.

Num sujo quarto de hotel à beira da Rota 15, Lipsky bebia grandes goles de gim quente. A máquina de fazer gelo, situada a alguns metros de sua porta, estava com defeito. Não que ele se importasse. Quente ou gelado, ele bebia.

— Estou lhe dizendo. Cedo ou tarde, eles virão atrás de mim.

— Talvez esteja certo, mas você está com uma péssima aparência. — Rich endireitou-lhe a gravata. — A aparência é tudo, amigo.

— Eu só ia dar um jeito no cavalo. — Com a mão livre, Lipsky pegou o cigarro aceso de um rachado cinzeiro de vidro abarrotado de guimbas. — Só para ele não poder correr, só isso.

— Mas esse não era o seu serviço — lembrou-lhe Rich com um sorriso afável. — Olhos e ouvidos atentos, lembra-se? Apenas olhos e ouvidos atentos até que eu lhe desse novas instruções.

— Você não reclamou quando eu marquei o outro potro dele. — Os olhos avermelhados de Lipsky brilharam de ressentimento. — Até me deu mais 100 dólares.

— Você foi caprichoso, Fred. Creio que eu lhe disse para não correr riscos. Mas — ele abriu amplamente os braços — agora já aconteceu. E o potro favorito de Gabe não vai usar uma sela por uma semana ou mais. — Os cavalos feridos e até mesmo o assassinato convinham perfeitamente ao plano principal. Essas coisas provocam muita boataria e excitam a imprensa. Sentindo-se generoso, Rich enfiou a mão no bolso e pegou seu prendedor de cédulas, uma enorme e simbólica moeda de prata comprada em Houston. Não havia nada de que ele mais gostasse do que vê-lo abarrotado de dinheiro.

Normalmente, ele só o abastecia com notas de um dólar, colocando uma de 50 ou, com um pouco de sorte, uma de 100 dólares sobre as demais. Agora, estava realmente nadando na grana. O prendedor estava cheio de cédulas de 100. Ele separou uma e a colocou sobre a mesa.

Lipsky olhou-a num misto de cupidez e culpa.

— Eu não queria fazer aquilo com o *Pavão*. Ninguém poderia pagar-me para ferir o velho Mick.

— Um lamentável acidente. — Solidário, Rich bateu no ombro do comparsa.

Lipsky tomou outro gole de gim.

— Nunca matei ninguém. Cortei alguns, é verdade, que mereceram. Mas nunca matei ninguém antes. — Ele ainda podia visualizar o rosto de Mick, o choque, a dor, o jeito como os olhos reviraram pouco antes de o cavalo empinar e esmagá-lo.

E ainda lembrava do sangue, borbulhando e escorrendo, e o boné de Mick tingindo-se de vermelho...

Ele arrebatou a garrafa e encheu o copo novamente.

— Ele não devia ter-se intrometido.

— Excelente raciocínio. — Rich serviu um copo para si; detestava ver um homem bebendo sozinho, ainda que fosse um sujeito repulsivo como Lipsky. Mas manteve seus cigarros e o isqueiro com seu monograma guardados no bolso. — Agora precisamos pensar no que fazer em seguida.

— Os tiras virão atrás de mim. Muitas pessoas me viram no hipódromo naquele dia, nas baias.

— Você estava trabalhando — lembrou-lhe Rich. — Perfeitamente plausível. Você é um sujeito conhecido no hipódromo, Fred. Se não fosse, os seguranças teriam impedido sua entrada nas baias.

— Sim, e mais cedo ou mais tarde alguém se lembrará de que entrei lá. E então se darão conta de que eu não retornei. — Ele apagou o cigarro, derramando cinza e guimbas sobre a mesa. — E em seguida se lembrarão de que eu tenho uma faca.

— Sua capacidade de dedução é admirável. Meu conselho é que você fuja. Perca-se lá pela Flórida, pela Califórnia ou pelo Kentucky. Talvez no México. Eles têm hipódromos ao sul da fronteira.

— Não vou morar num país estrangeiro. Sou americano.

— Quanto patriotismo. — Rich fez um brinde com o copo de gim. — Você é um sujeito habilidoso, Fred. Se não fosse, eu não o teria contratado. Mas, diante das circunstâncias, acho que devemos cortar nosso relacionamento.

— Isso vai custar mais do que 100 dólares.

O sorriso de Rich não vacilou um instante sequer, mas seus olhos endureceram.

— Ei, Fred, você não está tentando armar para cima de mim, certo?

Lipsky tinha as costas cobertas pelo suor do desespero, podia sentir seu próprio cheiro.

— Não vou ficar com a culpa disso sozinho. Se vou fugir, preciso de dinheiro. Foda-se, Rich, eu estava trabalhando para você. Você está envolvido nisso.

— É assim que você vê as coisas?

— Eu vejo que preciso de 10 mil. Para sumir e manter a boca fechada a seu respeito se eu não conseguir me esconder suficientemente bem. Não é pedir demais, Rich.

Rich suspirou. Receara que isso viesse a acontecer.

— Entendo sua situação, Fred. Entendo realmente. Escute, deixe-me fazer uma ligação para ver o que é possível. — Reforçou o sorriso com outro tapinha no ombro de Lipsky. — Deixe-me sozinho, está bem?

— Sim, tudo bem. Preciso mesmo dar uma mijada — e foi cambaleando até o banheiro.

Rich não fez a ligação. Em vez disso, tirou um pequeno frasco do bolso interno de seu casaco. Era realmente uma pena, mas não podia correr riscos. Mesmo que pagasse a Lipsky, este provavelmente cantaria como um passarinho se os tiras o prendessem. E, então, eles o prenderiam também, concluiu Rich enquanto despejava o líquido no copo de Lipsky.

— Venha, Fred. Está tudo resolvido. — Ele sorria quando Lipsky voltou para o quarto. — Terei o seu dinheiro amanhã.

A bebida e uma sensação de alívio fizeram Lipsky despencar na cadeira.

— Sem merda, Rich?

— Ei, somos amigos há muito tempo, não somos? Temos de cuidar um do outro. — Ele ergueu o copo. — Aos velhos amigos.

— É isso aí. — Olhos marejados de gratidão, Lipsky levou o copo à boca. — Eu sabia que podia contar com você.

— Sim. — O sorriso de Rich endureceu enquanto observava Lipsky beber literalmente até morrer. — Você pode contar comigo, Fred.

Palmeiras e toldos listrados, muito sol e muita buganvília. Homens de ternos brancos e mulheres de vestidos decotados. O ambiente realçava ainda mais o encanto das pistas, mas Hialeah Park era mesmo um hipódromo.

Nas baias de Gulfstream, os cavalos arqueavam os pescoços, curveteavam, resfolegavam, como atletas preparando-se para a competição. A maioria das cenas e dos sons era a mesma de Charles Town. Jornaleiros ambulantes ainda apregoavam as manchetes do *Daily Racing Form*; funcionários do hipódromo cumpriam suas tarefas. Mas o próprio clima, glorioso, provocava uma certa aura diferente daquela encontrada na fria primavera da West Virginia.

Kelsey divertia-se ao observar uma mulher equilibrando-se em sapatos de salto alto enquanto conduzia uma potranca pelo redondel de relaxamento. Os brincos de falsos diamantes, que lhe pendiam até os ombros, brilhavam intensamente.

— Ninguém pode chamar um cavalo de idiota olhando para aquilo.

Kelsey ergueu o olhar na direção de Gabe.

— O que você quer dizer com isso?

— O que você vê quando olha para o rosto dela?

— Da potranca ou da mulher?

— Da potranca.

Condescendente, Kelsey tornou a olhar para a potranca, que parecia arrastar-se e seguir cabisbaixa atrás da mulher, que ria, tola e afetadamente.

— Constrangimento.

— Isso mesmo. Aquela é a mais nova aquisição de Cunningham.

— A potranca ou a mulher?

— Ambas.

Kelsey soltou uma gargalhada e percebeu como estava contente por ter vindo. Talvez fosse pelo verão ou pelo simples prazer de ter descoberto que fazia parte de um grupo bastante unido. Mas estava feliz.

— Soube que você viria, mas não o vi nos treinos matinais.

— Cheguei há apenas uma hora — disse ele. — O que você está achando de Miami?

— Bem, alguns cavalariços estavam reclamando esta manhã por não terem conseguido dormir por causa do tiroteio do lado de fora de suas acomodações. Ontem dei um passeio pela praia e me ocorreu que devo ser mesmo adulta; não tive a mínima vontade de andar de patins. Fora isso — ela inspirou profundamente —, estou adorando a cidade. E o hipódromo também é muito bonito.

— E é isso o que importa. As pessoas envolvidas com o turfe não ligam muito para o mundo lá fora.

— Eu não iria tão longe assim.

— Você não pertence ao nosso mundo. — Ele a olhou. — Pelo menos por enquanto.

Kelsey ficou séria, sem saber se fora elogiada ou insultada. Em vez de tentar descobrir, decidiu observar os perdedores retornando do primeiro páreo. Os vencedores, ela sabia, eram levados a uma baia especial onde amostras de urina e saliva eram coletadas para testes de *doping*.

Mas era nos perdedores que ela pensava agora, coração confrangido por vê-los saírem lentamente da pista, flancos suados, focinhos sujos. Se uma potranca podia sentir-se constrangida por ser conduzida em público por uma "Barbie" emperiquitada, ela se perguntava se não sofreriam as mágoas da derrota.

— Triste, não acha? — murmurou ela. — É como observar soldados batendo em retirada da frente de batalha. Todo o colorido do espetáculo desaparece em apenas alguns minutos.

— Mas são uns tremendos alguns minutos. Uma pena você não ter assistido ao Grande Prêmio da Flórida. Este sim é um verdadeiro espetáculo. Acrobatas, uma corrida de camelos...

— Camelos? Verdade?

— Nunca aposte num deles.

Eles caminharam e passaram pelos galpões de selas e arreios. Já estava quase na hora do segundo páreo, e *Pride* ia correr no terceiro. Ela queria ver Reno antes de Moses ajudá-lo a subir no animal. Desenvolvera uma superstição pessoal: desejar boa sorte no último momento, antes de o jóquei sair do padoque com o cavalo.

— Não vai passar pelo guichê de apostas? — perguntou-lhe Gabe.

— Não. Mas já tenho o nome dos vencedores. *Pride* no terceiro páreo e *Three Aces* no quinto. — Ela parou para comprar uma Pepsi de um velho ambulante negro. — Agora tenho o meu próprio sistema de apostas.

Gabe aceitou a lata de refrigerante, tomou um gole e lhe devolveu.

— E como é esse sistema?

— Sentimental. Só aposto meu coração.

— É um sistema muito arriscado.

Ela deu de ombros.

— Não há graça em apostar sem correr riscos.

— Sem dúvida. Venha cá. — Eles estavam quase chegando à baia de *Pride* e havia bastante movimento ao redor.

— Pare com isso, Slater. — Mas ele já segurara seu rabo-de-cavalo que descia por sob o boné.

— Só vou beijá-la. O risco é de ambas as partes.

Kelsey teve a impressão de ouvir alguns cavalariços assobiarem e rirem antes de sua mente se desligar por completo. Ela se perguntara se aquele primeiro e único beijo fora apenas um feliz acaso. Ou, talvez, uma coincidência. Uma viagem única.

Aparentemente não.

Havia algo de especial na boca de Slater. Entreabriu a sua, mergulhando no sabor, na textura, no calor da outra, que se movia, experiente e tormentosamente lenta, como se tivesse todo o tempo do mundo. Com um suspiro de satisfação, ela afundou as mãos nos cabelos dele e ali as manteve até que o barulho no hipódromo fosse apenas uma vaga bruma.

Quero. Foi tudo em que ele pôde pensar. Passara muito tempo de sua vida querendo — comida decente, uma cama limpa, a paz pura e simples de viver sem receios. Quando cresceu, esses desejos amadureceram; passou a querer mulheres e poder, e o dinheiro que lhe assegurasse a conquista de ambos.

Mas nunca tinha desejado nada e, certamente, ninguém, como desejava agora. Uma mulher. Uma noite. Apostaria tudo que tivesse para tentar conseguir isso.

— Quanto tempo ainda? — murmurou, roçando com os seus os lábios dela.

— Não sei. — Ela se esforçou para acalmar sua respiração. — Não conheço você.

— Claro que conhece.

— Eu nem sabia que você existia há dois meses. — Ela se afastou, surpresa por suas pernas não dobrarem. — Não estou... — Ela endireitou o boné com a mão trêmula, enquanto atrás deles ecoavam aplausos. — Precisamos conversar sobre isso mais tarde. Sem platéia.

— Bem. — Ele deslizou a ponta de um dedo pelo queixo dela. — De qualquer forma, acho que consegui alguma coisa. Deve estar correndo o boato de que você é insaciável.

— De que eu sou... — Kelsey trincou os dentes. — Foi para isso que você me beijou? Para fazer algum tipo de auto-afirmação machista?

— Não. Fiz isso por mim, querida. Mas o resultado foi melhor do que eu esperava. Vejo você por aí.

Ela chutou a lata de refrigerante que havia deixado cair quando ele a beijou.

— Idiota — murmurou. Tentando resgatar a dignidade, ela se virou e quase derrubou Naomi.

— Estranho — começou a falar Naomi enquanto Kelsey tentava encontrar as palavras — assistir a isso. Se você me perdoa a analogia, freqüentemente tenho a mesma sensação quando vejo um de meus cavalos sendo levado para a pista. É como observar o filho entrando no ônibus escolar ou recitando numa peça colegial. Você percebe subitamente que ele não pertence mais apenas a você e que há muitas coisas que você não sabe sobre ele.

— Ele só fez isso para me chatear.

Ainda com os batimentos cardíacos acelerados, Naomi sorriu.

— Ah, acho que não. — Arriscou passar uma das mãos no rosto de Kelsey. — Confusa?

— Sim.

Mas não estava pronta para falar sobre aquilo.

— Você gostaria que eu conversasse com Gabe? *Ele* não vai gostar, mas é suficientemente meu amigo para tolerar uma intromissão.

— Não. Eu mesma cuidarei disso. — Observou à sua volta. Ainda havia alguns rostos sorridentes voltados em sua direção.

— Não há outro páreo agora? Vocês não são pagos para ficar aí como basbaques — fuzilou.

Quando Kelsey disparou em direção às baias, Naomi também sorriu.

Na pista, *Pride* correu como um sonho, irrompendo pelo portão com orgulho no olhar e com Reno na condução. Na primeira curva, ele já lutava pelas primeiras posições, mas em seguida estava tudo acabado. Na reta oposta, havia três corpos de distância entre ele e o cavalo mais próximo.

— Parece ser um cavalo de um homem rico — Kelsey ouviu comentarem atrás dela.

Sim, pensou ela, parecia. Mas o dinheiro não tinha nada a ver com isso.

Gabe veio juntar-se a ela no quinto páreo, calmo e descontraído, como se momentos antes eles apenas tivessem comido um sanduíche juntos, em vez de se terem beijado ardentemente em público.

— Reno fez uma bela corrida.

— Ele e *Pride* formam uma boa equipe — disse ela, olhando-o bruscamente. — A melhor equipe do circuito.

— Veremos — murmurou ele. — Fique de olho em *Big Sheba*, a égua de Cunningham. Diga-me o que você é capaz de observar.

Franzindo a testa, Kelsey observou os cavalos sendo posicionados nos portões. A enorme potranca baia estava indócil, nervosa, escoiceou um cavalariço violentamente, fazendo-o estatelar-se no chão.

— Ela está excitada. Isso não é incomum. — Desviou o olhar para *Three Aces*, que dava muito trabalho aos manejadores. — O seu potro também está agitado.

— Apenas observe.

A sirena soou. Os cavalos dispararam. A potranca de Cunningham assumiu a liderança, suas longas pernas estendendo-se, levantando poeira da pista. Kelsey estreitou os olhos atrás dos binóculos. *Big Sheba* suava intensamente ao alcançar a primeira curva.

— Ela é veloz. Por que ele está exigindo tanto dela? — Kelsey sobressaltava-se quando o jóquei usava o chicote, brusca e freqüentemente.

— Ele está fazendo o que lhe mandaram fazer.

Na metade do percurso, ela começou a esmorecer, apenas um pouco, mas o suficiente para se prejudicar. Kelsey sentiu os olhos encherem-se de lágrimas. *Big Sheba* tinha bravura, mas não tinha fôlego. E eles a estavam ferindo.

Na reta oposta, ela ficou meio corpo atrás do potro de Gabe, e depois um corpo inteiro. Apenas o seu próprio valor a manteve em segundo lugar, por uma diferença de focinho, quando eles cruzaram a linha de chegada.

— Isso é imperdoável. — Furiosa, ela se voltou para Gabe. — É necessário haver regras.

— Nós temos muitas, mas nenhuma diz que você não pode forçar o cavalo além do limite dele. Dizem que ela está com problemas pulmonares. E o idiota ainda manda o jóquei tirar tudo dela. Ele quer tanto ganhar um Grande Prêmio, que vai acabar matando o animal forçando as coisas desse jeito.

— Achei que ele era apenas um tolo.

— Ele é um tolo, sem dúvida. Mas um tolo ambicioso. Ele quer o primeiro lugar.

— Não é o que todos nós queremos?

— Sim. A diferença está na distância que percorremos para conquistá-lo.

Ele se afastou, dirigindo-se para o círculo do vencedor. Kelsey deu as costas para a pista que, de repente, havia perdido muito do seu encanto.

CAPÍTULO 12

JACK MOSER TINHA UM NEGÓCIO DECENTE. TALVEZ PARTE DE SUA CLIENtela alugasse um quarto por uma ou duas horas, mas isso não era da sua conta. Jack achava que o que acontecia atrás de portas fechadas tanto acontecia no Ritz Hotel quanto no seu estabelecimento.

A diferença era que no Ritz pagava-se um pouco mais.

Ali não havia insetos, e ele não tolerava rebuliços depois do conveniente limite da meia-noite, e fazia despesas adicionais para que os seus hóspedes tivessem TV a cabo.

Um quarto de solteiro a 29 dólares por cabeça não era um mau negócio.

Crianças até 18 anos não pagavam.

Aos seus hóspedes ele proporcionava a comodidade dos sabonetes Ivory, em "barras" do tamanho de uma lasca de madeira, juntamente com toalhas do tamanho de um capacho de banheiro e, para a conveniência deles, tinha um acordo com um fornecedor local para que fizesse a entrega de refeições depois das 6 horas e antes das 22 horas.

Talvez, às vezes, encafuasse o dinheiro de alguns hóspedes debaixo do balcão sem exigir a apresentação da carteira de identidade, mas ninguém tinha nada a ver com isso.

Os lençóis eram lavados, os banheiros desinfetados, e havia uma boa fechadura em cada porta.

Ele gostava mais do verão, quando famílias em férias seguindo para o sul ou para o norte iluminavam seu cartaz. A maioria só tinha o trabalho de sair de suas velhas peruas e jogar-se na cama, e ele não precisava se preocupar com latas de cerveja espalhadas nem com lençóis rasgados.

Havia doze anos que ele observava as pessoas irem e virem, e por isso achava que sabia alguma coisa sobre elas. Reconhecia quando um casal alugava um quarto para trair uma esposa, ou quando uma mulher estava se escondendo de um sujeito que tanto podia olhar para ela com interesse como deixar-lhe um olho roxo. Conseguia identificar os perdedores, os nômades, os fugitivos.

E percebeu que o hóspede do Quarto 22 era um fugitivo.

Não tenho nada a ver com isso, disse Jack consigo mesmo enquanto tirava a chave-mestra do quadro de chaves. O sujeito tinha pago três pernoites adiantados e em dinheiro. E daí que o indivíduo exalasse o cheiro de medo por todos os poros ou que às vezes lançasse o olhar por sobre os ombros como se receasse que alguém lhe fosse enfiar uma faca nas costas?

Pagara 87 dólares, mais taxas, e não parecia ter usado o banheiro desde então.

O problema é que o tempo de hospedagem do Quarto 22 se havia esgotado, e, de acordo com Dottie, uma zeladora de bunda chata, a porta dele estava trancada, e a plaqueta *NÃO PERTURBE,* do lado de fora. Do mesmo jeito que ambas estiveram durante três dias.

Bem, ele ia precisar ser perturbado, pensou Jack enquanto caminhava pelo estacionamento, seguindo em direção à fileira de portas cinzentas e janelas de vidro fumê. Ou o Quarto 22 pagava a hospedagem de mais um dia, ou botava o pé na estrada.

Jack Moser não concedia hospedagem de cortesia.

Primeiro, ele bateu, vigorosa e autoritariamente. Ninguém senão Jack conhecia o prazer íntimo que sentia em despejar um caloteiro.

— Gerência — disse ele rispidamente, e viu a zeladora colocar a cabeça do lado de fora da porta do Quarto 27, diante do qual havia deixado seu material de limpeza.

— Deve esta bêbado como um gambá — exclamou ela.

Jack suspirou e endireitou os ombros caídos.

— Faça o seu trabalho, Dottie. Eu cuido disso. — Ele bateu novamente, sem ver a careta que ela fez para ele. — Gerência — repetiu e, em seguida, enfiou a chave na fechadura.

O cheiro o atingiu, nauseando-o. Seu primeiro pensamento foi que o 22 havia pedido alguma coisa ao fornecedor de refeições que lhe fizera mal, muito mal. O segundo foi que seria necessária uma caixa de desinfetante para acabar com o fedor que reinava absoluto no quarto.

Logo em seguida, não teve pensamento algum, viu o que parecia uma pessoa sentada à mesa minúscula, olhos esbugalhados, corpo inchado. Quem quer que tivesse alugado o Quarto 22 se havia transformado, em três dias, numa coisa tão horrível quanto tudo o que Jack havia visto em filmes de terror.

Cambaleou para trás, chocado com a cena e o cheiro. Um grito de pavor assomou-lhe à garganta, e ele vomitou nos sapatos, o que, entretanto, não o impediu de correr. E continuou correndo mesmo depois que Dottie entrou apressadamente no 22 para ver o que tinha acontecido e começou a gritar.

O corpo já tinha sido ensacado quando Rossi chegou ao motel, tanto por sua persistência quando por uns laivos de sorte. Ele não aguçava as orelhas para todos os casos de morte suspeitos ou ainda desatendidos que chegavam à Delegacia de Homicídios. Mas o nome de Fred Lipsky lhe chamou a atenção. Constava de sua lista, e ele ainda não tinha conseguido investigar.

Agora, ao que tudo indicava, poderia.

A médica-legista, dra. Agnes Lorenzo, recolhia suas coisas para deixar o local. Uma mulher pequena, atlética, de cabelos grisalhos e olhos de cachorrinho de pelúcia. Rossi cumprimentou-a com um aceno de cabeça.

— Lorenzo.

— Rossi. Pensei que este caso fosse de Newman.

— Tem ligação com um dos meus. O que temos aqui? — Ele prendeu o distintivo no bolso e passou por entre os agentes uniformizados à porta do quarto.

O corpo já estava pronto para seguir para o necrotério. O ar ainda cheirava mal, mas esse era um cheiro que já não o afetava tanto assim. Ele vasculhou o quarto com o olhar, notando a cama por fazer, uma sacola de roupas jogada a um canto, e o pó para identificação de impressões digitais deixado pela equipe técnica. Uma garrafa de gim quase vazia, um copo e um cinzeiro cheio de guimbas de cigarros Lucky Strike.

— Não me pergunte qual foi a causa da morte, Rossi — disse a dra. Lorenzo. — O que lhe posso informar por enquanto é que ocorreu entre 48 e 60 horas atrás. Nenhum ferimento, nenhum indício de luta.

— Causa da morte?

Ela sabia que ele ia perguntar e sorriu, conformada.

— O coração dele parou, Rossi. Isso acontece, sabia?

Ele ignorou a pilhéria e imaginou a cena. Um homem bebendo sozinho. Zangado? Culpado? Amedrontado? Por que um homem alugaria um quarto barato para beber se já tinha um quarto barato a 50 km?

E se Lipsky estivesse fugindo, teria algo a esconder.

Já que Rossi não se melindrara com seu sarcasmo, a dra. Lorenzo resolveu dar-lhe uma ajuda.

— Ele tinha cerca de 300 dólares na carteira e um cartão de crédito vencido. Havia um exemplar do *Daily Racing Form* em sua sacola, de quatro dias atrás, e uma faca na bota.

Rossi aguçou instantaneamente os sentidos, como um perdigueiro.

— Que tipo de faca?

— Quinze centímetros de comprimento, lâmina fina, cabo liso.

O coração de tira de Rossi disparou. Os técnicos da perícia estavam com a faca e, se houvesse algum vestígio de sangue nela, humano ou animal, eles o encontrariam.

— Quem encontrou o corpo?

— O gerente. O nome dele é Moser. Ainda deve estar no escritório, com a cabeça entre os joelhos.

— Não há ninguém tão duro quanto você, Lorenzo.

— É o que você diz. — Ela saiu do quarto novamente, lamentando a poluição do ar da primavera pelo tráfego intenso na Rota 15; deixara um corpo na prancha de autópsia, e, agora, tinha mais um para aumentar a trabalheira. Todo dia, pensou ela, era dia de piquenique.

— Vou precisar de uma cópia do resultado da autópsia.

— Daqui a dois dias.

— Vinte e quatro horas, Lorenzo. Seja camarada.

— Não somos camaradas com ninguém, Rossi. — Ela se virou e entrou no carro.

— Ei. — Ele segurou a porta, impedindo-a de fechá-la. Conhecia Agnes Lorenzo há três anos e sabia que ela não tinha muitos botões que pudessem ser acionados, mas ele encontraria alguns para fazê-la funcionar a seu modo. — Lembra-se daquele *presunto* que você examinou na semana passada? Gordon. Mick Gordon. Um homem idoso, esfaqueado...

Ela pegou um cigarro, um vício tão antigo, que já não lhe provocava mais culpa.

— Aquele que sofreu afundamento de uma parte do crânio e que teve a maioria dos órgãos internos esmagados? Sim, lembro-me.

— Acho que foi esse *presunto* aí quem o matou.

Lorenzo soltou a fumaça. Ela não examinara a faca detidamente. Não precisara examiná-la. Mas lembrava-se do ferimento. Tinha dezenas de ferimentos arquivados na memória, que jamais seriam esquecidos.

Ela acenou afirmativamente com a cabeça.

— A arma pode revelar muita coisa. Está bem, Rossi, farei algumas horas extras para ajudá-lo, mas não posso prometer que todos os testes fiquem prontos em tão pouco tempo.

— Obrigado. — Ele fechou a porta do carro, esqueceu-se da legista e concentrou-se no escritório e em Jack Moser.

Gabe soube do que aconteceu com Lipsky dez minutos depois de chegar da Flórida. A imprensa havia descoberto uma mina de ouro em Dottie, a zeladora.

A notícia de que Lipsky havia morrido no quarto de um motel espalhou-se das baias à pista de treinamento, dos cavalariços aos aprendizes. A faxineira de Gabe, que cuidava da casa duas vezes por semana, trouxe-lhe a notícia e o jornal, antes que ele houvesse feito mais do que jogar as malas na cama.

Uma chama de intensa fúria o incendiou. Ele a alimentava quando Rossi o encontrou.

— Satisfação em vê-lo novamente, sr. Slater.

— Tenente. — Gabe ofereceu-lhe o jornal que trouxera para baixo e, em seguida, sentou-se na sala de estar, generosamente banhado pelo sol. — O meu palpite é que está aqui para falar-me sobre isso.

— O seu palpite está certo. — Rossi pôs o jornal de lado e acomodou-se. — Fred Lipsky trabalhou para você até algumas semanas atrás.

— Até que eu o demitisse, do que, tenho certeza, tem conhecimento. Ele estava bêbado.

— E reagiu contra a demissão.

— Isso mesmo. Puxou uma faca, eu o derrubei e achei, equivocadamente, que a questão estava encerrada. — Com as feições austeramente controladas, Gabe inclinou-se um pouco para frente. — Se tivesse tido a mínima suspeita de que ele iria usar aquela faca num dos meus homens ou num dos meus cavalos, ele nem teria ido embora.

— Você não deve fazer esse tipo de afirmação para um tira, sr. Slater. Isso ainda não vazou para a imprensa, mas a faca que estava com Lipsky no momento de sua morte é a mesma que matou Mick Gordon. Por enquanto, não se pode associar Lipsky definitivamente à cena e ao momento do crime. Mas temos uma arma e um motivo: vingança.

— Caso encerrado? — perguntou Gabe.

— Gosto de vê-los bem esclarecidos antes de encerrá-los. Este não está totalmente esclarecido. Até que ponto você conhecia Lipsky?

— Não muito. Ele veio junto com a fazenda.

A resposta provocou um sorriso de Rossi.

— Uma forma interessante de colocar as coisas.

— Quando assumi a direção, mantive todos os que quiseram ficar. Eles não tinham culpa por Cunningham não saber jogar.

Intrigado, Rossi tamborilou o lápis no bloco.

— Então, sua história é verdadeira. Antes, pareceu-me inventada. Não há nada com relação ao negócio que envolveu a transferência da fazenda que esteja à margem da lei?

— Nada — afirmou Gabe.

— Precisarei conversar com seu treinador novamente e com os outros empregados. Estou interessado em saber se alguém que o conhecia bem saberia informar se ele tinha tendência suicida.

— Você quer fazer-me crer que Lipsky se matou? — O ódio começou a dominá-lo novamente, fervendo-lhe as entranhas. — Por quê? Por sentimento de culpa? Remorso? Pura besteira, tenente. Era tão provável que ele enfiasse o cano de uma arma na boca ou que colocasse uma corda no pescoço quanto conseguisse dançar na Broadway.

— Disse que não o conhecia bem, sr. Slater.

— Ele não, mas conheço o tipo. — Ele fora criado por alguém do mesmo tipo de Lipsky. — Eles culpam todos, mas nunca a si mesmos. E eles nunca tomam essa atitude extrema porque estão sempre imaginando um jeito de aplicar um trambique qualquer. Eles bebem e trapaceiam e jogam sempre. Mas não se matam.

— Uma teoria interessante. — E que Rossi também achava bastante plausível. — Lipsky não comeu uma arma nem se pendurou num pedaço de barbante. Ele bebeu um coquetel mortal de gim com o que me informaram chamar-se acepromazine. Conhece isso?

A voz de Gabe estava cuidadosamente neutra.

— É usado para imobilizar cavalos. É um tranqüilizante.

— Sim, foi o que me disseram. Engraçado, achei que quando um cavalo quebrava uma perna, vocês apontavam uma arma para a cabeça dele.

— O barulho incomoda os freqüentadores — ironizou Gabe. — E nem toda fratura é fatal. Há muita coisa que pode ser feita para evitar que o cavalo seja sacrificado. Freqüentemente, ele pode correr novamente ou procriar. Quando não há mais nada a ser feito, o veterinário aplica uma injeção letal. Segundo afirmam os especialistas, o animal não sente dor alguma. Sempre me perguntei como se pode ter certeza de uma coisa dessas.

— E não terá como saber por intermédio de Lipsky. Tem essa substância em algum lugar aqui na fazenda?

— Como eu disse, a injeção é aplicada pelo veterinário. Ninguém sacrifica um cavalo por capricho, tenente.

— É, você tem razão. Seria o desperdício de um enorme investimento.

— Sim. — A voz de Gabe mantinha-se fria. — Já viu algum cavalo sendo sacrificado?

— Não.

— O cavalo tropeça na pista e cai. O jóquei é arremessado violentamente de sobre o dorso do animal. Tenta controlar-se e remediar a situação. O silêncio é geral. Surgem cavalariços de todos os lados. Não é possível que seja o cavalo deles; deve ser o de outro. E, então, chama-se o veterinário; e quando não há o que fazer, quando não há o que remediar, o veterinário o sacrifica; atrás de um biombo, reservadamente.

— Já perdeu algum cavalo assim?

— Uma vez, há cerca de um ano, durante os exercícios da manhã; um momento mais perigoso do que a própria corrida. O cavaleiro está relaxado. Todos estão. — Ele ainda podia lembrar-se da impotência, da inútil revolta. — Era uma potranca muito bonita. *The Queen of Diamonds* foi o nome que lhe dei. O cavalariço que cuidava dela chorou como uma criança quando tudo terminou; era Mick. — Gabe resistiu ao impulso de socar a palma da mão. — Por isso, se está me dizendo que alguém acabou com Lipsky da forma como se sacrifica um cavalo, o que tenho a dizer é que ele foi enviado para o inferno em melhor estilo do que merecia.

— Guarda-lhe ressentimentos, sr. Slater?

— Sim, tenente, guardo. — Os olhos de Gabe estavam firmes. — Se pretende me perguntar se matei Lipsky, posso lhe adiantar que não. Não tenho certeza se poderia dizer o mesmo se eu soubesse o que me contou hoje e o encontrasse primeiro.

— Sabe de uma coisa, sr. Slater? Gosto de você.

— É só isso?

— Sim. — Rossi ofereceu-lhe um de seus raros sorrisos, uma expressão que nunca se adequava muito bem a seu rosto. — Algumas pessoas fazem mil rodeios diante das perguntas que faço. Muitas gaguejam, outras suam. Mas o senhor não — disse o policial, pegando um cisco de linho de uma das pernas das calças. — Odiava o filho da mãe e talvez o tivesse matado se tivesse tido oportunidade. E não tem medo de dizer isso. A verdade é que não só gosto do senhor, mas acredito no senhor. — Ele se levantou. — Mas pode ser que esteja blefando, e por isso vou apurar se fez uma visita àquele motel. Não vai ser difícil saber, já que circulo muito por aí. — Ele fez uma pausa e estudou Gabe longa e cuidadosamente. — Mas não acho que tenha feito isso. Lipsky deve ter procurado causar-lhe alguns prejuízos e depois se escondeu por algum tempo. Importa-se se eu for conversar com seus homens agora?

— Não, não me importo. — Gabe não se moveu; Rossi conhecia o caminho. Fechou os olhos e concentrou-se no relaxamento de seu corpo.

Concedeu a Rossi uma hora, depois do que desceu para as baias. A atmosfera parecia impregnada de mistura de excitação e medo que paira em torno de morte. Os empregados interromperam a conversa e se mostraram ocupados quando Gabe apareceu.

Encontrou Jamison conversando gravemente com Matt a respeito do potro ferido.

— A inflamação acabou — dizia Matt. — A cicatrização está boa. Continue trocando o curativo uma vez por dia, usando o mesmo anti-séptico.

— Ele vai ficar marcado.

Matt abanou a cabeça afirmativamente, olhando o corte num dos flancos do cavalo, que aos poucos cicatrizava.

— Com certeza.

— É uma pena. — Jamison pegou a seringa para banhar a ferida. — Um cavalo tão bonito como este.

— Isso vai aumentar seu prestígio — comentou Gabe, aproximando-se para segurar o cabresto. Ele passou o nó dos dedos pelo focinho de *Double*, como um homem acaricia uma mulher. O potro respondeu cabeceando-lhe gentilmente a mão, brincalhão como um cachorrinho.

— Marcas de guerra — murmurou ele. — Não lhe afetará o rendimento nem a ambição. Em quanto tempo poderemos colocar um cavaleiro em cima dele?

— Não tenha pressa. — Matt deslocou-se bruscamente para o lado, pois o cavalo, virando a cabeça, tentou alcançar seu ombro, não mais um cachorrinho, mas 500 kg de temperamento. Seus dentes erraram o alvo por cerca de dois centímetros. — Ele está sempre me testando. Gostaria de tirar um pedaço de mim, não é, amigo? — Deu um tapinha amistoso no pescoço do animal ao ter certeza de que Gabe segurava firmemente o cabresto. — Ele correrá em Kentucky, Gabe. Se eu fosse um apostador, colocaria algum dinheiro nele.

Satisfeito com o diagnóstico de Matt, Gabe virou-se para seu treinador.

— Jamie?

— Estou preparando um novo programa de treinamentos para ele. Talvez funcione, talvez não.

— Terá de funcionar. Rossi conversou com você?

Jamison endureceu o olhar, terminando de fazer o curativo.

— Sim. Ele veio aqui, fez perguntas. Deixou todo o mundo alvoroçado. Peterson acha que foi um serviço da máfia. Kip acha que foi uma mulher. Lynette não mostrou muita disposição para cooperar, o que o deixou muito irritado. Todos aqui têm discutido sobre quem deve ter sido o assassino, os garotos tomando partido.

— Ninguém acha que foi suicídio?

Jamison olhou bruscamente para Gabe e saiu da baia.

— Ninguém que o conhecia.

— Ele pode ter pego um pouco de acepromazine — disse Matt a Jamison. — Deveria saber o que isso é capaz de fazer. E certamente sabia que as autoridades acabariam por pegá-lo.

— Um homem como Lipsky poderia ter-se escondido numa centena de hipódromos. — Jamison olhou para o potro. Estava fazendo o curativo, como penitência por sua participação. — Eu deveria tê-lo despedido há meses. Tudo poderia ter sido diferente então. E Mick poderia estar vivo.

— Isso foi feito — disse Gabe. — Mas não acabou. Quem quer que tenha dado aquela última dose a Lipsky tem alguma participação nos crimes que ele cometeu.

— Vou lhe contar o que eu disse a Rossi. — Matt coçou o queixo enquanto ele e Gabe saíam do barracão. — Tem de ser alguém que conhece cavalos e que tem acesso a produtos veterinários. — Ele sorriu languidamente. — O que não descarta muitas probabilidades.

— O que inclui todos nós. — Gabe observou o queixo de Matt cair um pouco. — E centenas de outras pessoas. Obrigado por ter passado aqui.

Matt engoliu em seco.

— Não custa nada. Voltarei para dar uma olhada no potro daqui a alguns dias. Acho que... vou passar por Three Willows.

Olhando para Matt, Gabe pegou um charuto e o acendeu, despreocupadamente.

— Algum problema por lá?

— Não, não. Eu apenas... bem...

Gabe sorriu instantaneamente, livre de quase toda a tensão.

— Ela é uma delícia de se olhar, não é?

Matt enrubesceu. Maldita pele branca.

— Não é nada má. Channing me disse que talvez ela fique lá por mais algum tempo. — Ele fizera o melhor que podia para tentar arrancar informações de Channing, mas, quando se tratava de sua meia-irmã, o jovem era tão discreto quanto impenetrável.

— É, acho que ela vai ficar lá algum tempo. — Gabe ia garantir isso. — E você pode olhar o quanto quiser. — Ele passou um braço em torno dos ombros de Matt enquanto o levava até a caminhonete. — Um santo não poderia condená-lo por isso. Mas veja lá onde você põe as mãos, doutor.

Enquanto Matt, embaraçado, tentava encontrar uma resposta, Gabe abriu-lhe a porta da caminhonete.

— Minha — disse Gabe simplesmente.

— Você — Matt calou-se, vermelho como um pimentão. — Eu não poderia imaginar. Kelsey nunca... Eu nunca...

— Se eu achasse que você tinha, eu seria obrigado a machucá-lo. — O sorriso de Gabe era amistoso, até mesmo simpático, mas o aviso era claro. — Mande lembranças minhas a Kelsey quando a vir.

— Claro. — Apressado, Matt entrou na caminhonete. — Mas, bem, talvez eu não demore. Tenho uma pilha de relatórios para examinar.

— Então vou deixá-lo cuidar disso. — Gabe deu um passo atrás, sorrindo, enquanto observava a caminhonete afastar-se.

— Você o deixou branco como neve — disse Jamison, tirando um drope de cereja do pacote, o seu favorito.

— Apenas poupando-lhe problemas lá embaixo na estrada.

— Talvez. — Observando as últimas nuvens de poeira levantadas pela caminhonete de Matt, Jamison saboreou sua bala. — Ela sabe que você a marcou?

Gabe soltou a fumaça do charuto, lembrando-se com ternura da reação ao beijo deliberadamente público que dera em Kelsey.

— Ela é uma mulher inteligente.

— Mulheres inteligentes são as que dão mais trabalho ao homem.

— Não tenho tido problemas há muito tempo. — E não sabia quão intensamente queria ter alguns. — Bem que eu poderia pegar o carro e ir tentar arranjar uns dois ou três. — Isso lhe faria bem, pensou ele, e virou-se para o treinador.

Nas baias, ele mantivera os olhos voltados quase o tempo todo para o potro e para Matt. Mas agora Gabe pôde perceber-lhe as linhas de cansaço, as olheiras.

— Você parece cansado, Jamie.

Ele estava dormindo mal e tendo muita dificuldade de engolir um bom prato de comida desde a morte de Mick.

— Muitas coisas na cabeça.

— Uma que você pode tirar daí é qualquer responsabilidade pelo que aconteceu com Mick. — Jamison simplesmente desviou o olhar, e Gabe atirou o charuto ao chão e o apagou com o pé. A expressão nos olhos de Jamison serviu apenas para despertar-lhe o sentimento de culpa. — Está bem, você agiu mal em tê-lo mantido no emprego, e eu em tê-lo demitido na frente de todos. Você quer considerar isso o botão de comando que determinou a morte de Mick, tudo bem. Mas não foi o seu dedo que o apertou.

— Vejo Mick toda vez que fecho os olhos. — A voz de Jamison estava baixa, tensa. — Imagino o jeito que ele deve ter ficado quando Lipsky e o potro acabaram com ele. Isso nunca deveria ter acontecido, Gabe. — Ele soltou um suspiro. Não havia resposta para aquilo. E Jamison sabia disso. — O Derby* vai ser daqui a três semanas e meia. Aquele potro precisa estar pronto, e meu trabalho é garantir isso. Mas eu olho para ele e lembro-me de como Mick se sentia orgulhoso em cuidar dele.

Sem dizer nada, Gabe olhou em direção às colinas. Suas colinas. O Derby era mais do que uma corrida. Até mesmo mais do que um objetivo. Era o Santo Graal que ele estivera procurando durante toda a sua vida.

---

* Embora a palavra *derby* também signifique ou sirva para designar várias outras importantes corridas de cavalos ou "Grandes Prêmios" para animais com até 3 anos de idade, em algumas passagens do livro ela não foi traduzida e está grafada com inicial maiúscula para indicar que a autora se refere, nesses casos, ao importante e famoso "Grande Prêmio" que acontece anualmente em Churchill Downs, Louisville, no Estado do Kentucky. (N. do T.)

Agora, depois de uma vida inteira de lutas, e de cinco anos de esforços concentrados, parecia estar quase em suas mãos. Talvez estivesse vazio quando finalmente colocasse as mãos nele, mas ele precisava se certificar.

— O potro tem de correr, Jamie. Se você não consegue trabalhar com ele, terei de passá-lo para Duke. — Duke Boyd, o treinador-assistente, era competente. Tanto Gabe quanto Jamison sabiam disso. Mas não tinha o talento especial com que Jamison havia nascido. — De um jeito ou de outro, ele terá de estar pronto para Churchill Downs.

— Cumprirei meu dever — disse Jamison, esfregando os olhos cansados.

— Preciso que você coloque o coração nisso.

Jamison deixou cair as mãos.

— Você o terá, bolas. E minha alma também.

Ele se virou e, com passos firmes, retornou às baias.

Kelsey sabia que não deveria apaixonar-se pelo cavalo. Mas o intelecto não tem nada a ver com isso. Estava tão fascinada pelo recém-nascido de pernas bambas quanto pelos potros mais velhos — e havia sido escoiceada como resposta ao seu afeto.

Talvez porque ela aceitou isso resignadamente, levantando-se e limpando-se calmamente, Moses intensificou-lhe o treinamento.

Gostava do jeito dela, da forma como se relacionava com os cavalos e, o que era mais importante, do modo como eles reagiam aos cuidados dela.

E, logicamente, teve grande satisfação ao vê-la tão ávida quão nervosa quando a levou à cocheira dos animais ainda não domados. Conversou com o cavalariço da área e com ele separou uma potranca especial, uma pequena e audaciosa baia, pesando elegantes 340 kg.

A luz da aurora, dourada e quase líquida, despejava-se sobre o pêlo do animal, inflamando-o. Olhos ofuscados, Kelsey permanecia no lado de dentro da baia, certa de que nunca tinha visto nada tão bonito em sua vida.

— Ela tem fibra — disse Moses trabalhando com um manejador para acalmá-la enquanto era encilhada. — E tem valor. Foi por isso que Naomi a batizou de *Honor. Naomi's Honor.*

Como que atendendo ao chamado de seu nome, a potranca cabeceou Moses vigorosamente, fazendo-o sentir as vibrações até os ombros. Dando um firme puxão nas rédeas encurtadas, ele continuou a falar.

— Você será o primeiro peso que ela terá sobre o dorso. Agora, não fique pensando que ela é dócil e que está pronta para satisfazer seus desejos; está acostumada a ter liberdade. Não sabemos o que esperar. Ela é muito mais forte do que você. — Ele tornou a olhar para Kelsey, como se analisasse sua esguia estrutura sob a roupa e o chapéu acolchoados. — Portanto, você precisa ser esperta. — Ele correu a mão pelo corpo da potranca, acariciando-a do pescoço à cauda. — E gentil.

Essa fora a razão de ter escolhido Kelsey. Ninguém conseguia sucesso com potros indomados sem lançar mão de gentileza.

Na cocheira, o silêncio era quase total. Moses falava tão suavemente, que eles pareciam estar numa igreja. Ele estalou os dedos para a potranca e depois para Kelsey, sinalizando que se aproximasse e fizesse o primeiro contato.

O coração de Kelsey batia tão forte e aceleradamente, ecoando em sua garganta, que ela tinha a certeza de que poderia assustar o animal. Mas suas mãos eram delicadas; seus movimentos, suaves. Ela falava em tom de voz pouco mais forte do que um murmúrio, observando *Honor* erguer as orelhas ao som de sua voz.

— Você é tão bonita. Tão bonita. Mal posso esperar para montá-la. Nós vamos ser amigas, você e eu.

A potranca resfolegou, poupando-se de julgamento. Suas orelhas penderam para trás quando Moses enfiou-lhe o freio pela cabeça.

— Calma — murmurou Kelsey. — Ninguém vai machucar você. Em pouco tempo você será rainha por aqui. Aposto que isso tudo lhe parece estranho, não é verdade? — Enquanto Moses apertava a sela, ela continuava a afagar a potranca. — Mas se tivesse de usar meia-calça, veria que é mais desconfortável do que esta selinha.

A luz e o calor do sol transformavam-se sutilmente.

— Vou ajudá-la a montar — disse-lhe Moses. — Lembra-se do que eu lhe disse para fazer?

— Sim. — Kelsey precisou pigarrear fortemente antes de voltar a falar. — Não devo sentar-me na sela imediatamente. A barriga primeiro.

— Isso mesmo. Lembre-se de que é um prenúncio. Você está dizendo a ela que é para isso que ela está aqui. Devagar agora. E lembre-se da localização da porta se precisar sair rapidamente.

Essa possibilidade fez com que Kelsey respirasse mais fundo antes de colocar o joelho e, afinal, seu bem-estar, nas mãos de Moses.

A potranca esquivou-se, surpresa e aborrecida quando Kelsey se lançou sobre a sela. Kelsey sentiu a inquietação do animal sob as pernas e recusou-se a pensar que estava escarrapachada sobre várias centenas de quilos de irritação eqüina. Obedecendo às instruções de Moses e a seu instinto, montara contornando o animal, transferindo seu peso para a sela e os estribos.

Honor dançou, escoiceando com uma das pernas traseiras e tentando acertar Moses em cheio. Instintivamente, Kelsey inclinou-se para frente, falando-lhe firme e docemente a uma das orelhas.

— Pare com isso. Você não quer que todos pensem que é um animal vulgar, quer?

Não foi mágica. As palavras e o tom de voz não acalmaram a égua imediatamente. Mas, depois de algumas manobras um pouco mais arrogantes, ela se aquietou.

— Ela gosta de mim — afirmou Kelsey.

— Ela está pensando em como arremessá-la daí.

— Não. — Kelsey sorriu para Moses. — Ela gosta de mim.

— Veremos. — Sinalizando, ele fez com que Kelsey se sentasse até qu estivesse satisfeito. — Muito bem. Mãos à obra agora.

Aquilo, conforme Moses lhe havia explicado, era o jardim de infância. Kelsey simplesmente deveria sentar-se na sela enquanto um manejador conduziria *Honor* pela pista de adestramento de potros, cujos altos muros impediam que ambas se distraíssem do trabalho em andamento.

Assim que a potranca se acostumasse com o peso da amazona, o manejador a soltaria. E Kelsey assumiria o controle das rédeas.

Elas aprenderiam juntas.

— Como ela se saiu? — Naomi perguntou a Moses ao juntar-se a ele.

— Como era de esperar. Ela tem muito de Chadwick. — Moses colocou uma das mãos sobre as dela, apertando-as afetuosamente, numa de suas raras demonstrações públicas de afeto. — Achei que você desceria para observar.

— Estava nervosa demais para isso. — Ela admirou Kelsey controlando a potranca com um leve repuxo das rédeas. — Ela está aqui há um mês, Moses. E não falou em partir. — Naomi enganchou os polegares nos bolsos dianteiros das calças. — Com tudo o que aconteceu durante as duas últimas semanas, fico na expectativa de vê-la arrumar as malas e ir embora.

— Você não tem sido uma boa observadora, Naomi. — Ele sorriu quando Kelsey esqueceu o treinamento e inclinou-se para pressionar o rosto contra a crina da potranca. — Ela não vai a lugar algum.

Ao sinal de Moses, Kelsey aprumou-se e trouxe a égua serenamente até eles.

— Ela é magnífica, não acham?

— Sim. — O orgulho que brotou no íntimo de Naomi era quase atemorizante. — Erguendo uma das mãos para acariciar a potranca, deixou a ponta dos dedos roçar pelos de Kelsey. — É maravilhoso ver vocês duas juntas.

— Eu realmente me sinto maravilhosa. — Quando viu Moses dar a *Honor* uma cenoura como recompensa, Kelsey estendeu a mão. — Eu também não mereço uma?

— Creio que sim.

Ela aceitou a cenoura e trincou-lhe um pedaço.

— Agora que o medo passou, posso aproveitar essa delícia. — Ela deu uns tapinhas no pescoço de *Honor*, voltou-se para Moses, com simplicidade. — Posso trabalhar com ela amanhã, Moses?

— E depois de amanhã — respondeu ele. — Ela está sob sua responsabilidade agora.

— Verdade? — Kelsey teve vontade de pular de alegria e beijá-lo, mas se limitou a sorrir-lhe generosa e agradecidamente. — Não o decepcionarei.

— Se isso acontecer, cortarei seu salário.

Então ela lhe sorriu novamente.

— Não estou sendo paga.

— Você está na folha de pagamento há duas semanas. — Moses teve a satisfação de ver a surpresa de Kelsey. — Receberá seu primeiro cheque sexta-feira.

— Mas não é preciso. Estou apenas...

— Você faz o trabalho, você recebe o salário — disse ele firmemente. Afinal de contas, ele era o responsável pelo pagamento dos funcionários. — Naturalmente, você está começando por baixo. Mais ou menos do mesmo modo como você começou, não foi, Naomi?

— Bem lá debaixo — ela enfatizou com uma careta. — Meu pai insistia em que eu fizesse por merecer cada centavo do meu salário, apesar de insignificante. A idéia era que, quando tudo isso viesse a ser meu, eu soubesse dar o devido valor. Ele estava certo.

Kelsey considerou-lhe as palavras. Talvez fosse melhor do que uma contratação de serviços.

— De quanto é a insignificância?

— Trabalhando bem, talvez você consiga receber uns 200 por semana — disse-lhe Moses.

Ela ergueu uma sobrancelha.

— E quando terei um aumento?

Naomi sorriu e aproximou-se dela e da potranca.

— Ela deve ter gostado de você. — Gentilmente, ela deslizou a ponta dos dedos por sobre o pescoço do animal. — Ela gosta de você.

Kelsey sorriu para Moses, um sorriso de chistoso envaidecimento.

— Foi o que eu disse.

— Perdi vinte e três aniversários. — Aquelas palavras atraíram novamente a atenção de Kelsey. E, agora, seu olhar parecia desconfiado. — Vinte e três natais. É muito tempo para compensar. — Apoiou-se na cerca e ergueu

o olhar para encarar a filha. — Eu gostaria de começar, se você permitir. Aceitaria ficar com ela?

— Ficar com ela? — Kelsey fitou a mãe, pasma. — *Honor*? Você quer dá-la a mim?

— Gostaria que você a aceitasse. Sem compromisso. Quero dizer, sei que seria um absurdo ter um cavalo num apartamento. — Naomi esforçou-se para manter a voz leve. — Ela pode ficar aqui por quanto tempo você desejar. Moses poderia treiná-la, se essa fosse a sua vontade. Mas ela pode ser sua. Se você a aceitar, naturalmente.

Tomada de emoção, Kelsey desmontou lentamente. A palma da mão que segurava as rédeas suava intensamente, e ela sentia o tépido hálito da potranca em seu pescoço.

— Eu adoraria ficar com ela. Obrigada.

— De nada. Preciso ir. Tenho um almoço de negócios.

Kelsey deu um passo à frente, e parou, colocando as rédeas subitamente nas mãos de Moses. Precisou correr para alcançar a mãe, que seguia a passos largos. Hesitante, Kelsey pousou uma das mãos no ombro de Naomi e, muito mais espontânea e naturalmente do que poderia ter imaginado, beijou-a.

— Obrigada — ela repetiu e não foi capaz de acrescentar mais nada, sufocada pela emoção do beijo de Naomi, de seu abraço apertado.

E de onde, pensou Kelsey quando percebeu a urgência e a necessidade da mãe, tinha vindo tanta paixão? Como podia ter estado lá o tempo todo e nunca ter se manifestado?

— Desculpe-me — murmurou Naomi, e deu um passo atrás rapidamente. — Providenciarei logo os documentos de propriedade da potranca. Estou atrasada — conseguiu articular e afastou-se, apressada.

Emoções conflitantes a bombardeavam. Kelsey deteve-se no mesmo lugar, sem saber o que fazer, desejando inutilmente entender a mulher que lhe dera à luz.

— Não sei o que fazer.

— Você está fazendo exatamente o que deve. — Moses devolveu-lhe o controle das rédeas. — Agora vá cuidar de seu cavalo.

CAPÍTULO 13

Os DIAS PASSAVAM RAPIDAMENTE. KELSEY TINHA O SEU PRÓPRIO CAVAlo, um intrigante romance com um homem fascinante e frustrante, e uma nova curiosidade sobre sua mãe, que ela começava a amar.

Não esperava amar Naomi. Especular, certamente. Talvez até mesmo vir a respeitá-la. Mas era impossível viver tão próximo de uma mulher como aquela sem experimentar um emaranhado de sentimentos.

Kelsey agora não tinha muito tempo para refletir sobre isso. À medida que se aproximava o dia da Bluegrass* Stakes**, portão de acesso ao importantíssimo Derby, tanto em Three Willows como em Longshot desenvolviam-se atividades em ritmo de formigueiro.

Embora ainda não se sentisse pronta para admitir isso abertamente, já visualizava *Honor* coberta pela manta de rosas vermelhas uns dois Grandes Prêmios adiante. E, naquele dia, estava dando um passo muito importante em direção a esse objetivo.

Um portão de largada fora instalado do lado de fora do redondel de treinamento de Three Willows. Embora já não houvesse sinais dos rigores do inverno, o ar ainda estava frio. Kelsey ajeitou nervosamente a jaqueta, esperando não estar transmitindo a tensão que sentia para *Honor*.

---

* Nome de uma corrida de cavalos realizada anualmente no Estado do Kentucky. A expressão é uma alusão ao apelido desse estado, The Bluegrass State, atribuído pelo fato de a gramínea chamada Kentucky Bluegrass, *Poa Pratensis*, ser originária de lá. (N. do T.)

** Stakes é um tipo de corrida de cavalos cuja premiação é constituída pela contribuição em dinheiro dos proprietários dos animais que dela participam.

Um puro-sangue foi feito para correr, lembrou-se ela. Aquilo era apenas uma lição. Nenhum teor de sangue campeão poderia fazer um cavalo cruzar a linha de chegada se ele não aprendesse como se postar numa clausura de aço antes de disparar portão afora.

— Ouvi dizer que você tem nela um competidor. — Gabe aproximou-se e esfregou a mão no focinho da potranca. *Honor* inclinou as orelhas para trás e olhou para Gabe; depois, aprovando-lhe o toque e o cheiro, endireitou-as novamente e aproximou-se dele.

— Sim, tenho certeza. — Kelsey segurou com intimidade o cabresto de *Honor*. — Não o tenho visto por aqui já faz alguns dias.

— Sentiu minha falta?

— Nem tanto. — Kelsey sentiu-se grata por não ter recaído nas garras do velho e humilhante hábito de pôr-se ansiosamente ao lado do telefone. Pelo menos por enquanto. — Todos temos estado muito ocupados nestes últimos dias.

— *Double* voltou a treinar normalmente.

Desistindo de qualquer fingimento, Kelsey segurou-lhe a mão.

— Ah, isso é maravilhoso! Fico tão contente...

— Tente lembrar-se de que disse isso depois que ele vencer o Derby. — Gabe beliscou levemente os dedos de Kelsey.

— Meu dinheiro está em *Pride*. — E seu coração também. — Embora eu seja capaz de apostar algum na colocação de *Double*.

— Ele está indo para Keeneland a fim de participar de uma corrida. Jamie quer que ele passe por um bom teste antes da Bluegrass Stakes.

— Você também vai? — perguntou ela, despreocupadamente.

— Vou a qualquer lugar que o potro vá, incluindo o círculo do vencedor em Churchill Downs. — Ele acariciou o cabelo de Kelsey de forma semelhante à que fizera com a égua. — Gostaria de ir comigo?

Ela se virou para examinar as cinchas da sela de *Honor*.

— Estou pensando em juntar-me a Naomi no círculo do vencedor.

Ele segurou com força seus cabelos entre os dedos.

— Para Keeneland, querida. Apenas alguns dias, mais ou menos a sós. — Ele se aproximou. Ela agora trazia em si o cheiro dos cavalos, misturado com a sua própria fragrância de frutas e primavera. — Imagino quantas vezes eu seria capaz de fazer amor com você numa viagem tranqüila.

Os músculos das coxas de Kelsey pareceram transformar-se em cera quente.

— Você tem um recorde?

— Poderia vir a ter. — De olhos fitos nela, ele se curvou e reteve entre seus dentes o lábio inferior de Kelsey. — Você tem — ele o mordiscou e observou suas pupilas dilatarem-se — a boca mais incrível que eu já vi.

— Deixe-a em paz. — Tentando fingir-se aborrecido, Moses bateu com vigor no braço de Gabe. — Você vai se confraternizar com a concorrência, Kelsey, ou vai fazer seu trabalho?

Ela pegou o chapéu e empinou o queixo.

— Posso fazer as duas coisas. — Depois virou-se para a égua, e Moses a ajudou a montar.

— Atrevida — murmurou ele.

— Confiante — ela corrigiu. E sem dizer mais nada, conduziu *Honor* para a baia de aço.

Os portões de largada estavam abertos, para incutir na mente da égua a idéia de que ela deveria passar pelo estreito túnel. *Honor* abaixou a cabeça uma vez e tentou desviar. Testando, Kelsey sabia, o equilíbrio de forças.

— Ah, não, você não vai desviar — murmurou Kelsey. — Eu ainda estou no comando. Você não quer envergonhar-nos na frente de todos, quer? — Uma leve compressão com os joelhos, mãos firmes nas rédeas, e Kelsey conseguiu fazê-la prosseguir, induzindo-a a parar logo que entrou no cubículo.

— Não é tão ruim assim, é? — murmurou ela. — E você não precisa ficar muito tempo aqui dentro mesmo. O que importa é o que acontece depois que você parte. — Lentamente saíram pelo outro lado, contornaram a estrutura e repetiram a manobra.

— Ela tem mãos boas — comentou Moses.

— No dorso de um cavalo, ela fica ainda mais parecida com Naomi. — Gabe enfiou as mãos nos bolsos. Deveria haver uma forma mais interessante de passar a manhã do que observando Kelsey adestrar a lustrosa potranca. Mas ele não pôde imaginar uma. — Como vão as coisas entre elas?

— Bem. Estão se entendendo aos poucos, mas cada vez melhor. Não foi uma largada sensacional, mas eu diria que contornaram a primeira curva quando Naomi lhe deu a potranca.

— Ela deposita grandes esperanças naquele cavalo.

— Mas deposita esperanças ainda maiores na filha. — Ganhando tempo, Moses virou-se para Gabe. — Sei que ela tem pai, mas ele não está aqui. Então, vou assumir a responsabilidade de dizer-lhe para tomar cuidado com o que faz. Kelsey não é do tipo disponível, e você aborreceria muito Naomi se magoasse sua filha.

Gabe endureceu sua expressão. Quando falou, não deixou a voz revelar seu ressentimento nem sua contrariedade, mas apenas alguma curiosidade.

— E você supõe que vou magoá-la.

Moses tirou um charuto do bolso de Gabe e o enfiou no próprio bolso.

— Não ponha o inescrutável em mim. Meu povo já empunhava o troféu dos mistérios insondáveis quando o seu ainda se abrigava em cavernas e comia carne crua. E eu não estou supondo nada. Vocês dois ficam bem juntos. — Ele desviou o olhar para ver como Kelsey estava se saindo. — Pense bem no que pretende fazer. Quando se brinca com fogo, sempre se pode queimar alguém.

Os lábios de Gabe arquearam-se num sorriso irreverente.

— E com que povo você aprendeu isso?

— Só não a force a cruzar a linha de chegada muito rapidamente. Ela tem sentimentos. — Irritado consigo mesmo, Moses cruzou a extensão do gramado para orientar o trabalho de Kelsey.

Sim, ela tinha sentimentos, concordou Gabe em pensamento, observando-a escutar atentamente os conselhos do treinador. E sangue nobre.

Muitos que o conheciam diriam que ele não tinha qualquer tipo de sentimento. E ninguém se enganaria quanto a seu sangue. Mas isso não o atrapalhara antes, e ele não pretendia deixar que o atrapalhasse agora.

Havia muitas mulheres que se mostrariam dispostas a ignorar as falhas de sua educação. Muitas as tinham ignorado. E mais, pensou ele, se haviam lixado para um pai bêbado e violento, uma curta temporada numa cela e a remanescente tendência de viver em condições de desigualdade.

Mas ele não queria muitas mulheres, deu-se conta enquanto observava Kelsey guiar a égua para dentro de um dos cubículos dos portões de partida e parar. Queria aquela mulher.

Ele aguardou, colocando os óculos escuros, já que o sol ficava cada vez mais forte. A manhã estava terminando, e ele precisava voltar aos cuidados do seu próprio negócio, mas recorreu às suas reservas de paciência, mantendo-se por ali até que Kelsey apeasse.

— Ela se saiu muito bem — disse Kelsey, beijando o focinho da potranca antes de lhe oferecer uma cenoura. — Não teve nem um pouco de medo.

— Quero vê-la hoje à noite.

— O quê? — Ela virou o rosto para ele, sua bochecha ainda roçando a lustrosa pelugem de *Honor*.

— Gostaria de sair com você hoje à noite. Um jantar, um cinema, um passeio. Você escolhe. Um encontro — acrescentou ele ao ver que ela o analisava, o olhar cada vez mais especulativo. — Reconheço que negligenciei esse ritual com você.

— Um encontro? — Ela acalentou a idéia na mente. — Você me pegar, irmos a algum lugar e fazermos algo combinado, e depois você me trazer para casa e me levar até a porta?

— É mais ou menos isso o que eu tinha em mente.

— Bem, seria diferente. — Ela inclinou a cabeça, considerando. — Tenho de estar de pé às 5 horas. Portanto, só poderia sair à tardinha, para não voltar muito tarde. Não seria nada mau irmos ao cinema. Digamos... Assistir à sessão das 7. E talvez uma pizza depois.

Agora era a vez dele de considerar. Não era o tipo de programa que ele havia esperado que ela fosse escolher. Talvez já estivesse na hora de eles aprenderem algo a respeito um do outro.

— Sessão das 7 e pizza. Eu a pegarei por volta das seis. — Segurando-lhe o queixo, ele a beijou quase ausentemente.

— Ei, Slater — ela chamou quando ele já se afastava. — Posso escolher o filme?

Ele continuou andando, mas lançou-lhe um olhar por sobre os ombros.

— Sem legendas!

— No primeiro encontro? — ela brincou, rindo para ele. — Que tipo de mulher você acha que eu sou?

— Minha — devolveu ele, e ela parou de rir.

Não havia nada de romântico numa pizzaria cheia de adolescentes, mas era exatamente o que Kelsey havia planejado: um encontro em clima de casualidade, para evitar uma situação em que as coisas pudessem tornar-se íntimas demais; e para tentar descobrir o que fazia Gabriel Slater aborrecer-se.

— Isto aqui é perfeito. — Ela se sentou à mesa coberta por toalhas de papel com estampas das coisas da Itália, nas cores vermelha e verde. — Eu havia quase me esquecido de que há vida além das corridas de cavalo.

— Isso acontece com todos nós — Divertindo-se com o fato de estar jantando com uma mulher num lugar que exibia quadros de apetitosas e decorativas pizzas e calzones, ele estirou as pernas. — Você se apegou àquele mundo rapidamente, e de forma bastante intensa.

— Um dos meus talentos. Ou defeitos, dependendo do seu ponto de vista. Para que fazer algo se você não o faz com entusiasmo e dedicação? — Ela relaxou e apoiou os pés no banco dele. — Dessa forma, você tanto pode alcançar a glória como se arrebentar e se incendiar.

— É isso o que você persegue, Kelsey? A glória?

Ela sorriu.

— Sempre confundi glória e satisfação. — Ela olhou para a garçonete e depois para Gabe. — Pode pedir. Gostaria de comer qualquer coisa.

— Eu não quero. Traga uma pequena...

— *Grande* — corrigiu-o Kelsey.

— Grande — disse ele com um abano afirmativo da cabeça. Pepperoni e cogumelos, e duas Pepsis.

— Bastante conservador — observou Kelsey quando a garçonete se afastou.

— Gosto de saber o que estou comendo. — Talvez fosse o resultado, supôs Gabe, de catar restos de comida em latas de lixo. — Por falar nisso, não foi você quem comeu dois *baldes* de pipoca há menos de uma hora?

Ainda sorrindo, ela brincou com a singela corrente de ouro em torno do pescoço.

— Pipoca de cinema não conta. Faz parte, como a trilha sonora.

— O filme tinha trilha sonora? Nem notei.

— Não sou muito requintada — disse ela, dando de ombros. — Gosto de filmes de ação. Uma vez escrevi um roteiro... um trabalho do curso que estava fazendo. Os bons lutando contra os maus e muitas perseguições de carro e tiroteios.

— O que você fez com ele?

Descontraída, Kelsey marcava com o pé o ritmo de uma canção dos Guns N' Roses que tocava na máquina automática.

— Obtive um *A* e depois engavetei. Achei que não seria interessante tentar negociá-lo, porque mesmo que alguém o comprasse, certamente sofreria alterações e não seria mais o meu texto. — A garçonete trouxe-lhes o refrigerante em grandes copos de plástico vermelho. — Além disso, eu não queria ser escritora.

— E o que você queria ser?

— Muitas coisas. — Ela ergueu os ombros, e em seguida inclinou-se para frente, pegando o seu copo. — Tudo dependia do meu humor. E dos cursos que eu estava fazendo. — Kelsey sorriu com certa ironia. — Sou muita boa em fazer cursos. Se você quiser saber algo sobre o que quer que seja, de computação à decoração de interiores, sou a garota certa.

— Faz sentido. Você foi criada por um professor de faculdade. — Ele ergueu o copo. — O conhecimento é sagrado.

— É, acho que em parte foi por isso. Mas, sobretudo, acreditava que, se tentasse muitas coisas, mais cedo ou mais tarde acabaria acertando.

— E acertou?

— Sim. — Ela suspirou. — Minha família diria, com certeza, que eu já disse isso antes. Mas, desta vez, tudo é diferente. Eu disse isso antes também — murmurou ela. — Mas realmente é. Nada que eu fiz antes me pareceu tão interessante quanto isso, tão natural. Tão real. Deus sabe que nunca trabalhei tanto em toda a minha vida.

Para se certificar, ela olhou para as mãos. Elas estavam ficando fortes, pensou ela. Kelsey gostava da idéia de estar ficando forte junto com elas.

— E você? Acertou?

Ele manteve os olhos fitos nos dela. Por segundos, Kelsey pensou ver segredos neles e anseios que nada tinham a ver com cheiro de alho e de queijo derretido.

— Acho que sim.

— Sempre olha para uma mulher de forma que ela pense que você pode começar a mordiscá-la por inteiro a qualquer momento?

Os lábios de Gabe moveram-se lenta e calmamente, mas seus olhos não se alteraram.

— Ninguém nunca me perguntou — respondeu ele, pousando a mão no tornozelo que ela apoiava no assento ao lado dele, e começou a acariciá-lo. — Mas agora que você mencionou o assunto, essa poderia ser uma forma bem interessante de encerrarmos a noite.

A garçonete colocou-lhes a pizza sobre a mesa, juntamente com um par de pratos de plástico branco.

— Bom apetite — disse ela automaticamente, e retirou-se, apressada para atender ao pedido seguinte.

— Adoro esse ambiente. — Cautelosa, Kelsey pôs os pés no chão e aprumou-se. — Mas fugi do assunto. Eu estava perguntando sobre a fazenda. Você achou nela o que estava procurando?

Ele cortou algumas fatias com a faca de plástico e, em seguida, colocou uma no prato dela e outra no próprio prato.

— Ela combina comigo.

— Por quê?

— Sabe, querida, acho que você cometeu um erro ao parar de escrever. Seria uma boa jornalista...

— Você não obtém respostas sem fazer perguntas. — Kelsey deu sua primeira mordida, saboreando o pimentão vermelho e o queijo, e suspirou, aprovando. — Pelo menos de algumas pessoas. Você não gosta de perguntas, Slater?

Ele ignorou a última e respondeu à anterior.

— Ela combina comigo porque é minha.

— É simples assim?

— Não, é complicado. Você não gostaria de estragar a noite ouvindo a história da minha vida, Kelsey. Pode tirar seu apetite.

— Tenho o estômago forte. — Ela lambeu o molho de seu polegar. — Você conhece a minha, Gabe. Pelo menos alguns altos e baixos. Para mim, não há como dar um passo à frente num relacionamento se eu não tiver alguma compreensão da pessoa com quem estou me relacionando. — Ela continuou comendo, enquanto Gabe franziu a testa. — Isso não é uma espécie de ultimato ou garantia. É apenas a realidade. Sinto-me atraída por você e gosto de estar com você. Mas não o conheço.

Se conhecesse, ele sabia, haveria boa probabilidade de seus outros sentimentos diminuírem bastante. Um grande risco. Bem, ele já havia arriscado antes. Quando a aposta valeu a pena.

— Primeiro, deixe-me dizer algo a seu respeito: a filha única de um devotado pai, a moça bem relacionada, protegida e mimada.

O último adjetivo magoou-a um pouco, mas ela não negaria.

— Tudo bem. É verdade que tive tudo o que eu quis. Emocionalmente, materialmente. Suponho que em grande medida para disfarçar a falta de uma mãe; mas eu não percebi essa falta.

— Uma grande casa no subúrbio — prosseguiu ele. — Boas escolas. Acampamentos no verão, três refeições diárias, e aulas de balé.

Se ele estava tentando aborrecê-la, estava conseguindo. Aparentemente calma, ela pegou outra fatia de pizza.

— Você se esqueceu das aulas de piano, natação e hipismo.

— Isso faz parte de um todo. Passeios, a faculdade de sua escolha, e um grande casamento em alto estilo para coroar tudo.

— Não se esqueça do longo e tedioso processo de divórcio. Aonde você quer chegar, Slater?

— Você não faz a mínima idéia de onde eu vim, Kelsey. Eu lhe direi e, ainda assim, você não entenderá.

Mas diria, ele decidiu. E pagaria para ver.

— Com um pouco de sorte, eu ia dormir sem muita fome. Talvez houvesse algum dinheiro para comprar comida ou eu tivesse conseguido roubar ou mendigar alguns trocados. Crianças são bons pedintes, bons ladrões — disse ele, fixando-lhe o olhar. — Os adultos se compadecem delas ou as ignoram.

— Muitas pessoas estão em situações em que se vêem obrigadas a pedir dinheiro — disse ela, cuidadosamente. — Isso não é motivo para se envergonhar.

— Você diz isso porque nunca precisou pedir. Ou roubar. — Ele girou o gelo de seu copo e colocou-o na mesa. — Durante a noite eu ficava escutando ou tentando não ouvir a briga que acontecia no quarto ao lado. Ou minha mãe chorando. Ou a vizinha ganhando a vida na cama com um cliente qualquer. Quando eu tinha sorte, conseguia acordar na mesma cama em que adormecera. Quando não tinha, minha mãe me acordava no meio da noite, e nós saíamos furtivamente antes de sermos despejados porque meu pai perdera mais uma vez o dinheiro do aluguel em jogatinas.

Kelsey imaginava o quadro que ele estava descrevendo, escuro e de molduras sombrias.

— Onde você foi criado?

— Acho que em lugar nenhum. Talvez em Chicago, no Reno, ou em Miami. No inverno, permanecíamos no sul, pois o clima é melhor, e os hipódromos funcionam durante mais tempo. Pode ter sido em qualquer lugar. Todos os lugares parecem iguais se você não tem dinheiro e está fugindo. Logicamente, meu pai dizia que nós estávamos apenas mudando. Que ele ia ganhar uma bolada. Minha mãe lavava banheiros para que não morrêssemos de fome, e ele lhe tomava quase todo o salário, e o gastava apostando em corridas de cavalo ou no jogo de cartas, ou como melhor lhe aprouvesse, o filho da mãe. Desde que ele tivesse o dinheiro na mão para bancar a parada, pouco lhe importava o tipo de aposta que aparecesse.

Gabe falava sem paixão; a amargura era apenas um brilho revelador, porém quase imperceptível em seus olhos.

— Ele gostava de trapacear. Na maioria das vezes, saía-se bem, mas, quando alguém descobria, minha mãe conseguia, com muito sacrifício, arranjar o dinheiro necessário para evitar que lhe quebrassem os ossos. Ela o amava. — E essa foi a mais amarga de todas as pílulas que ele teve de engolir. — Muitas mulheres amavam Rich Slater.

Ele voltou a comer, como para se provar que nada disso importava mais.

— Ele gostava de magoá-las. Algumas continuavam a procurá-lo para levar mais um murro na cara. Exibiam os olhos roxos e os lábios feridos como troféus. Minha mãe era uma delas. Se eu tentasse impedi-lo, ele simplesmente surrava nós dois. Ela nunca me agradeceu por isso, mas costumava dizer apenas que eu não entendia muito bem o que se passava entre os dois. Ela estava certa — acrescentou Gabe. — Nunca entendi mesmo.

— Devia haver um lugar para onde vocês pudessem ter ido. Um albergue. O Serviço Social. A polícia.

Ele apenas a observou; a impecável compleição, a educação que parecia se infiltrar até os ossos.

— Algumas pessoas são simplesmente varridas para a indigência, Kelsey. É assim que o sistema funciona.

— Não, não necessariamente. Deve haver uma solução.

— É pedir ajuda; ter esperança de encontrá-la e coragem de pedir. Minha mãe nunca fez isso; mantinha-se cabisbaixa. Não esperava, não pedia nada.

Foi a vez de Kelsey encará-lo, seus olhos obscurecidos por desespero e compaixão.

— Mas você era apenas uma criança. Alguém deveria ter... feito algo.

— Eu não teria agradecido por isso. Cresci sendo ensinado que deveria cuspir quando visse um tira, a considerar os assistentes sociais burocratas intrujões e seu trabalho obstáculo para fazer o que quisesse. Por isso eu os evitava. Às vezes eu ia à escola, às vezes, não. Deus sabe quão pouco meu pai se importava com isso, e minha mãe não tinha energia para controlar-me. Em razão disso, eu fazia o que queria. O velho gostava de que eu o acompanhasse, como chamariz ou para forçar-me a inventar um jogo desonesto qualquer. E eu sempre conseguia embolsar algum dinheiro, pois ele sempre ficava bêbado demais para ter noção de alguma coisa.

— Você deveria ter pensado em fugir, em se afastar dele.

— Claro que pensei nisso. Mas achei que, se eu ficasse, eu poderia impedi-lo de matar minha mãe de pancada. E eu consegui, seja lá qual o benefício que isso nos tenha proporcionado. Minha mãe morreu numa instituição de caridade; de pneumonia. Durante seis meses juntei o dinheiro que ganhava em jogatinas ou em biscates no hipódromo. Depois, fugi. Eu tinha 13 anos então.

E era alto para a idade, lembrou-se ele. Astuto; amadurecido.

— Mas o coroa me achou algumas vezes. O problema era que eu gostava dos cavalos e, por isso, acabava dando as caras no hipódromo. Ele também. E me batia e me fazia ameaças para conseguir extorquir-me dinheiro. Geralmente, eu conseguia comprá-lo.

— Comprá-lo?

— Se eu estivesse numa fase de sorte, tinha algum dinheiro. Umas poucas centenas de dólares eram suficientes para fazê-lo deixar-me em paz e mandá-lo direto para qualquer mesa de jogo ou para o bar mais próximo. — Logicamente, pensou Gabe, o preço da paz e da liberdade tinha subido incessantemente desde então. — Toda vez que eu me livrava dele, começava tudo de novo — com uma única coisa em mente: um dia eu teria o meu próprio negócio. E ele não poria mais as mãos em mim. Ninguém poria. Você não está comendo.

— Lamento. — Ela estendeu a mão e segurou a dele firmemente. — Lamento sinceramente.

Não era pena que ele queria despertar em Kelsey. Percebia agora que desejara horrorizá-la; queria que ela o encarasse e se retraísse com aversão. E, então, ele teria uma boa razão para afastar-se dela e interromper definitivamente aquela corrida temerária em busca de um futuro incerto.

— Passei algum tempo na prisão por causa de um jogo de pôquer que não fui muito inteligente para reconhecer como armadilha. — Ele fez uma pausa aguardando algum comentário, mas ela continuou calada. — Eu era um peixe pequeno, mas fui recolhido com os grandes. Quando saí, eu estava mais sabido. Durante algum tempo, apliquei alguns pequenos golpes, mas eu preferia jogar a armar trambiques. Trabalhar nas baias ajudava a ganhar apostas. E eu gostava dos cavalos. Mantive-me dentro da lei porque não gostava da prisão. E não bebia, pois sempre que começava, sentia o cheiro do coroa embriagado. E tive sorte.

Terminando, ele se recostou e acendeu um charuto.

— Entende melhor agora?

Acreditaria ele que ela não percebia o ódio, a ferida mal cicatrizada? Quem passasse pela mesa deles poderia pensar que conversavam sobre a comida enquanto aproveitavam a boa companhia. Mas, se atentasse em seus olhos, não poderia deixar de perceber o ódio frio e duro. Decidida, Kelsey pôs uma das mãos sobre a dele.

— Talvez eu não entenda completamente o que isso significa para você, mas posso imaginar que deve ter sido um pesadelo viver com um alcoólatra que...

— Ele não é alcoólatra — Gabe a interrompeu com voz fria. — Existe uma diferença entre o alcoólatra e o bêbado, Kelsey. Nenhum programa de desintoxicação vai alterar o fato de que ele é um bêbado, do tipo que gosta de bater em mulheres e em qualquer um que seja mais fraco do que ele. E não era um pesadelo. Era a minha vida.

Ela retirou a mão de sobre a dele.

— Acho que você prefere que eu não entenda nada.

Ele girou o charuto e contemplou a ponta; não se dera conta de que a pura e silenciosa solidariedade pudesse aflorar tantas lembranças e os conseqüentes sentimentos.

— Tem razão. Eu preferiria que você olhasse para mim e aceitasse o que sou. Ou me abandonasse.

— Nós dois somos produtos de nossa criação, Gabe. Você da sua, eu da minha. Não vou me envolver com alguém pela aparência. Outra vez, não. E, se me quiser, terá de aceitar o fato de que eu me importo com você.

Ele sacudiu a cinza do charuto.

— Isso, definitivamente, me parece um ultimato.

— E é. — Ela afastou o prato para o lado e pegou sua jaqueta. — O percurso de volta é longo; acho melhor irmos embora.

Ela iria pensar bastante no menino que trapaceou e aplicou golpes para sobreviver durante a infância. Na criança que ia dormir ouvindo a exploração de mulheres e o desatino de bêbados em vez de canções de ninar.

Quanto do garoto ainda havia no homem, ela não sabia. Havia mais, porém, do que o próprio Gabe supunha. Mais, ela tinha certeza, do que qualquer pessoa teria permissão de ver.

Ele, simplesmente, se havia reprogramado. Os modos polidos e educados, a mansão no topo de uma colina, sua criação de campeões. Quantos da elite do universo dos cavalos conheceriam seu passado de indigente, de garoto marginalizado? Se isso fosse de domínio público, seria considerado uma pitoresca excentricidade?

Por mais que Gabe desejasse o contrário, ela estava começando a entendê-lo. E, tivesse ele percebido ou não, ela se importava com ele.

Era quase uma hora quando Bill Cunningham se levantou para atender à insistente campainha, cobrindo a barriga desnuda com um robe chinês de seda vermelha. Uma olhadela pela janela fê-lo sentir-se aliviado com o fato de que Marla, sua nova namorada, tivesse sono pesado. Ele gostava de pensar que fosse seu desempenho sexual que a fizesse roncar, imperturbável, na grande cama com colchão d'água. Mas, mais provavelmente, isso se devia aos barbitúricos que ela consumia como balas.

Mas, quaisquer que fossem as razões, aliviava-o saber que estava só para receber seu último e indesejável visitante.

— Eu lhe disse para não vir aqui — sussurrou Cunningham, alisando o que lhe restava dos cabelos. Assim que o Derby terminasse, ele iria fazer um implante.

— Ei, Billy, meu rapaz, não se preocupe. Ninguém me viu. — Rich estava um pouco além da embriaguez: não cambaleava nem enrolava a língua, mas o brilho de seus olhos o denunciava. — E se viu, bolas, não existe lei que proíba um homem de visitar um velho parceiro de pôquer, existe? — Ele sorriu, passeando o olhar pelo opulento vestíbulo. O velho Bill se refizera muito bem na vida, percebeu Rich, e concluiu que poderia extorquir mais alguns trocados do comparsa. — Que tal um drinque?

— Você está louco? — sussurrou Cunningham, apesar do fato de ter apenas a companhia de Marla, dopada pelos barbitúricos. — Você sabia que os tiras estiveram aqui? *Aqui* — repetiu ele, como se sua excessivamente enfeitada casa fosse tão sagrada quanto uma igreja. — Fazendo perguntas, porque um cavalariço linguarudo contou que eu havia deixado Lipsky limpar a merda das cocheiras por alguns dias.

— Eu lhe disse que isso era um erro. Mas dos pequenos. — Ele ergueu a mão e aproximou o indicador do polegar, sinalizando uma dose. — Onde é o bar, Bill? Estou tão seco quanto o maldito Saara.

— Não quero você bebendo em minha casa.

Rich ampliou o sorriso, mas seu olhar endureceu.

— Ei, Bill, não deve falar assim com seu sócio. Especialmente quando ele tem uma nova proposta para lhe fazer.

Cunningham umedeceu os lábios.

— Já fizemos nosso acordo.

— É exatamente a respeito disso que quero conversar; enquanto bebemos como velhos amigos.

— Está bem, está bem. Mas seja breve. — Bill lançou um olhar para o topo das escadas quando passou por elas, levando o comparsa até a rebaixada sala de estar, decorada em tons de dourado e azul-pavão. — E não faça barulho. Tenho uma mulher lá em cima.

— Seu jumento — disse Rich, dando-lhe uma amistosa cotovelada nas costelas. — Ela não teria uma amiguinha? Estou a zero há algum tempo...

— Não. E fique longe dela. Não quero que ela saiba que você existe, ou o que existe entre nós. Ela é gostosa, mas não é inteligente.

— Esse é o melhor tipo de mulher que existe. — Com um suspiro elogioso, Rich deixou-se cair comodamente numa cadeira de espaldar alto, forrada com veludo dourado. — Você realmente sabe viver, amigo. É o que eu sempre digo: meu amigo Billy sabe aproveitar a vida.

— Evite sair dizendo isso para todo mundo lá fora. — Cunningham preparou duas doses de uísque escocês. Parecia-lhe desperdício servi-lo a Rich, mas precisava impressionar. Sempre. — Você deveria ter dado um jeito em Lipsky.

— Eu dei. — Satisfeito consigo mesmo, Rich girou o uísque no copo, cheirou-o e tomou-lhe um gole. — Chique, não acha, acabar com ele do mesmo jeito como se sacrifica um cavalo?

A mão de Cunningham tremeu quando ele levantou o copo.

— Não quero ouvir nada sobre isso. Estou me referindo ao que aconteceu nas baias. Deus, Rich, ninguém deveria ter sido morto. O velho Mick era adorado no hipódromo.

— Foi um imprevisto — disse Rich, levantando-se para encher o copo outra vez. — E Lipsky certamente pagou por isso. Mas, uma vez que ele aumentou minhas despesas, Bill... Isso vai custar-lhe mais 10 mil.

— Você pirou? — Cunningham levantou-se de um salto, derramando um pouco de uísque. —Você fez isso por sua conta, Rich.

— Para proteger seu investimento. Os tiras precisariam de apenas cinco minutos para fazer Lipsky apontar o dedo para mim. E, se o dedo dele apontasse para mim — disse ele afavelmente —, apontaria para você também. Portanto, mais 10 mil, Billy. É um preço justo.

Cunningham suspirou fundo. O dinheiro que lhe tinha vindo parar nas mãos por conta de *Big Sheba* havia sido um milagre. Mas o milagre tinha um preço.

— Pode pedir até 10 milhões. Estou endividado até o pescoço.

Rich já esperava por isso e estava disposto a negociar.

— Posso esperar até depois de maio, sem problema. O que são algumas semanas para dois amigos? Bem... — Ele cruzou as pernas. — Sabe, Bill, eu

tive uma idéia. Uma pequena alteração em nosso plano que beneficiará a nós dois. Você quer levar a grana de Churchill Downs, e eu também. Mas tenho um servicinho também e preciso acertar as contas com aquele meu filho.

— Desde que o trabalho seja feito, não me interessam seus problemas familiares. — Mas a idéia de vingar-se de Gabe começou a dominá-lo, confortando-o mais do que o uísque. — Esse negócio com Lipsky quase estragou tudo.

— Não há com o que se preocupar, não há. — Ele girou o copo, indolentemente. — Sei como acobertar tudo, como eu disse, com uma pequena alteração em nosso plano.

— Que espécie de alteração?

— Bem — Rich suspirou e bebericou. — Vou-lhe dizer. E acho que você vai gostar da ironia de que se reveste o plano, Billy, meu rapaz. Sem dúvida, você vai gostar.

Mais tarde, ao voltar para a cama, Cunningham tremia. Ele não era um sanguinário, assegurou para si mesmo. Não era culpa sua se duas pessoas haviam sido mortas. Acidente de percurso, como bem havia dito Rich.

Talvez fosse louco por ter-se envolvido com Rich Slater, mas estava desesperado. E as coisas lhe haviam caído tão perfeita e coincidentemente na palma da mão, que ele considerou isso um auspicioso sinal dos céus. A alteração no plano proposta por Rich fazia um odioso sentido.

Que escolha tinha?, perguntou-se Cunningham. Se ele fracassasse em Churchill Downs, não haveria mais Marlas nem uma grande casa no campo, nem mais visitas ao padoque.

Big Sheba era o seu trunfo, pensou ele. Aplicara seu dinheiro, cada centavo do que tinha, e tudo o que havia conseguido pegar emprestado, naquela potranca. E ela não tinha fôlego. Ele fechou pesadamente os olhos, e se xingou por ter apostado a própria pele naquela égua.

Ele precisava do Derby, apenas o Derby, para se reerguer. Uma vez isso conseguido, ela iria para a procriação. Ele viveria bem com o dinheiro da venda de seus filhotes.

Isso tinha sido feito antes, pensou ele, enquanto repassava o plano de Rich na mente. E ele saíra do buraco com pouco mais que um simples arranhão. Uma corrida, pensou ele, apenas uma boa corrida.

Querendo se aquecer, ele se enroscou no corpo de Marla até que o ronco da companheira o adormecesse.

CAPÍTULO 14

ERA A VIAGEM MAIS LONGA DE QUE KELSEY SE RECORDAVA, DO INTERIOR da Virgínia ao subúrbio de Maryland. Um longo tempo para pensar. Ela não tinha dúvidas de que resistência e oposição a aguardavam. E fortíssimas, a menos que as coisas houvessem mudado de alguma forma nas últimas semanas. Candace certamente teria avisado Milicent de que Kelsey estava a caminho.

Melhor enfrentá-los todos juntos, decidiu Kelsey. Para chocá-los, desapontá-los, ultrajá-los. Um quadro perfeito, ela avaliou, com um sorriso irônico. Candace ficaria chocada; seu pai, desapontado, e sua avó, ultrajada.

E ela, desejou Kelsey, feliz.

Quando entrou com o carro, seu pai estava cuidando de um canteiro de flores; usava uma suéter velha, remendada nos cotovelos, e vestia calça cáqui, de algodão sarjado, suja nos joelhos em função da atividade em volta das azáleas, cujos botões apontavam.

Uma onda de amor envolveu-a antes de ela deixar o carro correndo e cruzar o gramado caprichosamente cuidado para abraçá-lo. Permaneceram ajoelhados, um de frente para o outro, admirando os florescentes arbustos.

— Amo esta casa — murmurou ela, pousando a cabeça no ombro dele. — Só recentemente percebi quanta sorte eu tenho por ter sido criada aqui. — Ela se lembrou de Gabe, enquanto acariciava os botões rosados. — Quanta sorte a minha por ter você, por ter flores no jardim. — Ela sorriu. — Por ter tido aulas de balé.

— Depois de seis meses de curso, você passou a detestar aulas de balé — lembrou-lhe ele.

— Mas tive a sorte de poder tê-las.

Ele a observou, acariciou-lhe os cabelos que caíam sobre os ombros.

— Está tudo bem, Kelsey?

— Sim.

— Estamos preocupados com você. Este último crime...

— Eu sei — ela o interrompeu. — Foi horrível o que aconteceu com aqueles dois homens. Gostaria de poder dizer-lhe que isso não me afetou, mas é claro que afetou. Apesar disso, eu estou bem.

— Prefiro constatar pessoalmente. Não é a mesma coisa por telefone. — Ele guardou as ferramentas de jardinagem numa cesta de arame. — Bem, você está em casa agora. Isso é o que importa. Vamos entrar pelos fundos; Candace arranca meu couro se eu sujar o chão.

Kelsey passou um braço pela cintura do pai enquanto caminhavam.

— Vi o carro de vovó.

—Sim, Candace telefonou para ela quando você avisou que estava vindo. Estão lá dentro, fazendo planos para o baile de caridade da primavera no clube. — O pai sorriu, cúmplice. — Creio que encontrar um acompanhante adequado para você é o primeiro item da lista.

Kelsey sobressaltou-se, lembrando.

— O baile da primavera. Vai ser em maio, não vai?

— Sim, no primeiro sábado.

Esse era o dia em que a primavera chegava ao Kentucky, pensou ela. O mesmo dia todos os anos. O dia do Derby. Kelsey supunha que faltar ao baile seria outro pecado de sua parte.

— Papai. — Ela esperou que ele guardasse as ferramentas no pequeno depósito, uma edificação tão bem conservada e organizada quanto o resto da casa. — Não vou estar na cidade nessa semana.

— Não vai estar na cidade? — surpreendeu-se ele, entrando na cozinha para lavar as mãos. — Kelsey, você não perde um baile da primavera desde os 16 anos.

— Eu sei. Sinto muito, mas tenho outros planos. — Ele não disse nada, apenas secou as mãos numa toalha. O desapontamento, pensou ela, já tinha começado. — Tenho outros planos — repetiu ela. — Acho melhor dizer-lhe tudo de uma vez.

— Tudo bem, então. — Tentando não se mostrar preocupado, ele a acompanhou até a sala de estar.

Candace e Milicent já estavam lá, confabulando em meio a minúsculos sanduíches de pão de fôrma sem casca e chá servido em porcelana de Dresden. Jasmim, concluiu Kelsey depois de aspirar discretamente o ar ambiente. Ocorreu-lhe que, se ela estivesse nas baias àquela hora do dia, provavelmente estaria devorando um sanduíche de pão francês com uma caneca de café preto bem forte.

Seus gostos, entre outras coisas, haviam mudado rapidamente.

— Kelsey. — Com um riso de grande satisfação, Candace levantou-se para beijar ambas as faces da enteada. Kelsey sentiu o perfume de *L'Air du Temps*, misturado ao aroma do chá e ao cheiro do inconfundível Chanel de sua avó.

Cheiros de sala de estar, pensou Kelsey; ela havia se acostumado demasiadamente aos cheiros das cocheiras. Abraçou Candace com mais entusiasmo, como se pedindo desculpas.

— Você está maravilhosa. Penteado novo? — perguntou Kelsey.

Instintivamente, Candace apalpou seus cachos negros.

— Não acha um pouco juvenil para mim? Princeton consegue convencer-me a fazer qualquer penteado.

— Está ótimo — assegurou Kelsey, dando-se conta, de repente, de que não freqüentava Princeton ou qualquer outro cabeleireiro há semanas. — Oi, vovó. — O cumprimento, como o beijo no rosto, foi frio e distante. — Você está ótima também.

— Você recuperou alguns quilos. — Milicent bebericou o chá, avaliando a fisionomia da neta por sobre a armação dos óculos. — Isso é bom, mas tome cuidado para não exagerar. Ossos pequenos não suportam muito peso.

— É quase tudo músculo. — Para irritá-las, Kelsey flexionou os bíceps. — Resultado da remoção de muito estrume e do erguimento de muitos fardos de feno. — Sorrindo, ela se voltou para a hesitação de Candace. — Adoraria tomar uma xícara de chá. E não se preocupe, eu me lavei depois dos treinamentos matinais.

— Claro, claro. Sente-se, querida. Philip, você não trouxe o jardim nas botas, trouxe?

— Nem um cisco. — Ele aceitou o chá e o minúsculo sanduíche sem comentários. Quando Channing retornasse à noite, Philip teria alguém para acompanhá-lo num saque à geladeira. — As azáleas floresceram cedo este ano. Acho que nunca estiveram tão belas.

— Você diz isso a cada primavera. — Candace acariciou-lhe a mão. — Sabem que esta é a única casa neste quarteirão sem um jardineiro? E, mesmo assim, não há um só jardim que possa competir com o nosso. Philip faz mágica com plantas.

— Um excelente passatempo — concordou Milicent. — Sempre preferi cuidar pessoalmente de minhas rosas.

Ela se virou para Kelsey. Pelo menos, pensou ela, tinha sido suficientemente sensata para vestir-se com propriedade. Ela havia imaginado que, com certeza, a neta iria manifestar sua incômoda teimosia vindo para casa com botas enlameadas. Mas a jaqueta e as calças em tons de damasco eram bonitas e de bom gosto.

— Por falar nisso — prosseguiu —, Candace e eu estávamos trocando idéias sobre os arranjos de flores para o baile da primavera. Fazemos parte do comitê organizador. Você tem jeito para essas coisas, Kelsey. Estávamos pensando em delegar-lhe a incumbência de orientar o florista.

— Agradeço sua confiança, mas serei obrigada a recusar. Sinto dizer que não estarei aqui.

— Para o baile? — Candace sorriu novamente e serviu-se um pouco mais de chá. — Claro que estará, querida. Todos contam com sua presença. Sei que talvez você se sinta um pouco sem jeito, tendo consumado o divórcio há pouco tempo, e com Wade comparecendo com a noiva, mas você não deve permitir que isso a incomode. Aliás, eu e Milicent estávamos justamente tentando encontrar uma solução para esse problema.

Kelsey pensou em se explicar, mas logo mudou de idéia.

— Ah, estavam?

— Sim, claro. — Toda entusiasmo, Candace adicionou um cubo de açúcar a seu chá. — Certamente foi muito gentil de Channing tê-la acompanhado no ano passado, mas não queremos de forma alguma que isso se torne uma tradição. De qualquer forma, as pessoas farão menos comentários se você tiver um acompanhante mais convencional. — Anfitriã perfeita, ela serviu uma bandeja de sanduíches de pepino. — Aliás, o filho de June e Roger Miller mudou-se novamente para cá. Você deve lembrar-se de Parker, Kelsey. Ele esteve praticando cirurgia bucal em Nova York nos últimos anos, e acabou de conseguir um emprego numa prestigiosa clínica em Washington. — Com um sorriso matreiro, acrescentou: — Ele nunca se casou.

— Sim, lembro-me dele. — Excelente família, posição social. As melhores escolas, a profissão adequada, tudo certo. Não era culpa dele, supôs Kelsey, que ela o considerasse um clone de Wade Monroe.

— Já falei com os Miller. — Satisfeita com a manobra, Milicent bebericou o chá delicadamente perfumado. — Parker será o seu acompanhante. Está tudo combinado.

Típico, pensou Kelsey, combatendo uma onda de raiva. Era tudo muito típico.

— Tenho certeza de que o sr. e a sra. Miller estão exultantes por ter Parker novamente por perto. Vocês, por favor, transmitam-lhes meus melhores cumprimentos. Mas não estarei aqui. Estou indo para Kentucky nesta semana e não estarei de volta até depois do primeiro fim de semana de maio.

— Kentucky? — Milicent colocou a xícara no pires. — O que você vai fazer em Kentucky?

— O Derby. Mesmo no seu círculo social, vovó, é um grande acontecimento. Tenho certeza de que a vitória do potro de Three Willows será um acontecimento muito comentado no baile. — Ela olhou para o pai, esperando que ele a entendesse. — E eu estarei no hipódromo para presenciar isso.

— Isso é inadmissível — retrucou Milicent bruscamente. — Os Byden são sócios-fundadores daquele clube, o que remonta à época de seu bisavô. Nós sempre comparecemos aos bailes.

— As coisas mudam. — Kelsey esforçava-se para combater a rispidez e manter um tom de voz razoável. — Eu tenho um emprego, uma responsabilidade e uma necessidade. Não estou disposta a negligenciar nenhum deles por causa de um baile no clube. E, Candace, agradeço sua preocupação comigo, mas não quero um acompanhante arranjado. Já estou envolvida com outra pessoa.

— Oh. — Candace pestanejou e esforçou-se para parecer contente. — Bem, claro, querida. Isso é ótimo. Você deve trazê-lo.

— Acho que não. — Por delicadeza, ela apertou a mão de Candace. — Ele não faz o gênero que gosta de bailes e de clubes.

— Um cavalariço, suponho — disse Milicent com rancor.

— Não. — Incapaz de conter-se, Kelsey não deixou por menos. — Ele é um jogador.

— Você é igual à sua mãe. — Com a coluna rígida como um bambu, Milicent levantou-se. — Eu lhe avisei — disse ela a Philip. — Você não quis me ouvir a respeito de Naomi, e não quis me ouvir a respeito de sua filha Agora todos nós pagamos caro por isso.

— Milicent. — Pondo-se subitamente de pé, Candace deixou a sala, apressada, atrás da sogra.

Kelsey pôs o chá de lado, condoendo-se antes mesmo de articular as próximas palavras. Não pelos sentimentos de Milicent, mas pelos de seu pai.

— Não tive muito tato — começou ela.

— A franqueza sempre foi mais forte em você do que o tato.

A voz dele, arrasada, fez Kelsey sentir-se mais culpada ainda.

— Você está desapontado. Gostaria de que houvesse uma forma de eu poder fazer o que preciso sem o desapontar.

— Esta é uma situação que não pode agradar a todos. — Ele se levantou, ficando de costas para ela enquanto se dirigia à janela. Seus olhos viram as azáleas, seus recentes botões, ainda prendendo o perfume que não poderia ficar preso por muito tempo: irromperia pelas pétalas e saltaria, desafiante, para a vida.

— Você se identificou com ela — disse ele brandamente. — Não posso dizer que não esperava isso. Há tanto dela em você, muito mais do que a aparência. Uma parte de mim, uma parte da qual me envergonho, deseja dizer-lhe que você está cometendo um erro. Que você não pertence àquele mundo. Essa parte de mim não quer enxergar o quanto você se sente feliz por pertencer àquele lugar.

— Eu me sinto como se tivesse encontrado meu caminho. Como se não precisasse mais correr até a próxima esquina para ver se há algo mais interessante ou mais importante. Foi isso o que fiz em toda a minha vida. Nós dois sabemos disso.

— Você estava procurando, Kelsey. Não há por que se envergonhar.

— Não me envergonho, mas estou cansada disso. Lido bem com os cavalos, com o trabalho, com as pessoas. Não posso voltar para o meu apartamento, para empregos sedentários, para fins de semana no clube. Sinto-me como se eu...

— Estivesse se libertando? — Ele deu as costas para as flores, pelas palavras que, agora, o magoavam. — Rompendo grilhões?

— Sim. Eu não sabia quão insatisfeita eu estava... especialmente comigo mesma.

— É possível. — Candace voltara à sala, queixo empinado, olhos zangados. — Mas não há motivo para ser rude. Seu pai, eu e sua avó só estamos tentando ajudá-la a superar uma fase difícil.

— Mas — disse Kelsey lentamente — o problema é que as coisas não estão sendo tão difíceis para mim quanto vocês pensam.

— Então pense nos outros. Nos sentimentos de Philip; em como tudo isso ecoará nas pessoas que conhecemos.

— Candace — disse Philip. — Isso não é necessário.

— Não?

— Talvez você esteja certa, Candace. Estou muitíssima preocupada com o que papai possa estar sentindo. Sinto muito, mas eu não tenho sua preocupação quanto aos outros. Não desejo causar-lhes constrangimento — prosseguiu ela —, muito menos gerar desentendimento entre vocês dois.

— Contudo, você encorajou Channing a me desafiar e a permanecer naquele lugar.

Terreno pantanoso, pensou Kelsey, e xingou Channing por tê-la metido naquela situação.

— Sim, eu o encorajei a ficar.

— Agora ele só pensa em voltar; qüer trabalhar lá no verão. — Rubra de comoção, Candace apertou as mãos no espaldar da cadeira. — Ela pode tê-la seduzido, Kelsey, mas não vou deixar que corrompa Channing.

— Meu Deus. — Desnorteada, Kelsey passou as mãos nos cabelos. — De onde você tirou essa idéia? Você nem a conhece, mas lhe atribui o papel de sinistra sereia de filme de segunda classe, que seduz rapazinhos e destrói tudo em que põe a mão. Ela não abriu as portas de sua casa para Channing a fim de corrompê-lo ou para contrariar vocês; fez isso por mim. E lhe ofereceu um emprego porque ele se mostrou entusiasmado com a fazenda.

— Bem, eu não vou admitir isso. — Candace detestava parecer geniosa e ressentia-se de a teimosia de Kelsey provocar isso. — Não vou permitir que meu filho freqüente hipódromos e se envolva com jogadores e uma assassina.

Kelsey deixou cair as mãos.

— Isso é problema seu e de Channing.

— Sim, é. E é bem verdade que não tenho o direito de dizer-lhe o que fazer. — Os lábios de Candace tremeram. Fizera o melhor por Kelsey, o melhor para ser sua amiga, uma força orientadora em vez de madrasta caricata. E, agora, aparentemente, percebia que fracassara. — Mesmo que eu lhe dissesse, você continuaria a agir como bem entendesse. Como sempre fez.

Philip deu alguns passos adiante, tão perplexo quanto magoado pela cena.

— Candace, nós estamos perdendo a noção real das coisas. É apenas um baile.

— Sinto muito, Philip. — Seu zangado constrangimento quanto à atitude de Kelsey com Milicent a descontrolara. Milicent, afinal, era mais do que sua sogra; era amiga e aliada. — Sinto que devo externar minha opinião. É muito mais do que um baile. É uma questão de lealdade e de comportamento correto. Essa situação não pode continuar. Você já magoou bastante seu pai ao preferir a companhia de Naomi.

— É isso o que você acha que estou fazendo? — perguntou Kelsey, virando-se subitamente para o pai. — É isso o que você acha? Você não é capaz de imaginar que eu possa me importar com vocês dois? De aprender a aceitar e a perdoar?

— Você não tem nada que perdoar Philip — interpôs Candace severamente. — Tudo o que ele fez foi certo.

— Fiz o que achei que fosse o melhor — murmurou ele. — Isso é difícil para mim, Kelsey. Não posso negar. Mas tudo o que ainda quero é o melhor para você.

— E estou tentando descobrir o que é isso. Ou, se não o melhor, pelo menos o que for certo. E não quero magoá-lo nesse processo.

— Tenho certeza que não — disse Candace, exausta. Ela nunca havia entendido realmente a enteada. Por que deveria mudar agora? — O problema aqui, Kelsey, é o mesmo de sempre. Quando você quer alcançar uma meta, não percebe as conseqüências que resultam dos seus esforços para alcançá-la. E, quando a alcança, nem sempre a deseja mais.

A severa observação doeu-lhe mais do que qualquer agressão dita num acesso de raiva.

— O que me faz uma pessoa fria e leviana. — Sua voz tremeu, independente de seu esforço para controlá-la. — Isso já me foi dito tantas vezes, que não tenho mais argumentos.

— Isso não é verdade. — Philip a pegou pelos ombros. — E certamente não foi o que Candace quis dizer. Você é determinada, Kelsey, e, por isso, é teimosa às vezes; o que tanto pode ser virtude quanto defeito.

Candace recuou mentalmente, afrouxando seu rigor. Sabia, por experiência, que suas preferências nunca prevaleciam sobre a força da união.

— Estamos preocupados com você, Kelsey. Se eu a critiquei muito duramente, foi por isso; e porque essa situação está se tornando difícil para todos nós. Toda essa publicidade recente trouxe à baila velhas lembranças. As pessoas estão começando a fazer comentários, e isso coloca o seu pai numa posição delicada.

— Dois homens foram mortos. — Um pouco refeita, Kelsey deu um passo atrás. — Eu não poderia ter evitado isso nem posso impedir as pessoas de bisbilhotarem.

— Dois homens foram mortos — repetiu Philip. — Você acha possível não nos preocuparmos?

— Não. A única coisa que eu posso dizer é que isso não teve nada a ver comigo nem com Three Willows. A violência existe em todos os lugares. O mundo das corridas não é um antro de vícios e devassidão. Não há tempo ou forças para nada disso quando se acorda de madrugada todos os dias. É só trabalho. Trabalho pesado. Uma parte dele é cansativa; outra, excitante; mas, para mim, o todo é compensador. Não há festas todas as noites, com champanha e mafiosos. Droga, na maioria das vezes, já estamos no terceiro sono antes das 22 horas, mas já vi potros nascerem e homens adultos cantarolarem para cavalos doentes dormirem, altas horas da noite. Não chega a ser um filme da Disney, mas também não é um festival de orgia.

Philip nada disse. Sabia que havia perdido. Era como se Naomi estivesse ali, defendendo um mundo que ele nunca conseguira entender e ao qual nunca poderia pertencer.

— Tenho certeza de que há méritos. — Candace tentou mostrar-se calma. — Eu mesma já assisti ao Derby de Kentucky, pela televisão, e não há dúvida de que os cavalos são magníficos, e o evento, excitante. Ora, os Hanahan investiram num cavalo há alguns anos. Lembra-se, Philip? Não estamos condenando inteiramente a... profissão — era como supunha chamar-se —, estamos preocupados com suas relações. Você mesma disse que estava envolvida com um jogador.

Kelsey soltou um suspiro de enfado.

— Eu disse aquilo para alfinetar vovó. Deveria ter dito que eu estou interessada num homem que é proprietário de uma fazenda vizinha. Sinto muito estar causando tanta contrariedade. Preciso, aliás, desculpar-me antecipadamente, pois sei que vou causar mais ainda. Não vou renovar o contrato de locação do apartamento. Vou ficar em Three Willows, pelo menos por enquanto. Talvez eu procure uma casa depois do meio do ano, mas vou continuar trabalhando na fazenda.

Candace pôs uma das mãos no braço de Philip, um gesto de apoio e união.

— Não importam as conseqüências?

— Farei tudo que puder para minimizá-las. Sei que vocês não vão querer visitar-me lá. Por isso, virei aqui tantas vezes quanto eu puder. Ficarei longe da cidade por algum tempo, mas telefonarei. — Ela pegou a bolsa e enroscou a alça na mão. — Não quero perder vocês, nenhum dos dois.

— Nem pode. Esta será sempre a sua casa. — Philip aconchegou a filha de encontro ao peito. Candace não disse nada.

A viagem de volta pareceu-lhe mais longa. Um intervalo de reflexões que Kelsey atravessou em meio a lágrimas e raiva. A maior parte da raiva já passara quando ela chegou a Three Willows, deixando, entretanto, muito espaço para a mágoa.

Kelsey voltou da porta; não queria entrar e encontrar Naomi. Certamente não seria de bom-tom analisar com Naomi o que fora dito sobre ela e o mundo em que vivia. Com certeza seria melhor, decidiu Kelsey, refletir um pouco mais sobre o que acontecera. Sentou-se diante dos definhantes narcisos e dos florescentes cornisos até que passasse a tempestade interior.

Mas perdeu a oportunidade de ficar só quando Gabe apareceu no pátio.

— Estive procurando você.

— Pensei que você já tinha viajado.

Ele se sentou no estreito banco de pedra ao lado dela, dividindo a vista da incipiente primavera.

— Partirei hoje à noite. — Ele quisera vê-la novamente. Razão suficiente para alterar seus planos. Tomando-lhe o queixo nas mãos, ele fixou os olhos dela. Kelsey estivera chorando. Tanto isso quanto o fato de perceber que aquilo o deixava nervoso foram surpresas para Gabe.

— Algo errado?

Ela abanou a cabeça e mudou de posição para evitar encará-lo.

— Você não costuma dedicar algum tempo à reflexão?

— Não se eu puder evitar.

— É difícil fazer isso quando os defeitos estão à sua frente, como um espelho. Você olha para eles e se vê.

Ele passou o braço em torno dos ombros dela e falou num tom de voz suave:

— Quem foi cruel com você, meu bem? Diga-me e eu quebro quem tiver sido.

Com um meio-sorriso, ela se aconchegou a ele e depois se afastou.

— Não sou uma boa pessoa, Gabe. E acho que raramente penso em ser. Eu costumava me surpreender quando alguém me dizia que eu era mimada, teimosa ou egoísta. E pensava que não era verdade. Só estou fazendo o que acho correto.

Impaciente, ela se levantou, deixando-o só no banco, enquanto dava alguns passos ao longo do caminho de lajotas que chegava até os canteiros floridos.

— Quando Wade disse que eu era fria e que só me preocupava comigo mesma, e que eu era rigorosa e inflexível, e todas aquelas coisas, pensei que ele só estava justificando seu adultério. Eu não era muito quente na cama, e ele procurou e encontrou alguém que era. Eu não era muito simpática e atenciosa, e não demonstrava interesse pela carreira dele; alguém demonstrou. Eu me recusei a superar o fato de tê-lo surpreendido na cama com outra mulher. Se fui rigorosa demais para compreender suas necessidades físicas, bem, problema meu. Mas nunca hesitei em jogar fora a criança junto com a água do banho. Até que a morte nos separe? O casamento acabou, e ponto final. Bem, eu realmente sou rigorosa.

Ela se virou bruscamente, pronta para desafiá-lo a discordar.

— Na vida, há o certo e o errado. Verdades e mentiras. Leis e crimes. Use o cinto de segurança.

Cauteloso, ele abanou a cabeça afirmativamente.

— Muito bem, use o cinto.

—Admito que negligenciava o uso do meu antes de a necessidade de usá-lo ter sido transformada em lei. Você está preocupada, está com pressa e só vai até o próximo quarteirão. Por que se incomodar? Mas, a partir do instante em que a lei é aprovada, Kelsey passa a usar o cinto. Sempre, sem questionar.

— E você se acha uma pessoa rigorosa por isso.

— Antes que a lei fosse aprovada parecia-me simplesmente estúpido usá-lo. A lei não altera o bom senso. Mas eu podia ignorar o bom senso; a lei não. Tudo bem, o limite de velocidade — ela admitiu. — Mas todas as vezes que eu o desrespeitei, eu tinha uma justificativa. Se fui a Atlanta para tentar salvar meu casamento, se sabia que algo estava errado com ele e estava disposta a esforçar-me para consertar as coisas, por que não perdoei o que encontrei lá? Porque ele havia feito uma promessa e a quebrou. Isso foi suficiente para mim.

Gabe esfregou a mão no queixo.

— Você quer que eu lhe diga que você errou por ter-se livrado daquele filho da mãe, Kelsey? Não posso. Por dois motivos. Primeiro, eu concordo com a sua atitude. Segundo, eu quero você. Posso dizer-lhe que, se tivesse sido entre você e mim, e que se eu tivesse entrado naquela suíte e tivesse surpreendido você abraçada com outro homem, ele estaria morto agora, e você, provavelmente, magoada. Isso ajuda?

Ela fechou os olhos, esfregando ambas as mãos no rosto.

— Como vim parar numa situação como esta?

— Acho que você deve ter tido uma manhã difícil. Onde esteve?

— Fui visitar meu pai. — Ela teve vontade de chorar novamente, ridiculamente, pensou, e virou-se até que pudesse conter as lágrimas. — Queria dizer a ele, cara a cara, que eu estava saindo do meu apartamento e que ia ficar morando aqui. Pelo menos por enquanto.

— E então ele dificultou as coisas para você.

— Não, na verdade não. Ele não. Ele é o homem mais gentil do mundo. E eu o estou magoando. — Ela deu livre curso às lágrimas; elas que se danassem. — E eu não queria que isso acontecesse. Não quero fazê-lo infeliz, mas ao mesmo tempo sinto que não posso ceder, não o suficiente para agradar a todos.

Ele não disse nada; simplesmente se levantou e a puxou para si. Nunca tentava enxugar lágrimas com palavras, acreditando que a melhor coisa a fazer era deixá-las fluírem livremente para que elas pudessem lavar a alma.

— Isso é uma tolice. — Fungando, ela enfiou a mão no bolso à procura de um lenço para enxugar as lágrimas e em seguida aceitou o que Gabe lhe ofereceu. — Tudo começou por causa de uma porcaria de um baile, do Derby e de um dentista.

— Por que não nos sentamos outra vez para você decodificar tudo isso?

— É a maldita tradição — disse ela, sentando-se no banco novamente. — É a obrigação de viver à altura das expectativas da família. Não posso afirmar que minha infância teve momentos de perigo e insegurança, mas sempre havia o sobrenome Byden para zelar, especialmente no que dizia respeito a minha avó.

Ela enrolou todo o lenço na mão e a fechou, desejando poder encerrar toda a raiva e todos os ressentimentos em sua trama e arremessá-los para longe.

— Ela ainda está zangada comigo por eu ter-me divorciado de Wade, manchando a honra da família. Nem é preciso dizer que ela está furiosa por eu estar aqui. — Tentando controlar seu humor, ela forçou um sorriso. — Eu fui, na melhor tradição gótica, excluída de seu testamento.

— Bem... — Tomando-lhe a mão, ele brincou com seus dedos. — Você poderia vir morar comigo. Ser minha amante. Quem sabe isso não a faria arrepender-se de tê-la deserdado?

— Deus, eu teria meu nome cortado da Bíblia da família por isso.

Quando Gabe percebeu que não estivera brincando totalmente, soltou a mão dela.

— Isso não seria possível, não é verdade? Então, e quanto ao baile, ao Derby e ao dentista?

— Parece o nome de uma peça teatral de péssima qualidade. — Tentando relaxar, ela suspendeu os cabelos de cima do pescoço e ombros, deixando-os caírem novamente. — Quando fui ver papai, tive a "sorte" de encontrar vovó e Candace, minha madrasta, comendo sanduíches de pepino e fazendo planos para os arranjos de flores do Baile da Primavera no clube campestre. Ao qual todos esperavam com certeza que eu comparecesse; elas chegaram até a arranjar-me um acompanhante, já que eu tenho recusado sair com quem quer que seja desde que me separei de Wade. Elas haviam...

— Espere. — Ele ergueu uma das mãos. — Em meu próprio benefício, gostaria que você falasse mais sobre essa última parte. Sobre não sair com ninguém.

— Não tenho saído com ninguém há dois anos. Por um lado, porque eu me sentia mal em fazer isso antes de ter concluído todo o processo de divórcio, e, por outro, porque a maioria das oportunidades que tive não me animaram muito. E também porque sexo nunca foi algo determinante em minha vida.

Ele pegou a mão dela novamente e a beijou.

— Podemos dar um jeito nisso.

— Estou tentando explicar. — Kelsey puxou a mão, mas ele a segurava firmemente, e ela desistiu da tentativa. — O dentista, um cirurgião-dentista, é o filho de amigos de meu pai que acabou de voltar para a casa dos pais. Ele satisfaz todos os padrões dos Byden. Você, a propósito, não.

— Essa é a melhor coisa que você já me disse. Vamos lá para casa comemorar.

— Você está fazendo eu me sentir melhor. Não pensei que fosse melhorar tão cedo. — Sorrindo, ela aninhou a cabeça no ombro dele. — De qualquer forma, fui obrigada a dizer-lhes que, além de não estar interessada no dr. Aceitável, eu não poderia de forma alguma ir ao Baile da Primavera, que será no primeiro sábado de maio.

— O Derby. Agora tudo se encaixa.

— Sim, o Derby. Isso foi causa de uma discussão, uma discussão razoavelmente civilizada no início, mas vovó estava me irritando. Para provocá-la — ela o fitou dissimuladamente por sob as pestanas —, eu disse que estava envolvida com um jogador.

— Você é má. — Ele reteve o rosto dela nas mãos e a beijou antes que ela pudesse decidir se desviava ou não. — Gostei disso.

— Eles não. Vovó saiu da sala como um raio, papai parecia arrasado, e

Candace bufou de raiva. Nós já havíamos brigado antes, mas, dessa vez, ela deu um golpe baixo, acertando um alvo muito delicado. Quanto mais tempo eu fico aqui, mais eu aflijo a família. E, uma vez que eu sou dura demais para ceder, não vou procurar fazer um acordo.

— Às vezes não há como fazer acordo.

— As pessoas que são boas conseguem fazê-los.

Uma questão delicada, pensou ele, observando os tenros gerânios nos vasos do pátio. Uma questão familiar, e ele tinha muito pouca experiência com família.

— Alguma vez já lhe ocorreu que sua família também não está tentando um acordo? — Ele a observou virar lentamente o rosto para ele. — Tudo ou nada. Não é basicamente assim que eles colocam as coisas?

— Eu... não havia pensado nisso dessa forma.

— Não, porque você é tão fria, tão rigorosa e tão inflexível, que aceitou a culpa por tudo automaticamente. Eles podem culpá-la por essa situação, ameaçar deserdá-la, dizer-lhe que você é egoísta, mas a culpa é realmente toda sua?

Que ela se lembrasse, ninguém jamais havia ficado do lado dela e contra sua família. Wade, com certeza, não. Sempre fora ela quem fizera as cenas, quem se exaltara. Estranho que nunca lhe houvesse passado pela cabeça que eles, em todas as questões, sempre haviam sido tão inflexíveis quanto ela.

— Eu estou fazendo o que eu quero, sem considerar...

— Sem considerar o quê? — perguntou Gabe. Talvez ele nunca tivesse tido uma família para lhe dar conforto, mas também não tivera quem o amarrasse com culpas e obrigações. — Sem considerar o fato de que as pessoas precisam se adaptar a novas situações? Se você fosse àquele baile com o dentista "arranjado", faria alguma diferença?

— Não — respondeu ela depois de algum tempo. — Eu só adiaria a próxima crise.

— Você está aqui para aborrecê-los?

— Claro que não. — Sentindo-se ofendida, ela jogou a cabeça para trás. — Claro que não — repetiu, dessa vez mais calma. — Você deve achar isso uma grande tolice. Todo esse transtorno por causa de propriedade e tradição.

— Apenas acho que você já se martirizou demais para descobrir quem é e o que quer. Sente-se melhor?

— Muito. — Ela exalou um suspiro forte e desabafante. — Fico contente por você ainda estar aqui, Slater.

— Eu queria vê-la novamente antes de partir. — Os dedos dele deslizaram sobre sua nuca, provocando-lhe calafrios. — Você está derrubando meus planos, Kelsey.

Ela manteve os olhos sobre as mãos, entrelaçadas no seu colo.

— Estou começando a pensar em você antes mesmo de abrir os olhos de manhã. Há três ocasiões em que o homem é mais vulnerável. Quando ele está bêbado, quando ele se perde no sexo e nos instantes que antecedem o despertar. Eu não bebo e não vinha tendo interesse em fazer sexo com outra mulher depois de conhecer você. Você me pegou exatamente quando todas as defesas estavam desarmadas.

Alguns homens lhe haviam recitado poesia, mas nenhum deles havia conseguido mexer tão profundamente com ela. Emocional, romântica e sexualmente. Ela o olhou quando ele voltou a falar, atraída pela voz suave e sedutora. Ela estava fascinada; e sem defesas.

— Tenho medo de você. — Não tinha consciência de que estava com medo dele; muito menos imaginava que iria dizer-lhe isso naquele momento.

— Muito bem, isso nos torna iguais.

Ele lhe emoldurou o rosto nas mãos, depois alisou os cabelos dela lentamente para trás, prolongando aquele momento para que os dois pudessem lembrar-se bem dele. Pássaros e flores da primavera, a luminosidade do entardecer. E o encontro de bocas, o pulsar acelerado do coração e o longo e lento sussurro do prazer mútuo.

— Assusta-me o que acontece dentro de mim quando faço isso. — Ele descansou a sobrancelha contra a de Kelsey, enquanto uma emoção nova, embora quase familiar, o percorria. — E o fato de sentir vontade de repetir assim que acabo de fazer assusta-me mais ainda.

— A mim também. Talvez seja bom você ficar fora alguns dias. Há muita coisa em que pensar.

— Eu já pensei, Kelsey.

Ela quase sufocou, depois abanou a cabeça afirmativamente.

— Eu também. — Com pesar, ela se afastou. — Boa sorte em Keeneland e obrigada pelo ombro. Eu precisava dele. E acho que precisava de você.

Capítulo 15

Naomi não questionou a decisão de Kelsey de seguir com a equipe para Kentucky. Queria mesmo que ela estivesse lá, queria muito, mas não se permitira dar isso antecipadamente como certo. Naomi não se permitia nada antecipadamente.

O único desentendimento entre elas ocorreu quando Kelsey insistiu em pagar as próprias despesas. Naomi esqueceu a contrariedade durante a arrumação das malas, o vôo, e enquanto davam entrada no hotel. Mas, quando pediu que Kelsey fosse até sua suíte, o que havia dentro dela transbordou.

— Isto é um absurdo. — Agitada, Naomi caminhava de um lado para o outro, ignorando a refeição e a garrafa de vinho que pedira para tentar manter a conversa em tom amigável. — Você está aqui a serviço de Three Willows; ajudará Boggs a cuidar de *Pride*. É uma simples despesa de trabalho.

— Estou aqui — corrigiu-a Kelsey — porque quero estar aqui, porque eu não perderia a Bluegrass Stakes ou o Derby por nada neste mundo. E, no que se refere a *Pride*, sou apenas bagagem excedente. Moses e sua equipe não precisam de mim.

— Eu preciso — devolveu Naomi bruscamente antes que ela conseguisse conter-se. — Você sabe o que significa para mim ter você aqui? Ter a oportunidade de você *querer* estar aqui? Saber que depois de todo esse tempo e de tantas perdas você estará ao meu lado não apenas no momento da partida, mas durante toda a maravilhosa loucura que acontece naqueles dois minutos finais? Prefiro tê-la aqui comigo de agora até o primeiro sábado de maio a vencer uma dúzia de Derbies. E você nem ao menos me deixa pagar as despesas de sua hospedagem.

Um pouco mais do que surpresa, Kelsey observava sua mãe andar, impaciente, de um lado para o outro do quarto. Nunca tinha visto Naomi tão nervosa, tão transbordante de excitação. Finalmente, ali estava a mulher que sorrira para a foto de casamento, que flertara temerariamente com os homens. Que matara uma pessoa.

— Simplesmente achei que não era correto — Kelsey tentou explicar, desistindo quando Naomi se virou de repente para ela.

— Por que não é correto? Porque não fui uma mãe como as outras? Porque eu estava numa cela de prisão quando deveria estar ensinando você a amarrar o laço dos sapatos?

— Não foi isso o que eu...

— Não espero que você perdoe isso — Naomi a interrompeu outra vez. — Não espero que você esqueça isso. Não estou pedindo que você me ame nem mesmo que pense em mim como sua mãe. Mas acredito que você esteja começando a considerar Three Willows a sua casa.

Como, perguntou-se Kelsey, conseguira ocasionar aquela tempestade simplesmente usando seu cartão de crédito?

— Eu considero — disse ela cuidadosamente, pronta para enfrentar a próxima bateria de explosão. — O que não significa que eu queira me aproveitar disso e de você.

Não houve explosão. Naomi sentou-se, decidida a reprimir a raiva.

— Se você não quiser aceitar a viagem de mim, eu gostaria que aceitasse de Three Willows. Seu envolvimento com ela pode muito bem ter-lhe custado uma parte de sua herança. Isso me preocupa.

— Então, seria um pagamento por sua culpa? Tudo bem. — Kelsey ergueu as mãos quando os olhos de Naomi fumegaram. — Isso é uma tolice. Não imaginei que você ficaria tão contrariada. Pague as despesas, se é tão importante assim para você. — Ela jogou os cabelos para trás. — Sabe, sempre me perguntei de onde vinha meu temperamento. Papai é plácido como um lago. E você é tão calma, tão controlada, tão segura. Valeu a pena ter perdido essa discussão para descobrir que meu temperamento é apenas uma herança.

— Fico contente por tê-la ajudado a solucionar um dos pequenos mistérios da vida. — Depois de um acentuado meneio de ombros, Naomi pegou um morango da bandeja de frutas que havia pedido. — Perdendo ou vencendo, uma discussão sempre me dá fome. Não quer comer?

— Sim. — Kelsey pegou uma fatia de maçã. — Preciso dizer-lhe algo.

— Seu tom de voz fez Naomi interromper o gesto de servir o vinho. — Eu a considero minha mãe. E não estaria mais aqui se não considerasse.

Naomi inclinou-se para frente e beijou o rosto de Kelsey. Depois, controlando a mão trêmula, encheu os copos.

— Às mulheres de Three Willows. — Ela tocou o copo de Kelsey com o seu. — Esperei muito tempo para fazer este brinde.

Os dias que antecediam Bluegrass Stakes passaram sem ser percebidos. Kelsey conheceu mais pessoas do que poderia lembrar. Levantou-se todos os dias ao despontar do alvorecer para assistir aos treinos, preocupada, comparando *Pride* a todo potro ou potranca que varava a neblina da pista. Ela ficava horas nas baias, analisando jóqueis, avaliando treinadores, importunando Boggs no sentido de obter migalhas de informações ou especulações.

Sempre que podia, aproximava-se de Reno, pedindo-lhe opiniões, solicitando estratégias. Preocupava-se com ele, com o potro, com a pista.

— Ei — perguntou ele —, quem vai montar esse potro? Eu ou você?

Ela amuou um pouco, afastando-se dele, enquanto tratavam de *Pride*.

— Você. Mas...

— Mas você terá as mãos nas rédeas.

O amuo transformou-se num pequeno sorriso.

— Talvez. — Ela acariciou o focinho de *Pride*, gratificando-se com seu calor e maciez. — Acho que fui contagiada.

— Irremediavelmente. — Reno enfiou os polegares nos bolsos de sua blusa de seda azul-marinho. Tinha uma mulher o esperando e outras tantas em mente.

— Faz parte do jogo, não é? O nervosismo, a ambição. — Ela pegou a maçã que estivera guardando no bolso e a ofereceu a *Pride*. — A paixão.

— É, acontece — concordou Reno. Seria inútil dizer-lhe que mais cedo ou mais tarde outras coisas interfeririam na inocência. O dinheiro, as falcatruas, as rixas. Ela descobriria sozinha, ele pensou, dando-lhe um amigável tapinha nas costas. — Cuide do bem-estar do nosso garoto, amiga. E não o deixe se esquecer daquele potro de Kentucky. Mantenha-o alerta.

Depois de uma piscadela, Reno retirou-se das baias.

— Você não precisa se preocupar com aquele fanfarrão — Kelsey sussurrou para *Pride*. — Ele não se compara a você.

Pride mascava a maçã, em óbvia e total concordância.

Midnight Hour, um potro originário do Kentucky, era o favorito; fora o azarão vencedor do Grande Prêmio da Flórida, deixando *Pride* e *Double* meio-corpo atrás ao cruzar a linha de chegada. O pequeno e assustadiço ruão ocupava as páginas da imprensa nacional.

E Kelsey tinha de admitir que ele era uma beleza. Traços clássicos, temperamento imprevisível, fogo nos olhos. O potro usava anteolhos nas pistas, para impedi-lo de assustar-se com as sombras e coisas que não existiam. Mas ele corria. Ela comprovara pessoalmente.

A potranca de Bill Cunningham tinha também suas qualidades. Não era necessário admirar-se o homem para se admirar seu cavalo. *Sheba* tinha valor e coragem e irrompia pelo portão como um furacão. Mas ouvi-la ofegar depois de um treinamento árduo gelava o sangue de Kelsey.

Havia outros que tinham provado ter fibra e coragem; entre eles, *Double*, de Gabe. Mas Kelsey apostava mesmo era em *Pride*. Ela se dizia que não se tratava apenas de lealdade ou afeição, mas de treinamento do olhar que ela estava começando a desenvolver sob a orientação de Moses. O potro destacava-se em um milhão. Da mesma forma que sua *Honor*, ela tinha certeza.

No dia da corrida, ela se manteve ao lado da mãe, cuja confiança desejava justificar.

— Ele me pareceu muito bem esta manhã.

Kelsey suspirou diversas vezes, longa e profundamente. Desejava apreciar o desfile de apresentação, a pompa do vento, a expectativa. Mas não conseguia parar de falar.

— Moses achou melhor fazer Reno segurar *Pride* lá atrás um pouco, pois quer que o potro fique ansioso. A pista está seca e rápida, do jeito que ele gosta. Ouvi alguns cronometristas conversando. A emoção está aumentando com relação a *Midnight Hour*, mas o bom senso está dividido entre *Pride* e *Double*. — Kelsey esfregou a mão na boca. — Além disso, *Sudden Force* pode ser uma surpresa; é o baio de Arkansas; me pareceu em forma esta manhã. E não podemos subestimar a potranca de Cunningham. Ela tem muita fibra.

Divertida e impressionada, Naomi passeou uma das mãos encorajadoramente no braço de Kelsey.

— Apenas respire fundo. Tudo terá terminado em poucos minutos.

— Só tenho tempo para desejar boa sorte às minhas damas favoritas.

— Gabe meteu-se entre as duas, e osculou a ambas. — Parece que estamos pagando 7 por 5 — comentou ele, estudando o quadro de apostas. — Que tal o vencedor pagar o jantar?

— E o perdedor arranjar o champanha? — Naomi lançou-lhe um breve sorriso. — Sempre preferi que os homens pagassem minha bebida.

— Boa idéia — murmurou Kelsey. Em seguida, em vez de respirar fundo, ela prendeu a respiração. Os cavalos estavam sendo levados para os portões.

De sob a cobertura das arquibancadas, Rich observava o filho. O garoto sempre tivera bom gosto no que se referia às mulheres. E uma sorte dos diabos com elas. Assim como seu velho pai, pensou Rich, dando um tapinha no traseiro da loura fútil que ele conquistara na noite anterior.

— Fique de olho no número 3 — disse-lhe ele. — Tenho interesse naquele cavalo. Um interesse muito grande.

A sirene soou. Os cavalos irromperam portões afora, e a companheira de Rich deu um gritinho e começou a torcer pelo número 3.

Os olhos semicerrados de Rich ocultavam-se atrás de lentes espelhadas, observando o favorito seguir na liderança, com o potro de Arkansas perseguindo-o enquanto avançava rente à cerca. Os demais compunham pouco mais que um borrão de cores, patas troando poderosamente ao tocar o chão, e Rich em momento algum perdeu o número 3 de vista. A potranca de Cunningham corria, valorosa, e já havia assumido e defendia ferreamente a liderança pela diferença de um pescoço na primeira curva. Mas *Virginia's Pride* explodiu por fora, devorando a diferença que o separava dos ponteiros, arrancando e lançando ao ar com o seu avanço vigoroso pedaços da pista.

Rich abanou a cabeça lenta e positivamente, um sorriso começando a curvar seus lábios. *Double* ganhou a cerca e aproximou-se como um raio dos dianteiros na reta oposta. Até mesmo o trovão dos cascos perdia-se sob os gritos da torcida. Por um instante, num daqueles maravilhosos e fotográficos momentos, três cavalos estiveram pescoço a pescoço, passadas quase sincrônicas, seus dorsos coloridos pelas sedas esvoaçantes.

Pride assumiu a ponta. Focinho, pescoço, meio-corpo. Eles cruzaram a linha de chegada num átimo de segundo. *Virginia's Pride, Double or Nothing, Big Sheba.* Vitória, colocação, espetáculo.

Rich jogou a cabeça para trás e riu.

— Tirei a sorte grande, doçura.

Ela amuou, revolvendo a cerveja.

— O número 3 não venceu.

Rich riu novamente, segurando o bilhete dos mil dólares que apostara em *Pride*.

— Você está enganada, querida. Os pressentimentos do velho Rich sempre se materializam.

— Oh, Deus. — Kelsey ainda mantinha as mãos sobre a boca; pouco antes do fim da corrida, ela quase cedera ao impulso de colocá-las sobre os olhos. — Ele conseguiu. Ele venceu! — Rindo de alegria, ela atirou os braços em torno de Naomi. — Parabéns! Isso foi apenas a amostra de como ele se sairá no Derby. Tenho certeza.

— Eu também. — Naomi abraçou-a com força, ignorando a súbita intromissão das câmeras e repórteres. — Venha comigo até o círculo do vencedor. Quero você lá comigo.

— Você não poderia impedir-me de ir lá. — Kelsey virou-se para Gabe. Para alguém cujo cavalo havia acabado de perder uma corrida por apenas meio-corpo, ele parecia bastante satisfeito. — Seu potro fez uma bela corrida.

— Fez. Mas o seu fez melhor. — Ele puxou a trança que descia pelas costas de Kelsey. — Desta vez. Vejo vocês no jantar.

A vitória não autorizava ninguém a se descuidar do prosseguimento dos trabalhos. Eles permaneceriam no Kentucky até depois do Derby, transferindo-se de Keeneland para Churchill Downs.

A aurora ainda era sinônimo de treinamentos, de cronometristas, de café preto, e de treinadores observando por trás da cerca.

Com a diferença de que aqueles eram os trabalhos para o Derby. Os treinamentos não eram mais um acontecimento reservado. Antes mesmo que os cavalariços se levantassem, os repórteres já estavam montando seus equipamentos. As emissoras de tevê, os jornais, as revistas, todos queriam entrevistas exclusivas, fotografias perfeitas.

Kelsey sabia quais seriam as suas.

A serenidade do amanhecer, o mais mágico período do dia para os cavalos e para os homens que lidam com eles, com o nevoeiro se dissipando e as torres de comunicação gêmeas estendendo-se, visíveis e imponentes, acima dele. A indistinção de cores, os sons abafados. Tinas de água quente acrescentando vapor ao nevoeiro. Pássaros trinavam seus cantos matinais.

A primavera tinha chegado a Louisville, mas nessa hora ainda fazia frio, revigorante, excitante; os aquecidos flancos dos cavalos retornando de um galope contribuíam para aumentar o vapor no ambiente. Animados e empurrados, eles surgiam do nevoeiro como por encanto, Pégasos fazendo das patas asas.

Mas eles eram atletas. Era fácil esquecer-se de que essas criaturas de meia tonelada, equilibradas em pernas finas como bengalas, haviam nascido para correr.

Dos milhares de puros-sangues nascidos todos os anos, apenas uns poucos, uns poucos especiais, cortariam as cortinas de névoa daquela pista, naquela semana. Apenas um deles desfilaria no sábado com a manta estampada com rosas vermelhas em seu dorso lustroso.

Cavalariços carregavam as tinas e as ataduras, movendo-se com intimidade entre os cavalos enquanto o sol brilhava suavemente, afastando a aurora, transformando o orvalho em diamantes. Um gato miava, as solas das botas dos cavalariços rangiam, e, pouco depois, o ruído de cascos na pista de areia. Misteriosamente incorpóreos a princípio, mas logo se materializando, e saltando à vista ao mesmo tempo em que a névoa cinzenta se abria como água, os potros como que nadavam, vencendo impetuosamente sua resistência.

Essa era a memória que Kelsey guardaria daquelas cenas suaves e confortantes em meio às cores e à pompa.

— O que você está fazendo?

Kelsey não disse nada a princípio; simplesmente tomou a mão de Gabe nas suas. Ela sabia que Gabe não poderia deixar de surgir no cenário e fazer parte da recordação.

— Tirando uma foto. Não quero que tudo isso se perca nas comemorações, com a imprensa e toda essa pressão.

— Você se levantou cedo para quem não se deitou antes das duas horas.

— E quem consegue dormir em meio a tudo isso?

Como resposta, Gabe acenou a cabeça em direção a um cavalariço encostado numa das paredes das baias, cochilando. Ela riu e respirou profundamente, sentindo o cheiro de cavalos, de ungüento, de couro, de estrume.

— Tudo é tão novo para mim! Vi seu jóquei trabalhando com *Double* esta manhã. Eles pareciam bem.

— Eu a vi observando, debruçada sobre a grade da reta oposta. Você estava maravilhosa.

— Não sei como você tem energia para flertar, com tudo isso acontecendo ao seu redor. Isto aqui parece o Mardi Gras*, uma Convenção dos Kiwanis**, e o Super Bowl*** juntos. — Ela começou a caminhar. — Desfiles, corridas de balão, jantares de criadores, jantares de treinadores. E aquela corrida de barcos a vapor ontem. Nunca tinha visto nada igual.

— Ganhei 5 mil.

Ela assobiou.

— Uma bolada. Quem foi suficientemente tolo para apostar com você?

Ele sorriu.

— Moses.

Kelsey puxou a pala do boné para baixo.

— Bem, com os 10% que ele ganhou no sábado, bem pode dar-se ao luxo.

— Você está ficando atrevida, querida.

— Sempre fui atrevida. Você vai ao museu assistir ao sorteio, não vai?

— Não o perderia por nada. — Ele não perdia o sorteio do posicionamento de largada há cinco anos. Sua presença ou sua ausência certamente não teria influência alguma sobre a definição da posição de largada de seu potro, mas o sorteio envolvia um de seus cavalos. — Antes servem café da manhã no velho padoque. Faminta?

Resmungando, ela apertou o estômago.

— "Pastei" mais do que tomei café desde que cheguei a Louisville. Obrigada, mas acho que vou recusar. Se você... — Kelsey desistiu de prosseguir ao notar que ele desviara a atenção para outra coisa. Não, percebeu ela; era mais do que isso. Gabe focalizara e congelara o olhar em alguém próximo às baias. — Algo errado?

— Não. — Por um momento ele pensou ter visto seu pai. Aquele andar gingante e presunçoso, o terno em tom pastel, tão despropositado em meio à calça *jeans* e camisa de algodão. Talvez estivesse enganado. Rich Slater não desfilaria em Churchill Downs àquela hora da manhã. — Não — disse ele novamente, e tentou livrar-se do temor instantâneo que o acometera. — Se você não quer comer, venha observar-me comer, então.

---

* Terça-feira de carnaval. Nos EUA, a terça-feira gorda mais famosa é a de Nova Orleans, cidade do Estado da Louisiana. (N. do T.)

** Kiwani — Sócio dos Kiwanis, um clube de serviços existente nos EUA, equivalente ao Lions Club, ao Rotary Club etc. (N. do T.)

*** Partida de futebol americano disputada todo ano no último domingo de janeiro para definir o campeão da Liga Profissional Americana, também conhecida como Super Bowl Sunday. (N. do T.)

Ele não pensou mais nisso. Antes de a manhã terminar, Gabe ainda estava ocupado, discutindo com Jamison e seu jóquei a terceira posição de largada atribuída a seu potro.

— Pegamos a cerca. — Kelsey conversava com Bogs nas baias, comendo uma das maçãs que trazia nos bolsos, enquanto o velho cavalariço pendurava ataduras num varal. — É um sinal de Deus.

Boggs pegou um dos pregadores presos numa das pernas de sua calça e pendurou uma atadura azul-marinho cuidadosamente.

— Acho que Deus assiste ao Derby e, assim como as pessoas, provavelmente também tem seu favorito. — Ele correu os dedos sobre uma sela caprichosamente tratada, os ferros limpos e polidos por suas próprias mãos. — Bem que eu poderia apostar os falecidos presidentes que tenho no bolso neste potro.

— Pensei que você não apostava.

— E realmente não aposto. — Com o mesmo cuidado, ele pendurou uma manta no varal. — Pelo menos desde abril de 73.

Ele observou Kelsey para ver se ela se dera conta de que aquele fora o ano em que sua mãe matara Alec Bradley. Ao constatar que nada havia nos olhos dela além do simples interesse, ele prosseguiu.

— Foi em Keeneland. Three Willows tinha um potro com boas chances de vencer aquele Derby. Um ótimo potro. Eu amava aquele cavalo mais do que já amei qualquer mulher. O nome dele era *Sun Spot.* Quase enlouqueci, porque tinha apostado todo o meu salário nele. Ele saiu do portão como uma bala, como se já pudesse ver a linha de chegada. Na primeira curva, o potro que avançava ao lado tropeçou, e o atingiu violentamente. *Spot* caiu. Percebi na hora que ele não correria mais; fraturou uma das pernas dianteiras em vários lugares. Nada a fazer senão sacrificá-lo. Sua mãe mesma colocou a ponta da arma atrás da orelha dele; era seu o potro, e ela chorou, mas fez o que precisava fazer. — Ele suspirou, profundamente. — Por isso não apostei mais desde então. Talvez minha aposta dê azar.

Ela passou um braço pelo ombro de Boggs e os dois examinaram juntos as ferramentas do seu ofício, as ataduras secando, os anteolhos, as mantas e o acolchoamento de algodão.

— Não vai acontecer nada com *Pride.*

Ele concordou com um aceno de cabeça e pegou a maçã que Kelsey lhe ofereceu.

— É um erro amar um cavalo, srta. Kelsey. — Ele poliu a maçã na camisa e a devolveu. — Ele acaba partindo o seu coração.

Ela sorriu, jogou a maçã para cima e a pegou novamente.

— É para mim, Boggs, ou para *Pride*?

— Ele gosta muito de maçãs.

— Então é melhor eu levar logo para ele.

Quando Kelsey fez menção de ir embora, Boggs mudou de posição e coçou o pescoço.

— Sabe, hoje vi alguém que eu não via há um bom tempo. Alguém que conheci na primavera de 73.

— Quem?

Procurando ganhar tempo, Boggs pegou a maçã de Kelsey e a partiu habilmente em duas partes iguais.

— O pai do sr. Slater.

— O pai de Gabe? Você o viu aqui?

— Acho que sim. Mas os meus olhos já não são os mesmos. Estranho que ele tenha vindo aqui. Lembro-me de que ele estava por perto no dia em que *Spot* caiu. Armou uma baita confusão também, como se a sra. Naomi tivesse planejado perder a corrida e o cavalo naquele dia. Não preciso dizer que ele estava bêbado. Mas Rich Slater é persuasivo. Eles fizeram teste para saber se o cavalo estava drogado.

Kelsey mantinha-se de pé na baia, o sol nas costas, seu rosto ensombreado.

— E o que encontraram?

— Não encontraram nada naquele potro. Os Chadwick correram limpos. Mas descobriram que o potro que derrubou *Spot* estava. Anfetamina.

— E quem era o dono do potro?

— Cunningham. — Ele cuspiu no chão. — Estranho, não acha? Apontaram os dedos para ele a princípio, mas depois se descobriu que foi o jóquei quem tinha feito aquilo. Benny Morales, um excelente jóquei. Deixou um bilhete confirmando que o animal tinha sido drogado antes de se enforcar na fazenda de Cunningham.

— Deus, isso é horrível.

— Há muita coisa que não cheira bem no mundo dos cavalos, srta. Kelsey. Rich Slater achou que os Chadwick haviam subornado Benny para drogar o cavalo, e, assim, mesmo que ele vencesse, seria desclassificado quando por fim descobrissem em que condições o cavalo havia corrido. Pura besteira, claro, mas um homem como ele precisa botar a culpa em alguém pelo que lhe acontece de errado. A maioria das pessoas perdeu suas apostas naquele dia. Provavelmente a pessoa que vi não era ele, mas achei que, se fosse, seria melhor informá-la para que se mantenha distante dele.

— Com certeza — ela respondeu.

Rich Slater não tinha a mínima intenção de cruzar com alguém de Three Willows. Estava ali como espectador. E embora tivesse sido muito mais esperto de sua parte ter-se mantido bem longe de Louisville naquele sábado, escolheu um assento justamente na primeira fileira das arquibancadas.

Estava com sorte. Um maço de cédulas no bolso, uma mulher disponível na cama e tantas festas barulhentas para ir que ele mal podia contá-las nos dedos. Finalmente, ele havia tirado a sorte grande. E a melhor parte de tudo isso, a parte mais doce, era o fato de que algumas pessoas iriam cair quando ele subisse.

Era brilhante, ele tinha de admitir — só precisava tomar cuidado para não beber demais e compartilhar essa opinião com alguém. Não só pagaria uma dívida antiga e daria uma lição no filho ingrato, mas faria uma pequena fortuna.

E, na verdade, não precisaria fazer praticamente nada. Ele simplesmente colocaria o instrumento certo nas mãos certas.

Aquela Chadwick vagabunda iria pagar caro. Nu, ele caminhou silenciosamente até o bar para atacar as quase vazias garrafas de bebida. Sua companheira estava desmaiada na cama, seu corpo firme esparramado nos lençóis amarfanhados. E o velho Rich demonstrara sua virilidade, pensou, brindando com sua imagem refletida no espelho.

Ele ainda tinha muito gás para queimar.

Com o copo na mão, Rich fez poses diante do espelho. Sua vaidade o impediu de enxergar as pelancas da cintura. O que ele viu naquele espelho foi o corpo de um homem de 30 anos, esguio e robusto. O corpo que ele havia legado ao filho, que o apartara de seu convívio com um cheque de 5 mil dólares.

— Não deixar seu velho passar uma noite debaixo do seu teto? Serei dono desse maldito teto quando terminar de fazer o que pretendo.

Tomou o uísque num único gole e observou a garganta ondular enquanto o líquido descia. O garoto achava que era melhor do que os outros.

Sempre achou. Da noite para o dia tornara-se importante e poderoso. Da noite para o dia também as coisas já não seriam as mesmas.

Ele realmente tinha de agradecer às circunstâncias, passadas e presentes, por lhe terem proporcionado uma oportunidade. Cunningham era como que uma dádiva dos céus, que lhe caíra na mão. Certamente era um tolo, mas os tolos são os mais fáceis de serem explorados.

E ele exploraria Cunningham ainda por muitos anos. Nada como um bom e duradouro biscate, em que ele o chantagearia e obteria uma renda confortável e vitalícia. Mas a compensação de todo o seu esforço, ah, a compensação mesmo viria pouco antes das 18 horas do sábado. Um servicinho, ele tinha certeza de que todos concordariam, muito bem-feito.

Abrindo outra garrafa, serviu mais uma dose. Perguntou-se se Naomi Chadwick se lembraria dele. Se ele se aproximasse de repente e agarrasse aquele belo traseiro, ela se lembraria dele? Estava louco para fazer isso, para cruzar-lhe o caminho, apertar-lhe as nádegas e lançar-lhe uma piscadela.

Ele não gostava da idéia de que uma mulher, qualquer que fosse, pudesse se esquecer de Rich Slater.

Ele se lembrava dela. E como. Lembrava-se muito bem daquela cadela elegante e mimada, pavoneando-se com vestidos decotados e calça *jeans* justíssima. Passeando pelo hipódromo como uma potranca no cio, abrindo as pernas para qualquer homem que conseguisse ter uma ereção.

Ele a desejara. Muito. Tinha desejado levantar-lhe a saia rodada e afogar-se na pele macia. Mostrar a ela o que um verdadeiro homem era capaz de fazer. Mas, quando se ofereceu, ela o olhou como se ele fosse algo que lhe houvesse emporcalhado as botas numa de suas visitas ao padoque. E rira dele. Rira até que ele tivesse vontade de socar aquele belo rosto.

Talvez ele realmente tivesse feito isso, pensou Rich, golpeando com o punho a palma da outra mão. Talvez... se aquele judeu mestiço não tivesse aparecido.

— *Algum problema, srta. Naomi?*

— *Não, Moses, nenhum. Apenas um rato de hipódromo. Como está nosso potro?*

E ela se retirara, requebrando, agitando a saia, para acariciar seu potro campeão. E Rich não tivera escolha senão voltar para casa, para os sujos e sombrios aposentos que alugara, e socar, em vez do belo rosto de Naomi, o rosto pálido e familiar de sua esposa.

Ela se julgara boa demais para ele. E lhe custara o orgulho naquele dia;

mas ele lhe custaria muito mais. Não fora sua intenção, naturalmente. Ninguém poderia ter previsto que Benny Morales perderia o controle de seu cavalo drogado e se chocaria com o dela tão violentamente.

Mas, apesar disso, pensava agora, tudo dera certo. Mais do que certo, porque ele fora esperto, astuto, e se aproveitara das circunstâncias contra ela. Vingara-se de Naomi; bastante. Mas ainda não o suficiente.

Os dez anos que ela passara na prisão eram apenas parte do débito; o restante seria saldado no sábado.

Kelsey não compareceu ao café da manhã oferecido no dia do Derby na mansão do governador. Além de não estar conseguindo comer, não podia suportar a idéia de ficar muito longe do hipódromo.

A primeira largada seria precisamente às 11h30. Assim como os cavalariços, os jóqueis e os treinadores, Kelsey já circulava pelo hipódromo por volta das seis horas. A idéia de voltar para o hotel ao meio-dia para um cochilo era inconcebível. Em vez disso, permaneceu, juntamente com Boggs e duas ou três pessoas do seu grupo de trabalho, mordiscando um frango frito que comprara.

— Ainda está aí? — Moses sentou-se no chão ao lado dela e remexeu o embrulho do frango, na esperança de encontrar uma coxa.

— E onde mais eu deveria estar? — Kelsey comia mais por nervosismo do que por fome, e empurrava o frango com um refrigerante.

— Você poderia ficar no camarote. O espetáculo vale a pena. As áreas próximas à cerca já estão lotadas, e não vai levar muito tempo até que as arquibancadas também estejam.

— Estou nervosa demais. Além disso, não quero microfones e câmeras na minha cara.

— Você também não vai conseguir evitá-los ficando aqui. Sua mãe é uma pessoa de prestígio. Você poderia esconder-se na Sala Vip.

— Ora — Kelsey lambeu os dedos —, aquilo é para homens de negócios; não é um lugar de onde se possa assistir a uma corrida à vontade. Como Naomi está?

— Excitadíssima. Olhando-a não dá para perceber, mas está muito tensa também. Em parte por você estar aqui. Ela quer que você erga aquele troféu com ela.

— Podemos fazer isso, não acha?

— Não vou provocar os deuses e dizer que sim. — Ele relanceou o olhar pelo céu. — Tempo bom. Claro, sem chuva. A pista está rápida.

— Eu estive lá hoje cedo observando a preparação. Como é bonita! Pensei em assistir às corridas preliminares, mas a idéia me fez ficar ainda mais ansiosa. — Uma vez que seu estômago ainda reclamava, Kelsey pegou um outro pedaço de frango. — Viu Gabe?

— Está no camarote com Naomi. Voltará para as recomendações finais a Jamie e ficará enquanto o potro estiver sendo selado.

— As coisas estiveram tão agitadas por aqui ontem, que eu quase não o vi. — E nem uma vez desacompanhado. — Não sei se devo mencionar isso, já que imagino como ele deve se sentir a respeito, mas Boggs acha que viu o pai de Gabe.

— Quando? — Moses perguntou-lhe tão subitamente, que ela se sobressaltou.

— Bem... Quinta-feira, no fim da manhã. Ele disse que não tinha certeza. Moses? — Ela se levantou, pois ele já seguia em direção às baias.

— Esse homem é sinônimo de problema — disse ele com veemência. — De remédio nocivo.

— De remédio nocivo? — Ela quis rir, mas não conseguiu fazer com que os lábios lhe obedecessem à vontade. — O que é isso, Moses?

— Algumas pessoas carregam problemas com elas e gostam de transferi-los para os outros. Rich Slater é assim. — Ele andou apressadamente até a baia de *Pride*, e, tranqüilizado, obrigou-se a relaxar. Os cavalos são animais muito sensíveis. E ele queria *Pride* impaciente, ansioso, mas não assustado. — Se ele estiver no hipódromo, não o quero perto das baias.

— Os guardas não deixarão passar ninguém sem autorização. E Boggs não tinha tanta certeza. Além disso, que tipo de problema Rich Slater poderia causar?

— Nenhum. — Moses acariciou o nariz do potro, e murmurou-lhe algumas palavras suavemente. — Acho que estou tenso também. Slater faz parte do passado. Um passado ruim, mas passado.

— Boggs falou-me sobre a corrida em Lexington, quando *Sun Spot* se acidentou.

— Foi duro. Isso foi muito duro para ela. Slater mexeu em casa de marimbondo naquela ocasião, mas eles acabaram picando a pessoa errada. Benny Morales era um bom jóquei; estava voltando às pistas naquele ano; estivera impedido de correr durante um bom tempo, com algumas costelas quebradas. Cunningham o deixou montar seu potro. Nunca tive certeza se Benny drogou aquele potro por precisar muito daquele dinheiro ou apenas para derrotar o potro dos Chadwick.

Não importava mais a razão, pensou Moses. O pior tinha acontecido.

— Ele montava para Three Willows, mas, num dos treinos matinais, foi violentamente derrubado pelo cavalo. Levou um ano e meio para conseguir pôr-se de pé novamente. O sr. Chadwick ofereceu-lhe um emprego. Treinador-assistente. Mas Benny queria montar, para recuperar a autoconfiança. Por isso, Cunningham o deixou montar seu potro.

— E ele estava em condições?

— Não sei dizer com certeza. Tomou muitos analgésicos. Esforçou-se quase até a morte para recuperar seu peso. Mas não havia muitos interessados; por isso Cunningham o contratou por alguns trocados. Mas, no final das contas, isso acabou custando-lhe mais do que a carteira vazia. Bem — ele acariciou *Pride* novamente —, isso é passado. Temos uma nova corrida aqui. *A* corrida. Já está quase na hora de levar nosso garoto para o padoque.

Um cavalo faria a caminhada das baias até o padoque no primeiro sábado de maio apenas uma vez. Pouco menos de três anos antes, ele teria cabriolado alegremente ao lado de sua mãe nos pastos verdejantes. Os primeiros passos a caminho de um sonho. Logo depois, teria desfilado sua graça pela vastidão dos prados e apostado corrida com seus companheiros ou com a própria sombra. Treinando e crescendo enquanto seus músculos e ossos se desenvolviam, aprendendo o poder e a poesia dos movimentos exclusivos da raça. Reagiria ao bridão e ao peso de um homem em seu dorso pela primeira vez em algum amanhecer.

Teria sido conduzido um dia a um portão de aço e estimulado a aceitar o confinamento. Teria sido treinado na guia, no redondel de adestramento. Teria aprendido a reconhecer o cheiro do seu cavalariço e a sentir o calor nas pernas e o chicote no dorso.

E faria aquilo para o que havia nascido. Correria.

Mas faria aquele percurso, naquela corrida, apenas uma vez. Não haveria a segunda oportunidade.

Às 5h06 eles estavam no padoque, enquanto *Pride* era selado em sua baia. As tatuagens eram checadas, assim como as cores e os sinais dos dezessete participantes. Uma corrida igual a qualquer outra, mas, ao mesmo tempo, diferente de qualquer uma delas.

Houve apenas um caso de arranhão durante os dias que antecederam o evento. E ninguém fizera comentários sobre o potro da Califórnia, que havia sofrido um pequeno acidente nos treinos da manhã, ferindo uma pata.

Um azar.

Nas instalações que abrigavam os jóqueis, procedia-se à pesagem. Cento e vinte e seis libras; nem acima, nem abaixo disso, incluindo a sela. Reno subiu na balança e olhou o mostrador, sorrindo. As horas gastas na sauna tinham valido a pena. Momentos depois, com suas vestes de sedas brilhantes, os jóqueis desciam do segundo andar, onde ficavam seus aposentos, e encaminhavam-se para o padoque.

Os momentos de espera estavam quase terminando.

Nas arquibancadas, as pessoas se inquietavam, excitadas, alegres. E a festa prosseguia em algumas partes do hipódromo; aqui e ali, uma garrafa de bebida encafuada numa fôrma de pão sem miolo ou em bolsas de bebê.

O painel de apostas era um jogo de luzes, e os guichês estavam repletos.

Eram 5h15. Os cavalos estavam selados, e os potrilhos que os antecediam até a pista, cobertos de flores, as caudas trançadas. Apesar do céu coalhado de nuvens, o ar estava pesado. A tensão era grande.

— Não se preocupe quanto à liderança — disse Moses a Reno. — Deixe o potro de Kentucky estabelecer o ritmo da corrida até a primeira curva. *Pride* corre bem no bolo.

— Ele avançará como uma agulha — concordou Reno. Embora sua voz fosse serena e despreocupada, Reno suava sob as sedas.

— E converse com ele. Converse com ele. Ele correrá mais do que sabe se você lhe pedir.

Reno abanou a cabeça afirmativamente, esforçando-se para manter o seguro sorriso no lugar. Havia muito trabalho naqueles dois minutos de corrida...

— Senhores jóqueis, queiram montar seus cavalos.

Ao ouvir a chamada do fiscal do padoque, Moses deu um tapinha no ombro de Reno e o ajudou a montar. Eles tornariam a passar pelo túnel agora e seguiriam para a pista.

— Pronta? — Naomi segurou firmemente a mão de Kelsey.

— Sim. — Ela respirou fundo uma vez, e depois outra. — Sim.

— Eu também. — Depois de dar uns poucos passos adiante, Naomi abanou a cabeça. — Espere um minuto. — Em seu bem talhado *tailleur* vermelho e com um elegante colar de pérolas, ela deu uma rápida corrida pelo padoque. Estava rindo quando alcançou Moses e passou os braços em torno dele, beijando-o.

— Naomi. — Enrubescendo num misto de orgulho e embaraço, como um estudante que tivesse sido surpreendido beliscando a líder da torcida organizada, ele se desvencilhou dela. — O que há com você? Há...

— ... gente olhando — completou ela e o beijou novamente. — Para o inferno com sua reputação, Moses. — Ela ainda estava rindo ao retornar correndo para junto de Kelsey. — Bem, isso põe fim à questão.

Divertida e inusitadamente comovida, Kelsey acompanhou as rápidas passadas da mãe.

— É?

— Uma questão pendente há mais tempo do que eu me daria ao trabalho de calcular. Ele não queria que tornássemos público nosso relacionamento, porque achava que seria impróprio para uma mulher na minha posição. — Ela jogou os cabelos para trás. Deus, ela se sentia rejuvenescida e livre, e incrivelmente feliz. — Puro orgulho masculino, naturalmente, que eles parecem trazer em seus calções.

Kelsey riu.

— Por que não se casa com ele?

— Porque ele nunca me pediu em casamento. E tenho muito orgulho feminino para pedir-lhe isso. Por falar em homens... — Gabe caminhava na direção delas. — Eu gostaria de lhe dizer, antes que ele possa me ouvir, que esse que aí vem é um dos mais encantadores exemplares da espécie que eu já vi.

— Tem algo de especial no olhar — murmurou Kelsey. — E na boca. E nos malares. — Os lábios de Kelsey curvaram-se manhosamente. — E, claro, tem um incrível traseiro.

— Sim, eu já havia percebido. — Naomi riu. — Ter idade suficiente para ser mãe dele não me atrapalha a visão.

— Senhoras. — Gabe inclinou a cabeça. Quando duas mulheres mostram esse brilho no olhar, alguma coisa de especial está acontecendo. — Posso saber qual é a piada?

Mãe e filha entreolharam-se e abanaram a cabeça ao mesmo tempo.

— Não. — As duas passaram um braço em cada um dos braços de Gabe, e os três seguiram para o camarote cantarolando "My Old Kentucky Home."

Bem na parte de trás das arquibancadas, cercado por senhoras usando vistosos chapéus e blusas de seda, Rich Slater agitava seu terceiro copo de uísque misturado com hortelã-pimenta. Os lugares que Bill Cunningham havia reservado para ele não lhe proporcionavam uma excelente visão da pista, mas ele comprara um par de binóculos e com eles observava Gabe, acompanhando as duas mulheres até seu pomposo camarote.

Um tremendo quadro os três formavam, pensou ele. Naomi em seu vistoso conjunto vermelho, a filha em seu vistoso conjunto azul, as duas cabeleiras louras e faiscantes. Como sensuais suportes de livros apoiando um homem alto e bronzeado.

Ele se perguntou se o garoto já tinha levado as duas para a cama. Um sanduíche de louras com quatro pernas e braços leitosos. Ele podia apostar que elas transavam como coelhas.

— Olhe lá, amor, eles não são umas gracinhas, com aquelas flores enfeitando-lhes a pelugem?

Cherri, que havia conseguido ficar mais uma semana com ele graças ao seu insaciável apetite sexual e uma enorme tolerância pelas bebedeiras de Rich, puxou-lhe o braço. Procurando zelar por seus interesses, Rich tornou a situar a atenção no jogo em que se comprazia.

— Claro que são, doçura.

Os cavalos participantes circundavam a pista, os potrilhos seguindo à frente de cada um deles, seus corpos juvenis e enfeitados de flores carregando cavaleiros uniformizados. O potro do Arkansas dançou na pista e tentou morder seu batedor, cujo cavaleiro ajudou o jóquei a acalmá-lo. Os demais prosseguiram, avançando a meio galope em torno da pista, sob os silvos e aplausos do público.

— É incrível — disse Kelsey. — Tudo isso. Incrível. — Ela abanou a cabeça quando Gabe lhe ofereceu um drinque. — Não consigo nem respirar direito, muito menos beber. Oh, meu Deus, eles estão sendo posicionados nos portões.

Todos estavam em seus lugares: cavalos, jóqueis, assistentes, fiscais. Dois juízes mantinham-se do lado de fora da cabine da direção do evento, observando com binóculos a execução dos procedimentos finais, aguardando o momento da largada. Um terceiro permanecia dentro da cabine, de olho em dois monitores de televisão. Outros se postavam próximo aos portões de largada e à linha de chegada.

Da cabine de comunicação, ouviu-se:

— É chegado o momento da largada.

Antes, anunciava-se a autorização da largada com um chicote. Agora o sinal era dado pelo simples apertar de um botão, seguido da palavra que todos esperavam ansiosamente ouvir.

— Partiram!

Um mergulho portão afora, o poderoso bramido do público, e os primeiros metros da pista eram devorados pelo impetuoso avanço de patas. Kelsey teve a impressão de que seu coração saltara para a garganta e ali permanecera.

Muitas cores, muitos sons perdiam-se no ofuscamento de olhos fascinados, nos batimentos cardíacos acelerados. O bolo passou pelas arquibancadas e pela curva da sede do hipódromo. O primeiro quarto do percurso foi feito em pouco mais de vinte e dois segundos, com o potro de Kentucky, o favorito, seguindo na liderança.

Com os binóculos quase colados nos olhos, Kelsey tentava localizar *Pride*. Seu pêlo lustroso e as cores do jóquei saltaram-lhe familiarmente à vista quando ele arrancou por entre os demais, quase junto com o potro de Gabe. *Big Sheba*, a combativa égua de Cunningham, também deixou os demais para trás e meteu-se entre os dois.

— Ele está ultrapassando! Ultrapassando! — Ela estava gritando, embora não percebesse. Sua voz perdia-se no vozerio geral. Os dedos de Naomi estavam em seu braço, apertados.

Pride superou *Midnight Hour* por meio-focinho na metade do percurso, exatos quarenta e cinco segundos, com Reno curvado sobre seu dorso.

Kelsey observava o vôo, o movimento de braços vestidos de seda golpeando o dorso dos animais com o chicote, a incrível força de longas e esguias pernas em movimento.

Midnight Hour passou para a quarta colocação, cavalo e jóquei lutando para alcançar a cerca.

Na terça parte do percurso, *Pride* superou os demais, pescoço, meio-corpo, mas o potro de Longshot forcejou um pouco mais e recuperou o terreno perdido. Uma corrida entre dois cavalos, diriam alguns, com a valorosa potranca de Cunningham a dois corpos atrás quando completaram a milha.

O potro do Arkansas irrompeu do meio do bolo, tentando ganhar terreno num esforço impressionante e levando o público ao delírio.

E, então, aquele último arranco para alcançar a linha de chegada. Tudo ou nada.

As coisas aconteceram muito rapidamente, a poucas dezenas de metros da linha de chegada. *Pride* aparentemente tropeçou, suas pernas vigorosas dobrando-se como se fossem frágeis palitos de fósforo. Reno, surpreendido pelo infortúnio, foi violentamente arremessado para frente e rolou na pista como uma pedra. Enquanto cavalos e jóqueis esforçavam-se para seguir adiante e desviar-se do obstáculo vivo em meio à nuvem de poeira, o potro ainda fez uma patética tentativa de se levantar, mas suas pernas injuriadas dobraram, e ele permaneceu no chão.

Double or Nothing cruzou a linha de chegada em dois minutos, três segundos e quarenta e cinco centésimos. Logo depois de os últimos cavalos cruzarem também a linha de chegada, cavalariços surgiram de todas as partes e invadiram a pista para tentar ajudar o campeão acidentado.

CAPÍTULO 16

NÃO HOUVE JÚBILO DE VITÓRIA PARA GABE NO CÍRCULO DO VENCEdor. Um troféu de ouro, a manta estampada com rosas da cor do sangue. Câmeras ansiosas, operadores procurando captar a melhor imagem do vencedor do Derby, o potro campeão da Virgínia com suas sedas vermelhas e brancas sujas de poeira e molhadas de suor. O jóquei inclinou-se por sobre o lustroso pescoço de *Double*, para receber suas flores, o rosto entristecido em vez de triunfante enquanto acariciava o potro.

— Sr. Slater. — Foi tudo o que ele pôde dizer quando Gabe lhe apertou a mão. — Oh, Deus, sr. Slater.

Gabe apenas abanou a cabeça afirmativamente.

— Você fez uma bela corrida, Joey. Bateu o recorde do Derby.

Os olhos de Joey, marcados com dois círculos de sujeira em torno da área de proteção dos óculos de jóquei, não evidenciaram nenhuma satisfação.

— Reno? *Pride?*

— Não sei bem ainda. Relaxe um pouco, Joey. Você e o potro venceram a corrida. — Os braços de Gabe envolveram o pescoço de *Double*, ignorando a mistura de suor e poeira. — Cuidaremos do resto mais tarde. — Ele se virou para Jamison, tentando escapar às lentes das câmeras e às perguntas a ele dirigidas. — Você estava mais perto, Jamie. Sabe dizer o que aconteceu?

O rosto quase translúcido pelo choque, os olhos vitrificados, Jamison olhava fixamente para o ramalhete de rosas apoiado no braço.

— Ele tropeçou, Gabe. Aquele potro simplesmente tropeçou. — Ele ergueu o olhar em seguida, uma chama de desespero assomando-lhe em meio ao choque. — *Double* o teria ultrapassado. Ele o teria ultrapassado próximo à linha de chegada. Eu sei disso. Eu pressenti isso.

— Isso agora não importa, não é mesmo? — Gabe pousou uma das mãos em seu ombro, solidário. O gosto da vitória pode ser amargo, mas ele não podia recusar.

Os guardas mantiveram os repórteres e os admiradores a distância. Kelsey podia ouvir-lhes as vozes por detrás do biombo e ver-lhes as sombras. Eram aplausos, perguntas e respostas. Um mundo bem diferente daquele atrás das finas e brancas paredes do biombo, que separava vida e morte. Ali, o único som que se ouvia era o choro discreto de Naomi.

— Moses. — Ele tentava consolar Naomi, acariciando-lhe os cabelos, abraçando-se a ela e à sua tristeza. — Oh, Moses, por quê?

— Eu não deveria ter apostado. — De pé, Boggs, com lágrimas escorrendo pelo rosto, agarrava a sela de *Pride* junto ao peito arquejante. — Não deveria.

Suavemente, Kelsey correu a mão sobre o pescoço de *Pride*. Tão macio, pensou ela. Mas sem vida. A pelugem suja, um testemunho de seu esforço. Ele deveria ser lavado, pensou ela tristemente. Lavado e escovado e recompensado com maçãs, que ele tanto apreciava.

Ela prolongou o último afago e depois obrigou-se a levantar. Kelsey pegou os anteolhos sujos de poeira e os colocou sobre a sela.

— Leve as coisas dele de volta para as baias, Boggs.

— Não é justo, srta. Kelsey.

— Não, não é. — E o coração dela doía pela terrível injustiça do ocorrido. — Mas cuide das coisas dele, como sempre. Precisamos tirar minha mãe daqui.

— Alguém precisa ficar... alguém precisa acompanhá-lo.

— Eu vou ficar.

Olhos marejados de pranto, ele a olhou e depois concordou com um aceno da cabeça.

— Tudo bem. — Como um escudeiro carregando a espada e o escudo de seu guerreiro, ele se virou e deixou o local.

Ultrapassando seu autocontrole, Kelsey agachou-se.

— Moses, ela precisa de você. Você a levará de volta ao hotel?

— Há muita coisa para fazer aqui, Kelsey.

— Eu cuidarei do que for possível. O restante terá de esperar. — Ela pôs uma das mãos nas costas de Naomi e a moveu gentilmente para cima e para baixo, tentando diminuir seu tremor. — Mamãe. — Apenas Moses notou que era a primeira vez que Kelsey usava a palavra. — Vá com Moses agora.

Arrasada pelo sentimento de culpa e de tristeza, Naomi se levantou logo que Moses procurou colocá-la de pé. Tornou a olhar para o potro. *Virginia's Pride*, pensou ela. O seu orgulho.

— Ele tinha apenas três anos — murmurou ela. — Acho que não consigo ter nada por mais tempo do que isso.

— Não fale assim. — Embora tivesse seus próprios demônios para vencer, Kelsey segurou a mão de Naomi. — Há muitas pessoas lá fora. Você precisa passar por elas.

— Sim. — Ela fechou os olhos. — Preciso passar por elas.

Kelsey conduziu-a para fora do biombo, sobressaltada ao se deparar com o barulho e a pressão dos corpos dos curiosos que se comprimiam atrás do cordão de isolamento. Ela sabia que iria lembrar-se disso durante toda a sua vida — a emoção da corrida, o choque no momento da queda. O incentivo e os gritos da torcida, que silenciara súbita e sinistramente. A forma como os cavalariços correram em direção ao local fatídico, e toda a confusão para retirar o cavalo e o jóquei da pista.

Quantas vezes ela fecharia os olhos e ainda veria as pernas de *Pride* dobrarem-se em ângulo tão estranho?

Ou ouviria o choro manso e abafado de sua mãe?

— Kelsey. — Gabe viera correndo do círculo do vencedor até as baias, ainda sustentando um fio de esperança, que se partiu no momento em que olhou para o rosto dela. — Maldição. — Ele a puxou de encontro a si e a abraçou. — Tiveram de sacrificá-lo?

Ela se concedeu um momento de silêncio, apenas um momento, enquanto mantinha o rosto aninhado em seu tórax.

— Não. Ele já tinha morrido. Boggs foi o primeiro a aproximar-se dele, mas tudo já havia terminado.

— Sinto muito. Deus, sinto muito. Reno?

Ela inspirou fortemente, tentando restabelecer as forças.

— Eles o levaram para o hospital. Os enfermeiros acham que o caso não é grave, mas estamos aguardando mais notícias. — Ela se aprumou e enxugou as lágrimas do rosto com a mão. — Preciso cuidar do restante das coisas.

— Não sozinha.

Ela abanou a cabeça. Se se apoiasse nele novamente, desmontaria.

— Preciso fazer isso. Por minha mãe. Pelo potro. Vejo você novamente no hotel mais tarde.

— Não vou deixá-la aqui sozinha.

— Boggs estará comigo, e o restante da equipe também.

O calor desapareceu de seu olhar. Ele deu um passo atrás, aumentando a distância entre eles, e balançou a cabeça brusca e afirmativamente.

— Está bem. Vou sair do seu caminho. Se precisar de algo, Jamie estará por perto.

— Obrigada.

Foi um pesadelo. Por volta da meia-noite, quando Kelsey retornou ao hotel, suas emoções pareciam uma ferida aberta. Soube que os fiscais da corrida já haviam falado com Moses e sua mãe. Eles lhe haviam dito que ela não tinha apenas perdido um potro campeão. O acontecimento não fora apenas uma questão de destino ou de azar de Boggs.

Tratava-se de *assassinato.*

Alguém injetara uma dose letal de anfetaminas em *Pride.* Uma droga que lhe sobrecarregara a função cardíaca e que, enquanto ele galopava valorosamente, causou-lhe o esgotamento de toda a sua adrenalina e espalhou-se rápida e vorazmente por todo o seu sistema nervoso, até que, a poucos metros da linha de chegada, seu coração parasse de funcionar.

Agora, Three Willows e todos os envolvidos com ela teriam de enfrentar perguntas, especulações e uma investigação. Teriam drogado o cavalo e errado no cálculo da dose, confiantes de que, de alguma forma, talvez ela não fosse encontrada na saliva de *Pride?*

Ou alguma outra pessoa, um concorrente, teria *dado um jeito* no cavalo e em suas chances de vitória? Ou alguém que quisesse tanto vencer o Derby, que assassinaria o cavalo e colocaria em risco a vida do homem que estivesse em seu dorso?

Hesitante, Kelsey deteve-se diante da porta da suíte de sua mãe. O que mais poderia ser dito lá dentro? Naomi tinha Moses para confortá-la, para incutir-lhe bom ânimo.

Ela se virou para a porta de seu quarto, mas não conseguiu entrar. Apesar do terrível cansaço, uma impiedosa energia continuava a estimular sua mente e a conduziu corredor adiante; ela bateu à porta de Gabe.

Ele não estava dormindo nem a esperava; certamente não depois que ele soube o que acontecera a *Pride*. Mas ela estava lá, os olhos embaçados, o rosto tão suavemente pálido, que parecia poder ser atravessado. Gabe simplesmente se afastou e a deixou entrar.

— Você soube?

— Sim, soube. Sente-se, Kelsey, antes que você desmaie.

— Não posso. Acho que, se eu me sentar, nunca mais me moverei. Alguém o matou, Gabe. É o que tudo indica. Alguém queria tanto que *Pride* ficasse fora da corrida, que o assassinou.

Ele cruzou a sala até o bar e abriu uma garrafa de água mineral.

— Meu potro venceu.

— Sim, sinto muito por não lhe ter dado os parabéns, mas... — Ela o fitou nos olhos e interrompeu seus movimentos. — Você acha que eu vim aqui para acusá-lo? Ou mesmo perguntar se você teve algo a ver com isso?

Embora o sangue de Gabe lhe fervilhasse nas veias, suas mãos permaneceram firmes, despejando a água gasosa sobre os cubos de gelo.

— É uma atitude razoável.

— Para o inferno com isso. E para o inferno com você se faz uma idéia tão mesquinha de mim.

— *Eu* faço uma idéia mesquinha de você? — Sua risada foi rápida e estridente. — O que eu penso ou acho sobre você, Kelsey, não vem bem ao caso. O fato é que o seu cavalo está morto e que o meu me fez botar as mãos numa bolada próxima a 1 milhão de dólares em pouco mais de dois minutos. Isso é um bom motivo para cometer um assassinato, e você não será a única a pensar dessa forma.

— Então. — Ela repeliu o copo que ele lhe ofereceu, derramando água no tapete. — Fatos e lógica, então. Você se esqueceu de uma coisa, Slater. Caráter.

— Tudo bem. Esqueci. — Afastando o copo dela, ele bebericou calmamente. — Bem, o meu é bem manchado.

— Permita-me dizer algo a seu respeito, Gabriel Slater, seu durão, espertalhão. Você se derrete todo por causa daqueles cavalos. E gosta tanto deles, sente tanto fascínio por eles, que parece uma adolescente sonhando com *O Corcel Negro**. — Ela jogou a cabeça para trás, divertida por ver os controlados olhos de Gabe arregalarem-se de espanto.

— O que exatamente você quer dizer com isso?

— Você os ama. Você os ama até as entranhas. Acha que ninguém ficou sabendo que tentou comprar a potranca de Cunningham porque se preocupa com os maus-tratos que ela sofre?

O seu escudo ruiu novamente, mas, antes mesmo de isso acontecer, ela já o podia compreender e prosseguiu em sua investida.

— Você acha que os seus empregados não conversam com os nossos sobre o quanto você gosta de brincar com os filhotes, como se fossem todos bebês, ou sobre o fato de você ficar acordado até altas horas da noite quando um dos seus cavalos adoece? Você é um pai coruja, Slater.

— Tenho um investimento.

— Você tem um caso de amor. E uma outra coisa — prosseguiu ela, cutucando-lhe o tórax com o dedo em riste. — Não gosto que me diga o que imagina que estou pensando, pois somente *eu mesma* conheço os meus pensamentos. Você queria vencer aquela corrida tanto quanto eu; e "arranjar" uma corrida não é o mesmo que vencê-la. Por ter lutado contra tantas adversidades, você deveria saber muito bem disso. Portanto, se vai ficar aí condoendo-se de si mesmo em vez de condoer-se de mim, eu prefiro deixá-lo ao saber de sua equivocada escolha.

— Espere. — Ele lhe agarrou o braço antes que ela disparasse suíte afora. — Você aperta o gatilho com muita facilidade, querida. — Depondo o copo, ele esfregou a mão sobre o peito. — E tem ótima pontaria. Você me atingiu. Podemos nos sentar agora?

— Sente-se você. Prefiro concluir isso de pé.

Não inteiramente certo do que estava sentindo, dividido entre estar embaraçado ou divertido pela precisão das observações de Kelsey, ele se deixou sentar no braço do sofá.

— Sinto muito, Kelsey. Sei que isso não muda muito as coisas, mas eu realmente sinto muito.

— Estou tentando não pensar no quanto estou me sentindo mal agora. Prefiro me preocupar com Naomi.

— Ela superará este momento difícil.

---

* Título de uma obra literária escrita em 1877 por Anna Sewell (*Black Beauty*), mais tarde transformada em filme e em programa de televisão. (N. do T.)

— Acho que todos nós superaremos. — Ela se demorou junto à mesa, pegou um dos copos e molhou a garganta ressecada. — Foi horrível quando eles me falaram sobre a droga. Foi como se eu o estivesse perdendo pela segunda vez. Estão inspecionando as maletas dos veterinários. Examinando cada agulha. Mas, mesmo que eles encontrem algo, que diferença fará? *Pride* está morto.

— Se o Comitê Organizador encontrar a agulha que o matou, será mais fácil descobrir quem a usou.

Ela sacudiu a cabeça.

— Não, não acho que a encontrarão. Não posso crer que alguém tenha tido a imprudência de abandoná-la no hipódromo ou que tenha deixado impressões digitais ou qualquer outro indício. — Inquieta, ela enfiou as mãos nos bolsos e, logo em seguida, as retirou.

— Quando eu descobrir quem fez isso, e eu vou descobrir, vou querer que ele sofra. — Ela pegou o copo novamente, olhou para a água e observou as minúsculas borbulhas subindo. — Ele destruiu o coração do potro. Literalmente, ele o destruiu. — A comoção a dominou, mas ela sufocou o choro. — Reno deslocou o ombro, quebrou uma clavícula, mas não passou disso. Graças a Deus.

— Joey me contou. Você o terá de volta no dorso de um cavalo em poucas semanas, Kelsey.

— Talvez para participar da Preakness*. — Força, ordenou ela a si mesma. Pense no amanhã. — Você conhece o nosso potro *High Water*. Ele poderia sair-se bem.

— É isso aí, garota — murmurou ele.

Ela sorriu.

— Precisaremos trabalhar muito, logicamente. Eu vi levarem *Pride* embora hoje, e isso me doeu muito. Nunca tinha perdido ninguém de quem gostasse tanto. Nem imaginei que a primeira vez fosse com um cavalo. Eu gostava tanto dele!

— Eu sei.

— Sim, sabe. — Ela caminhou até Gabe e pousou a mão no rosto dele. — Perdoe-me se fui fria quando você me pediu que eu o deixasse fazer-me

* Nome de uma importante corrida para cavalos de até 3 anos de idade realizada no Estado de Maryland anualmente. O cavalo que vencer no mesmo ano a Preakness, o Kentucky Derby e o Belmont Stakes ganha o título da Tríplice Coroa (Triple Crown). (N. do T.)

companhia. Eu teria desmontado se tivesse permitido e sabia que poderia enfrentar aqueles momentos sozinha.

— Achei que você não me queria por perto porque isso a faria lembrar que eu tinha vencido o Derby.

— Fico contente por você ter vencido. Foi a minha única alegria do dia. Se tivesse sido possível, eu teria ido assistir você entrar no círculo do vencedor. E teria adorado ver a entrega do troféu. — Lembrando-se de algo, ela deu uma breve risada e enfiou a mão no bolso. — Deus, eu esqueci. Vê? — Ela mostrou a ele dois bilhetes de aposta; um em *Pride*, outro em *Double*. — Apostei nos dois.

Ele fitou os bilhetes, sentindo-se tão sensibilizado pelo que eles representavam quanto teria sentido por uma declaração de um amor sem fim.

— A mesma quantia apostada nos dois cavalos.

— Acho que os dois tinham a mesma importância para mim.

Gabe ergueu o olhar. O rubor com que o estado emocional lhe havia colorido o rosto poucos minutos antes desaparecera, devolvendo-lhe a alvura da mais pura porcelana. A mão em sua cabeça era suave, longa e fina; Kelsey ainda usava a roupa de seda azul que vestira para a corrida.

Ele ergueu uma das mãos e percorreu os dedos sobre fios de cabelo que haviam escapado da trança. Eles tinham as cores do trigo ao sol da tarde.

O toque e o silêncio repentino fizeram o coração de Kelsey disparar. Estava cansada, lembrou-se. Esgotada. Passara horas enfrentando e evitando repórteres, respondendo a perguntas, rechaçando especulações do que certamente seria apenas a primeira de uma série de agressivas abordagens do caso pela imprensa sensacionalista. Portanto, como ainda lhe restava energia para sentir-se tão excitada?

— Já é tarde. Preciso ir. — Ela não se desvencilhou bruscamente de seu afago, mas alcançara a porta quando ele se levantou. — Preciso saber como Naomi está.

— Moses está com ela.

— Mesmo assim.

Ele sorriu, lentamente, seus olhos fixos nos dela, calorosos.

— Mesmo assim — ele repetiu.

— Foi um longo dia.

— O mais longo de todos. Do tipo que esgota as emoções. Você sabe que é muito excitante poder ver estampado em seu rosto tudo o que você está sentindo? — Ele se aproximou dela, mas não a tocou. — Nervosismo, aflição, incerteza... Desejo.

Como poderia não estar se a consumiam?

— Não sou muito boa nessas coisas, Gabe. Você já deveria saber disso.

— Não é boa em quê?

— Em... — Ela esbarrou numa cadeira enquanto recuava, xingou e desviou-se dela. — Nessa coisa de sedução, rendição, satisfação. E em escolher o momento.

— É um saco — completou ele a seu modo. — Escolher o momento certo é um saco. — Ele poderia dar um passo atrás e deixá-la ir, sofreria, mas poderia fazer isso. — Você vai ter de me dizer que não me quer. Agora. Sim ou não, Kelsey. Aqui e agora.

— Estou tentando, mas preciso pensar. — Ela se sobressaltou quando ele ergueu as mãos e as espalmou na parede, ladeando a cabeça dela.

— Você acha que é arriscado, mas ainda não se deu nem mesmo ao trabalho de avaliar bem os riscos. — A velha temeridade o dominava, conduzindo-o. Era perder ou ganhar; ele toparia a corrida. — A parada é alta, e é sempre mais seguro passar. É o que você deseja? Segurança?

Pouco se dando conta de que estava se movendo, Kelsey balançou a cabeça lenta e mecanicamente, de um lado para o outro. Por não conseguir desviar os olhos dos dele, viu neles o brevíssimo lampejo de triunfo.

— Para o inferno com os riscos. — Ele a puxou de encontro a si. — Vamos jogar.

Kelsey abandonou lógica e cautela; não as queria naquele momento. Tudo o que queria era exatamente o que ele lhe dava: a boca faminta, a urgência das mãos. Quaisquer que fossem os riscos, ela entrara no jogo.

Involuntariamente, Kelsey prendeu a respiração quando ele a pressionou contra a parede e puxou-lhe a jaqueta dos ombros. Ela não imaginara que houvesse tanto desejo nele. Tampouco nela mesma. Mas seus dedos procuravam a camisa de Gabe, rasgando-lhe o tecido, arrancando-lhe botões à procura da fundamental sensação da pele.

Ele estava sob o império das mãos dela, que lhe percorriam a rigidez dos músculos e a textura da pele. Movida por um surto de grande volúpia, colou sua boca na dele, desejando mais.

Ela não queria palavras suaves nem mãos delicadas. Algo parecia prestes a explodir dentro dela, e queria que isso acontecesse logo, com força e potência. Possua-me. Esse era o único pensamento que dominava sua mente e seu sangue. Ela ouviu o próprio riso, rouco, ofegante e estranho, ao sentir a boca de Gabe desenhar uma trilha de fogo em seu pescoço, descendo por ele e prosseguindo pelo ombro desnudo, desprotegido, pelo arriar da blusa.

E foi esse riso que lhe anulou o frágil verniz de civilização. Com o que se assemelhou a um rosnado, ele segurou as mãos de Kelsey e as levantou acima de sua cabeça. Ela tremia, mas seus olhos estavam embaçados pela paixão e pelo desafio.

Com os pulsos presos pelas mãos dele, ela o deixou rasgar sua blusa, fazendo voarem os minúsculos botões dourados. Seu corpo fremia como a corda tangida de um instrumento musical, mas seu olhar não vacilou uma vez sequer.

Havia seda sob a seda, uma fina e pequena peça que lhe cobria parcamente os seios. Ele olhou ao rosto de Kelsey enquanto deslizava uma das mãos por sua perna, alcançando a extremidade superior de sua meia-calça e a orla de mais seda. Observou-lhe os olhos revirarem-se quando ele ardeu no fogo que ateara, mergulhando temerariamente.

Ela gritou, chocada, invadida, corcoveando contra a mão tateante, como se fosse um mustangue reagindo contra a primeira impostura do peso de um homem em seu dorso. Ondas de sensações a dominavam, asfixiando-a e atordoando-a de calor, fazendo-a contrair o estômago, ofegante, em êxtase. Ela sacudia a cabeça enquanto seu corpo explodia de prazer.

Seu gozo foi como um gêiser, borbulhando das entranhas, rompendo cada vez mais próximo da superfície. Irreprimível. Quando ela se acreditou esgotada, quando a calidoscopia diante de seus olhos se apagava, ele recomeçou tudo.

As mãos dele, rudes e decididas, tentavam tirar-lhe a saia, enquanto sua boca percorria avidamente a seda que lhe descobria os seios e, descendo, provocou-lhe novo pulsar. O sabor de sua pele era exótico, temperado com suor, mas leve como a água. Ele podia ouvir-lhe de quando em quando os gemidos de prazer que pareciam fechar-lhe a garganta, enquanto seu coração disparava sob as mãos de Gabe, sob sua boca.

Suas unhas percorriam, selvagens, as costas dele, seu corpo contorcendo-se e tremendo sob as mãos dele.

As mãos dos dois enredaram-se numa corrida frenética para ajudá-lo a livrar-se das calças.

No instante em que se viram livres de panos, calcinhas e cuecas, ele mergulhou na intimidade de Kelsey, profunda, intensamente, seus dedos incontroláveis cravejando-lhe a cintura macia de insensíveis machucados. Duplos gemidos vibraram no ar quando ele a conheceu, quando ele abriu e sustentou-lhe as pernas nos braços para penetrá-la melhor. Ele procurou a boca de Kelsey novamente, e as duas bocas engoliram seus próprios gemidos enquanto o ardor de seus corpos os conduzia às culminâncias do intenso encontro.

Kelsey descansava a cabeça no ombro de Gabe. Seus membros, pouco antes tão ativos e cheios de energia, estavam moles, como papel molhado. Se ele não a estivesse pressionando contra a solidez da parede, ela teria escorregado para o chão, como se seu corpo não tivesse um osso sequer com que se sustentar.

— Quem venceu? — ela conseguiu articular.

Com o fôlego que ainda lhe restava, ele riu.

— Empatamos. Minha nossa, você é espantosa.

Ela ainda não tinha energias para questionar. A única coisa que lhe ocorreu quando a sua mente começou a recuperar a lucidez foi que acabara de fazer amor de pé, frenética e violentamente, e que o que restava das roupas dela e dele estaria provavelmente espalhado e em farrapos a seus pés.

— Isso nunca me aconteceu antes. Nada parecido com isso...

— Ótimo. — Percebendo que eles poderiam passar a noite inteira encostados à parede, como bêbados, ele a pegou no colo.

— Não, quero dizer... — Notando, vagamente, que ainda calçava um dos pés de seu par de sapatos altos, ela sacudiu a perna com displicência para se livrar dele. — Quero dizer, nunca... Quando eu era casada, nós apenas... Quero dizer. Ah, não importa.

— Não pare. — Ele a carregou até a cama. — Adoro comparações. Quando elas me favorecem.

— É a única que eu tenho. Com exceção de Wade... não houve mais ninguém a não ser Wade.

Ele interrompeu o movimento de levá-la para a cama e semicerrou os olhos.

— Não houve ninguém antes dele?

Esse era o seu problema na cama, pensou Kelsey tristemente. Falava demais.

— E então?

— Então. — Gabe estreitou-a nos braços e a beijou novamente. Talvez fosse uma antiquada e machista fantasia imaginar-se o único. Mas ele decidiu eliminar Wade e aproveitar. Deixou-a cair na cama de uma altura suficiente para fazê-la quicar duas vezes antes de se acomodar.

— O seu ex não foi apenas um filho da mãe; foi um idiota também.

— Obrigada, também acho. — Quando ele continuou a observá-la, Kelsey tentou segurar instintivamente a alça da blusa, descobrindo que ela arrebentara. — Acho que você vai ter de me emprestar um roupão ou outra coisa qualquer para eu poder voltar ao meu quarto.

Ele estava sorrindo quando subiu na cama e a cobriu.

— Falo sério, Gabe. Não posso passar pelo corredor usando essa blusa. — Ela sentiu o amarfanhado farrapo de seda embaixo deles. — Ou o que restou dela.

— Fica ótimo em você. — Ele deslizou a mão pelo corpo dela até aninhar um dos seios na palma. — Mas acho que agora vou mantê-la o resto da noite longe do seu quarto.

— Agora? — Seu coração disparou quando ele lhe acariciou preguiçosamente o mamilo com o polegar. — Talvez eu não consiga. Talvez você não consiga.

Ele ergueu uma das sobrancelhas enquanto aproximava a boca sorridente da boca de Kelsey.

— Quer apostar?

Ela teria perdido. Muitas vezes. Quando a aurora começou a atravessar as janelas, ela estava esparramada sobre ele, seu corpo ainda trêmulo do último orgasmo, sua mente muito aérea para adormecer.

— Preciso ir. Preciso voltar ao hipódromo.

— Você precisa dormir e comer quando acordar. Depois disso, nós iremos ao hipódromo.

— Temos como conseguir café? — Kelsey começava a arrastar as palavras, enquanto uma sensação de intensa fadiga a dominava completamente.

— Claro. Basta pedirmos. — Ele lhe afagou os cabelos, as costas, não para excitá-la dessa vez, mas para adormecê-la. — Desligue a tomada por algum tempo, querida.

— Que horas são?

Ele consultou o relógio e mentiu sem hesitar.

— Quase quatro — informou, embora já passasse das seis.

— Está bem. Só duas horas. — Kelsey sentiu-se como tragada por um túnel, absolutamente leve. — Um rápido cochilo.

Ele a acomodou gentilmente, tirando-lhe os cabelos do rosto, estendendo o amarrotado lençol sobre ela. Seu rosto ainda estava pálido, e as olheiras lembravam manchas no mármore. Ele a observou dormir alguns minutos e, diante disso, apaixonou-se.

Pouco à vontade com essa sensação, ele pulou dela e da cama. Lembrou-se de que uma boa relação sexual, independente do afeto envolvido, estava longe de ser amor.

Ele a desejara. E, finalmente, a possuíra. Isso não significava que ele tinha de saber o que aconteceria depois. Tanto quanto de um amante, ela precisava de um amigo. Uma vez que ele pretendia ser tanto um como outro, era melhor começar sendo amigo dela.

Gabe tomou um banho e, quando retornou para vestir-se, observou que ela não se mexera. Sem considerar sutilezas de educação, pegou a bolsa de Kelsey, onde encontrou sua carteira, um pacote de lenços de papel do tamanho da palma da mão, uma agenda com capa de couro e, para sua grande e deleitante surpresa, um esgaravatador de cascos. A chave do quarto estava guardada num bolsinho com zíper, junto com um batom, um pequeno vidro de perfume, que ele se permitiu aspirar, e uma cédula de 20 dólares. Itens, supôs, que mulheres como Kelsey gostavam de ter sempre à mão.

Guardou a chave em seu bolso e deixou Kelsey dormindo.

Sua primeira parada foi na suíte de Naomi. Moses abriu a porta à primeira batida. Parecia tenso e cansado, mas estendeu a mão a Gabe com um sorriso sincero.

— Não tive a oportunidade de lhe dar os parabéns. Seu cavalo fez uma bela corrida.

— Ele teve concorrentes à altura. Mas não era assim que eu queria vencer o Derby.

— Acredito que não. — Moses o introduziu na suíte, com um tapinha nas costas. — É um momento difícil, Gabe. Para todos nós. Agora, que sabemos algo a respeito, é mais difícil ainda.

— Não houve mais notícias, presumo.

— A investigação está em andamento. E Three Willows fará uma por conta própria. — Seu olhar endureceu, como ônix, em seu rosto enrugado. — Tudo o que sei é que alguém queria que aquele cavalo morresse. Maldito desperdício.

— O que eu puder fazer... qualquer coisa que alguém em Longshot puder fazer... basta apenas uma palavra sua para que seja feito. Tanto quanto você, desejo intensamente saber quem fez aquilo e por quê. — Gabe deslocou o olhar para a porta do quarto quando ela se abriu.

Naomi chegou à sala. Se ela fosse um pugilista, ele teria todos os motivos para dizer que estava em ótima forma. Nenhum indício da aparente fragilidade que lhe dominava a fisionomia no dia anterior apresentava-se agora. Usava um conjunto roxo-escuro, o mais próprio a seu luto que ela pudera encontrar, exibindo no rosto um olhar de resoluta superação.

Como bem havia dito Gabe, ela superaria aquela situação.

— Que bom que está aqui. — Ela caminhou até ele e lhe abraçou o pescoço, descansando a bochecha contra a dele. — Sei que isso é difícil para você também. — Ela recuou um pouco, mas manteve as mãos apoiadas nos ombros dele. — Muito do que se falará por aí certamente o envolverá. Precisamos unir forças.

— Pode contar comigo.

— Odeio o que aconteceu. Odeio por mim, por você e pelo turfe. Mas nós vamos superar e resolver essa situação. Acabei de marcar uma entrevista coletiva. Gostaria que você estivesse lá.

— Onde e quando?

Ela sorriu e lhe acariciou o rosto.

— Ao meio-dia, no hipódromo. Acho importante que façamos isso lá. Levaremos *Pride* para casa logo após a autópsia. — Ela fez uma pausa e respirou fundo. — Nós dois devemos nos preparar para o intenso assédio da imprensa nas próximas semanas, e, com a Preakness tão próxima, para mais especulações ainda. — Ela piscou, encorajadora. — E trate de vencer essa também, Gabe.

— É o que pretendo fazer.

Satisfeita, ela abanou a cabeça positivamente.

— Vou dar mais uma ou duas horas a Kelsey antes de telefonar para seu quarto. Ela enfrentou muitas coisas ontem. Detestaria pedir-lhe mais o que quer que fosse sem antes deixá-la refazer-se um pouco de tudo o que aconteceu.

— Talvez ela precise mesmo desse tempo. — Ele se sentiu ridículo quando um calafrio lhe percorreu a espinha, e enfiou as mãos nos bolsos, acariciando com os dedos de uma delas a chave do quarto de Kelsey. — Ela passou a noite comigo. Está dormindo agora. Vou pegar algumas roupas no quarto dela e depois vou providenciar um desjejum.

Fez-se um longo silêncio. Cinco segundos. Dez. Naomi o quebrou com um suspiro.

— Fico contente que você tenha estado com ela. Fico contente que tenha sido você.

— Talvez você não fique mais, depois que eu lhe disser que continuará sendo eu.

Ela arqueou uma das sobrancelhas.

— Você está falando em casamento, Gabe? — Pela primeira vez depois de muitas horas, ela riu. — Ah, o rosto sempre empalidece. Coisa de homem mesmo. — Ela lhe golpeou o braço gentilmente com a mão enquanto ele continuava a fitá-la. — Seria melhor você sair daqui, querido, antes que eu comece a fazer-lhe perguntas embaraçosas. Se conseguir trazer Kelsey aqui até por volta das 11 horas, nós todos poderemos ir para o hipódromo juntos. Ah, e pegue o conjunto azul-marinho e a blusa coral para ela.

Naomi conduziu-o até a porta, fechou-a e recostou-se nela.

— Oh, Moses, que terríveis vinte e quatro horas têm sido estas. E agora, ainda que por apenas alguns minutos, eu me sinto tão bem. Você acha que Kelsey sabe que ele está apaixonado por ela?

Tudo que Kelsey sabia era que estava furiosa com Gabe. Ele não apenas a tinha deixado dormir demais, mas também havia saído levando consigo a chave de seu quarto. Ela estava presa, sem uma única e decente muda de roupa, no quarto dele.

Ela saiu de um banho gelado, que quase não lhe havia conseguido esfriar a cabeça, e vestiu o roupão do hotel pendurado atrás da porta. Com os cabelos enrolados numa toalha, ela andava de um lado para o outro.

Pensou em telefonar para a suíte de Naomi, mas envergonhou-se da idéia de dizer-lhe que estava praticamente nua e abandonada no quarto de Gabe.

Quando ouviu a porta de entrada da suíte abrir-se, marchou pesadamente até a sala, cuspindo fogo.

— Gostaria de saber que diabos você acha que está...

Ela e o garçom se entreolharam fixamente e com o mesmo teor de constrangimento.

— Sinto muito, senhorita. O cavalheiro disse que eu deveria entrar e pôr o café sem bater e sem fazer barulho, porque provavelmente a senhorita estaria dormindo.

— Sim... bem, não há problema. Eu já estava acordada. — Ela entrelaçou as mãos, procurando recompor-se. — E onde está o cavalheiro?

— Não saberia informar-lhe senhorita. Ele apenas me deu instruções. A senhorita preferiria que eu voltasse mais tarde?

— Não. — Ela não ia deixar aquele café sair da suíte. — Não, assim está ótimo. Desculpe se eu o assustei.

Enquanto ele dispunha as coisas, ela se perguntou se deveria pegar as peças de roupa espalhadas pelo tapete ou simplesmente fingir que não as tinha visto. Tendo optado por tomar a segunda atitude, ela apenas recebeu a nota das mãos do garçom e a assinou com traços vigorosos, acrescentando-lhe uma gorjeta que, tinha certeza, iria fazer Gabe chorar.

— Obrigado, senhorita. Tenha um bom apetite.

Ela estava servindo a primeira xícara de café quando Gabe chegou.

— Então você está acordada.

— Seu cachorro. — Ela tomou um generoso gole de café preto, queimando a língua inadvertidamente. — Onde está minha chave?

— Bem aqui. — Ele a retirou do bolso e colocou o conjunto sobre o espaldar de uma cadeira. — Acho que peguei tudo. Você é uma hóspede organizada. Cosméticos, escova de dentes. Aliás, suas roupas íntimas são lindas. Achei que esta coisinha combinava com o conjunto. — Ele segurou o macaquinho de seda com os braços estendidos e riu. — Vai usá-lo?

Ela o arrebatou das mãos dele.

— Você esteve fuçando as minhas coisas.

— Fui *pegar* as suas coisas. Foi sua mãe quem sugeriu o conjunto.

— Minha... — Kelsey rilhou os dentes e implorou a Deus que lhe desse paciência. — Você esteve com ela?

— Sim. Aliás, ela está bem. Mais do que pronta para o que der e vier. Marcou uma entrevista coletiva no hipódromo ao meio-dia. Que tal o café? — Ele se serviu. — Devemos estar em sua suíte às 11 horas para irmos juntos. Ela sugeriu o conjunto, mas não as peças íntimas que você provavelmente gostaria de usar com ele. Portanto, escolhi as que achei que lhe agradariam mais.

— Ela lhe pediu que você pegasse esse conjunto para mim? — Kelsey inspirou e em seguida soltou o ar lentamente. — O que significa que você disse a ela que eu estava aqui.

Ele se sentou e levantou a tampa de prata de uma travessa, encontrando presunto e ovos.

— Eu lhe disse que você passou a noite comigo. — Ele ergueu o olhar rapidamente. — Há algum problema?

— Não, mas... não. — Desistindo de prosseguir, ela colocou a mão na testa. — Minha cabeça parece estar girando.

— Sente-se e coma. Você se sentirá melhor. — Quando ela se sentou, ele estendeu o braço e fechou a mão sobre a dela firmemente. — Estamos nisso juntos. Você entende?

Ela fitou as mãos unidas. Ele não havia se referido à entrevista coletiva, não apenas à entrevista coletiva, e ambos sabiam disso. Outro risco, pensou ela, mas ergueu o olhar até o dele.

— Sim, entendo.

Capítulo 17

— Você não disse que iria matar o cavalo. — Cunningham enxugou o rosto suado. Ele tinha a impressão de que estivera suando o tempo todo nos últimos dias. Diante das câmeras, com um grande e desajeitado sorriso no rosto. Nas festas de comemoração em que as pessoas o cumprimentavam com tapinhas nas costas e lhe ofereciam drinques. Na cama, olhando fixamente para o teto, rememorando repetidas vezes os instantes finais do Derby.

Ele havia desejado a vitória, mas se conformava gratamente agora com o segundo lugar, muito embora o preço dessa conquista houvesse subido a alturas muito maiores do que ele teria imaginado poder pagar.

— Não disse — repetiu ele, enquanto o suor lhe ensopava a camisa e se acumulava asquerosamente na base de sua coluna. — Desclassificá-lo foi o que você disse que faria, para que *Big Sheba* tivesse chance de chegar entre os três primeiros.

— Você deixou os detalhes por minha conta — lembrou-lhe Rich. Ele agora estava tomando o melhor uísque de Kentucky e desfrutando a vista de Washington de uma luxuosa suíte de hotel. Podia dar-se ao luxo; podia dar-se ao luxo de muitas coisas agora. — E você teve o que queria. Sua potranca chegou entre os três primeiros no Derby. Agora ninguém mais vai chamá-lo de fracassado, vai? Ninguém mais vai rir de você pelas costas.

— Nós combinamos apenas que você providenciaria que o cavalo deles fosse desclassificado.

— E eu providenciei — disse Rich, sorrindo. — Que fase essa nossa. Os Chadwick perdem, todas as suspeitas recaem sobre eles e sobre o meu petulante filho; e você, Billy Boy, sai disso tudo cheirando a rosas. — Ele pegou uma amêndoa francesa de uma tigela. — Agora, sejamos francos, Billy. Bem que você gostaria de dar uma bofetada na cara de Gabe, não é verdade? Afinal de contas, ele lhe custou a perda da fazenda da família e uma boa dose de sua dignidade há cinco anos.

— É verdade. Eu não recusaria o gostinho de baixar-lhe a crista. Mas...

— Nós dois sabemos que aquela sua potranca não tinha a mínima chance de vencer aquela corrida — continuou Rich. — Com Longshot e Three Willows como concorrentes, ela teria chegado em terceiro se fosse surrada da largada até a linha de chegada; o mais provável seria quarto ou quinto, o que não teria sido muito bom, teria?

Não com o buraco em que se metera, pensou Cunningham.

— Não, mas...

— Não. — Rich comia outra amêndoa, o rosto tão sério quanto o de um vendedor de carros usados. — Você precisava de uma vantagem, e eu a forneci. Agora, a verdade é que eu não esperava nem mesmo que ela chegasse entre os três primeiros, mas a garota correu com o coração. Ela vai gerar muitos campeões — disse ele com uma piscadela. — É isso o que importa, certo? Agora você só precisa cruzá-la e se encher de dinheiro assim que ela levantar o rabo para um garanhão bonitão.

Era verdade. Ele não tinha dúvidas quanto a isso, mas as suas glândulas estavam trabalhando muito além do normal.

— Se isso vier a público, Rich, eu ficarei arruinado.

— Como isso se tornará público? Eu vou contar a alguém? — Ele sorriu novamente. — Você não esteve se gabando para aquela coisinha na cama, esteve? Alguns homens não conseguem ficar de boca fechada depois de molhar o biscoito.

— Não. — Cunningham passou a mão na boca. — Eu não disse nada a ela. — Nada em que ela pudesse prestar atenção. Marla estava mais interessada em gastar seu dinheiro do que em saber como ele o ganhava. — Mas as pessoas estão fazendo perguntas. E a imprensa está me importunando.

— É natural que estejam — disse Rich, encorajador. — Tudo o que você precisa fazer é balançar a cabeça, parecer triste e ganhar de quebra publicidade gratuita. Poderia muito bem enfeitar suas declarações, dizendo o quanto conhece Naomi Chadwick e Gabriel Slater, não podendo imaginar que eles sejam capazes de cometer uma indignidade tão grande como aquela. E não se esqueça de envolver o nome de Gabe. Eu ficaria muito grato.

Cunningham lambeu os lábios e inclinou-se um pouco para frente.

— Como você fez isso, Rich?

— O que é isso, Billy, meu rapaz? Isso é um segredo meu. Quanto menos você souber, melhor. Certo? Você é apenas um sujeito sortudo que comprou uma égua num leilão e conseguiu fazê-la sair-se bem no Derby.

— A Preakness será daqui a duas semanas.

Rich sorriu, arqueando as sobrancelhas.

— Isso é ambição, amigo. E um perigo. Você sabe que é arriscado fazer aquela égua correr novamente.

— Ela agüentaria. — Ele esqueceu o sentimento de culpa, e os seus temores. Ele esqueceu a morte dos dois homens e o triste quadro do potro caindo a poucos metros da linha de chegada. — Preciso apenas que ela chegue entre os três primeiros.

— Nada disso. — Rindo, Rich balançou o indicador. — Mesmo que consiga colocá-la e que ela não quebre, essa etapa da Tríplice Coroa tem de ser corrida limpa. Senão, podem começar a prestar atenção em você, Billy Boy. E, quem sabe, se eles prestarem atenção em você, podem começar também a prestar atenção em *mim*. Se isso acontecer... bem... — Ele girou o copo com gelo. — ...nós deixaremos de ser amigos.

— Há muito dinheiro em jogo.

— Você quer mais dinheiro? Aposte no potro de Longshot. Conheço meu garoto. Ele colocará todo o seu empenho na conquista da vitória. Para vingar-se. — O sorriso de Rich era amargo. Ele despejou mais uísque sobre o gelo que derretia. — Sempre foi muito teimoso com esse negócio de vencer honestamente. Eu lhe ensinei todos os truques que conheço, cada maldito truque, mas ele acha que é melhor do que eu, entende? Acha que é bom demais para trapacear no jogo. — Rich semicerrou os olhos, endurecendo o olhar enquanto bebia. — Veremos quem ficará por cima agora. Veremos.

Era inútil discutir quando Rich começava a servir-se sem parar.

— O que eu faço então?

— Não a deixe correr em Pimlico, Billy. Diga que ela se machucou num dos treinos e que você não deseja forçá-la. Procure aparentar desapontamento e probidade; depois, solte-a no pasto até que chegue a hora de lhe arranjar um bom namorado.

— Você está certo. — Doeu, mas Cunningham pôs a ambição de lado. — É melhor não arriscar. Vou arranjar-lhe um bom garanhão e tentar emprenhar a danada na próxima primavera. — Ele esboçou um breve sorriso. —

Eu poderia até fazer negócio com o seu garoto, Rich, acasalando-a daqui a alguns anos com o seu campeão do Derby.

— Agora, sim, você está pensando bem. — Ele se inclinou para frente e deu um tapinha no joelho de Cunningham. — Estive fazendo os cálculos de uma pequena gratificação, Billy.

— Gratificação? — Atinando instantaneamente com as intenções de Rich, Cunningham aprumou-se, recuando o tronco e recostando-o no espaldar da cadeira. — Nós fizemos um acordo, e eu cumpri a minha parte.

— É verdade. Não posso afirmar que não. Mas, olhe aqui, Billy, você levou uma bolada naquela corrida, embolsando o prêmio pelo segundo lugar e o dinheiro dos guichês de aposta ao mesmo tempo. Imagino que você tenha colocado as mãos em 300, talvez 400 mil. — Ele ampliou o sorriso, enquanto Cunningham começou a suar novamente. — E com os acasalamentos, com os filhotes que ela vai gerar em, digamos, dez anos, você ficará muito bem financeiramente. Você não poderia fazer isso se não tivesse podido contar com a minha ajuda, poderia?

— Eu lhe paguei.

— Sem dúvida que sim, mas tive despesas. Tive que pagar a Lipsky.

— A idéia foi sua. Não tive nada a ver com isso.

— Sou como um subcontratante, Billy. — Rich procurou argumentar pacientemente. — Tudo o que faço retorna para você. Não devia esquecer-se disso. Senão, vejamos. Lipsky eliminou o velho cavalariço, e eu eliminei Lipsky. Não desejo entrar em detalhes sobre a inclusão de outras pessoas na minha folha de pagamento, mas apenas frisar que são despesas necessárias, e que eu tenho de repassá-las a você. Temos a morte de dois homens e de um cavalo nas costas, e eu sou o elo de ligação entre tudo isso e você. — Ele sorriu radiantemente, contando as mortes consumadas nas pontas dos dedos. — Portanto, manter-me sempre feliz deveria ser algo muito importante para você. Cerca de 100 mil, digamos, para eu começar a me sentir feliz.

— Cem mil?! Isso é loucura, Rich! Pura loucura. Todas as despesas desse nosso esquema correram por minha conta, e ainda tive de pagar muitas outras coisas. Você sabe quanto custa manter um puro-sangue? Mesmo que seja apenas um único maldito cavalo? Sem falar no custo de participação das corridas.

— Não posso crer que você queira que eu viva de esmolas, Billy Boy. Não posso mesmo. — O sorriso de Rich era tão amigável quanto o das caveiras. Ele manteve a mão firme no joelho de Cunningham. Do mesmo modo que pretendia fazer com a carteira dele ainda por um bom tempo. — Cem mil é uma verdadeira pechincha pelos serviços que lhe prestei. Acredite. Eu lhe darei mais uma semana para você pensar em como adulterar os seus livros contábeis. Esteja com o dinheiro aqui um dia antes da Preakness. — Ele se recostou, satisfeito consigo mesmo. — Estou louco para apostar uns trocados no potro do meu garoto. Você sabe, laços de família.

Ele estava rindo quando colocou mais uísque no copo.

Os laços de família de Kelsey lhe tinham dado uma terrível dor de cabeça. Ela já havia antecipado que a viagem às proximidades do Potomac* iria ser difícil, mas tinha sido muito mais do que difícil. Seu pai estava furioso, mais do que Kelsey jamais tinha visto. Pouca diferença fazia o fato de que o alvo de sua raiva não fosse ela. Pois, conforme Candace havia salientado, ela era a causa do problema.

Milicent havia cumprido a ameaça. Não lhe tinha sido possível anular os benefícios legados à neta pelo testamento deixado pelo marido, mas ela tinha alterado as cláusulas do testamento do patrimônio que lhe pertencia, deserdando Kelsey. Em vitorianos e melodramáticos termos, Milicent não tinha mais uma neta.

Parada no carro estacionado na entrada de Three Willows, com o motor ligado, Kelsey descansava a cabeça latejante sobre o volante. Foram cenas horríveis, horríveis. A fria fúria de Milicent anunciando que a deserdara, o choque de seu pai seguido de indignação. E Candace, ensaiada, lançando setas de acusações no coração de Kelsey.

Sob um gemido de abafada dor, Kelsey aprumou-se e desligou o motor. Ela não imaginara que a visita à família fosse causar tanto sofrimento. Ela e Milicent se desentendiam há tanto tempo, que lhe parecera mais razoável pensar em relaxamento.

Mas não estava relaxada; estava mais magoada ainda.

Exausta, ela saiu do carro, esperançosa de que pelo menos uma aspirina desse um jeito na sua dor de cabeça.

Ouviu a música, a explosiva e vigorosa percussão dos Stones. Mick e os rapazes gritavam sua simpatia pelo demônio. Kelsey resolveu entrar pela por-

---

* Nome de um rio do leste dos EUA que separa o Estado de Maryland e Washington, a capital do país, do Estado da Virgínia e da West Virginia. (N. do T.)

ta do pátio. Havia uma tela salpicada de tinta sobre as pedras do pátio. Um aparelho de som apoiado numa mesa com tampo de vidro transbordava *rock and roll.* Diante de um cavalete, os cabelos presos num curto e volumoso rabo-de-cavalo, usando uma enorme camisa masculina que lhe chegava até os joelhos, Naomi esgrimia em vermelho com um pincel.

Ela poderia estar brandindo uma espada, pensou Kelsey. Duelando com a tela que já explodira em cores e formas. Seu rosto tinha, de perfil, a dureza da pedra, e os olhos estavam turvos.

A batalha parecia muito íntima, e Kelsey começou a se afastar. Mas Naomi virou a cabeça bruscamente, e seu olhos, enraivecidos, viram a filha.

— Desculpe — disse Kelsey, sua voz quase apagada pela música. Naomi estendeu o braço e abaixou o volume. — Não queria atrapalhá-la.

— Tudo bem. — As feições apaixonadas desapareceram rapidamente do rosto, como se, ao deixar de olhar para a tela, ela ficasse calma novamente. — Estava apenas tendo um acesso íntimo de cólera. — Ela abandonou o pincel e pegou um pano para limpar as mãos. — Já faz algum tempo que não pinto.

— É uma maravilha. — Kelsey aproximou-se e admirou os traços de cores fortes, pinceladas ainda frescas e brilhantes. — Tão primal.

— Exatamente. Você está aborrecida.

— Droga. — Kelsey enfiou as mãos nos bolsos. — Estou começando a pensar que tenho um painel na testa que anuncia meus sentimentos.

— Você tem um rosto expressivo. — Assim como o seu próprio, lembrou-se Naomi. No passado. — Pelo que vejo, a visita à família não foi muito boa.

— Meti os pés pelas mãos. Causei uma desavença entre meu pai e minha avó. E das grandes. E outra menor, acho, mas não menos preocupante, entre ele e Candace.

— Por estar aqui.

— Por ser quem eu sou. — Ela pegou o abandonado copo de chá gelado de Naomi e tomou um gole. — Milicent não me excluiu apenas do seu testamento, mas também da mente e do coração. Para ela, eu não existo mais.

— Oh, Kelsey. — Naomi pousou uma das mãos no braço da filha. — Tenho certeza de que não foi exatamente isso que ela quis dizer.

Vidros tiniram quando Kelsey pôs o copo na mesinha.

— Tem mesmo?

O afeto e a preocupação de Naomi transformaram-se em fúria.

— Na verdade, foi isso mesmo que ela disse; é bem do feitio dela. Desculpe-me por ter provocado tudo isso.

— *Eu* sou a culpada disso. Isso só diz respeito a mim. Já está na hora de as pessoas começarem a entender que posso pensar e agir e sentir por mim mesma. Se eu não quisesse estar aqui, não estaria. Não estou aqui para aborrecê-los ou para apaziguar você. Estou aqui por mim.

Naomi respirou fundo.

— Você está certa. Absolutamente certa.

— Se eu quisesse estar em outro lugar, estaria. Não será por meio de ameaças, suborno ou inculpação que conseguirão fazer-me desistir do que é importante para mim. Minha família é importante para mim. Three Willows é importante para mim. E você também.

— Bem. — Naomi estendeu a mão para pegar o copo, sua mão não muito firme. — Obrigada.

Kelsey conseguiu resistir, com muito esforço, à tentação de chutar um vaso de gerânios.

— Não seria bem o caso de agradecer-me. Você é minha mãe. Eu me importo com você. Admiro o que foi capaz de fazer de sua vida. Talvez não me agradem muito todos esses anos de ausência, mas gosto da pessoa que você é. E com certeza não vou voltar correndo para casa e fingir que você não existe só porque Milicent prefere que seja assim.

Para evitar de se deixar cair sobre a cadeira, Naomi firmou a mão na mesa.

— Você não pode imaginar e nem sequer ter uma vaga idéia do que é ouvir uma filha adulta dizer à mãe que gosta dela como ela é. Eu a amo tanto, Kelsey.

Kelsey abandonou a raiva.

— Eu sei.

— Não pude saber que tipo de pessoa você era quando a vi novamente. Todo o amor que eu tinha estava reservado para a garotinha que eu tinha perdido. Mas você veio e deu-me uma chance. Estou tão fascinada pelo tipo de pessoa que você é. Tão orgulhosa de você. Se partisse amanhã e não voltasse nunca mais, ainda assim você teria me dado mais do que eu jamais pude imaginar receber novamente.

— Não vou a lugar nenhum. — Deixando-se levar pelo coração, Kelsey deu alguns passos e abriu os braços. — Estou exatamente onde quero estar.

Com os olhos bem fechados, Naomi desfrutou intensamente a sensação da presença da filha, seu perfume.

— Farei o possível para consertar as coisas para você, tentarei encontrar uma forma de amolecer o coração empedernido de Milicent.

— Não. Isso não é assunto seu. — Mais calma, ela se afastou. — Você pode enlouquecer com as coisas que me dizem respeito. Eu também enlouqueço. — Empolgada pela oscilação do próprio humor, ela se virou e começou a andar de um lado para o outro. — E intensamente ferida, aliás, não consigo acreditar no quanto fui ferida. Por ela ter achado que poderia me comprar com seu dinheiro. Por ela o ter usado e também os meus sentimentos contra mim. Por ela ter tentado me controlar com eles.

— Controlar é a razão de viver de Milicent. Sempre foi.

— Ela não conseguiu anular o benefício deixado por vovô. Aposto que ela se rasgou de raiva por não ter conseguido, por não ter poder para isso. Papai ficou muito aborrecido; gritou com ela. Ele nunca levantou a voz para ela.

— Levantou, sim. — Havia secreta satisfação no sorriso de Naomi. — Há muito tempo. Fico contente por ele ter apoiado você.

— Gostaria de ter ficado também. Foi horrível vê-los discutirem daquela forma. Ver a distância que tudo isso colocou entre ele e Candace. E saber, estando certa ou errada, que sou responsável por isso. Vovó é tão inflexível, tão incapaz de avaliar a posição dos outros. — E não havia dito a mesma coisa sobre ela?, lembrou-se Kelsey, estremecendo.

— Ela só tem duas alternativas — disse Naomi. — Ou ela transige, ou morre solitária.

— Prefiro acreditar que eles farão as pazes novamente — murmurou Kelsey. — Tenho de acreditar. Quanto a mim e vovó, não creio que possamos nos reconciliar. Não depois do que aconteceu hoje. Ela usou o que aconteceu com *Pride* contra mim. Ela disse exatamente essas palavras: que você pagou a um de seus comparsas para drogar o cavalo. Afinal de contas, você já tinha matado um homem... — Estarrecida, Kelsey não conseguiu prosseguir.

— Diante disso, por que eu teria escrúpulos de matar um cavalo? — completou Naomi. — Por quê?

— Sinto muito. — Aborrecida consigo, Kelsey passou os dedos nas têmporas latejantes. — Ah, como estou tensa.

— O que ela pensa não faz muita diferença; tenho certeza que outras pessoas também pensam assim. Uma das razões de eu estar aqui fora exorcizando — disse Naomi, gesticulando em direção à tela — são os rumores de que eu possivelmente tenha planejado a morte de *Pride* para receber o dinheiro do seguro.

Kelsey deixou caírem as mãos e cerrou os punhos.

— Isso é odioso! Ninguém que a conheça poderia pensar uma coisa dessas.

— Infelizmente, isso não é incomum. Há muita maldade no mundo, Kelsey. Mas os rumores passarão. — Ela pegou o pincel novamente, e contemplou a tela. — Bastaria fazer contas para eliminar essas maliciosas suposições. Embora tivesse um excelente seguro, *Pride* valia muito mais vivo do que morto, tanto correndo quanto na reprodução. Mas há o passado...

Mais calma, ela começou a pintar novamente.

— Essa era minha terapia na prisão, mais até; era a sobrevivência, o único meio de canalizar as emoções. Você não quer voltar a atenção para dentro de si mesma. Cheia de ódio, de mágoa, de medo. Principalmente medo.

— Não quer falar-me sobre isso? — pediu Kelsey cautelosamente. — Sobre a vida na prisão?

Naomi continuou a pintar em silêncio durante alguns instantes. Já se questionara sobre quando Kelsey perguntaria isso. Quando, não *se*. A necessidade de obter respostas era tão característica da personalidade de sua filha quanto a cor de seus olhos era de seu rosto.

Então ela iria pintar outro quadro; com palavras no lugar dos pincéis.

— Eles tiram tudo de você — disse ela tranqüilamente, lembrando-se de que aquilo fazia parte do passado. — Não apenas as roupas, embora essa seja uma das primeiras humilhações. Eles lhe tiram tudo: as roupas, a liberdade, os direitos, a esperança. Você fica apenas com o que eles dão: a entediante rotina. Estipulam a hora que você deve acordar, comer e dormir. O que você sente ou deseja não importa.

Kelsey aproximou-se e parou ao lado dela. Pássaros comemoravam a primavera. No ar misturavam-se os cheiros de flores e tinta.

— Você só come o que lhe dão — prosseguiu Naomi — mas, depois de algum tempo, você se acostuma. Esquece o que é sair e comer num restaurante ou simplesmente acordar à noite e ir até a cozinha. — Ela suspirou involuntariamente. — E é melhor esquecer mesmo. Se guardar muitas lembranças do mundo externo, você enlouquece, porque sabe que nada lhe pertence mais. Você pode ver as montanhas, as flores, as árvores, as trocas das estações, mas tudo lá fora, sem nada a ver com você, que já não pode mais ser o que era. E mesmo que sofra terrivelmente por falta de companhia, você não consegue se aproximar muito de ninguém, pois as pessoas vêm e vão.

Ela trocou de pincéis e começou a pintar vigorosamente, com a energia que lhe percorria a alma.

— Algumas mulheres tinham calendários, mas eu não. Eu não queria pensar nos dias se transformando em semanas, que formariam meses para compor anos. Eu não poderia. Algumas tinham retratos da família, dos filhos, e gostavam de conversar sobre eles. Ou sobre o que fariam quando saíssem. Eu não podia fazer isso. Eu não conseguiria. Era mais fácil para mim ater-me à rotina.

— Mas você estava sozinha — murmurou Kelsey. — Deve ter-se sentido muito solitária.

— Essa é a maior punição. A solidão e a incompatível falta de privacidade. Não são as grades. Você até acredita que sejam as grades, confinando. Mas não são.

Ela respirou fundo, obrigando-se a continuar.

— Se você tem algum tempo livre, você lê ou assiste à televisão. Revistas de moda eram uma boa distração, mas eu parei de lê-las depois dos primeiros anos. Era muito difícil verificar mudanças, mesmo com relação a coisas tão frívolas quanto o comprimento das saias.

— Alguém a visitava?

— Meu pai. Moses. Nada que eu dissesse os impediria de visitar-me. Deus sabe o quanto eu os queria ver, não importando o quanto eu sofresse depois que eles fossem embora. Vi meu pai envelhecer. Acho que foi a pior parte: ver a passagem do tempo no rosto dele. Esse era o meu calendário. O rosto de papai.

"O último ano foi o pior. Eu estava alcançando a possibilidade de liberdade condicional e tudo indicava que conseguiria. Sabendo que a liberdade estava ao meu alcance e ao mesmo tempo me dando conta de estar saindo de um mundo em que vivera por tanto tempo. O que fazer depois de ser solta? E quando fazê-lo? Os dias se arrastavam, com muito mais tempo para pensar, para cultivar esperanças novamente, para destilar aqueles últimos meses. Então chega o dia em que você veste roupas comuns. Papai levou-me um vestido novo. Cinza listrado, bastante formal. Minhas mãos tremiam tanto, que eu não conseguia abotoar a blusa. A luz do sol magoou meus olhos quando pus os pés no lado de fora. Não que me tivessem mantido num buraco. Era uma prisão decente, sob a responsabilidade de pessoas decentes, pelo menos em sua maioria. Mas o sol parecia diferente naquele dia. Mais forte, mais radiante. Eu não conseguia ver nada sob a sua luminosidade. E, ao mesmo tempo, pude ver muita coisa.

Ela trocou os pincéis outra vez, o olhar fixo em seu trabalho.

— Você realmente deseja ouvir o restante da história?

— Continue — murmurou Kelsey. — Termine.

— Vi papai. Vi o quanto estava frágil e velho. O Cadillac novo, ofuscantemente branco, em que ele me levou para casa. Sei que ele falou comigo, e eu com ele, mas não consigo lembrar-me de nada. Só me dava conta da rapidez de tudo e do quanto as estradas estavam cheias. E senti medo, medo de que me levassem de volta e de que não me levassem. Paramos num restaurante. Guardanapos de linho, vinho, flores, sobre a mesa. Ele precisou pedir para mim, como se eu fosse uma criança. Não conseguia lembrar-me do que eu gostava. E comecei a chorar. Ele também chorou. E à mesa permanecemos e choramos juntos, pingando nossas lágrimas sobre o linho da toalha porque eu não conseguia lembrar-me de como sentar num restaurante e fazer um pedido.

"Dormi durante a maior parte do restante da viagem, exausta de liberdade. Acordei quando estávamos passando pelos portões da fazenda. Vi que as árvores, mudas que eu mesma tinha plantado, eram então árvores adultas que certamente tinham florescido ano após ano, sem que eu pudesse ver. Nova pintura na sala de estar, um vaso de flores que não estava lá antes. Cada pequena mudança me apavorava.

"Não desci até as baias, pelo menos durante muitos dias; só quando Moses veio aqui e praticamente me obrigou a ir lá. O primeiro animal que vi foi um cavalo que eu tinha ajudado a nascer, e ele agora tinha 1,63 m de altura e era um reprodutor. Novos equipamentos, novos funcionários. Tudo novo. Fiquei em casa durante uma semana depois disso. Dormia com a luz acesa e a porta aberta. No começo, não conseguia suportar a idéia de portas fechadas. Mas, depois de algum tempo, isso passou. Precisei aprender a dirigir novamente. Senti muito medo, mas consegui. A primeira vez que saí sozinha de carro, fui até sua escola. Fiquei observando o bebê do qual a vida me tinha separado, e que era então uma mocinha, aprendendo a flertar com os meninos. Esforcei-me para fazer-me aceitar a idéia de que você tinha aprendido a viver sem mim. E tentei começar tudo de novo.

Naomi abandonou o pincel e deu um passo atrás.

— Pronto.

Kelsey não estava bem certa disso. Talvez Naomi tivesse terminado de pintar o quadro, mas não havia esgotado as emoções que o permeavam. Tampouco, pelo menos no que se referia a Kelsey, aquele era o fim da história. A questão não era apenas limpar o nome da mãe. Um homem tinha sido morto, e uma mulher tinha pago o preço disso. Mas ela queria ver as peças do quebra-cabeça encaixarem-se perfeitamente.

Kelsey ficou surpresa ao encontrar o nome de Charles Rooney na lista telefônica. O detetive particular, cuja investigação fora decisiva no julgamento de sua mãe, ainda tinha um escritório na Virgínia. Em Alexandria, agora. O discreto anúncio nas Páginas Amarelas informava: Serviço de Investigação para questões criminais, familiares e custodiais. Licenciado, garantido e sigiloso. A primeira consulta era gratuita.

Talvez, pensou ela, pudesse tirar proveito disso.

— Senhorita Kelsey. — Kelsey fechou rapidamente a lista telefônica quando Gertie, alvoroçada, entrou na cozinha.

— Você me assustou.

— Desculpe. Aquele policial está aqui novamente. — Gertie exibia na fisionomia um misto de lealdade e solidário enfado. — Disse que tinha mais algumas perguntas a fazer.

— Eu mesma falarei com ele. Naomi está lá embaixo nas baias. Não há necessidade de importuná-la.

— Quer que eu faça café?

Kelsey hesitou por um instante.

— Não, Gertie. Vamos recebê-lo e despachá-lo logo.

— Sim, quanto mais rapidamente, melhor — resmungou Gertie.

Rossi levantou-se quando Kelsey entrou na sala de estar. Não pôde deixar de admirar a forma como ela usava a calça *jeans*, embora tivesse ficado igualmente impressionado com o recorte da entrevista coletiva, em que mãe e filha se haviam apresentado tão bem, louras e esguias em seus conjuntos de seda.

— Senhorita Byden, agradeço-lhe pelo tempo que me concede.

— Não tenho muito tempo que lhe possa conceder, tenente, mas estou disposta a estendê-lo ao máximo se tiver alguma novidade para nós.

— Gostaria de ter. — Ele não tinha nada a não ser frustrações. Nenhuma impressão digital no quarto do motel em que Lipsky se havia hospedado, nenhuma testemunha, nenhuma pista. — Gostaria de manifestar-lhe as minhas condolências pela perda no Derby. Não sou lá nenhum amante de cavalos, mas até mesmo os tiras assistem àquela corrida. Foi uma coisa terrível.

— Sim, foi. Minha mãe está arrasada.

— Ela me pareceu muito forte na entrevista coletiva.

Abanando fria e positivamente a cabeça, Kelsey sentou-se e gesticulou para que Rossi a acompanhasse.

— Esperava que ela desmontasse em público?

— Na verdade, não. Mas achei muito interessante o fato de Slater ter participado da entrevista.

— Somos vizinhos, tenente. E amigos. Gabe *também* é criador. E o fato de o cavalo dele ter vencido a corrida, em condições tão trágicas, tem sido difícil para todos nós. Nós lhe pedimos que estivesse presente para tornar público nosso apoio a ele, e ele aceitou para fazer a mesma coisa por nós.

— Perdoe-me, srta. Byden, mas, pelo que pude saber pela imprensa, você e o sr. Slater são mais do que amigos.

O sangue dos Byden ferveu nas veias de Kelsey, acrescentando-lhe ares de frieza e atrevimento à inclinação da cabeça.

— Isso é uma afirmação oficial, tenente?

— Apenas uma observação. É natural; vocês dois são pessoas atraentes e têm interesses afins. — Ela não mordeu a isca, o que, aliás, ele não esperava que ela fosse fazer. — Estive pensando que talvez pudesse contar com sua ajuda para informar-me dos detalhes do que aconteceu em Churchill Downs.

— Pensei que não se interessasse por cavalos, tenente.

— Assassinatos me interessam, mesmo que sejam de cavalos. — Ele fez uma pausa. — Principalmente quando têm ligação com um caso de homicídio que quero solucionar.

— Acha que o que aconteceu com *Pride* tem ligação com o assassinato do velho Mick? Como? Lipsky está morto.

— Exatamente. Segundo me informaram, não é fácil o acesso a um cavalo participante do Derby.

— Não, não é. O sistema de segurança é rigoroso. Temos guardas. — Kelsey franziu a testa. — Mas Lipsky queria prejudicar o potro de Gabe, não o nosso. Parece-me, aliás, que a morte de Lipsky foi considerada suicídio. Acha que foi assassinato?

— Está havendo uma polêmica com relação a isso — foi tudo o que ele se permitiu dizer. — Preciso encontrar ainda a resposta de algumas questões com relação a esse caso. Se puder me informar quem teve acesso oficial àquele potro antes da corrida...

— Eu, naturalmente. Minha mãe, Moses, Boggs, Reno. — Kelsey respirou fundo. — O fiscal que checa a identificação das pessoas, os manejadores no portão de largada. O batedor que o conduziu até a pista montando um potrilho. O nome dele é Carl Tripper. Os outros membros da equipe. — Ela contabilizara os nomes nas pontas dos dedos.

— Os guardas?

— Bem, suponho que sim.

— E extra-oficialmente? Você teria alguém em mente?

Ela meneou a cabeça, mas vasculhou a memória.

— A pessoa teria que ser muita matreira para conseguir passar pela segurança sem ser notada no dia do Derby, tenente. Talvez pela televisão tudo pareça muito franqueado e acessível a todos, mas os cavalos são bem vigiados.

— A droga. É difícil saber quando ela foi injetada no cavalo.

— Essa é a questão. — Kelsey respirou fundo. Era-lhe ainda difícil falar sobre o assunto. — *Pride* tinha vestígios de digitalina e epinefrina no sangue. Foi isso o que o matou, superestimulando a função cardíaca. Ele estava impaciente, mas sempre ficava assim antes de uma corrida. Moses o mantinha assim.

— E por que isso é feito?

— Alguns cavalos correm melhor quando são excitados. Outros precisam ser tranqüilizados e receber agrados. *Pride* corria melhor quando excitado.

— Como se sabe isso?

— Aprende-se convivendo com o cavalo. Eles sabem quando vão correr. No dia da corrida não recebem a mesma quantidade de alimentos que normalmente lhes é fornecida. Sentem a diferença do ambiente, dos cuidados e preparativos por que passam, da movimentação em torno de si. Além disso, dependendo do animal, ficam ansiosos quando o jóquei não solta totalmente as rédeas, impedindo-os de correr a toda a brida, nos treinos do dia da corrida.

— Nenhuma substância química?

Kelsey endureceu-se.

— Nada de drogas, tenente. Não medicamos nossos cavalos com nada que não seja aprovado pelas autoridades competentes e que não seja necessário à boa saúde deles. O que deram a *Pride* aumentou-lhe o número de batimentos cardíacos, a produção de adrenalina. A corrida, o esforço que ele fez durante o percurso de pouco mais de uma milha, fez-lhe o coração bater muito mais vezes do que o normal, e isso o matou.

Foi exatamente isso o que o resultado da autópsia tinha revelado a Rossi.

— O jóquei não deveria ter percebido que havia algo de errado com o cavalo?

Kelsey cerrou os maxilares; não iria permitir que acusassem Reno. Não depois de ele ter passado por tudo aquilo. Ela tinha visto o quanto ele sofrera. E sabia que continuava a sofrer.

— *Pride* corria porque foi para isso que nasceu; foi para isso também que foi treinado desde que deu os primeiros passos. Ele não tropeçou. E não recusou o comando de Reno. Basta assistir à gravação para ver que ele estava dando tudo de si para vencer a corrida. E acabou morrendo por ter tentado. Reno teve sorte de não ter morrido também.

Rossi examinou seu bloco de anotações. Assistira à gravação da corrida várias vezes. Em câmera lenta, fixando as imagens. Por fim, ele abanou positivamente a cabeça.

— Tenho de concordar com isso. Se tivesse caído no meio da pista em vez de do lado interno da cerca, não vejo como iria escapar de ser esmagado. E do jeito que ele caiu, imaginei pelo menos o pescoço quebrado.

— Eu também. De qualquer forma, ele precisará, no mínimo, de um mês para conseguir pôr-se de pé novamente.

— Acho que isso me basta por enquanto. Mas precisarei conversar com algumas pessoas cujos nomes você me passou e conhecer o ponto de vista de cada uma.

— Aprecio o seu interesse, tenente. E gostaria que não interrogasse minha mãe. A menos que seja indispensável.

— O cavalo pertencia a ela, srta. Byden.

— Acho que entendeu o que eu disse. — Ela se levantou, determinada a persuadi-lo. — Conhece seus antecedentes e sabe o quanto lhe é difícil submeter-se a um interrogatório policial.

— Umas poucas perguntas...

— Muitas dariam no mesmo para ela. E, queira acreditar ou não, ela está de luto. Pode perguntar a mim qualquer coisa. Peço-lhe que faça qualquer pergunta a mim que queira saber, como pode recorrer ao comitê organizador da corrida.

— Não posso prometer nada, mas não há necessidade de incomodá-la por enquanto.

— Obrigada. — Ela se dirigiu à porta. — Tenente, não trabalhou no caso de minha mãe, trabalhou?

— Não. Eu ainda estava na Academia de Polícia, então. Verde como uma folha de alface.

— Gostaria de saber quem se encarregou do caso.

— Deve ter sido o capitão Tipton. Jim Tipton, aposentado agora. Servi sob sua chefatura quando ele era tenente, e depois de ele ter sido promovido a capitão. Um bom policial.

— Tenho certeza que sim. Obrigada, tenente.

— Obrigado, srta. Byden. — Rossi voltou para o carro, mordiscando a semente de uma idéia. Kelsey Byden tinha alguma coisa em mente, pensou ele. Bem que ele poderia fazer uma pequena e inofensiva devassa no passado.

Capítulo 18

— Por que será que tenho a impressão de que o único lugar em que posso tê-la na cama é no quarto de um hotel?

— Mmmm. — Kelsey revirou seu buquê de flores, na verdade, a parte central de um arranjo de flores que Gabe roubara da mesa da festa de abertura da Preakness. — Suponho que as coisas tenham sido agitadas e que você tenha estado muito ocupado, dando entrevistas.

— Vou dar mais amanhã.

— É disso que eu gosto. De homens otimistas. — Eles cruzaram o saguão do hotel em direção aos elevadores. — *Double* está acomodado na baia de número 40. Você é supersticioso, Slater?

— Certamente sou. — Ele entrou no elevador e a puxou para dentro. O ardor de sua boca já se fazia sentir na de Kelsey antes mesmo que a porta se tivesse fechado.

— O botão — conseguiu articular ela, esmagando as flores enquanto tentava enfiar as mãos por baixo da camisa dele. — Você se esqueceu de apertar o botão.

Ele tateou o painel, xingou, mas conseguiu pressionar o botão do andar certo.

— Achei que não fosse conseguir mais ficar a sós com você. Duas semanas são duas semanas longas demais, Kelsey.

— Eu sei. — Ela riu ofegante quando ele roçou os dentes no pescoço dela. — Naomi estava precisando de mim. E não tive tempo nem mesmo de pensar, com o andamento das investigações e os preparativos do cavalo para a corrida de amanhã. Mas, mesmo assim, quis muito estar com você.

As portas se abriram, e ela saiu inadvertidamente. Seu vestido de gala estava muito mais do que indecorosamente abaixo de um dos ombros. Ela o ajeitou, aturdida por ter perdido a noção da boa compostura no elevador e aliviada com o fato de não haver ninguém no corredor.

— Você não sabe se fica contente ou embaraçada consigo mesma.

Kelsey ajeitou os cabelos.

— Pare de ler meus pensamentos — ordenou enquanto as portas se fechavam novamente.

— O seu quarto ou o meu?

Tudo muito simples agora, pensou ela. Ambos estiveram aguardando a noite inteira uma chance de recomeçar o que haviam interrompido no Kentucky.

— O meu — decidiu ela. — Desta vez será você quem acordará de manhã sem ter uma muda de roupa decente para vestir.

— Isso quer dizer que pretende rasgar a que estou vestindo?

Ela passou o cartão magnético na fenda da fechadura eletrônica da porta de sua suíte enquanto tentava imaginar uma resposta adequada. Assim que as luzinhas do painel mudaram de vermelho para verde, o telefone começou a tocar.

— Aguarde a resposta — disse-lhe e correu para atender à ligação.

— Alô? — Jogou as amarfanhadas flores na mesinha do café, tirou os brincos e trocou o fone de ouvido. Seus dedos paralisaram-se quando ela tinha a mão prestes a tirar o segundo brinco de safira. — Wade? Como soube que eu estava aqui? — Muito cuidadosa e deliberadamente tirou o outro brinco, colocando-o ao lado do primeiro. — Entendo. Não sabia que você mantinha contato com Candace... Claro. Um luxo, não acha?... Sim, estou sendo sarcástica.

Ergueu o olhar para Gabe, depois tornou a baixá-lo. Sem dizer palavra, ele foi até o bar, abriu uma garrafa de chardonnay e serviu-lhe um copo.

— Wade, não consigo acreditar que você tenha ligado para mim às — ela consultou o relógio — 11h15 para conversar fiado, e eu realmente não tenho a mínima intenção de discutir nada a respeito de minha mãe com você. Portanto, se isso é tudo...

Angustiada, ela aceitou o copo que Gabe lhe ofereceu. Claro que aquilo não era tudo. Com Wade nunca seria tudo.

— Você quer a minha bênção?... Não, não vou ser indulgente, e estou sendo tão educada quanto você merece. — Ela pensou em engolir o próprio veneno, mas resolveu expeli-lo, farta da enfadonha voz ao seu ouvido. — A sortuda noiva sabe que você costuma transar com suas colegas de trabalho durante as viagens de negócio?... Sim, sou muito boa em guardar rancor, seu idiota, tolo, egocêntrico. Como se atreve a telefonar-me na véspera de seu casamento para tentar tirar um peso da sua consciência?!... Isso mesmo, Wade, estou sendo inflexível e inexorável como sempre, mas parei de desejar que você morra de uma forma demorada, dolorosa e cruel. Agora só desejo que você morra atropelado por um caminhão ao atravessar a rua. Se quer o perdão dos seus pecados, procure um padre.

Ela interrompeu a ligação batendo o fone no aparelho com tanta força que lhe fez a campainha soar, ainda que breve e debilmente.

— Bem — murmurou Gabe, ferindo o silêncio do ambiente —, é assim que se fala, garota. — Ele ofereceu um brinde pela atitude, tocando com a lata de Coca o copo dela. — Ele costuma telefonar para você?

— A cada dois meses. — Ela chutou o pé da mesa, depois tirou os sapatos para relaxar os dedos doloridos e cruzou a extensão da sala com eles na mão. — Para conversar. Se é que se pode acreditar nisso. Não pudemos continuar casados, mas por que não podemos ser amigos? Vou lhe dizer por quê. Porque ninguém me trai. Ninguém.

— Vou tentar não esquecer isso. — Gabe ficou observando-a, perguntando-se se deveria deixá-la acalmar-se ou se deveria pegá-la no colo, levá-la para a cama e ajudá-la a queimar um pouco daquela energia.

— Ele vai se casar amanhã. E achou que eu deveria saber isso por intermédio dele mesmo; por isso telefonou para Candace. Eles são sócios do mesmo clube. — Bebericou o vinho, percebendo-se sem paladar. — Ela lhe disse onde eu estava, como se ele tivesse o inviolável direito de saber onde eu estava; como se eu me importasse com o fato de ele se casar.

— E você se importa? — Gabe estendeu o braço para evitar que o copo que ela tinha posto abruptamente na beirada do balcão do bar caísse no tapete.

— Não. — Ela precisava arremessar algo, qualquer coisa, e contentou-se com o Guia de Viagens. — Mas eu me importo que ele tenha o descaramento de me telefonar inesperadamente para me fazer sentir, mesmo que por um instante, culpada por ele estar com outra mulher. Eu me importo quando ele faz isso, porque penso no passado e lembro-me de como as pessoas esperavam que tudo fosse perfeito entre nós. Um belo e jovem casal, gente de boa família, um casamento pomposo e badalado, uma romântica lua-de-mel de duas semanas no Caribe, uma pequena e charmosa casa num condomínio de

Georgetown. Os amigos certos, os clubes certos, as festas certas. Detesto pensar no passado e dar-me conta de que eu nunca amei aquele homem.

Kelsey fez uma pausa e apertou as têmporas.

— Meu Deus, eu nem mesmo o amava. Como pude casar-me com ele, Gabe? Como pude fazer isso, sem sentir por ele uma mínima fração do que sinto por você?

Os olhos de Gabe brilharam intensamente, mas ele os reduziu a um par de fendas luminosas.

— Cuidado, Kelsey. Não cometo infidelidades, mas isso não significa que jogo limpo. Se continuar falando demais, vou exigir que seja coerente, sem me importar nem um pouco com o fato de você estar transtornada.

— Não sei o que estou dizendo. — Descontrolada, trêmula, ela deixou as mãos caírem. — Só sei que quando acabei de falar com ele ainda há pouco, percebi que eu tinha casado com ele porque todos diziam que ele era a pessoa certa para mim. E porque me pareceu que o próximo passo que eu deveria dar em minha vida era em direção ao casamento. E eu quis que ele fosse bem-sucedido; tentei fazê-lo ser bem-sucedido. Mas como isso poderia ter sido possível? Ele nunca me fez sentir tão bem quanto você, uma única vez sequer. — Kelsey reduziu o tom de voz a um sussurro. — Ninguém jamais me fez sentir como você me faz sentir.

Ele pôs a Coca no balcão, percebendo subitamente que seus dedos tinham feito mossas na lata.

— Todas as pessoas lhe dirão por aí que sou a pessoa errada para você.

— Não me importo.

— Detesto clubes campestres. Não a levarei a bailes da primavera.

— Não vou pedir que você me leve.

— E poderia deixar-me levar por um impulso qualquer amanhã e apostar tudo o que tenho no giro da roleta.

Kelsey deixou as mãos penderem-lhe relaxadamente em cada lado do corpo. E quase pôde antevê-lo fazendo isso.

— Acho que a roleta já está girando há algum tempo, Slater. O problema é que talvez você não seja suficientemente jogador para apostar altas paradas.

— Você não sabe o que sente por mim. — Empolgado pelas próprias emoções, ele a ergueu num abraço apaixonado. — Está meditando nisso. Deus, quase posso ver os neurônios trabalhando nessa sua cabeça. Mas você não sabe o que sente por mim.

— Eu quero você. — O coração dela parecia alojado na garganta, batendo intensamente. — Nunca quis ninguém do jeito que quero você.

— Vou fazê-la revelar-me um pouco mais dos seus segredos. E, uma vez que eu tiver o controle da situação e prendê-la, Kelsey, você não conseguirá livrar-se de mim. Se fosse esperta, você examinaria com muito cuidado aquilo em que se está envolvendo comigo e fugiria.

Ela começou a abanar a cabeça, mas ele lhe segurou subitamente o rosto.

— Tarde demais.

— Para você também — murmurou ela, e mudou de posição apenas o suficiente para beijar-lhe o pomo-de-adão. — Não vou fugir, Gabe. Vou perseguir.

Agora ela sabia o que esperar, o que antegozar, e o que desejava. Paixão, pressa, êxtase, queria a doce dor do prazer, pois sabia que ele podia suavizá-la, e depois fazê-la recrudescer até que cada batimento cardíaco latejasse como uma ferida recentemente aberta. E exultava em saber que ele sentia coisas idênticas: o desejo ardente, os gemidos; o pânico e as sensações que ambos se proporcionavam desde o primeiro toque de suas mãos.

Caindo e rolando na cama, ofegantes, ocuparam-se de presilhas e botões até que suas roupas pudessem ser atiradas sobre o tapete, como imprestáveis folhas de outono. À procura da carne, de seu cheiro e paladar; de sua maciez e força, os prelúdios do mais básico de todos os desejos.

Ele deslizava as mãos pelos contornos do corpo dela, dos seios de sedosa epiderme, da cintura fina, das ancas e nádegas. Apesar da escuridão, ele podia vê-la com a ponta dos dedos, cada centímetro, cada curva, cada músculo. Como um cego procurando conhecer forma e textura, ele explorava o corpo que já conhecia.

Ela era tudo que ele sempre quis, a mulher por que sempre lutou para ter. Sua razão de apostar e de querer ganhar. E ela agora tremia debaixo dele, pronta, ávida por sentir. E bela, estonteantemente sua.

Seu corpo arqueava-se sob o dele, ágil, vigoroso. Quando trocaram de posição, ela o galopou; em fluido movimento, ela o aprisionou entre paredes quentes, recurvando-se para trás a fim de conhecê-lo até a raiz. Suas mãos agarraram-se às dele, os dedos de ambos entrelaçando-se firmemente enquanto mergulhavam juntos na esperada loucura.

O último pensamento de Gabe foi que certamente era tarde demais. Tarde demais para os dois.

O dia amanheceu nublado. Densas nuvens cobriam os céus, apagando cores, matizando-as de um tenebroso cinza-chumbo. A chuva caía intermitente em pingos de gelo que magoavam e esfriavam a pele. Homens e máquinas cuidavam da pista, revolviam-lhe a superfície, e a aplainavam novamente, sulcando-lhe toda a extensão. Pimlico tinha um bom sistema de drenagem, e seus funcionários o tratavam tão bem e tão caprichosamente quanto um homem cuidaria de um cavalo muito amado.

A chuva não afastou o público nem a imprensa. No momento da largada do primeiro páreo, as arquibancadas estavam cheias. Guarda-chuvas coloridos pareciam flutuar como balões num mar cinzento. Na sede do hipódromo, as pessoas permaneciam confortavelmente secas, comendo siri e bebendo cerveja enquanto assistiam à movimentação externa por meio de monitores.

A mudança do tempo fez Kelsey optar por calça *jeans* e botas em vez do vestido de linho que pretendera usar. E lhe serviu de pretexto para demorar-se nas cocheiras, enfeitando a loura crina de *Justice* com flores, aprontando-o para a majestosa tarefa de conduzir *High Water* até a pista.

Em sua opinião, não havia nada como um dia chuvoso para parar e pensar.

Seis meses atrás, ela não sabia que Naomi existia. E, antes disso, nunca dera mais do que uma passada de olhos pelo mundo do qual agora fazia parte. Tinha estado à deriva, obcecada pela idéia do fracasso do seu casamento e do que começava a considerar sua fracassada sexualidade. O emprego que tinha antes de rever a mãe a distraía, quase a satisfazia, mas, mesmo assim, ela estivera pensando em arranjar outro.

Havia sempre outro emprego, outro curso para fazer, outra viagem para planejar. Dizia-se que todas as suas atitudes relacionadas à busca de novidades lhe estimulavam a mente. Mas, na verdade, fazia isso para preencher o vazio interior; que ela não queria enxergar; que ela não podia compreender.

Questionava, cuidadosamente, se estava fazendo a mesma coisa agora, usando Naomi, a fazenda, e até mesmo Gabe para agitar sua vida. Iria ela, como sua família anunciava, desencantar-se com aquele mundo, enfastiar-se com a rotina e procurar outros rumos mais uma vez?

Ou podia confiar nos sentimentos que brotavam em seu íntimo? No crescente apego à mãe, na transformação da zanga e da suspeita em afeição e respeito? Por que simplesmente não aceitar o fato de que encontrara, de que conquistara um lugar na fazenda?

E Gabe? Não lhe seria possível relaxar e desfrutar o que estava acontecendo entre eles? Nenhuma dúvida a importunara na noite anterior, quando rolaram na cama ou quando, ao amanhecer, ela se virara preguiçosa para Gabe, e fizeram amor lenta e languidamente.

Talvez fosse seu inflexível senso de valores, sua aguda percepção do que era certo e do que era errado. Como poderia permitir que Naomi contasse com ela quando não tinha certeza de quanto tempo permaneceria na fazenda? Como podia ter um amante e usufruir da satisfação de gloriosas relações sexuais quando nem um nem outro haviam dito mais do que uma simples palavra sobre o amor?

Talvez ela fosse rigorosa demais. Se não conseguia desfrutar os momentos de prazer sem questionar os motivos, o que isso revelava a respeito de sua personalidade? Estaria amuada, ainda que apenas um pouco, porque seu ex-marido ia casar-se, jurando fidelidade eterna uma segunda vez, enquanto ela enfeitava a crina de um potro com tranças e flores?

Já era hora de esquecer aquilo definitivamente, advertiu-se. Era hora de pensar no futuro; já não estava mais à deriva. Tinha um propósito — e perguntas que precisavam de respostas. Lidaria com elas de forma lógica, começando pelas que a fariam recuar vinte anos no tempo. A primeira coisa que faria na manhã de segunda-feira, prometeu-se, seria a ligação para Charles Rooney.

A chuva tinha parado novamente quando eles foram para o padoque. Os raios de um tímido sol conseguiam passar por entre nesgas de nuvens, incidindo sobre os gotejantes beirais. A água corria melodiosamente por entre regos, calhas e sarjetas, transformando a terra em lama.

Kelsey olhou fixamente para Boggs. Ele parecia mais velho e debilitado do que há duas semanas; sabia que ele tinha sido incumbido de cuidar de *High Water* tanto por causa de sua capacidade como para curar suas próprias feridas.

— A chuva é vantajosa para nós — disse ela, tentando dissipar-lhe as sombras dos olhos. — *High Water* gosta de pista molhada. — *Double* também, ela pensou imediatamente.

— Ele é um bom potro. — Abstraído, Boggs deu-lhe uns tapinhas no pescoço. — Calmo e gentil. Pode ser que ele surpreenda a todos hoje.

— Há pouco ele estava pagando 5 por 1.

Boggs deu de ombros. Nunca ligara muito para apostas.

— Ele não participou de muitas corridas este ano. Portanto, ninguém tem como saber exatamente o que ele será capaz de fazer. Além disso, terminou bem a maioria das corridas de que participou. E correrá o máximo que puder se lhe pedirem.

Mas não era nenhum *Pride*. Boggs não precisaria dizer isso. Kelsey sabia.

— Então eu lhe pedirei. — Kelsey aproximou-se do potro e segurou-lhe a cabeça de forma que pudesse olhar diretamente em seus olhos, que lhe pareceram inteligentes e, conforme Boggs havia dito, gentis. — Você correrá, não é, mocinho? Correrá tão esforçada e rapidamente quanto puder. E isso nos bastará.

— Você não vai pedir-lhe que vença? — Naomi pousou uma das mãos no ombro de Kelsey, um gesto que ainda enternecia a ambas.

— Não. Às vezes, a vitória não é tão importante quanto o esforço com que se tenta obtê-la. — Ela viu Reno de pé a um canto, o braço numa tipóia, o rosto pálido e angustiado. — Estarei com vocês no camarote daqui a alguns minutos.

Kelsey caminhou até o jóquei e segurou-lhe a mão livre.

— Tinha certeza de que o veria logo de pé.

— Eu não poderia ficar longe daqui por muito tempo. — Até quisera, mas a última coisa que poderia desejar era ficar fora do espetáculo, assistindo apenas. — Pensei em ficar em casa e assistir à corrida pela tevê. Mas acabei entrando no carro e vim parar aqui.

— Logo você estará montando novamente, Reno.

Um ligeiro espasmo deformou-lhe as feições. Ele tentou escapar ao olhar de Kelsey, não pensar nos cavalos, na pista.

— Não sei se voltarei a ter ânimo para isso. Aquele potro merecia sorte melhor.

— Você também — disse ela gentilmente.

— Passei a maior parte de minha vida sonhando em vencer o Derby. Você pode montar dezenas de cavalos, cruzar centenas de linhas de chegada, mas o Derby é a corrida. E, agora, a minha chance se foi.

— Haverá sempre um Derby no ano seguinte — lembrou-lhe ela. — Sempre haverá.

— Não sei se quero outra chance. — Suas feições endureceram-se quando ele viu por sobre os ombros dela a pessoa que se aproximava. — Boa sorte — disse ele, retirando-se.

Rossi percebeu o rápido afastar-se do jóquei e anotou o fato em seu bloco. Apesar de Kelsey não manifestar boas-vindas, ele se aproximou dela.

— Que dia horrível!

— Parecia estar melhorando, há alguns instantes.

Ele sorriu, registrando a alfinetada.

— Tentei conseguir algumas dicas circulando por aí.

— É pouco provável que consiga alguma, tenente. — Ela começou a caminhar, resignando-se com o fato de ele a acompanhar. — Você aparenta ser exatamente o que é. Um tira.

— Ossos do ofício. Não posso afirmar que sei muita coisa sobre cavalos, srta. Byden, mas aquele seu potro não me parece muito grande.

— Não, não é. Tem apenas 1,40m de altura, mas não acho que esteja aqui para falar a respeito de cavalos.

— Você está enganada. Neste caso os cavalos são a questão mais importante. — Ele lhe ofereceu o saco de amendoim, pegando um enquanto ela recusava. — Estive fazendo algumas pesquisas. Fiquei sabendo que há várias formas de se matar um cavalo; algumas horripilantes.

— Sei disso. — E sabia muita coisa agora, pensou ela. Matt a informara sobre todas as conhecidas formas de se fazer isso quando ela o pressionara. Falou-lhe sobre eletrocussão, que consistia em colocar o cavalo num local com água represada, imergindo nela a ponta descascada de um fio elétrico ligado a uma bateria de alta voltagem. Um tipo de assassinato requintado e cruel, e às vezes insuspeitável. A menos que o veterinário notasse-lhe as marcas nas narinas. Pior do que isso, pensou ela, era sufocá-lo com bolas de pingue-pongue nas narinas. É impossível um cavalo expeli-las, o que os faz morrer de uma forma lenta e horrível.

— O seu potro que participou do Derby — prosseguiu Rossi —, tenho a impressão de que a pessoa que lhe injetou a droga não queria apenas que ele morresse, mas que morresse sob os olhos de milhões de pessoas. Arriscado. E acredito que, quando uma pessoa se arrisca, sobretudo desnecessariamente, é porque está ansiosa por um objetivo maior. Quem desejaria humilhar sua mãe em público, srta. Byden?

— Não faço idéia. — Ela parou; essa afirmação eliminava a suspeita de Naomi, tornando-a vítima. — Acredita nessa possibilidade?

— É um longo caminho a percorrer. Contra ela há o seguro do potro, um ótimo seguro. Mas Three Willows não tem problemas financeiros atualmente, e, a longo prazo, aquele potro poderia gerar muito mais. Sua mãe parece uma empresária sensata. Por outro lado, temos Slater.

— Ele não teve nada a ver com isso.

— Essa é uma reação emocional. — Exatamente, aliás, a que ele esperava dela. — Volte àquele momento. É preciso pensar sempre em quem se pode beneficiar com o crime, srta. Byden. Qualquer tipo de crime. E o problema é que isso coloca uma sombra sobre a reputação dele e sobre o vencedor do Derby. Por isso, eu me pergunto se valeria a pena para ele. De qualquer forma, ele tinha chances de vencer. Valeria a pena ele "ajeitar" as coisas de forma tão óbvia? Ele não me parece uma pessoa óbvia.

— Um argumento emocional, tenente?

— Apenas um ponto de vista, srta. Byden. Ele não foi a única pessoa que se beneficiou. Temos ainda o treinador e o jóquei. Ambos levaram um pedaço do bolo. E todos aqueles que apostaram em seu potro.

Ela deu uma breve risada, passeando os olhos pela multidão.

— Isso certamente reduz o número de suspeitos.

—Mais do que você pensa. — Ele também relanceou o olhar pelas massas, satisfeito consigo mesmo. — Se o que aconteceu com o seu cavalo tem ligação com os meus dois casos de homicídio, isso reduz muito mais ainda o número de suspeitos. Em quem Lipsky tinha suficiente confiança ou de quem ele tinha tanto medo que pudesse permitir aproximar-se dele e matá-lo? Alguém com quem ele trabalhava, alguém para quem ele trabalhava? Havia muito mais do que dois cavalos naquela corrida, srta. Byden, e muito mais coisas em jogo do que uma manta florida.

Ela parou e se virou para observá-lo.

— Por que está me dizendo tudo isso?

— Você é nova no jogo. Pode ver muito mais coisas do que as pessoas pensam. — Ele fez uma pausa para quebrar a casca de um amendoim. — E está envolvida. Seu relacionamento com sua mãe não agrada a todos.

Então ele estivera investigando sua vida pessoal também. Ela devia ter imaginado que isso ocorreria.

— Isso é um problema familiar, tenente, e não tem nada a ver com o assassinato.

— Eu poderia mostrar-lhe dados estatísticos que comprovam que problemas familiares são mais freqüentemente causas de assassinato do que qualquer outro tipo de problema. Só lhe peço para ficar de olhos abertos.

— Eles estão abertos, tenente. — Ela não se moveu, na tentativa de evitar que ele fosse visto por quem estivesse nos camarotes. Não seria justo transtornar Naomi momentos antes da corrida. — Agora, se me dá licença, vou juntar-me à minha mãe.

— Boa sorte — exclamou ele, pegando outro amendoim. Ele tinha a impressão de que Kelsey Byden seria um osso mais duro de roer do que havia imaginado.

Kelsey entrou no camarote no mesmo instante em que os cavalos estavam sendo posicionados nos portões de largada.

— Pensei que não fosse chegar aqui a tempo.

— Topei com uma pessoa conhecida — murmurou Kelsey, e da mãe desviou o olhar para Gabe. Era bem do feitio dele, pensou, estar ali. Fazer-lhes companhia quando aquele momento era inteiramente dele. Pegou-lhe a mão, apertando-a. — Aposta paralela, Slater?

— Você ainda me deve dinheiro da primeira aposta que fizemos.

— O dobro ou nada, então. Vai bem a propósito. — Ela estudou a pista através dos binóculos. — O seu cavalo com dois corpos de vantagem. A pista está um pântano, mas eu diria que ele completará o percurso em um minuto e cinqüenta e oito segundos cravados. O nosso potro chegará em terceiro, em dois minutos e doze.

Ele ergueu uma sobrancelha.

— E essa é uma aposta que eu jamais recusaria, pois tenho certeza de que não há como perdê-la.

A arma que sinaliza a largada foi disparada. Assim que largaram, *Double* e o seu jóquei assumiram a liderança. Era como se, pensou Kelsey, ambos soubessem que tinham algo para provar. Aquele era um cavalo campeão, destacando-se sem necessidade de sentir o chicote no dorso como estímulo. Próximo à primeira curva, ele estava a meio-corpo na liderança, com o potro do Arkansas e o ruão do Kentucky lutando pelo segundo lugar.

Kelsey deixou-se embevecer novamente pela grandiosidade do momento. Com os binóculos posicionados, ela instigava mentalmente os cavalos a avançarem, sem ver, ao contrário do que imaginara que poderia acontecer, a imagem de *Pride* correndo. Ela via apenas os atletas sujos de lama, cavalos e cavaleiros, avançando velozmente em torno da pista oval.

A chuva voltara a cair, embaçando-lhe a visão e lhe ensopando a pele.

Um corpo inteiro agora, e se distanciando dos demais, suas bandagens vermelhas sujas de lama marrom, seu cavaleiro parecendo um boneco nos estribos. Ela se ouviu rindo com o glorioso espetáculo.

De repente, como uma flecha arremessada de um arco, *High Water* disparou por fora. Kelsey perdeu o fôlego com o movimento tão súbito. Ele ganhava terreno, metia-se entre os outros concorrentes, lançava pedaços de grama pelos ares. Lutando, pensou ela, fascinada, pela conquista da honra.

Ao alcançar a reta final, *Double* ampliou ainda mais sua liderança. O público o encorajava com gritos e exclamações que tudo sufocavam. Depois, sua atenção se voltou também para *High Water*, delirando ao vê-lo disparar tão sensacionalmente, num bravo esforço para ganhar o terceiro lugar. E continuou a aproximar-se dos ponteiros durante aqueles últimos instantes em que o coração parece que vai parar.

— Meu Deus, olhe para ele! Meu Deus, mamãe, veja o que ele está fazendo!

— Estou vendo. — A chuva misturava-se às lágrimas que escorriam pelo rosto de Naomi. Ela abraçou fortemente a cintura de Kelsey quando os cavalos cruzaram a linha de chegada: 5-7-2. *Double* recebeu as flores, enquanto *High Water* chegou à frente de Arkansas com uma vantagem mínima.

— Ele conseguiu! — Kelsey deixou os binóculos caírem. — O nosso garotinho conseguiu! — Abraçou forte Naomi, comemorando a vitória. — Ninguém acreditou que seria possível. Nenhum de nós acreditou. — Depois, atirou-se nos braços de Gabe. — Parabéns! Qual foi o tempo dele? Qual foi?

Gabe segurava o cronômetro com a mão esquerda, divertindo-se quando Kelsey o arrebatou. Um minuto, cinqüenta e sete e quinze.

Ela riu novamente, a chuva pingando dos cabelos e molhando seu rosto.

— Gabriel Slater, você acabou de ganhar a segunda jóia da Tríplice Coroa. O que vai fazer agora? Tenho certeza de que não vai para a Disneylândia.

— Eu vou para Belmont. — Ele a ergueu bem alto, girou-a e a beijou. — *Nós* vamos para Belmont.

Na sede do hipódromo, Rich Slater ofereceu um brinde à imagem do filho e de Kelsey no monitor, e depois bebeu o uísque envelhecido. Um belo casal, pensou ele. Um belíssimo casal eles formavam, assim como ele poderia ter formado com Naomi se ela não tivesse torcido o nariz desdenhoso para ele.

Mas havia outras coisas para serem admiradas. Ele também tinha as suas razões para comemorar.

Apostara 10 dos 100 mil que extorquira de Cunningham em *Double* e estava muito satisfeito com os lucros.

Por enquanto.

— Espero que você não se importe. — Kelsey abriu a garrafa de champanha com o alegre e característico estouro; já havia tomado várias taças na suíte de sua mãe, mas a noite apenas começava. — Vou beber essa garrafa inteira. E certamente ficarei muito bêbada.

Gabe sentou-se, cruzando as pernas na altura dos tornozelos. Ele estivera fantasiando um banho demorado, quente e bastante vaporoso para dois. Mas podia esperar. Talvez fosse interessante verificar de quantas inibições Kelsey se despiria depois de uma garrafa de Dom.

— Só porque não bebo não vou me impedir o prazer de vê-la satisfazer a própria vontade.

— E vou mesmo. — Ela encheu o copo, e ficou observando as bolhas subindo. — Sabe, na verdade, nunca fiquei bêbada. Cheguei perto disso, mas sempre parava de beber no momento certo. — Ela tomou um generoso gole, e gesticulou com a mão. — Educação. Não beba a ponto de cambalear ou coisa parecida no clube; as pessoas farão comentários. Também não faça isso nas festas; outras pessoas também farão comentários. — Ela gesticulou, agora com a garrafa. — Os Byden não podem ser alvo de mexericos.

— E do que eles podem ser alvo?

— De respeito, de admiração, e, acima de tudo, eles têm de ser discretos. — Ela piscou um dos olhos e colocou mais champanha na taça. — Para o inferno com isso. Que as pessoas falem. Nós vencemos. Isso não é incrível?

— Sim, é. — Ele sorriu. Ela estava descalça agora, e seus cabelos tinham secado, num emaranhado de fios dourados.

— Todos estavam tão deprimidos antes. Tentavam não ficar, mas era muito difícil. Vi Reno no padoque, e vê-lo daquele jeito partiu-me o coração. — Ela tomou outro gole, suspirou e se deu conta de que gostava da forma como o champanha a fazia ter a sensação de que tudo estava girando. Copo na mão, ela executou duas piruetas para intensificar ainda mais essa sensação.

— Faça isso outra vez. — Ele gostou de ver-lhe os cabelos esvoaçando e pousando, esvoaçando e pousando.

Rindo e oscilando, ela lhe satisfez a vontade.

— Vê? Aquelas lições acabaram servindo para alguma coisa. Ensinaram-me também a ter disciplina, física e mental. Sou capaz de quebrar tijolos no meu corpo.

— Tenho certeza de que posso descobrir coisas mais interessantes para fazer nele.

Ela riu novamente, sabendo que ele podia. E que iria.

— Mas, retomando a corrida, essa vitória fez Reno sentir-se melhor. Naomi e Moses ficaram muito felizes. Boggs também. Pobre Boggs, culpando-se por ter apostado em *Pride*. Isso não teve nada a ver com o acidente. As pessoas estão sempre procurando um jeito de estabelecer relação entre as coisas. Como Rossi.

— Rossi?

— Mmmm. — Ela encheu o copo outra vez e começou a desabotoar a blusa. A cada gole, sentia mais calor. — Ele estava no hipódromo. Conversei com ele. Ou ele conversou comigo. Ele parece estar em todos os lugares, observando, concebendo hipóteses. Por que alguém iria querer ferir Naomi, ou induzir as pessoas a pensar mal dela?

Gabe focalizou seu olhar. Sua camisa estava parcialmente aberta, mostrando o tórax musculoso, mas seu interesse agora era prestar bastante atenção nas palavras de Kelsey.

— É o que ele pensa?

— Quem sabe? — Ela meneou os ombros despreocupadamente. — Não acho que ele realmente diga o que pensa. Se é que você entende o que quero dizer — acrescentou ela depois de alguns instantes. — Ele só diz as coisas para incutir certas idéias em sua mente e confundi-lo. Pelo menos não parece considerar Naomi assassina de cavalos. — Ela sorriu encantadoramente. — Ele ainda está de olho em você, Slater.

— Nunca duvidei disso.

— Mas apenas um dos olhos. — Ela piscou, demonstrando-lhe. — Ele não o acha imprudente.

— Um grande elogio, vindo de quem veio. — Ele decidiu que finalmente poderia voltar a prestar atenção na nudez de Kelsey. — Ainda faltam alguns botões, querida.

— Vou chegar lá. Nunca fiz *striptease* para um homem antes.

— Deixe-me ser o primeiro.

Ela riu e, com os olhos semicerrados, abriu a presilha de sua calça *jeans*.

— Fiquei irritada por tê-lo visto lá. Rossi, quero dizer. A presença dele no hipódromo fez-me lembrar o Derby e tudo o que aconteceu. Das vezes que fiquei observando os cavalos voltarem dos treinos matinais nos dias de nevoeiro. Dos cheiros, dos sons, do nervosismo. De Boggs pendurando as ataduras de *Pride* e falando sobre sua última aposta. De como ele me contou que pensara ter visto o seu pai.

— O quê? — O sangue que o improvisado *striptease* de Kelsey vinha esquentando gelou-lhe nas veias. — O que você disse a respeito de meu pai?

— Boggs achou que o tinha visto em Churchill Downs. Um prenúncio de má sorte na opinião dele. Mas eu particularmente não acho que ele tenha estado lá; se tivesse, ele o teria procurado.

— Kelsey. — Gabe se levantou, tirou o copo da mão dela e o pôs de lado. — O que Boggs disse sobre o meu pai?

— Nada além disso. — Ela respirou longamente. Sua cabeça parecia girar, uma adorável sensação, mas o olhar de Gabe era tão alarmante, que ela a controlou. — Ele apenas achou que o tinha visto perto das baias.

Ele agora lhe segurava os braços.

— Quando?

— Em algum momento da manhã. Mas ele não tinha certeza. Disse que o viu apenas de relance, e que os olhos dele não eram tão bons como antes. — Ela abanou a cabeça, tentando em vão livrar-se da tontura. — Que diferença isso faz?

— Nenhuma — disse Gabe, relaxando a pressão em seu braço. Ou toda. Toda a diferença do mundo. — Foi apenas curiosidade.

— O passado tem garras, Gabe. — Ela ergueu uma das mãos e a pousou no rosto dele. — Não devemos permitir que elas nos alcancem. Nós temos o agora.

— Sim, temos. — Aquilo podia esperar, disse Gabe consigo mesmo. Talvez a presença do pai no hipódromo não estivesse relacionada a nada de grave, mas, em todo caso, ele iria examinar esse fato mais detidamente quando chegassem em casa. — Vejamos. — Ele segurou-lhe o queixo, observando seu rosto avermelhado pelo efeito da bebida e os olhos pestanejantes. — Querida, você vai acordar com uma tremenda dor de cabeça amanhã de manhã.

— Bem, então. — Ela passou os braços no pescoço de Gabe e, num salto, trançou as pernas na cintura dele. — Então seria melhor aproveitarmos o fato de eu ter bebido, certo?

— É o mínimo que eu posso fazer. Vamos para o chuveiro. — Ele abaixou a cabeça e mordiscou-lhe o ombro desnudo. — Vou mostrar-lhe o que tenho em mente.

Capítulo 19

Ela pensou em contar a Gabe. Certamente não seria uma questão de dependência dizer a um homem com o qual você estivesse envolvida tão intimamente as suas intenções. Tampouco teria sido fraqueza pedir que ele a acompanhasse, que lhe desse algum apoio moral quando ela encarasse o passado.

Mas ela não lhe contou. Razão à parte, parecia dependência, parecia fraqueza. E o problema a ser enfrentado era exclusivamente dela.

Além disso, Gabe não vinha tendo um minuto sequer que ele pudesse considerar somente seu. Afinal de contas, não era todo ano que havia um sério concorrente ao título da Tríplice Coroa com duas das três vitórias exigidas. Suas mãos ocupavam-se com a imprensa, sua mente com a preocupação e possibilidades, e seus dias com a supervisão dos preparativos e treinamentos que precisavam ser efetuados durante as três semanas que antecediam ao Belmont Stakes.

Ela não queria desviá-lo do objetivo a ser alcançado. Um objetivo que, ela começava a perceber, significava muito mais para ele do que dinheiro e prestígio. Para Gabe, ganhar a Tríplice Coroa seria a confirmação de que conseguira algo em sua vida; de que não se apossara apenas de algo, mas que transformara isso numa coisa extraordinária.

Reforçando sua atitude de não lhe dizer o que pretendia fazer, havia o fato de não querer de volta o conselho que dera a Gabe. Não é sensato permitir que o passado nos aprisione.

Mas ela não conseguia esquecer o passado, não totalmente. Quanto mais conhecia Naomi, mais Kelsey a admirava e menos podia crer que sua mãe havia assassinado um homem tão friamente. Ou mesmo tão apaixonadamente.

Não havia dúvida quanto ao fato de que sua mãe apertara o gatilho. De que extinguira uma vida. Além de Naomi admitir, o júri decretara e havia uma testemunha.

Kelsey decidiu que não poderia esquecer o passado sem antes conversar com Charles Rooney.

Apreciou o passeio. Apesar do intenso tráfego da rodovia, era impossível não apreciar as encostas verdejantes e a explosão das flores da primavera. Dirigiu com a capota arriada e Chopin no mais alto volume. Seria melhor, decidira, manter a mente livre das idéias relacionadas ao que ela estava prestes a fazer.

Não havia mentido propriamente ao dar o nome "Kelsey Monroe" à secretária de Rooney quando marcou a entrevista. Simples precaução, uma forma de se assegurar de que o detetive não a associaria imediatamente a Naomi.

Um pequeno desvio nos códigos de certo e errado, pensou Kelsey. Sempre desprezara e ironizara as pessoas que consideram aceitáveis as mentiras inocentes. Ou convenientes. E ali estava ela, usando a mesma corda escorregadia para alcançar seus próprios objetivos.

É melhor avaliar isso mais tarde, pensou.

Tampouco fora sincera ao apresentar à mãe as razões para tirar a tarde de folga. Problemas pendentes e compromissos a cumprir tinham sido meras evasivas; sabia que Naomi achava que ela iria visitar a família. E ela tinha deixado Naomi pensar apenas isso.

Qualquer que fosse o resultado daquela tarde, Kelsey duvidava de que fosse informá-lo à mãe. Pela primeira vez desde a perda de *Pride*, Naomi parecia relaxada novamente, embora ninguém tivesse esperanças de que *High Water* fosse conseguir apresentar, na extenuante milha e meia do Belmont Stakes, o mesmo desempenho apresentado no Preakness.

O esforço havia sido feito, a vitória conquistada. Agora eles iriam colher as compensações.

E ela podia dedicar algumas horas a remexer o lodo do passado.

Ela tinha estudado no mapa a rota a ser seguida até a cidade, bem como o traçado de seu centro. Embora não conhecesse bem Alexandria, encontrou facilmente o edifício onde se localizava o escritório do detetive, e estacionou o carro numa vaga da garagem subterrânea.

O nervosismo a afetava intensamente, irritando-a, fazendo-lhe as mãos suarem e causando-lhe sensações de frio no estômago. Ganhou tempo, acionando vagarosamente o freio de mão, trancando o carro, guardando suas chaves no pequeno compartimento com zíper de sua bolsa.

O que poderia ser pior?, perguntou-se. O que poderia ser pior do que saber que sua mãe havia assassinado um homem? O que quer que Charles Rooney lhe dissesse não a poderia mais chocar. Ela só queria que tudo se encaixasse perfeitamente em sua mente. Depois disso, e de uma vez por todas, ela seria capaz de aceitar a mulher em que sua mãe se transformara e parar de pensar na mulher que ela fora.

O elevador levou-a até o quinto andar, do ressonante ambiente de concreto da garagem para corredores atapetados e silenciosos. Portas de vidro e vidraças com nomes comerciais abrigando pessoas que trabalhavam, cercadas pela parafernália institucional, com computador e telefones.

Isso fez Kelsey estremecer. Qual seria a sensação de ficar "à mostra" durante todo o expediente a qualquer um que passasse pelo corredor? Qual seria a sensação de ficar preso atrás daqueles vidros quando a primavera explodia lá fora?

Invadida pelas próprias lembranças, Kelsey sacudiu a cabeça. Não havia muito tempo e ela também tinha estado presa entre quatro paredes e tão exposta quanto as peças dos museus que ela visitava com grupos.

Quão radicalmente uns poucos meses de convivência com outros ares e outro ambiente haviam mudado os seus pontos de vista e os seus anseios.

As instalações da Rooney Investigation Services ocupavam toda a parte sul de um dos ângulos do edifício. Não era, como havia imaginado, um negócio pequeno, tampouco apresentava aquela atmosfera vagamente desagradável das agências de detetives criadas pela televisão e pelo cinema.

Nenhuma teia de aranha nos arquivos, concluiu ela quando passou pelas portas de vidro e entrou nas dependências com música ambiente e impregnadas do cheiro das gardênias que ladeavam um sofá em tom pastel. Nas paredes, várias gravuras dos flutuantes nenúfares de Monet; a um canto da sala, uma imitação de uma mesinha de centro em estilo Queen Anne coberta de lustrosas cópias da revista *Southern Homes*. No centro da sala, uma mesa circular de ébano com um terminal de computador operado por uma mulher tão polida quanto a própria mobília. Ela ergueu o olhar, desviando-o do monitor, e lançou um sorriso profissional, ainda que surpreendentemente cordial, para Kelsey.

— Posso ajudá-la?

— Tenho hora marcada com o sr. Rooney.

— Senhorita Monroe? Está alguns minutos adiantada. Por gentileza, sente-se e aguarde um momento. Vou ver se o sr. Rooney já pode atendê-la.

Kelsey sentou-se perto das gardênias, pegou uma revista, e passou os dez minutos seguintes fingindo distrair-se com a reportagem sobre uma mansão com arquitetura dos anos 30 situada nos subúrbios de Raleigh, enquanto o nervosismo e sua consciência a espetavam.

Não deveria ter vindo. Certamente não deveria ter dado um nome que já não usava. Não deveria meter o nariz nos assuntos de Naomi. Deveria levantar-se e comunicar à surpresa recepcionista que cometera um engano.

Certamente não seria a primeira pessoa a sair em pânico do escritório de um detetive. E, mesmo que fosse, que importância isso teria?

Bem que poderia voltar para as baias e trabalhar com *Honor* em vez de continuar sentada ali, sentindo o cheiro de gardênias e observando a fotografia da sala de estar excessivamente decorada da casa de alguém.

Mas não se levantou, pelo menos até que a recepcionista a chamasse e a conduzisse à sala do detetive.

Havia várias portas em cada um dos lados do corredor interno. Nenhuma de vidro, Kelsey notou. O que quer que acontecesse dentro daquelas salas era privado. A discrição era fator essencial naquele ramo.

Assim sendo, por que esperava que Charles Rooney lhe dissesse algo a respeito do caso de sua mãe, mesmo depois de vinte e três anos?

Porque tinha direito, disse a si mesma e aprumou os ombros. Porque era a filha de Naomi Chadwick.

— Senhor Rooney, a srta. Monroe. — A recepcionista retirou-se depois de ter aberto metade da porta de carvalho de folha dupla e introduzido Kelsey na sala.

Era uma sala simples, mobiliada mais como um gabinete de leitura do que como um escritório propriamente falando, com grandes peixes como troféus de pesca decorando paredes e réplicas miniaturizadas de navios descansando em prateleiras. O homem que se levantou por trás da mesa poderia ser o tio favorito de qualquer pessoa. Ligeiramente barrigudo, ligeiramente calvo, rosto arredondado, ombros estreitos. Sua gravata estava um pouco fora do lugar, como se ele tivesse acabado de afrouxar o incômodo aperto.

Falava com voz suave e amistosa, deliberadamente cultivada para deixar o cliente à vontade.

— Desculpe-me por tê-la feito esperar, srta. Monroe. Aceitaria um café? — ofereceu o detetive, gesticulando em direção a uma cafeteira colocada sobre uma mesa atrás dele. — Tenho-a sempre aqui, para manter as idéias claras.

— Não, obrigada. Mas não se abstenha por minha causa. — Kelsey sentou-se, aproveitando o tempo que ele tomou para encher a caneca de café para estudar-lhe a pessoa e o ambiente.

Um homem simples, pensou ela, num lugar simples. Como pode ter influência tão devastadora na vida de tantas pessoas?

— Então, srta. Monroe, informou que precisava de ajuda com relação a um caso de custódia. — Ele se sentou, mexendo o café. A um canto da mesa, um bloco novo aguardava as anotações. — É divorciada?

— Sim.

— E a criança? Quem, no momento, tem a custódia?

Kelsey inspirou fundo. Agora que estava lá dentro, era hora de falar a verdade.

— Eu sou a criança, sr. Rooney. — Com as mãos apertando a bolsa, ela manteve os olhos fixos nele. — Monroe era meu sobrenome de casada. Não o uso mais; ao divorciar-me, retomei meu sobrenome de solteira, Byden. Eu sou Kelsey Byden.

Ela percebeu o momento em que algo pareceu estalar na mente dele. A mão de Rooney hesitou, e o ritmo da colher foi interrompido. Suas pupilas dilataram-se e, por um instante, seus olhos pareceram negros em vez de verdes.

— Entendo. Você esperava que eu fosse lembrar-me desse nome e do caso. Claro que eu lembro. Parece-se muito com a sua mãe. Eu a deveria ter reconhecido.

— Não pensei nisso. Viu-a muitas vezes. Você a mantinha sob vigilância.

O ligeiro rancor no tom de voz de Kelsey não lhe passou despercebido.

— Isso faz parte do meu trabalho.

— Esse trabalho particularmente teve um curso bem concreto. Meu pai o contratou, sr. Rooney?

— Senhorita Byden... Kelsey... é difícil para mim não pensar em você como Kelsey — disse ele, avaliando tanto o ritmo dos próprios batimentos cardíacos quanto o dela. — Processos de custódia nunca são agradáveis. Você era, felizmente, jovem demais para ser envolvida nas questões mais difíceis. Fui contratado, como tenho certeza de que você sabe, para documentar o... estilo de vida de sua mãe, com o objetivo de reforçar o pedido de custódia total feito por seu pai.

— E o que descobriu sobre seu estilo de vida?

— Isso não é algo a respeito do qual eu me sinta livre para falar.

— Boa parte das questões relativas a esse caso é de domínio público, sr. Rooney. Não posso crer que esteja legalmente obrigado a manter sigilo depois de todo esse tempo. — Esperando influenciá-lo, ela se inclinou, deixando a voz repassar-se da emoção que estava sentindo. — Eu preciso saber. Já não sou uma criança que precise ser protegida das questões difíceis. Deve entender que acredito ter direito de saber exatamente o que aconteceu.

Como, perguntou-se ele, tinha olhado para aquele rosto e não vira? Fixado aqueles olhos sem perceber que aquela era a filha de Naomi?

— Eu compreendo, mas há muito pouca coisa que eu possa lhe dizer.

— Você a seguiu. Tirou fotos dela, fez anotações, relatórios. Você a conheceu bem, sr. Rooney. E conheceu Alec Bradley também.

— Eu os conheci? — Ele inclinou a cabeça. — Nunca troquei uma palavra sequer com Naomi Chadwick ou com Alec Bradley.

Ela não iria se deixar dissuadir por um simples detalhe.

— Viu-os juntos em festas, no hipódromo, no clube. Viu-os juntos naquela noite, quando ele foi até a casa. Você invadiu, tecnicamente falando, a propriedade dela quando tirou as fotos que a condenaram.

Ele não esquecera. Não esquecera nada daquilo tudo.

— Estive no limite, concordo. E talvez tenha invadido por zelo profissional. — Ele sorriu quando as lembranças o tomaram. — Com a tecnologia atual, eu poderia alcançar meu objetivo sem invasão. — Ele fez uma pausa para levar a caneca à boca e tomar um gole do café. — Mas o limite seria ultrapassado assim mesmo, Kelsey. Isso acontece todo dia.

— Você formou uma opinião a respeito dela. Imagino que procurar ser sempre objetivo deve fazer parte do seu trabalho, mas seria impossível não formar uma opinião a respeito de alguém cuja vida você esteja vigiando.

Ele começou a mexer o café novamente, embora o açúcar da colher que colocou já estivesse dissolvido há muito tempo.

— Tudo aconteceu há mais de vinte anos.

— Lembra-se dela, sr. Rooney? Não poderia ter-se esquecido dela ou do que aconteceu.

— Ela era uma mulher bonita — disse ele lentamente. — Uma mulher vibrante que meteu os pés pelas mãos.

— Com Alec Bradley.

Enfastiado consigo mesmo, Rooney pôs a colher de lado, manchando seu livro borrador.

— Sim, com ele. De acordo com os registros de domínio público que você há pouco mencionou, Naomi Chadwick foi presa por ter assassinado Alec Bradley, e depois condenada.

— E sua foto registrando o momento do disparo da arma ajudou a condená-la.

— É verdade. — Ele se lembrou vivamente do momento em que subiu na árvore, sua câmera batendo-lhe contra o peito, coração acelerado. — Poder-se-ia que eu estive no lugar certo na hora certa.

— Ela disse que agiu em legítima defesa. Alegou que Alec Bradley a ameaçou, que ele pretendia estuprá-la.

— Sei disso. Mas as evidências não sustentaram suas alegações.

— Mas você estava lá! Deve ter percebido se ela estava com medo, se ele parecia ameaçador.

Ele entrelaçou os dedos sobre a borda da mesa, como um homem prestes a proferir uma prece bem ensaiada.

— Eu a vi deixá-lo entrar na casa. Eles tomaram um drinque juntos. E discutiram. Eu não posso agora, do mesmo modo que não pude no julgamento, afirmar o que eles disseram. Eles foram para o segundo andar.

— Ela subiu — corrigiu Kelsey. — Ele a seguiu.

— Sim, foi o que me pareceu. Eu me arrisquei e usei a árvore para tentar observá-los, pois imaginei que iriam para o quarto dela.

— Por ele ter estado lá antes? — perguntou Kelsey.

— Não; que eu tenha visto, não. Mas essa era apenas a terceira noite que eu entrava na propriedade, e a primeira em que não havia mais ninguém em casa.

Ele manteve as mão unidas, o olhar calmo e nivelado com o dela.

— Vários minutos se passaram. Eu quase desci da árvore. Mas, de repente, eles entraram no quarto. Ela entrou primeiro. Pareceu-me que ainda estavam discutindo.

Ele se lembrou do olhar no rosto de Naomi, do jeito que ele lhe havia ocupado o visor da câmera: com beleza, com ódio, com desprezo. E, sim, ele se lembrou bem, com medo também.

— Ela ficou de costas para mim por alguns instantes. — Ele pigarreou. — Depois, ela se virou. Vi que ela tinha uma arma na mão. Pude ver os dois, enquadrados pela moldura da janela. Ele levantou as mãos e começou a recuar. E ela disparou a arma.

Um calafrio percorreu Kelsey como uma afiada lâmina de aço.

— E depois?

— E depois, Kelsey, eu congelei. Não me orgulho disso, mas eu era jovem. Eu nunca tinha presenciado um... Eu congelei — repetiu ele. — Eu a observei ir até onde ele tinha caído e inclinar-se sobre o corpo dele. E a vi ir até o telefone. Em seguida, saí de lá e sentei-me no carro, até que ouvi o barulho de sirenes.

— Você não chamou a polícia?

— Não, imediatamente não. Foi uma tolice minha. Isso poderia ter-me custado a licença. Mas eu fui até o Distrito Policial, levei o filme, prestei depoimento. — Ele separou as mãos, conscientizando-se subitamente de que os dedos lhe doíam. — Fiz o meu trabalho.

— E tudo o que viu foi uma mulher bonita e vibrante que meteu os pés pelas mãos e atirou num homem.

— Gostaria de poder dizer-lhe outra coisa. Sua mãe cumpriu pena. Está tudo acabado.

— Para mim não. — Kelsey se levantou. — E se eu o contratasse, sr. Rooney? Hoje. Agora. Quero que recue vinte e três anos no tempo, que dê outra olhada no caso. Quero saber tudo o que for possível saber sobre Alec Bradley.

Um calafrio percorreu Rooney.

— Esqueça isso, Kelsey. Nada poderá ser solucionado e certamente nada poderá ser mudado abrindo-se velhas feridas. Acha que sua mãe lhe será grata por fazê-la reviver tudo aquilo?

— Talvez não. Mas eu pretendo rever tudo, fato por fato, até entender perfeitamente o que aconteceu. Pode ajudar-me?

Ele observou sua fisionomia, mas teve a impressão de ver outra mulher naquele corpo, uma mulher pálida e controlada, numa sala de tribunal lotada. Controlada, lembrou-se ele, com exceção dos olhos. Olhos repassados de imenso desespero.

— Não, não vou. Vou pedir-lhe que pense melhor no que pretende fazer, nas conseqüências.

— Já pensei nelas várias vezes, sr. Rooney. E sempre chego à mesma conclusão. Minha mãe disse a verdade. Vou provar isso, com ou sem a sua ajuda. Obrigada pelo tempo que me concedeu.

Ele permaneceu sentado no mesmo lugar até muito tempo depois de Kelsey fechar-lhe a porta do escritório, até muito tempo depois de se esforçar para fazer as mãos pararem de tremer. Quando conseguiu controlar-se, pegou o telefone e fez uma ligação.

A próxima parada de Kelsey foi na universidade. A longa espera no apertado escritório do pai acalmou-a consideravelmente. Era-lhe sempre um lenitivo ver-se cercada de livros. E pelo cheiro, pelos sons do mundo acadêmico. Talvez por isso sempre voltasse para lá, supôs. Naquele mundo, o conhecimento era a meta a ser alcançada e todas as perguntas tinham resposta.

Philip chegou, as pontas dos dedos sujas de giz.

— Kelsey. Que forma maravilhosa de alegrar-me o dia. Eu teria vindo antes se a duração do meu seminário não tivesse sido prorrogada.

— Não me importei de esperar. Esperava que você tivesse alguns minutos livres.

— Tenho uma hora inteira pela frente. — Que ele planejara usar preparando sua última palestra do dia. Mas isso podia esperar. — Se você tiver o fim da tarde livre, eu a levarei para jantar assim que eu terminar.

— Não, hoje não, obrigada. Tenho ainda outro lugar para ir. Papai, preciso conversar com você.

— Não quero que você se preocupe com sua avó. Eu cuidarei disso.

— Não, não estou preocupada com vovó. Isso não é importante.

— Claro que é. — Ele segurou seus ombros e passeou as mãos por seus braços. — Não vou tolerar nenhum tipo de rompimento na família nem a atitude dela de usar sua herança contra você. — Furioso novamente, ele se virou e começou a andar de um lado para o outro no pequeno escritório, como costumava fazer enquanto analisava uma tese qualquer. — Sua avó é uma mulher admirável, Kelsey. E formidável também. O problema é que ela só tem olhos para a família e uma tendência para confundir o seu próprio conjunto de princípios com amor.

— Você não precisa me explicar quem ela é e nem justificá-la para mim. Eu sei que, do jeito dela, ela me ama. Mas o fato é que nem sempre foi muito fácil conviver com o jeito dela. — Nunca foi fácil, corrigiu-se Kelsey. — Sei também que ela não está acostumada a ser contrariada. Mas, desta vez, ou ela aceita o que eu estou fazendo da minha vida, ou não aceita. Não vou deixar que isso me influencie.

Ele não disse nada por alguns instantes, segurando um peso de papéis de vidro.

— Não quero que vocês fiquem brigadas.

— Nem eu.

— Se você e eu fôssemos vê-la juntos...

— Não.

Suspirando, ele tirou os óculos, polindo-lhes as lentes mais por hábito do que por necessidade.

— Kelsey, ela é uma pessoa idosa. Ela faz parte de sua família.

Oh, pensou ela, o velho apelo dos entes queridos.

— Sinto muito por não poder prometer nada. Sei que você foi arrastado para o meio de toda a questão, e sinto muito por isso também. Mas ela não vai conseguir o que deseja, papai. E, se formos honestos, admitiremos que eu nunca fui o que ela gostaria que eu fosse.

— Kelsey...

— Sou filha de Naomi, e ela sempre se ressentiu disso. Espero apenas que, com o tempo, ela aceite o fato de que o senhor é meu pai.

Com cuidado, ele dobrou os óculos e os pôs sobre a desordenada mesa, ao lado de uma cópia de *Rei Lear*.

— Ela a ama, Kelsey. É contra as circunstâncias que ela luta.

— Eu sou as circunstâncias — disse-lhe a filha calmamente. — Eu sou o motivo, a razão, a criança que duas pessoas quiseram até muito tempo depois de elas não se quererem mais. Não há como ignorar isso.

— É ridículo o fato de você se culpar.

— Não é culpar. Essa não seria a palavra correta. Mas que sinto uma certa parcela de responsabilidade, sinto — ela respondeu quando ele meneou a cabeça. — Com relação a você e a ela. E é por isso que estou aqui. Preciso que você me conte o que aconteceu.

Sentindo-se subitamente cansado, ele se sentou e esfregou os dedos nas têmporas.

— Já lhe falei sobre isso, Kelsey.

— Você falou resumidamente, em linhas gerais. Você se apaixonou por uma pessoa. Apesar da desaprovação de sua família, você se casou com ela. Tiveram uma criança. Em algum momento do relacionamento as coisas começaram a dar errado entre vocês.

Ela se pôs ao lado dele, detestando magoá-lo, precisando da verdade.

— Não estou pedindo que explique tudo. Mas você conhecia a mulher com quem se casou; tinha sentimento por ela. Se se sentiu disposto a lutar judicialmente contra ela, ir aos tribunais pela posse da criança, contratar advogados e detetives, deve ter havido uma razão. Uma boa razão. Eu quero saber que razão foi essa.

— Eu queria você — disse ele simplesmente. — Eu queria que você ficasse comigo. Egoisticamente talvez; sem muita lógica. Você era a melhor parte de nós dois. Achei que não seria certo deixar você ser criada no ambiente em que sua mãe vivia. Achei que não seria o melhor para você.

Teria errado?, perguntou-se ele. Teria errado? Quantas vezes ele tinha-se feito essa mesma pergunta, mesmo depois de a correção de sua atitude ter sido confirmada por tudo o que acontecera?

— Sua avó e eu discutimos a questão durante muito tempo — continuou Philip. — Ela se opôs veementemente à possibilidade de Naomi ter a sua custódia. Por fim, eu acabei concordando com ela. Não foi uma decisão fácil, mas foi a única que eu acreditava ser acertada. Parte dela se apoiava num sentimento egoísta, não posso negar isso.

Ele ergueu o olhar em sua direção, viu a mulher e lembrou-se da criança.

— Eu não queria desistir de você, perder você e tornar-me um pai de fim de semana, que poderia ser eventualmente substituído pelo próximo homem na vida de Naomi. E a forma como ela viveu durante os meses subseqüentes à separação pareceu-me deliberadamente destinada a desafiar-me. Os advogados dela devem tê-la aconselhado a comportar-se discretamente, porém ela fez precisamente o contrário. Ela cortejou a imprensa, aguçou-lhe o senso bisbilhoteiro. Eu detestava a idéia de contratar um detetive, mas a documentação era necessária. Eu deixei essa questão a cargo dos advogados.

— Você não contratou Rooney diretamente?

— Não, eu... Como você sabe o nome dele?

— Acabei de vir do escritório dele.

— Kelsey. — Ele estendeu o braço e agarrou-lhe a mão. — Qual o propósito disso? O que você espera conseguir?

— Respostas. E, muito especificamente, uma determinada resposta. — Ela fechou os dedos firmemente sobre os dedos do pai. — A pergunta eu vou lhe fazer agora. Você acredita que Naomi assassinou Alec Bradley?

— Não há dúvida quanto a isso.

— Que ela o aniquilou — disse Kelsey gravemente. — Mas assassinar? Você acha que ela o assassinou? A mulher que você conheceu, que você amou, foi capaz de assassinar alguém?

Ele hesitou, sentindo o aperto com que os dedos da filha seguravam os seus.

— Não sei — disse ele finalmente. — Mas gostaria de saber, do fundo do coração.

O último encontro do dia de Kelsey foi com os advogados de sua mãe. Obteve muito pouca coisa deles, esbarrando duramente na inexpugnável muralha do interesse e do prestígio nas relações advogado-cliente. Saiu dos suntuosos escritórios insatisfeita e determinada.

Há sempre uma saída, lembrou-se. Todo problema tem uma solução. Basta conhecer os fatores, a fórmula, e ter paciência para solucioná-lo. Uma pena, pensou, que sempre tivesse se saído bem melhor em filosofia e artes do que em matemática e ciências.

Se havia algum desencorajamento este devia-se ao fato de estar cansada. Cansada demais, ela tinha que admitir, para encarar Naomi e contar-lhe histórias inventadas de como passara a tarde.

Então, preferiu ir para Longshot.

Se Gabe não estivesse em casa, seguiria para Three Willows e inventaria alguma desculpa — uma dor de cabeça, talvez — e se recolheria a seu quarto.

Outra "mentira inofensiva", Kelsey? perguntou-se, implacável. Se continuasse a fazer isso durante muito tempo, além de se tornar boa nisso, passaria a aceitar a prática como algo normal.

Caminhou em direção à casa, mas, em vez de bater, sentou-se nos degraus da varanda, observando o entardecer.

Ainda haveria a claridade do sol durante uma ou duas horas, calculou Kelsey. Ela se perguntou se o pássaro que costumava cantar junto à janela de seu quarto teria um companheiro naquela área. Os cantos soavam juntos ao cair da tarde — um doce e cristalino trinado de romântico anseio.

As flores vicejavam ali, exalando cor e perfume no ar. Delicadas prímulas, graciosos amores-perfeitos. E um caramanchão que logo estaria coberto pelas flores perfumadas das ervilhas-de-cheiro. Lilases carregados de flores e fragrância, suas pétalas cobrindo o gramado de um matiz profundamente arroxeado.

Um lugar tão tranqüilo, um lugar tão adorável, para um homem de tanta energia e paixão.

Ela ouviu a porta abrir-se atrás dela e depois os passos dele. Num movimento tão natural quanto o das flores nas laterais da varanda, ela se apoiou em seu ombro quando ele se sentou ao lado dela e a abraçou.

— Vi o seu carro.

— Quem plantou as flores?

— Eu. É a minha terra.

— Meu pai sabe cuidar de jardins. Quando casada, eu tinha um pequeno pátio nos fundos da casa de Georgetown. Em razão disso, naturalmente, fiz um curso de horticultura e projetos paisagísticos. Quando acabei de reformá-lo, parecia um verdadeiro espetáculo, mas, mesmo assim, não consegui criar algo tão adorável e original quanto o de papai. Há coisas que não se consegue fazer com base nos livros.

— Eu planto o que me atrai.

— Se eu planejasse um jardim agora, seria exatamente com base nessa idéia.

— Estive pensando em fazer um jardim com pedras lá. — Ele apontou em direção à encosta de uma colina. — Por que não o fazemos juntos?

Ela sorriu, aninhando o rosto no pescoço dele, onde a pele estava quente e acolhedora.

— Eu iria direto para a livraria; não conseguiria me impedir.

— Bem, poderíamos discutir lógica e fantasia, e depois poríamos mãos à obra. — Ele lhe ergueu gentilmente o queixo com a ponta do indicador. — O que a está importunando, Kelsey?

Poderia contar-lhe, avaliou. Claro que poderia. Não havia nada que ela não lhe pudesse contar.

— Comecei a fazer algo hoje, e eu sei que não vou parar. Todos me disseram que eu deveria esquecer isso, mas não posso. E não vou. — Ela inspirou fundo e desencostou-se dele. — Você acredita que minha mãe assassinou Alec Bradley?

— Não.

Ela pestanejou e sacudiu a cabeça.

— Não, simplesmente? Sem hesitar, sem questionar?

— Você perguntou, eu respondi. — Ele se inclinou, pegou uma frésia e deu a ela. — O que você sente não seria mais importante?

Ela sacudiu a cabeça novamente e depois a mergulhou entre as mãos.

— Você pode dizer não, simplesmente não; porque nem mesmo a conhecia.

— Não é bem assim.

— Não? — Ela levantou a cabeça novamente. — O que quer dizer com isso?

— Eu ouvia falar sobre ela. Eu a via de vez em quando. — Ele inclinou a cabeça e ficou brincando com as pontas dos cabelos de Kelsey. — Fui rato de hipódromo durante muito tempo, Kelsey. Lembro-me de tê-la visto em Charles Town, Laurel, aqui e ali.

— Você era apenas um garoto.

— Não do jeito que você imagina. Mas é verdade, eu não a conhecia. Não tinha como formar uma opinião a seu respeito. Mas eu a conheço agora.

— E...

Ela precisava de detalhes, pensou Gabe. Sempre iria precisar. E ele não tinha certeza de poder fornecê-los.

— Passei minha vida aprendendo a decifrar as pessoas; semblantes, entonações, gestos. Jogadores, sensitivos, tiras, psiquiatras. Todos nós temos algo em comum ou não duraríamos tanto. Naomi apertou o gatilho, mas não cometeu assassinato.

De olhos fechados, ela se encostou nele novamente. A flor que ele lhe dera exalava um delicado perfume.

— Eu acredito nisso, Gabe. Parte de meu ser teme que eu acredite simplesmente porque não quero aceitar que minha mãe possa ter feito aquilo pelo que foi condenada. Mas isso não enfraquece minha opinião. Fui ao escritório do detetive hoje. O que testemunhou contra ela.

Gabe manteve a serenidade da voz. Kelsey perguntou-se como podia sentir falta tantas vezes da frieza que a caracterizava.

— Não lhe ocorreu a idéia de pedir-me para ir com você?

— Ocorreu. Mas preferi ir sozinha — respondeu ela, dando de ombros. — E não consegui muita coisa. Ele não me disse nada que eu já não soubesse. E não quis, quando tentei contratá-lo, ajudar-me a descobrir mais coisas sobre Alec Bradley.

— E o que você quer descobrir?

— Qualquer coisa. Tudo que for possível. Minha mãe é apenas uma parte disso. — Ela se afastou dele. — Que tipo de homem era? De onde veio? O que ele queria? Minha mãe disse que ele se tornou agressivo, que tentou estuprá-la. O que disparou isso?

— Você perguntou isso a ela?

— Não quero fazer isso, a menos que seja necessário. Ela poderia bloquear. Acredito que provavelmente me diria o que sabe, mas talvez isso anulasse o progresso que fizemos. Não quero arriscar.

— Ela não era a única pessoa que o conhecia.

Kelsey já tivera essa idéia e a rejeitara.

— Não posso começar a fazer perguntas pelo hipódromo, tentar arrancar informações de criadores e cavalariços. O que quer que eu conseguisse saber não valeria os boatos que isso geraria.

— Você tem alternativa?

— Tenho o nome do policial que investigou o caso de minha mãe. Ele está aposentado agora. Mora em Reston.

— Você esteve fazendo seu dever de casa.

— Sempre fui boa aluna. Vou procurá-lo.

Gabe segurou-lhe uma das mãos e a fez levantar-se.

— *Nós* vamos procurá-lo.

Ela sorriu.

— Tudo bem.

Capítulo 20

— QUANTO TEMPO, ROSCOE. — TIPTON E ROSSI APERTARAM-SE AS MÃOS ruidosa e efusivamente. — Como você não conseguiu assumir o meu posto ainda?

— Estou tentando, capitão.

— Bem, sente-se, para tentarmos assumir esta caixa de cerveja. — Tipton acomodou-se tranqüilamente na cadeira de balanço da varanda, ao lado de uma caixa térmica que conservava gelada meia dúzia de Budweisers. — Como vai a esposa?

Rossi aceitou a lata que Tipton lhe ofereceu e a abriu.

— Qual delas?

— Ah, sim, esqueci. Você fracassou duas vezes. — Com uma risada, Tipton bateu sua lata contra a de Rossi e ingeriu um generoso gole. — O divórcio faz quase parte do casamento, não acha? Eu tive sorte.

— Como está a sra. Tipton?

— Atrevida como sempre. — Mostras de simples e sincera afeição embelezaram-lhe a voz rouquenha. — Duas semanas depois de eu me aposentar, ela arranjou um emprego. — Divertido, Tipton abanou a cabeça. — Diz que precisa de um trabalho ativo, agora que os filhos estão crescidos. Diabos, ambos sabemos que essa é a forma de ela evitar matar-me com um objeto cortante. Assim, fiz um barraco lá nos fundos, onde guardo os objetos do meu passatempo, e ela está vendendo sapatos no comércio. — Ele sorriu e tomou um outro gole da bebida. — Eu tive sorte, Roscoe. Não é qualquer mulher que consegue viver com um tira, ativo ou aposentado.

— Nem me fale. — Duas esposas e dois divórcios em doze anos tinham ensinado essa lição a Rossi. — Você parece bem, capitão.

Era verdade. Tipton ganhara alguns quilos em seus três anos longe da força policial, mas isso lhe havia feito bem; os poucos quilos disfarçaram as rugas que o trabalho lhe havia traçado no rosto; parecia relaxado e tranqüilo em sua camisa de trabalho e sua calça *jeans*. Um boné cobria o que lhe restava dos cabelos crespos, uma mistura de fios brancos e ruivos.

— Muitas pessoas não se acostumam com a aposentadoria — comentou Tipton. — Sentem-se velhas. Eu estou adorando. Tenho minha própria

oficina... Fiz esta cadeira, sabia?

— Verdade? — Rossi manteve a língua na parte interna de uma das bochechas enquanto examinava a bambeante cadeira. O fato de Tipton tê-la pintado de um vistoso e ofuscante azul não mascarava o jeito como ela tombava para a esquerda. — Deve ser muito gratificante.

— Ah, sim, é. E tenho três netos agora. E tempo para distrair-me com eles. Minha esposa e eu estamos planejando fazer um cruzeiro no outono. Subindo o St. Lawrence.

— Parece que você está com tudo, capitão — disse Rossi.

— Com certeza. — E, se tivesse mais, Tipton tinha certeza de que sairia gritando noite afora. — Uma longa e tranqüila aposentadoria é a recompensa que um homem merece pelo trabalho bem-feito.

— E não há o que discutir quanto ao trabalho bem-feito. — Rossi bebericou a cerveja. Ele preferia cerveja importada, mas sabia que era melhor calar-se. — Não creio que preste muita atenção no que está acontecendo atualmente. Mas talvez tenha lido algo a respeito de um caso em que estou trabalhando.

— Ah, dou uma olhada nas manchetes de vez em quando. — Ele as lia atentamente, ávido por qualquer vislumbre de assassinato ou violência.

— O cavalariço que foi assassinado em Charles Town, em março.

— Esfaqueado. E de quebra foi esmagado. Você o solucionou — lembrou-se Tipton. — Foi outro cavalariço quem o matou, não foi? Lipsky; depois, cometeu suicídio.

— Este último ainda não está encerrado. — Rossi recostou-se e observou três passarinhos voejando ao redor de uma manjedoura com todo o jeito de ter sido feita em casa. Um gato com listras alaranjadas estava sentado debaixo dela, vigiando pacientemente. Na varanda, pensou Rossi, dois homens comuns, passando tempo, conversando fiado. — Nenhum bilhete, nenhuma propensão ao suicídio. E ninguém se suicida daquela forma. Aí é que está o problema.

Ele contou a Tipton, tão pormenorizadamente quanto possível, os fatos, desde a demissão de Lipsky até sua morte.

— Temos aí um quadro de um homem de pavio curto e violento, e que sabia lidar com cavalos. Não foi um homem que fez amizades ou que progrediu na profissão. Mas foi um homem que teve alguns problemas com a lei. Agressão. Estupro.

— O quadro de um homem que estava fugindo, e não o de um homem que se serviu de um coquetel de gim e veneno para cavalos. — Tipton meditou nisso por um instante. — Mas ele podia pôr as mãos nisso.

— Podia, assim como qualquer outra pessoa. A questão era algo muito pessoal. Ele queria acertar o cavalo de Gabe. Mas pode ter sido uma questão pessoal. Estava furioso por ter sido despedido e por isso planejou vingar-se. O velho cavalariço o surpreende, ele se apavora. Agora, tem as mãos manchadas pela morte de um homem. Por que ele não fugiu, capitão? Por que ele se hospedou num motel a pouco menos de uma hora de Charles Town?

— Porque ele estava esperando alguém. Alguém para dizer-lhe o que fazer em seguida.

— E esse alguém lhe serviu um drinque fatídico. Não havia impressões digitais na garrafa de gim. Parecia ter sido limpa.

Esse detalhe fez Tipton sorrir. Pequenos erros, pensou ele. Ele sempre gostara de pequenos erros; observou seu velho gato esperando que um dos estorninhos cometesse um e entendeu perfeitamente o próprio raciocínio.

— E você tem um caso de homicídio ainda sem solução. Você deu uma boa olhada nesse Slater?

— Ah, sim, dei. Um homem interessante. Muita grana. Cumpriu pena.

— Por...

— Jogo ilegal. Se tivesse sido preso alguns meses antes, teria ido parar no juizado de menores em vez de na prisão. — Distraído, Rossi tamborilou os dedos no braço da cadeira. — Manteve-se limpo desde então, pelo menos de acordo com os nossos arquivos. Foi praticamente criado nas ruas. A mãe morreu quando ele ainda era criança. O pai conseguiu livrar-se de muitas encrencas. Foi preso algumas vezes — fraude, falsificação, emissão de cheques sem fundos. Mas, principalmente, por aplicar contos-do-vigário. Surrou uma garota de programa em Taos há alguns anos. Mas não houve nada que pudesse ser provado. Slater conseguiu afastar-se do submundo por volta dos 14 anos, depois de cair numa armadilha da polícia e cumprir pena. Daí por diante, ele manteve o nariz longe de problemas. Não posso dizer que ele não acabou com Lipsky, mas acho que ele teria feito isso de forma mais direta.

— Quem mais você tem?

— Ninguém que me faça suspeitar de algo. Assistiu ao Derby pela tevê, capitão?

— Roscoe, para mim só existe um esporte: o beisebol. — Ele inclinou o boné. — Mas ouvi algo a respeito de um cavalo ter quebrado a perna.

— O cavalo foi drogado, capitão. Uma superdose. E foi o cavalo de Slater que venceu a corrida.

— Bem. — Tipton refletiu durante o último gole de cerveja. — E você já sabe qual o melhor caminho a tomar, Roscoe?

— Não, ainda não tenho certeza, mas arrisquei enveredar por um que me fez recuar vinte e três anos no tempo. Naomi Chadwick, capitão. O que você poderia dizer-me a respeito dela?

— Engraçado. — Tipton colocou a lata vazia sob a sola do sapato e a esmagou. — Essa é a segunda vez que ouço esse nome hoje. A filha dela telefonou-me esta manhã. — Ele consultou o relógio. — Ela já deve estar chegando.

— Kelsey Byden está vindo para cá?

— Quer conversar comigo a respeito da mãe. — Tipton recostou-se na cadeira, apreciando seu rangido. — Isso realmente me fará reviver o passado.

— Você deveria ter ficado na fazenda — murmurou Kelsey. — Não resta nem uma semana para o Belmont.

— Jamie pode cuidar das coisas sem mim. — Gabe sorriu enquanto fazia uma curva. — Na verdade, ele prefere assim.

— Não acho justo afastá-lo de seu trabalho agora. Eu poderia fazer isso sozinha.

— Kelsey. — Paciente, Gabe levantou-lhe a mão e a beijou. — Fique caladinha.

— Não posso. Estou nervosa demais. Esse é o homem que prendeu minha mãe, que a interrogou, que a colocou na prisão. Agora eu vou pedir a ele que me ajude a provar que ele cometeu um engano. E eu menti para Naomi. Novamente. Disse-lhe que iríamos dar um passeio.

— E estamos passeando.

— Você sabe que não — tornou ela bruscamente. — Eu a estou enganando, e a Moses. A todos. E para quê? Para satisfazer minha necessidade idiota de me assegurar de que não descendo de uma estirpe de assassinos?

— A questão é mesmo essa?

— Não. — Ela esfregou uma das mãos nos olhos. — Não sei. Talvez em parte, sim. Descendência é uma coisa assustadora. — Assim que disse isso, Kelsey sobressaltou-se, arrependida. — Não quero dizer que a descendência seja o único fator na formação do caráter. O ambiente... — Kelsey desistiu de prosseguir.

— Eu perco nos dois fatores — murmurou ele. — E me pergunto quando foi que você chegou a essa conclusão.

— Não procurei chegar a conclusão alguma com relação a isso. Nem estou procurando agora. — Ela respirou fortemente e xingou-se. — Não sei bem o que estou fazendo. Mas isso não tem nada a ver com você nem com o que eu sinto por você.

— Kelsey, vamos analisar bem as coisas. — Ter esperado que isso nunca acontecesse teria sido uma jogada arriscada; arriscada e tola. Mas se ele tivesse que perder, que perdesse condignamente. — Você tem dúvidas a respeito de si própria por causa do passado de sua família. Não — disse ele quando ela tentou interrompê-lo. — Vamos pôr as cartas na mesa. E você tem dúvidas a meu respeito por causa do meu.

Gabe guiava velozmente agora, inclinando-se sobre o volante ao contornar as curvas da estrada vicinal, deixando a velocidade consumir-lhe um pouco da tensão.

— Isso não é verdade, Gabe. Eu não poderia ter dormido com você se eu tivesse dúvidas.

— Poderia, sim. É fácil esquecer dúvidas e lógica nos momentos de excitação. E nós somos bons na cama. Somos mais do que bons na cama. Mas, cedo ou tarde, a lógica prevalece novamente. Tenho sangue ruim, Kelsey, e não há como drená-lo.

Gabe manteve o olhar voltado para a estrada, embora soubesse que Kelsey o observava, estudando-o e refletindo.

— As origens permanecem. Você pode maquiá-las, encobri-las com roupas elegantes, mas elas continuam debaixo de tudo isso. Eu vi e fiz coisas que abalariam irremediavelmente a estrutura desse seu código moral se você tomasse pleno conhecimento de minha vida. Eu não traio as minhas companheiras e não bebo, mas isso é tudo o que eu posso dizer que não fiz e não faço. A verdade crua é que eu queria o que Cunningham possuía e descobri um jeito de conseguir. Eu queria ter você na cama e teria feito o que fosse necessário para conseguir isso também.

— Entendo. — Agora ela tinha os olhos fitos na estrada. A velocidade não a amedrontava, mas ele, sim. — Então, é apenas sexo?

Ele não respondeu imediatamente. Ambos agora observavam a estrada serpear à frente deles.

— Não. Mas, por Deus, como eu gostaria que fosse.

Sob forte emoção, ela suspirou e fechou os olhos.

— Encoste — murmurou ela. Ao perceber que ele a ignorava, Kelsey aprumou-se no assento. — Encoste, Slater — repetiu firmemente —, e pare esse maldito carro.

Os pneus guincharam quando ele pisou bruscamente o freio e virou abruptamente o volante na direção do acostamento, onde a brita espirrou pelos ares.

— Se acha que vou deixá-la descer aqui, é uma grande idiota. Vou levá-la até Reston ou, então, de volta para casa.

— Não tenho a mínima intenção de descer aqui.

— Ótimo, ótimo. Seria melhor você entender que não pretendo deixar você ir. Nem aqui, nem em lugar nenhum. Eu lhe dei uma chance para fugir.

Ela nunca o tinha visto tão descontrolado.

— Não, você não deu.

Gabe a segurou pelas lapelas e a puxou vigorosamente para junto de si.

— Você teve a sua chance. Dane-se o seu certo e errado, Kelsey, e a sua educação, seu clube campestre e tudo mais que estiver em meu caminho. Você não vai conseguir livrar-se de mim sem lutar.

Os ânimos de Kelsey começaram a esquentar.

— Ótimo. Já que você acha acertado assumir uma postura primitiva e insultuosa, talvez este não seja o momento apropriado para eu lhe dizer que estou apaixonada por você.

Ele deixou as mãos caírem. Por um instante, ele teve a impressão de que todos os músculos do seu corpo haviam ficado dormentes. Os olhos dela fixavam os dele repassados de irritação, evidenciando também uma incipiente disposição para reagir, para lutar. Mas ele estava nocauteado.

— Você não se conhece.

Ela o agrediu. Ambos se surpreenderam quando o punho dela atingiu-lhe um ponto do tórax logo abaixo do coração.

— Não vou tolerar isso. — Ela afastou as mãos. — Não vou tolerar essa atitude. Sinto nojo mortal das pessoas queridas que pensam que eu não conheço a minha própria mente e o meu próprio coração. Eu os conheço muito bem. E, embora neste momento, esse fato me irrite, eu estou apaixonada por você. Agora ligue este maldito carro e terminemos logo com o que pretendemos fazer.

Talvez ele não pudesse guiar nem mesmo um velocípede.

— Dê-me um minuto.

Ela bufou e cruzou pernas e braços.

— Tudo bem. Não se apresse. Isso me dará a oportunidade de imaginar muitas formas de fazê-lo sofrer.

— Venha cá.

Ela lhe afastou as mãos e trancou seus braços quando Gabe tentou abraçá-la.

— Tire as mãos de mim.

— Está bem. Só pensei que estaria abraçando você quando lhe dissesse que a amo.

Não muito apaziguada, mas um pouco persuadida, ela virou ligeiramente a cabeça na direção dele.

— Você sabe isso há muito tempo?

— Muito não. Achei que iria passar. Como um resfriado. — Ele levantou defensivamente as mãos quando ela se virou bruscamente para ele. — Vai me agredir novamente?

— Bem que eu deveria. — Pois sim que ela iria rir, não importando o quanto os olhos dele a provocassem. — Um resfriado?

— Sim. O problema é que há coisas sobre os vírus do resfriado das quais eu tinha me esquecido. Você não consegue livrar-se deles totalmente. Um ou outro sempre consegue permanecer no seu organismo e volta a atacar quando as suas defesas estão enfraquecidas. — Ele pegou-lhe uma das mãos, segurou-a firme e levou-a aos lábios. — Estou tentando me acostumar com esse.

— E como está se saindo?

— Melhor agora. — Ele abaixou a testa, aproximando-a da de Kelsey. — Meu Deus, que momento. Deveríamos estar em casa, sozinhos.

— Não se aflija. — Ela inclinou a cabeça para que seus lábios tocassem os dele. — Compensaremos tudo quando estivermos lá. — Ele intensificou o beijo, e ela retribuiu completamente. — Como tudo pode ser tão confuso e ao mesmo tempo ser tão certo?

— Coisas do destino. — Ele se afastou e fitou-lhe os olhos. — Vamos fazer tudo para que continue assim.

— Por enquanto é o suficiente. — Com extrema gentileza, ela pousou a mão no rosto dele. — Mais do que suficiente.

A primeira coisa que Tipton percebeu quando os dois saltaram do elegante carro importado estacionado em seu pátio foi que eram namorados. O homem não fez mais do que apoiar uma das mãos no ombro da mulher; ela não mais do que lhe lançar uma olhadela e sorrir. Mas Tipton atinou imediatamente.

A segunda coisa que ele percebeu foi que a mulher era quase uma cópia de Naomi; da Naomi que ele tinha posto atrás das grades.

Ah, mas havia diferenças sutis, e seus olhos experientes perceberam isso também. A boca da filha era mais delicada, e um pouco maior. Os malares eram ligeiramente menos salientes, o andar mais fluido. O andar de Naomi era vigoroso, suas pernas como que uma tesoura nervosamente agitada. Um par de pernas que atraía os olhos de qualquer homem, ainda que ele estivesse a centenas de metros de distância dela.

Mas o que o agradou mesmo foi o fato de Kelsey Byden ter-lhe telefonado antes. Teria sido um choque vê-la aproximando-se da casa, como se fosse o fantasma da mulher que ele nunca esquecera.

— Capitão Tipton. — O sorriso de Kelsey apagou-se quando ela dirigiu o olhar para o acompanhante do ex-policial. — Tenente Rossi. Não esperava vê-lo aqui.

— Mundo pequeno, não é? — Irritá-la divertia-o. Ele pegou outra cerveja. Afinal de contas, não estava trabalhando. — Ora, por que não faço eu mesmo as apresentações? Kelsey Byden e Gabriel Slater, meu ex-comandante, capitão James Tipton.

— Roscoe sempre gostou de formalidades. — Tipton sorriu quando Kelsey ergueu uma sobrancelha ao ouvi-lo mencionar o apelido. — Sentemse. Aceitam uma cerveja?

— O sr. Slater não bebe — interpôs Rossi.

— Ah, bem. Acho que a patroa preparou chá gelado. Por que não vai lá dentro, Rossi, e serve alguns copos às visitas?

— Seria ótimo. — Contente por colocar Rossi na posição de servi-los, Kelsey acomodou-se no degrau superior. — Agradeço-lhe o tempo que nos concedeu para esta conversa, capitão.

— Sem problema. Tenho todo o tempo do mundo. Como vai sua mãe?

— Muito bem. Lembra-se dela?

— É pouco provável que eu me esqueça dela. — Tipton decidiu mudar de tática, preferindo sondar o terreno. — Roscoe me disse que está de parabéns, sr. Slater. Tem um cavalo concorrendo à Tríplice Coroa. Não que eu entenda muito de turfe. Meu esporte é o beisebol.

Gabe sabia alguma coisa sobre tática também.

— Minha aposta vai para os Birds este ano. Ouvi dizer que eles têm uma sólida equipe de arremessadores e um grupo de jogadores de base tão coeso, que nem um mosquito passa por ele.

— É verdade. — Entusiasmado, Tipton deu um tapa no joelho. — E como! Você os viu esmagarem os Jays ontem à noite? Malditos canadenses.

— Cheguei a ver o último turno. — Gabe sorriu e pegou um charuto; ofereceu um a Tipton e o acendeu para ele. — Aquele último triplo tirou 50 dólares do bolso do meu treinador-assistente e os passou para o meu.

Tipton soltou uma baforada.

— Na verdade não sou um apostador.

Gabe acendeu o isqueiro na ponta de seu próprio charuto e observou Tipton por sobre a chama.

— Eu sou. — Soltando a fumaça, abanou a cabeça afirmativamente quando Rossi voltou com dois copos compridos. — Obrigado.

— Roscoe gosta de futebol. Nunca consegui convencê-lo a gostar do esporte dos homens.

— Estou começando a gostar do esporte dos reis. — Rossi retomou o próprio assento. — Estarei de olho no Belmont Stakes, sr. Slater.

— Muitos de nós estarão.

— Bem, a moça não veio aqui para conversar sobre esportes. — Tipton dirigiu a Kelsey um amistoso sorriso. — Está aqui por causa de um assassinato.

— O que poderia dizer-me a respeito de Alex Bradley, capitão?

Tipton franziu os lábios. Ela o surpreendera. Imaginara que ela iria centrar a conversa exclusivamente nas coisas que diziam respeito à mãe. Intrigado, ele tentou reordenar as idéias e retroceder no tempo.

— Alec Bradley, 32, originário da Flórida. Casou-se com uma mulher quinze anos mais velha do que ele e que se livrou dele com um generoso acordo na conclusão do divórcio. Aparentemente, já tinha gasto quase tudo na época em que conheceu sua mãe.

— O que ele fazia?

— Galanteava damas. — Tipton deu de ombros. — Vivia à custa de amigos. Apostava em cavalos quando podia. Tinha o seu próprio *smoking*. — Tipton fez uma pausa para bebericar a cerveja. — E morreu com ele.

— Não gostava dele — observou Kelsey.

Para distrair-se e ajudar a concatenar palavras e pensamentos, Tipton formou três círculos com a fumaça da tragada.

— Estava morto quando o vi pela primeira vez, mas não gostava. Com base no que a investigação me fez saber sobre ele, eu não diria que fosse o tipo de pessoa que eu convidaria para jantar em minha casa. Ele fez do galanteio a mulheres casadas — mulheres casadas *ricas* — uma profissão. Elas o recompensavam com dinheiro, presentes, e apresentações a outras mulheres casadas insatisfeitas. Se elas não o pagassem a contento, ele as chantageava. No meu tempo, chamávamos esse tipo de sujeito de gigolô. Não sei que nome lhe dão atualmente.

— Visgo — disse Gabe espirituosamente e ganhou um aprovador aceno de cabeça do capitão.

Slater tinha bom gosto, concluiu ele. Com relação a mulheres e charutos.

— É uma boa descrição. O homem tinha seus atrativos. Modos delicados, educação das melhores escolas, e uma ascendência familiar que remontava a um enfatuado conde inglês. E tinha aquele jeito especial com mulheres, mulheres casadas que não poderiam enfrentar escândalos.

— Minha mãe estava separada, capitão.

— E participando de um processo de custódia. Ela não podia dar-se ao luxo de deixar que o namoro com Bradley se tornasse público se ela quisesse ganhá-lo.

— Mas ela se encontrava com ele em público.

— Socialmente — concordou Tipton. — Ela não parecia importar-se com o fato de que as pessoas julgassem que eles eram amantes. Ninguém podia provar isso. — Ele bateu a cinza do charuto numa lata vazia de cerveja. — Houve rumores de que Bradley cheirava um pozinho branco e caro. Ninguém conseguiu provar isso também. Até que ele morresse.

— Drogas. — Kelsey empalideceu, mas prosseguiu. — Minha mãe não disse nada sobre drogas. E não vi nada a respeito disso nas reportagens dos jornais.

— Nenhuma droga em Three Willows. — Tipton suspirou. Os olhos dela, tão parecidos com os da mãe, o faziam voltar no tempo. — O lugar estava limpo. Sua mãe estava limpa. Bradley tinha uma mistura de álcool e cocaína no organismo quando morreu.

— Se isso for verdade, ele pode ter agido de forma irracional, violenta, exatamente como minha mãe disse.

— Não havia sinais de luta. A camisola de sua mãe estava rasgada. — Ele tocou uma das mãos no tórax. — Ela tinha alguns machucados. Mas nada que ela mesma não pudesse ter feito.

— Se ela mesma tivesse feito isso, por que não teria derrubado algumas mesas, quebrado alguns abajures?

Garota esperta, pensou ele.

— Eu fiz a mim mesmo e a ela essa pergunta.

— E o que ela respondeu?

— A primeira vez estávamos sentados no andar térreo da casa. Ainda estavam tirando fotos do quarto. Ela havia vestido um roupão largo sobre a camisola. — Como se estivesse com frio, lembrou-se Tipton. Como se estivesse tremendo sob aquele material acolchoado. — Quando lhe fiz a pergunta, ela respondeu brusca e rispidamente: "Talvez eu não tenha pensado nisso."

Ele sorriu e abanou a cabeça.

— Aborrecida comigo, era o que ela estava. Era esse o tipo de resposta que dava, até que os advogados dela a fizeram calar-se. A segunda vez que eu lhe fiz essa mesma pergunta foi na sala de interrogatórios. Ela estava fumando, um cigarro atrás do outro; praticamente comendo-os por inteiro. E respondeu que gostaria de ter pensado nisso. Gostaria de ter pensado nisso, porque, assim, alguém acreditaria nela.

Tipton deixou a cerveja de lado e suspirou profundamente.

— Sabe, srta. Byden, o fato é que, como eu tinha acabado de dizer a Roscoe quando vocês chegaram, eu acreditei nela.

Kelsey descruzou as pernas, que estavam intensamente dormentes, e levantou-se.

— Acreditou nela? Acreditou que ela estava dizendo a verdade, mas mandou-a para a prisão.

— Acreditei nela — repetiu Tipton, semicerrando os olhos. Olhos de tira. — Mas as evidências eram desfavoráveis a ela. Perdi muitas noites de sono tentando encontrar algo que pesasse a seu favor. Mas tudo que eu tinha era determinação. Fiz o meu trabalho, srta. Byden. Eu a prendi. Eu a fichei. E apresentei as provas no julgamento. Era o que eu tinha de fazer.

— É assim que convive com isso? — Kelsey tinha as mãos na cintura. — Sabia que ela estava dizendo a verdade.

— Acreditei — corrigiu Tipton. — Mas isso está muito longe de se saber a verdade.

— Sabe, Roscoe, isso me fez reviver o passado. — Tipton observou o Jaguar sair de ré e depois se acomodou novamente em sua rangente cadeira de balanço. — Com que freqüência vemos olhos realmente cinza? Não verdes nem azuis; pura fumaça. Não se esquece de olhos assim.

— Naomi Chadwick o impressionou, capitão. O que não significa que ela estivesse dizendo a verdade.

— Ah, ela realmente me impressionou. Mas eu tinha um casamento feliz, Roscoe, e nunca pulei a cerca. Mas eu pensava em Naomi Chadwick. Teria acreditado por ela ter sensibilizado minha libido? — Ele suspirou e deu de ombros, esmagando a segunda lata de cerveja. — Não sei. Nunca tive certeza. O promotor público estava pressionando para que eu efetuasse sua prisão; ele queria aquele julgamento. E as provas existiam. Diante disso, tive de fazer meu trabalho.

Rossi admirava sua segunda lata de cerveja.

— O que achou de Charles Rooney?

— O detetive particular? Um exibicionista. Sua lista de clientes tinha muitos nomes elegantes. A maioria relacionada a processos de divórcio. Eu o pressionei para saber se ele falaria algo diferente do que havia dito antes, mas ele se manteve fiel à sua história; tinha o filme e os relatórios, e os advogados dos Byden o apoiaram.

— Ele testemunhou um assassinato e não informou à polícia.

— Nós o pressionamos por isso, e ele alegou que estava muito abalado. Preparava-se para tirar fotos de um casal fazendo sexo, e registrou um assassinato. Alegou até que ainda estava sentado no carro quando a polícia chegou. E registrou tudo com precisão.

— E depois esperou três dias para entregar o filme à polícia.

Tipton arqueou as sobrancelhas.

— Aonde você quer chegar, Roscoe?

— Aonde é necessário chegar. — Ele pôs a lata de cerveja parcialmente consumida entre os pés e inclinou-se para frente, apoiando as mãos nos joelhos. — Há vinte e três anos, houve um cavalo morto durante uma corrida, drogas, um suicídio, e um assassinato. Agora temos um assassinato, uma morte suspeita com ares de suicídio, um cavalo morto durante uma corrida e drogas. O pêndulo oscila dessa forma mesmo, capitão? Ou alguém lhe dá um empurrãozinho?

— Você é um bom tira, Roscoe. — Tipton estremeceu, como um cavalo veterano ao ouvir o badalar do sino. — E quantos você acha que estão dando esse empurrãozinho?

— Isso é o que precisamos descobrir. Você não estaria disposto a afastar-se de sua oficina durante algum tempo e ajudar-me a fazer isso?

Tipton esboçou lentamente um sorriso, perfeitamente adaptado ao rosto arredondado.

— Acho que posso incluir isso em meus planos.

— Era isso o que eu esperava ouvir. Lembra-se do jóquei que se enforcou? Benedict Morales. Benny. Talvez você pudesse descobrir mais alguma coisa a respeito do que o levou a cometer suicídio.

Kelsey endireitou-se no banco quando Gabe passou com o carro pelos portões de Longshot.

— Gabe, eu deveria ir para casa. Não serei boa companhia hoje.

— Não, não será. — Ele parou o carro e desligou o motor. — Mas é melhor você explodir aqui do que em Three Willows, onde terá de dar explicações a Naomi.

— Estou com tanta raiva. — Ela saiu do carro e bateu a porta. — Ele acreditou nela, mas a mandou para a prisão.

— Os tiras não mandam ninguém para a prisão, querida, são os jurados que fazem isso. Acredite em mim; eu estive lá.

— A questão é que ela passou dez anos atrás das grades, não é?

— A questão — disse ele, pegando-a pelo braço e conduzindo-a para a casa — é que isso faz parte do passado e você não pode mudar nada. Quanto você está disposta a arriscar para fazer o tempo recuar e provar que houve um erro?

Chocada, ela se virou para Gabe.

— Arriscar? O que há com você? O risco não interessa... não importa! O que aconteceu com ela foi errado. E tem de ser corrigido.

— Preto no branco?

Kelsey sentiu uma súbita remexida nas entranhas.

— E se for?

— Que seja então — disse ele simplesmente. — Mas não negligencie os matizes cinzentos, Kelsey. Nem tudo que descobrir, se prosseguir com isso, irá encaixar-se perfeitamente num lado ou em outro.

Ela recuou, e a distância entre eles era muito maior do que a do espaço físico.

— Você quer que eu pare.

— Quero que você esteja preparada.

— Para...

Com extrema calma, ele desfez a distância que os separava e a segurou pelos ombros.

— Nem todas as pessoas com quem você se preocupa são perfeitas. E nem todas as pessoas que são importantes para você irão agradecer-lhe por você remover duas décadas de poeira sobre fatos do passado.

Irritada, ela mexeu os ombros, numa frustrada tentativa de desvencilhar-se das mãos dele.

— Sei que Naomi não era... não é... uma santa. Não espero perfeição, Slater. Esse não é o meu propósito. Mas quero a verdade.

— Ótimo. Tanto quanto possa lidar com ela. E não tente livrar-se de mim — disse ele, e sorriu quando ela estremeceu sob suas mãos. — A primeira verdade que terá de engolir é o fato de que só poderá jogar com as cartas que recebeu. Você e eu teremos que disputar essa rodada.

— Não estou tentando livrar-me de você. Apenas preciso pensar no que fazer em seguida.

— Posso ajudá-la a fazer isso. — Ele a estreitou, suas hábeis mãos deslizando por suas costas. — Você agora vai relaxar, nadar um pouco.

— Não trouxe maiô.

— Querida, era exatamente com isso que eu estava contando. — Ele a beijou, de um jeito que parecia sempre fazê-la flutuar. — Depois, vou persuadi-la a fazer uso daquelas habilidades culinárias de que se gabou uma vez.

Relaxar pareceu uma excelente idéia a Kelsey. Com um suave murmúrio de prazer, ela virou a cabeça para facilitar-lhe o acesso ao pescoço.

— Você quer mesmo que eu cozinhe para você?

— Quero. Depois, vou levá-la para cima e seduzi-la.

— E o que está fazendo agora?

— Isto é apenas um preâmbulo. E amanhã, quando você estiver relaxada e de cabeça fria, voltaremos a pensar nesse problema.

— Parece-me sensato.

Mordiscando-lhe o pescoço, ele alcançou a boca de Kelsey. Não era exatamente justo, pensou ele, guardar algumas idéias para si mesmo. Mas ele queria desfazer a tensão no rosto dela. E comemorar o fato de que se haviam encontrado. Pelo menos naquela noite, ele queria que os dois concentrassem suas energias apenas nisso.

— Sejamos sensatos. — Ele deu um passo atrás e deslizou as mãos pelos braços de Kelsey até que as mesmas se entrelaçassem às dela. — Eu a amo.

Seu coração pulsou vigorosamente no peito.

— Não tenho argumentos para isso.

Capítulo 21

Sob a rósea luz da aurora, Moses observava as éguas levarem seus filhotes para beber água. Ele conhecia a lei do mais forte tão bem quanto elas. *Big Bess*, com seu arrogante abano do rabo, era a primeira, sempre. Atrás dela, ia *Carmen*, a teimosa égua ruiva, seguida por *Trueheart*, e assim por diante, hierarquia abaixo, até chegar a vez da tímida e recatada *Sunny*.

Os filhotes seguiam ao lado das mães, confiantes e brincalhões; inconscientes, pensou Moses, de que dentro de poucas semanas seriam desmamados e separados de suas mamães, como o próximo passo para o cumprimento de seus destinos.

Alguns seriam treinados para correr, outros, vendidos em leilões de potros. Algum deles poderia se demonstrar promissor e ser conduzido para as pistas de hipismo ou para espetáculos de cavalos adestrados. Moses particularmente não gostava desse tipo de espetáculo, que lhe parecia tão insípido quanto desfiles de carros alegóricos. Por fim, alguns seriam castrados, e outros utilizados como reprodutores.

Mas um deles, talvez um entre todos eles, exibiria a marca de um verdadeiro campeão. Pois sempre havia um outro Derby, disse ele consigo mesmo. E havia sempre outra chance de vencê-lo.

Talvez fosse aquele, o pequeno baio com a mancha branca na testa. Aquele com uma altiva inclinação de cabeça. Naomi o batizara de *Tomorrow's Arrogance* por conta disso. Ele tinha o porte, as feições, a ascendência, e o tempo iria dizer se tinha também a fibra de campeão.

Mas o coração de Moses pesava dentro do peito. Apostara muito no Derby. E sabia que não deveria ter feito isso. Ambas as metades de sua herança racial o haviam advertido para ele não testar os deuses. Contudo, ele os desafiara, pondo todas as suas esperanças, todo o seu coração, numa corrida de dois minutos.

E o preço disso tinha sido assombroso.

— Eles são lindos, não acha? — murmurou Kelsey atrás dele. — É difícil acreditar que dentro de um ano eles estarão prontos para receber a sela.

Moses enfiou as mãos nos bolsos dianteiros de sua calça e manteve o olhar voltado para os potrilhos.

— Então você resolveu aparecer.

— Sinto muito. Estou um pouco atrasada.

— Um pouco atrasada hoje. A metade do dia ontem e a metade do dia anterior.

— Precisei resolver algumas coisas.

— Coisas. — Ele se virou para Kelsey, sabendo que iria despejar nela suas frustrações, certo de que ela merecia. — Apenas uma coisa tem prioridade para quem trabalha aqui, e os cavalos são essa coisa.

Com passos largos e pisando firme, ele se pôs a caminhar em direção às baias, e Kelsey, culpada, acompanhou-o.

— Sinto muito, Moses, mas era inadiável...

Com os saltos do sapato praticamente encravando-se no chão, ela conseguiu deter-se quando ele parou abruptamente na sua frente e se virou.

— Escute aqui, mocinha, isto aqui não é um pátio de recreio. Você agora não tem direito a pedir tempo para amarrar seus sapatinhos. Aqui você tem que fazer força, o dia inteiro, todos os dias. Senão outra pessoa terá que trabalhar em dobro. E não é assim que eu administro as coisas por aqui. O que esteve fazendo ontem quando deveria estar com seu cavalo, quando deveria estar recebendo ordens de seu tratador de potros?

— Eu fui... — ela se interrompeu, quase mordendo a língua. — Fui tratar de um assunto pessoal.

— De agora em diante, passe a cuidar dos cabelos e pintar as unhas somente fora do expediente e durante as suas folgas. Não vou permitir que você desperdice o meu tempo. Temos baias para serem limpas.

— Mas eu... eu preciso trabalhar com *Honor*.

— Ela já está na guia. Você pode cuidar de seu relaxamento quando acabar o treino. Agora trate de pegar uma pá.

Ele se retirou, desaparecendo escritório adentro. Cavalariços e outros funcionários, que haviam parado de trabalhar para observar o que estava acontecendo, voltaram imediatamente a ocupar-se com seus afazeres. Todos gostavam de ver uma ralhação em público, mas ninguém gostava de ser pego observando.

— Bem, você foi aceita. — Naomi aproximou-se de Kelsey e correu a mão consoladoramente para cima e para baixo nas costas da filha. — Ele não teria falado com você desse jeito se não a considerasse um membro da equipe.

— Ele poderia ter falado comigo em particular — murmurou Kelsey. — E, droga, eu não estive cuidando dos cabelos. Veja isto. — Exasperada, ela espalmou as mãos com os dorsos para cima, exibindo as unhas curtas, sem pintura. — Parece que eu estive na manicure recentemente? Não estou aqui para brincar. Só porque precisei de algumas horas livres... — Ela se interrompeu e xingou novamente. — Era importante para mim.

— Às vezes, nós esquecemos que há outras coisas acontecendo no mundo lá fora que não acontecem aqui. Você não tem necessidade de fazer esse tipo de trabalho. O fato é que a maioria dos criadores não se envolve tanto assim com os trabalhos do dia-a-dia. Se você preferisse...

— Você acha que eu não posso me sair bem aqui, não é? — disse Kelsey, as bochechas vermelhas de emoção. — Você acha que eu não vou conseguir ir até o fim.

— Não estou dizendo isso, Kelsey.

— Não está? Por que as coisas deveriam ser diferentes desta vez? Sempre mudei de um emprego, de um interesse para outro. Por que alguém deveria achar que posso me fixar no que quer que seja, que isto aqui significa muito mais do que redigir matérias publicitárias ou explicar telas de arte impressionista a grupos de turistas? Se desisti de tantas coisas, por que não poderia desistir disto aqui? — Ela jogou os cabelos para trás. — Porque isto é diferente. Porque tudo é diferente agora.

Ela se virou e foi para as baias.

Naomi apenas suspirou. Uma forma infalível de se esquecer dos próprios problemas, atinou ela, era deixar que as pessoas que você ama utilizassem seu ombro para se desafogar de seus problemas. Avaliando temperamentos, ela concluiu que Kelsey precisava mesmo manusear um forcado durante algum tempo para esfriar a cabeça. E foi lidar com o temperamento de Moses.

Ele estava sentado à sua mesa, vociferando ao telefone com o empresário de Reno.

— Não vou deixá-lo montar em Belmont. Ele não está preparado, e

Corelli conseguiu classificar *High Water* entre os três primeiros no Preakness. Ele conhece o potro e merece a chance. Sim, é a minha última palavra.

Ele bateu o fone violentamente no aparelho, calando a voz lamuriante em seu ouvido.

— Não posso deixar um jóquei ainda traumatizado e com o ombro não totalmente recuperado montar nosso cavalo.

— Concordo com você. — Disposta a acalmá-lo, ela se sentou na mesa dele. — E Reno também concorda. Ele sabe que ainda não está preparado. — Num gesto que ela imaginou servir de apaziguamento, pegou a mão dele e a pôs sobre a sua. — Não foi um pouco duro com Kelsey lá fora?

Ele fechou o semblante e retirou a mão de sobre a dela.

— Está aqui como proprietária ou mãe?

— Estou aqui, Moses — disse ela simplesmente. — Sei que ela tirou algum tempo de folga recentemente. E sei que algo a está incomodando. Do mesmo modo que sei — prosseguiu ela calmamente — que algo o está incomodando também.

— Tratemos apenas de uma questão, Naomi. — Ele se levantou. — Ela tem negligenciado o trabalho nestes últimos dias. Portanto, acho que o entusiasmo dela esfriou.

Confusa, ela lhe observou o rosto, que não transparecia apenas aborrecimento, mas também preocupação.

— Talvez ela ainda tivesse alguns problemas pendentes. Não podemos esquecer que ela teve de fazer muitas adaptações ao novo estilo de vida num curto espaço de tempo. Achei que você estava satisfeito e até mesmo impressionado com o trabalho dela até agora.

— Até agora — concordou ele. — Mas tenho estado tudo, exceto satisfeito e impressionado nos últimos dias. Talvez você tenha esquecido que essa é uma das coisas que faço aqui. Se quiser que eu a trate de forma diferente...

— Eu não disse isso. — Naomi agora tinha a voz repassada de irritação. — Eu o conheço, Moses. Você não repreende alguém daquele jeito em público por simples infrações. Portanto, quem de fato está decidido a tratá-la de forma diferente?

Ele se virou, e os dois se encararam, a mesa entre eles.

— Na minha opinião, essa moça deve ter tido tudo na vida. E é mimada, inconseqüente, e está acostumada a ir e vir como bem entende.

— Exatamente como eu era.

Ele admitiu isso com um aceno da cabeça.

— Mas nem tanto. Você terminou o que havia começado, Naomi.

— Talvez essa tenha sido a primeira vez que ela encontrou algo que valha a pena terminar.

— Ou talvez ela esteja enfastiada e dentro de alguns dias arrume as malas para partir. Acha que eu não sei como você se sentirá se ela for embora?

Experimentando uma súbita sensação de frio, Naomi abraçou os próprios braços.

— Você mesmo me disse que ela não iria fazer isso.

— Talvez eu estivesse enganado. Talvez eu estivesse apenas muito feliz por ver você sorrir novamente. Tudo parecia estar indo tão bem. Mas, de repente... — Desgostoso, ele se deixou cair na cadeira novamente e esfregou as mãos no rosto. — Maldição. Ela cruzou meu caminho na hora errada.

— Qual é o problema, Moses? — Ela estendeu a mão para ele. Dessa vez ele a segurou.

— Os deuses brincam, Naomi. Especialmente quando você esquece que eles podem deixar sua glória e arrebatar aquilo que você mais deseja. E eu já tive o coração partido uma vez. — Ele ergueu o olhar para ela novamente e sorriu. Foi você quem fez isso pela primeira vez. Mas isso já faz algum tempo. E eu havia me esquecido de quanto dói.

— *Pride* — murmurou ela. — Deixe que apenas eu me enlute e me mortifique por ele.

Desconsolado, ele olhou para o entrelaçamento das mãos dos dois.

— Cometi um erro, Naomi. Deixei-me entusiasmar tanto pelas chances de vitória, que acabei me descuidando, ainda que por um minuto. E o preço disso foi alto.

— Pode lastimar-se, Moses, mas não se sentir culpado.

— Aquele cavalo era meu, Naomi. — Ele se virou subitamente para ela. — O seu nome pode ter saído nos jornais, mas o cavalo era meu. E eu o perdi. Não vigiei o lugar certo no momento certo. Não atinei com o que deveria ter atinado. Ainda hoje, eu penso naquele dia. Penso, penso, penso e não chego a conclusão alguma. Tudo aconteceu bem debaixo do meu nariz. Bem debaixo do meu maldito nariz — repetiu ele, esmurrando a mesa.

Havia, ela sabia, apenas uma forma de lidar com Moses estando ele naquele estado de espírito.

— Está bem, Whitetree, a culpa foi sua. Você estava encarregado do bom andamento dos trabalhos. Eu lhe pago para treinar os meus cavalos, para conhecê-los, para entendê-los e para orientá-los do nascimento à morte. Eu também lhe pago para supervisionar os empregados, para contratar e demitir, e para decidir qual equipe deve trabalhar com este ou aquele cavalo, nesta ou naquela corrida. E, pelo que parece, eu lhe estive pagando para você prever o futuro também. — Ela inclinou a cabeça. — E, já que esse é o caso, não sei se o demito ou lhe dou um aumento.

— Não estou brincando, Naomi.

— Nem eu. — Ela se levantou e contornou a mesa para massagear-lhe os ombros. — Quero saber o que aconteceu, Moses. Quero saber quem fez isso e que quem tenha sido pague pelo que fez. O que eu não quero nem posso suportar é que você, uma pessoa que eu amo e de quem dependo, se desanime. Temos menos de onze meses até o próximo primeiro sábado de maio.

— Sim. — Ele suspirou longamente. — Acho que tenho de me desculpar com aquela sua filha.

— Deixe estar. Ela consegue engolir um sapo ou outro.

Ele sorriu novamente.

— E bem que ela queria fazer-me engolir alguns. Deus, ela tem os seus olhos. Sabe, Naomi, eu não me arrependo muito das coisas que eu não fiz. Posso até contar nos dedos de uma das mãos as mais importantes. Nunca fiz uma peregrinação a Israel, nunca segui os passos de nenhum dos meus ancestrais, nem de um lado, nem de outro. E nunca tive um filho com você.

Ela imobilizou as mãos, e ele estendeu as dele e as segurou firmemente.

— Sinto muito.

— Não. — Ela baixou a cabeça, apoiando o rosto na cabeça dele. — Não sinta. Por que tão raramente temos uma segunda chance na vida, Moses?

Rich achava a mesma coisa. Segundas chances eram, em sua opinião, tão raras quanto dentes em galinhas. Só homens de muita sorte conseguiriam uma. E Rich Slater era um deles.

Ele apostou dois mil numa tripla-exata em Laurel e voltou tranqüilamente para o bar. De forma geral, a tripla-exata era uma aposta somente feita por pessoas experientes e viciadas em corridas de cavalo, mas ele estava com grana.

E ele estava gostando dos cavalinhos, pensou ele. Para o inferno com as cartas, com as quadras de seqüência. Os cavalos eram agora sua menina dos olhos.

Ele pediu mais uma dose de uísque, agora sua nova e predileta bebida, e pegou um charuto de 5 dólares.

A chama do isqueiro que ardeu sob o charuto fez suas sobrancelhas arquearem-se. Rich o tragou e virou-se, sorrindo afavelmente para o filho.

— Vejam só, exatamente como nos velhos tempos. Sirva meu garoto também — pediu ele ao garçom.

Gabe simplesmente ergueu um dedo.

— Café puro.

— Merda — disse Rich, pronunciando a palavra em longas sílabas. — Não me dê uma de bicha, garoto. Eu estou pagando.

— Café — repetiu Gabe, observando o pai. Ele já conhecia os sinais: bochechas vermelhas, olhos brilhantes, sorriso largo. E Rich Slater não estava apenas quase bêbado, tinha também dinheiro no bolso.

— Pensei que tivesse vindo de Chicago porque estava com problemas.

— Já resolvi tudo. Não se preocupe comigo, Gabe. Todos sabem que o velho Rich Slater é conhecido pelos seus bons antecedentes.

— Ah, é? — Gabe levantou uma sobrancelha. — Achei que o problema tinha alguma coisa a ver com trapaça.

Fora isso que dissera ao filho?, perguntou-se Rich, vasculhando a memória um tanto entorpecida. Bem, não importava.

— Foi apenas uma divergência de opiniões, nada mais que isso. Agora está tudo acertado. E esta aqui, sim, é a minha corrida. — Ele gesticulou em direção ao monitor. — O número 3 — murmurou ele. — É isso aí, o número 3.

Gabe relanceou o olhar pelo monitor quando os portões se abriram.

— Ouvi dizer que você está apostando em cavalos novamente.

— Vamos lá, garoto, pegue a cerca. Onde você ouviu isso?

— Aqui e ali. Alguém o viu em Churchill Downs no dia do Derby.

Rich continuou a assistir à corrida, torcendo e incitando seu cavalo a avançar com súbitas e ligeiras viradas de tronco. Contudo, sua mente trabalhava, analisando cuidadosamente uma passagem segura pelo campo minado que Gabe estava preparando para ele.

— Ele conseguiu. Ele conseguiu tomar a cerca! Agora, vamos lá, rapaz, a linha de chegada. Haaa! Filho da mãe, eu sei escolher o cavalo certo. — Contente com o fato de o primeiro cavalo do seu bilhete de apostas ter chegado em primeiro, ele pediu um outro drinque. — Eu tenho tato, Gabe. Aliás, sempre tive.

— E que tipo de tato você teve em Kentucky no mês passado?

— Kentucky? — O sorriso largo e amistoso abriu-se mais ainda. — Há seis anos ou mais eu não vou a Kentucky. Mas, devo admitir, bem que eu gostaria de ter ido.

— Eu o vi, na manhã do dia da corrida.

Rich vacilou, quase que imperceptivelmente, mas manteve o olhar fixo no do filho.

— Acho que não, filho. Tenho ótimas acomodações no subúrbio de Baltimore. Toda a diversão de que eu preciso está a uma hora de carro delas. Pimlico, Laurel, Charles Town. Talvez você esteja querendo dizer que me viu em Pimlico, no Preakness. Eu estive lá. Com certeza. — Ele piscou para Gabe. — Apostei algum dinheiro no seu potro também. E você não me decepcionou. Talvez, com a sorte que eu estou, eu faça uma viagem para assistir ao Belmont Stakes. Você acha que pode ganhar a Tríplice Coroa, não é, Gabe? E pode mesmo. Faça isso, e nós comemoraremos de verdade.

— Houve um acidente no Derby.

— Sei disso. Fiquei chocado, sentado em minha sala, vendo-o acontecer pela tevê. É muito triste ver um cavalo cair daquele jeito. — Falsamente confrangido, ele meneou a cabeça acima do copo. — Muito triste. Mas você não sofreu muito com essa perda, sofreu?

— Alguém fez alguma coisa para que aquele cavalo caísse.

Com os lábios cingindo o charuto, Rich abanou positivamente a cabeça.

— Ouvi falar sobre isso também. Servicinho sujo. Mas Deus sabe que isso acontece. — Ele estendeu a mão para pegar amendoins e jogou dois na boca. Gabe notou que ele estava usando um anel no dedo mínimo, uma jóia cravejada de pequenos diamantes encravados em uma moeda de 1 dólar.

— Ah, mas esse tipo de coisa já não acontece com tanta freqüência quanto antigamente — prosseguiu Rich. — Agora é mais difícil injetar drogas num cavalo e conseguir safar-se da lei. — Ele soltou uma baforada, feliz por tentar embrulhar Gabe. — Aliás, nos tempos em que seu avô e eu apostávamos em cavalos havia muitos truques para se fazer isso. Não havia muitos testes de antidopagem então, nem tantas malditas regras para jóqueis e cavalos. Mas isso foi há 40 anos ou mais. — Ele suspirou saudosamente. — Uma pena que você não tenha conhecido seu avô, Gabe.

— É. Também foi uma pena que ele tenha levado um tiro nos miolos por causa de uma... divergência de opiniões.

— É verdade — disse Rich, sem sarcasmo. Ele era um homem que havia amado o pai dele. — É o que eu lhe digo sempre, filho, às vezes a trapaça é apenas parte do jogo. Tudo é uma questão de habilidade e de agir no momento certo.

— E, às vezes, é uma questão de assassinato. De um homem, de um cavalo. O assassinato de um e de outro não faz muita diferença para certas pessoas.

— Houve cavalos dos quais eu gostei mais do que de alguns homens.

— Lembro-me daquela corrida em Lexington. Eu era apenas uma criança. — Gabe pegou o café deixado sobre o balcão, e continuou a olhar para o pai por sobre a borda da xícara enquanto o bebericava. — Mas me lembro de como você estava nervoso. O tempo não estava tão quente assim. O Bluegrass Stakes é na primavera. Mas você estava suando bastante. Você me fez "trabalhar" nas arquibancadas; melhor, me fez esmolar. Um cavalo tropeçou naquele dia também.

— Acontece. — Ele virou o rosto para o monitor. Apesar do frio gerado pelo ar-condicionado, o pescoço de Rich estava molhado de suor. — Vi isso acontecer muitas vezes quando eu era jovem.

— Aquele cavalo também pertencia a Chadwick.

— Que merda! Isso é o que eu chamo de azar. Ei, você ainda não percebeu que meu copo está seco? — disse Rich, golpeando o balcão com tapas.

— E um jóquei se enforcou por causa disso. Segundo me recordo, nós não ficamos muito tempo ali também depois da corrida; apenas alguns dias. Isso me pareceu estranho também, porque nosso aluguel estava em dia.

— Meus pés estão sempre coçando. Sempre.

— Eu me pergunto como você conseguiu arrumar tanta grana depois do acidente, ainda que ela não tenha durado muito. Aliás, ela nunca durava, mas o fato é que você tinha um belo e gordo maço de notas quando nós partimos.

— Devo ter apostado nos vencedores daquela corrida.

— Você está com grana agora também, não está? Terno novo, relógio de ouro, anel de diamantes. — Ele pegou a mão de Rich. — Manicure.

— Aonde você quer chegar, garoto?

Prevenindo-se do cheiro de bebida, Gabe inclinou-se para frente. Seu tom de voz estava baixo e friamente controlado.

— É melhor rezar para que eu não descubra que você esteve em Kentucky naquele primeiro sábado de maio.

— Você não deveria ameaçar-me, Gabe.

— Ah, sim, deveria.

Com medo e ódio circulando-lhe nas veias, Rich pegou o seu drinque.

— Pare com isso; é o que você deveria fazer. Deixe as coisas como estão e preocupe-se com o cavalo que está preparando para a próxima corrida. Preocupe-se com ele e com aquela bela potranca de pêlos dourados com quem você está transando.

Como um raio, Gabe agarrou o nó da nova gravata de seda do pai. O garçom agiu prontamente.

— Não queremos problemas aqui dentro.

— Não há nenhum problema. — Rosto bem próximo ao do filho, Rich sorriu. — Nenhum mesmo. Apenas uma discussão em família. Uma bela escolha a sua, filho. Sangue nobre. Aliás, aposto que um puro-sangue como ela deve ter tanta energia quanto você, e muita fibra também. Talvez esteja na hora de ela conhecer o seu velho e querido pai.

A mão de Gabe doía com a pressão com que ele cerrava o punho, ávido, aliás, por mais pressão. Mas não havia como ignorar o fato de que aquele era o seu pai, ainda que isso lhe fosse repugnante.

— Fique longe dela — disse Gabe gravemente.

— Senão...

— Senão eu o mato.

— Nós dois sabemos que você não é disso. Mas façamos um acordo. Você não se intromete nos meus negócios, eu não me intrometo nos seus. — Rich ajeitou a gravata quando Gabe o soltou. — Do contrário, eu posso ter uma boa e longa conversa com a sua bela namorada. E aposto como eu teria muita coisa para dizer a ela.

— Fique longe do que me pertence. — Gabe pegou uma cédula e a pôs ao lado da quase intocada xícara de café. — Fique bem longe do que me pertence.

— Crianças. — Rich sorriu para o nervoso garçom quando Gabe se retirou. — Elas parecem nunca aprender a respeitar os pais. — Ele pegou o drinque e tentou ignorar o fato de que sua mão tremia. — Às vezes, é preciso ser duro com elas — resmungou. Com o drinque na mão, virou-se para o monitor e aguardou a vitória de seu cavalo.

Era quase noite quando Kelsey saiu definitivamente das baias. Ela havia trabalhado durante exaustivas doze horas, recolhendo estrume e palha, esfregando pisos, polindo ferros. Agora, todos os músculos de seu corpo doíam. Tudo o que ela queria era um abençoado banho quente e a cabeça livre de quaisquer pensamentos.

— Toma uma cerveja? — Moses sentara-se num barril, duas garrafas geladas presas nos dedos, esperando-a.

— Não. — Ela abanou a cabeça tão fria quanto as cervejas. — Obrigada.

— Kelsey. — Ele ergueu uma das garrafas. — Não consegui encontrar meu cachimbo da paz.

Depois de ainda relutar um pouco, ela cedeu e aceitou a cerveja. Teria preferido um balde de água fria, mas a cerveja lavou um pouco o gosto de poeira e suor.

Moses fixou o olhar na mancha arroxeada no braço dela.

— O que foi isso? *Pacer* a mordeu?

— Isso mesmo. E daí?

— Você não vai conseguir ficar aborrecida comigo durante muito tempo. Sou muito sedutor.

Kelsey tomou um outro gole.

— Não, você não é.

— Com sua mãe funciona — resmungou ele. — Escute, acho que você cometeu um erro, e eu a conscientizei disso. E agora eu vou lhe dizer também que você fez um bom trabalho. Não apenas hoje. Mas durante a maior parte do tempo que tem estado aqui.

— Durante a maior parte do tempo?

— Sim. Você aprende rápido e não comete o mesmo erro duas vezes, mas ainda precisa de alguém para lhe supervisionar o trabalho; tem problema de temperamento, mas estamos acostumados com isso por aqui, tanto de parte dos cavalos como de sua mãe.

— Minha... — ela abriu a boca. — Minha mãe.

— Ela consegue ser uma mula quando quer. Não que ela perca tanto as estribeiras agora quanto perdia quando era mais jovem. Acho isso lamentável às vezes. — Ele baixou o olhar para as botas. — Droga, acho lamentável tudo aquilo. Eles não a quebraram, mas eles a mudaram. Eles a endureceram, e ela aprendeu a se controlar. Eu agi daquele jeito com você hoje mais por causa dela do que por causa do trabalho.

— Não entendi.

— Se você for embora, ela morrerá. Sei que ela não gostaria que eu lhe dissesse isso, mas estou dizendo mesmo assim. Não há nada neste mundo que signifique mais para mim do que Naomi. Não quero que ela sofra novamente.

— Eu não vou embora. Nem pretendo fazê-la sofrer. Talvez seja muito difícil para você acreditar em mim. Mas eu gostaria que você acreditasse. Eu gostaria que você pudesse acreditar.

— Sabe, acho que a pessoa que limpa e cuida de cavalos, e faz um bom trabalho, sem entregar os pontos, merece confiança. Vejo você amanhã de manhã.

— Claro. — Ela se retirou, e logo em seguida lançou-lhe uma olhadela por sobre os ombros. — A noite hoje vai ser linda.

— É. Vai.

— As mulheres gostam de passear ao luar.

— Ouvi dizer que sim.

— É provável que em poucas horas tenhamos uma bela lua cheia. — Contente, Kelsey continuou a caminhar em direção à casa. Ela tinha feito o seu trabalho, e de uma forma muito bem-feita, avaliou ela. Agora iria deixar Gertie gratificá-la com o que houvesse de bom na cozinha e depois destilar todas as dores de seu corpo na água de um banho de noiva.

Uma hora mais tarde, ela estava dormitando num mar de espuma perfumada. Seu mundo se organizara novamente. Enquanto bocejava preguiçosamente, a porta se abriu.

— Gabe! — Alvoroçada, ela se levantou, quase derramando uma boa quantidade de espuma para fora da banheira. — O que está fazendo aqui?

— Gertie me disse que eu a encontraria aqui em cima. — Ele enganchou os polegares nas presilhas da calça e admirou a cena. — Vim pegá-la e levá-la para casa comigo. Mas você não me parece adequadamente vestida.

— Eu sempre tomo banho nua. É um hábito meu.

— Que tal eu lavar suas costas e qualquer outro lugar que suas mãos não alcancem?

— Eu mesma posso fazer isso. — Ela tirou os cabelos dos olhos e tentou resistir ao impulso de tapar com os braços os seios cobertos de espuma. — Por que você não espera lá embaixo eu terminar de me arrumar?

Ele pensou um pouco, e depois meneou a cabeça e começou a desabotoar a camisa.

— Não. Vou tomar banho também.

— Não, você não vai. Pelo amor de Deus, Gabe, nós estamos na casa da minha mãe.

— Ela não está em casa.

— Mas essa não é a questão. — Nervosa, ela tirou algumas mechas de cabelo da testa. — Não tire a camisa, Slater. Gertie está lá embaixo — sussurrou ela.

— E terá de ficar lá. Não há espaço nessa banheira para nós três. — Ele jogou a camisa para o lado e sentou-se para tirar as botas.

— Não estou brincando. Isto não é certo.

— Preciso de você, Kelsey.

Por fim, Kelsey desistiu de protestar e suspirou. Ela podia perceber agora a tensão nos ombros de Gabe; em ondas.

— Droga — murmurou. — Tranque a porta.

— Já tranquei.

Seu *jeans* juntou-se ao dela no chão, e ele entrou na banheira, acomodando-se atrás dela, abraçando-lhe a cintura e mergulhando o rosto em seus cabelos.

— Deus. — Gabe aspirou-lhe o perfume e experimentou a textura da pele de Kelsey, tentando destilar o veneno que o corrompia desde o confronto com o pai.

Ele precisava daquilo pelo menos por uma hora. Ela podia fazer aquilo por ele. Podia fazer qualquer coisa por ele.

— Gabe, diga-me o que aconteceu.

— Shhh. — Ele deslizou as mãos até as curvas escorregadias dos seios dela e os dedos sobre os mamilos. — Apenas deixe-me tocá-la. Preciso apenas tocá-la.

Gabe a mergulhou em ternura. Ele nunca havia sido tão gentil antes, tão paciente, tão delicado. Com ela ainda recostada nele, fez apenas o que disse que precisava fazer. Ele apenas a tocou. Seus dedos deslizaram por uma das longas pernas, alcançando o joelho, a coxa, e a penetrando, fazendo-a experimentar a sensação de que seus ossos se derretiam dentro do corpo.

Fremindo de prazer, ela tentou virar-se para ele, mas foi impedida.

— Ainda não — disse Gabe, beijando-lhe os ombros e a nuca, onde se colocavam cachos molhados.

Ela se rendeu mais intensamente do que nunca, deixando as mãos dele explorarem seu corpo como bem entendessem. A água marulhava, a espuma se dissolvia. A cada orgasmo, seu corpo entesava-se, tremia, explodia, e ela acreditava que seria o último, mas, lenta, paciente e silenciosamente, ele lhe acendia nova fogueira.

Kelsey pairava numa nuvem mágica ignorando os gemidos que escapavam de sua boca. Derramando água por sobre a borda da banheira e molhando os azulejos, ele finalmente a mudou de posição, puxando-a das nuvens para as chamas da paixão.

CAPÍTULO 22

AQUELE CAVALO NÃO IRIA VENCER. RICH SERVIU-SE DO UÍSQUE ESCOCÊS de Cunningham. Afinal de contas, um homem não deveria limitar-se a um tipo de bebida, de mulher ou de jogo.

O garoto nunca havia entendido isso, pensou, tomando num gole a dose dupla e enchendo o copo outra vez. Nunca tinha sido capaz de ensinar nada àquele filho da mãe.

Bem, mas iria ensinar-lhe algo agora. Algo bom e apropriado.

Para Gabe, naquele ano, não iria haver Tríplice Coroa alguma. Não, com certeza que não. Ele iria trabalhar para isso; tinha vindo ali para fazer um serviço, e, se por acaso não desse certo, teria pelo menos o prazer da vingança pessoal.

Acomodou-se na confortável poltrona de Cunningham e apoiou seus novos mocassins Gucci num barquinho. E sorriu. Aquela era a vida que ele merecia, e como era. Uma vida de nobre. Uma ótima casa de campo, carros reluzentes na garagem, e uma mulher gulosa na cama.

Ele iria ter tudo isso. Assim que resolvesse um último probleminha e levasse todos os seus lucros para Las Vegas, onde era conhecido. Sim, o bom e velho Rich era muito conhecido naquela cidade. E agora seria um apostador de altas paradas, hospedar-se-ia numa das coberturas do Caesars e desfilaria com uma bela loura a tiracolo.

Assim que varresse a grana dos cassinos, compraria uma casa para ele. Talvez em Nevada. Uma daquelas elegantes casas com cactáceas e palmeiras e uma piscina nos fundos. Depois, quando lhe desse na telha ou quando sua carteira emagrecesse, retornaria para ganhar uma nova bolada.

Ficou sentado, sonhando com a roleta que o compreendia e com cartas que pousavam em suas mãos como anjos.

— Que diabos você está fazendo aqui? — Vermelho e assustado, Cunningham detinha-se à soleira da porta. Em vez do tom de comando que ele desejara, sua voz saiu da garganta como se fosse uma seqüência de guinchos articulados.

— Ei, Billy Boy. Já chegou a um acordo com seus sócios? Ouvi dizer que vai embolsar quase um milhão com os acasalamentos daquela sua égua.

— Isso não é da sua conta. — O negócio já estava quase fechado, e nada, prometera ele a si mesmo, *nada* iria interferir. Ele tinha um empréstimo a pagar, e o prazo de solvência estava quase terminando. — Você recebeu o dinheiro, Slater. Estamos quites.

Olhos franzidos, Rich contemplava no copo o seu último gole de uísque.

— Mas que falta de consideração, Billy.

— O que você está fazendo em minha casa?

— Um velho amigo não pode vir fazer-lhe uma visita? — disse Rich, sorrindo sinceramente. — Aquela sua belezinha foi muito mais hospitaleira ao me deixar entrar. Estava saindo para fazer compras, disse ela. Foi direto para o Neiman Marcus*. Lugarzinho caro aquele.

— Marla — disse Cunningham com toda a dignidade que pôde invocar — é minha esposa.

— Não me diga! — Depois de dar um tapa no próprio joelho, Rich levantou-se para servir-se de mais um drinque. — Então resolveu amarrar-se por causa de um par de seios de primeira linha? Bem, meus parabéns, Billy Boy. Você é mais idiota do que qualquer pessoa poderia imaginar.

Se não fosse um idiota agora, pensou Cunningham, certamente tinha sido ao voltar a fazer negócio com o ex-comparsa. Mas agora, e de agora em diante, tudo seria feito de forma legal. O acordo para o acasalamento da égua, cujos detalhes parciais Cunningham tinha acabado de acertar, era tão ambicioso quanto Rich ouvira dizer. Portanto, já estava na hora, ou muito mais do que na hora, de ele romper velhas relações. Todas elas.

— Vou pedir-lhe para sair, Rich. Não nos devemos mais nada, e não é inteligente que nos deixemos ser vistos juntos.

— Não há ninguém aqui, exceto eu e você. — Rich lançou-lhe uma

* Luxuosíssima cadeia de lojas de departamentos americana, com filiais nas principais cidades dos EUA. (N. do T.)

piscadela e acomodou-se na poltrona novamente. Ah, ele sabia o que Cunningham estava pensando. Sem dúvida. Billy Boy não precisava mais do velho Rich. — Ei, não se preocupe. Não estou aqui para arrancar-lhe mais dinheiro. Pode ficar tranqüilo quanto a isso.

De fato, Cunningham ficou mais calmo. Mas apenas um pouco mais.

— O que você quer, então?

— Um favor. Só isso. Apenas que você faça um favor ao seu ex-sócio e velho amigo. Preciso dar um "jeito" num certo cavalo, Bill. — Ele ergueu o copo, deleitando-se em observar a luz do sol atravessar a janela e refletir nas facetas de vidro.

— Não quero ter participação alguma nisso.

— O que você quer e o que você tem que ter são coisas bem diferentes. — Do copo, ele deslocou o olhar para Cunningham. — Vou matar o potro de meu filho, Billy. E você vai me ajudar.

— Você está louco. — Chocado, Cunningham enxugou o suor que se lhe acumulara acima do lábio superior. — Você está louco, Rich, e eu não quero ter nada a ver com a sua loucura.

— Vamos conversar sobre isso — disse Rich sorrindo.

As malas de Kelsey estavam arrumadas e alinhadas próximo às de Gabe, perto da porta do quarto. Partiriam para Nova York às 7 horas em ponto. Dali a seis horas, pensou ela enquanto mantinha o olhar fixo na clarabóia acima da cama.

Suspirou, mudou de posição e aconchegou-se ao corpo de Gabe. Todas as vezes que se deitava com ele e olhava para o lado e o via ou estendia o braço e o tocava, ela se sentia admirada, fascinada por saber que ele estava ali, junto dela. Quente, sólido, real. Seu. Aquele belo corpo. Ela deslizou os dedos pelo tórax dele abaixo e depois pelo ventre acima. Um corpo comprido, forte, incansável. E um rosto que fazia seus dedos dos pés revirarem-se sempre que ele a olhava.

E aquilo era apenas a concha.

É uma tremenda concha, pensou ela, contornando-lhe o queixo com a ponta do dedo. Mas o que ela tinha dentro de si era igualmente impressionante. A força, a gentileza, a coragem. Ele superara dificuldades, muitas vezes, obstáculos de uma herança miserável e obscura, vencendo apenas com seu próprio esforço. Naquele mesmo instante, dormindo em seu lugar de honra nas baias, estava o cavalo que tinha o mesmo tipo de força e coragem. Juntos, eles iriam entrar para a história do turfe.

— Não adianta — murmurou ela encostando os lábios no pescoço dele.

— Humm? — Num gesto automático, ele acariciou as costas de Kelsey. Estivera se deliciando durante algum tempo com as carícias de seus dedos.

— Não consigo dormir. Estou excitada demais.

— Bem, então. — Sempre propenso a conciliar, Gabe puxou-a e a fez deitar-se sobre seu corpo. — Sirva-se à vontade.

Kelsey riu, e saiu de cima dele.

— Não foi isso o que eu quis dizer. — Ajoelhada agora, ela passeou o olhar demoradamente pelo longo contorno do corpo dele. — Não que essa não seja uma oferta tentadora. — Inclinando-se, ela lhe deu um estalado beijo. — E vou aceitá-la quando eu voltar.

Ele tentou segurá-la, mas ela já estava saindo da cama.

— Voltar de onde?

— Preciso caminhar. E quero dar uma olhada em *Double*.

Ela deslizou a calça *jeans* pelas pernas nuas até a cintura, fazendo com que a boca de Gabe se enchesse d'água.

— Querida, é uma hora da madrugada.

— Sei disso — disse ela enfiando uma camiseta. — Daqui a pouco mais de oito horas estaremos em Belmont. Portanto, quem consegue dormir? — Jogando os cabelos para trás, ela calçou as botas.

Ele conseguiria, mas achou que não deveria.

— Vou com você.

— Não é necessário. Não vou demorar.

Ele se sentou, e passou a mão espalmada nos cabelos.

— Vou com você.

— Está bem. Trate de me alcançar então. — Ela saiu do quarto e desceu rapidamente as escadas.

Era uma noite junina perfeita. Quente, brisa suave, céu estrelado. Kelsey ouviu o pio de uma coruja e aspirou o perfume das rosas e dos jasmins. O luar conferia à fazenda uma aura de conto de fadas.

Talvez o seu conto de fadas, pensou ela; o seu felizes-para-sempre pessoal. Era verdade que fora conduzida até ali por uma tragédia; que lhe abrira as portas do futuro. Mas os contos de fadas eram cheios de tragédia. Órfãos e príncipes encantados, traições e sacrifícios, más intenções e amores perdidos.

Mas o bem sempre triunfava. Talvez fosse por isso que a analogia lhe agradava. Se aquele fosse realmente o seu conto de fadas, iria ver o bem triunfar. Portanto, não desistiria de descobrir a verdade.

Faria outra visita ao capitão Tipton e a Charles Rooney. Conversaria com Gertie, com Moses e também com a própria mãe. Conversaria, aliás, com qualquer pessoa que tivesse tido o mínimo envolvimento nos fatos que culminaram com a morte de Alec Bradley. Convenceria Naomi a permitir que seus advogados falassem sem restrições. Mas, por enquanto, durante toda a semana seguinte, suas preocupações estariam voltadas para o Belmont, sentia-se parte dele. Com um sorriso, Kelsey voltou o olhar para o céu. Parte de sua grandeza e emoção. Tinha seu lugar no encanto e na sedução da nata das corridas.

Dentro de uma semana, garantiu a si mesma, veria Gabe e seu potro espetacular receberem a última jóia da coroa.

Um dos gatos que se abrigava no celeiro cruzou-lhe subitamente o caminho, como se seu corpo longo e esguio fosse uma bala cinzenta de grandes proporções, o que fez o coração subir-lhe à garganta. Rindo de si mesma, ela esfregou o pescoço, como que estimulando-o a voltar ao normal.

A porta das baias abriu com um fino rangido. Os cheiros vieram primeiro, velhos amigos que a recebiam na escuridão: de cavalos, de couro, de ungüento, de estrume. Em vez de acender as luzes e incomodar o sono dos que dormiam, ela foi tateando a conhecida parede até encontrar a lanterna. Um estreito feixe de luz à frente, o ecoar de seus próprios passos no piso de concreto.

Da segunda baia, um par de olhos, duas bolas de gude vermelhas e lustrosas, brilharam intensamente nas sombras. Kelsey prendeu a respiração, e o feixe de luz tremeu. Conto de fadas, sem dúvida, pensou ela, e deu graças pelo fato de Gabe não estar ali para ver como ela se assustava com um simples par de olhos de gato.

Sorriu ao ver a cama de lona posicionada em frente à baia de *Double*. Sistema de segurança à parte, um campeão como aquele merecia um guarda-costas particular. Bem, não iria incomodar o cavalariço, prometeu-se ela. Apenas um relance de olhos por sobre a cama e baia adentro, e ela deixaria os dois dormirem em paz.

Mas a cama, notou ela com surpresa, estava vazia. Alarmada, ela virou a lanterna para dentro da baia. *Double* estava lá, acordado, e olhando para ela.

— Desculpe, amigo. Acho que estou assustada. O seu amigo aqui saiu para umas tragadas ou alguma necessidade? Você está bem agasalhado? — Ela riu e estendeu a mão para abrir a porta da baia.

Não estava trancada, mas sim quase um palmo aberta!

— Oh, Deus. — Um movimento vindo de trás a fez girar violentamente, segurando a lanterna, como se fosse um escudo. Seu ouvido zunia e latejava, enquanto a luz da lanterna dançava na escuridão à procura dos gatos que infestavam as baias.

Mas um gato, ainda que lesto e esperto, não poderia ter destrancado e aberto a porta da baia. Seu segundo pensamento foi a necessidade de proteger, de defender. Kelsey abriu a porta da baia abruptamente e correu para o lado do potro. Assim que ela se virou e iluminou um dos cantos da baia, seu ouvido começou a sangrar.

Ela sentiu uma dor forte e latejante, e ainda ouviu o alto e alarmado relincho do potro. Depois disso, nada mais.

Enquanto o vulto fugia apressadamente da baia, respiração ruidosa de pânico, o potro dançava nas baias, suas perigosas patas quase atingindo o corpo inconsciente de Kelsey.

Na metade do caminho entre a casa e as baias, Gabe trazia nas mãos duas canecas de chá. Tudo indicava que iriam ficar acordados durante a maior parte da noite, mas a infusão de ervas de que Kelsey tanto gostava era melhor do que café àquela hora. Principalmente se ajudasse Kelsey a relaxar um pouco para que ele conseguisse convencê-la a voltar para a cama e canalizar as energias para algo mais íntimo.

De qualquer forma eles não vinham mesmo desperdiçando muito tempo com o sono, pensou ele. Pelo menos não desde a noite em que ele se juntou a Kelsey na banheira da casa de Naomi. Lançando mão de sua velha manha, ele a tinha convencido a ficar na casa dele durante alguns dias, usando a corrida como uma boa razão: ele tinha muita necessidade de apoio moral.

E funcionara, lembrou-se ele, sorrindo ao bebericar o chá. E ele desejava que continuasse a funcionar, etapa por etapa, até que se transformasse em condição permanente. Mas imaginava que uma mulher recém-divorciada precisaria se acostumar aos poucos com a idéia de um segundo casamento.

Surpreendentemente, *ele* não tivera muita dificuldade de aceitar essa idéia quando ela surgiu, bem claramente, em sua mente. Ou, talvez, em seu coração. Nunca se dera ao trabalho de refletir sobre a tradicional instituição do casamento, família, esposa. Com sua educação, essa possibilidade era absurda e até mesmo perniciosa.

Mas não com Kelsey. Com ela, Gabe queria a promessa, o futuro, e a oportunidade.

Juntos, eles compartilhariam tudo aquilo, pensou ele, passeando o olhar pelos barracões, pelas colinas, pelas cercas. Juntos, eles conseguiriam muitas outras coisas.

E, talvez, enquanto estivessem fazendo isso, pudessem se ajudar a enterrar o passado.

O relinchar do potro, agudo e frenético, quebrou o silêncio. As duas canecas espatifaram-se ao chão, quando Gabe avançou impetuosamente. Com o nome de Kelsey nos lábios, ele abriu a porta corrediça das baias e acendeu as luzes rapidamente, a lâmina impiedosa do pânico rasgando-lhe a espinha.

Ela estava caída, o rosto virado para o chão. O cavalo, recuado na baia, os olhos rolando à sua aproximação. A vida ficou suspensa, drenando todo o sangue de Gabe.

Movendo-se como um raio, ele tratou de socorrê-la, protegendo-a com seu corpo ao pegá-la nos braços; o repuxo no ombro passou despercebido. O rosto dela estava branco como o de um defunto; seu corpo, mole como trapos. Ignorando as patadas do potro, ele a deitou na cama de lona. Suas mãos tremiam quando ele pressionou os dedos no pescoço de Kelsey para verificar a existência de pulsação.

— Por favor, querida. Por favor.

Ela estava lá, a rítmica pulsação da vida. Ele manteve os dedos sobre ela, temendo que, se os removesse, ela cessaria, e mergulhou o rosto nos cabelos de Kelsey.

Experimentando paralelamente a sensação de alívio e de pavor, permaneceu na mesma posição, seus dedos no pescoço dela, o rosto imerso em seus cabelos, abraçando-a.

— Gabe. Jesus Cristo, Gabe.

A assustada voz de seu treinador como que o despertou de um pesadelo. Levantou a cabeça e observou, como se ainda sonhasse, Jamison entrando na baia para acalmar o potro.

— Calma, rapaz. Calma agora. — Jamison puxava a cabeça do animal para baixo, usando a voz e as mãos para tranqüilizá-lo. — Calma. — Mas o olhar dele parecia tudo, exceto tranqüilo, quando ele o volveu para Gabe. — O que aconteceu aqui? Onde está Kip? Ele deveria estar dormindo em frente à baia.

— Não faço a mínima idéia de onde ele esteja. Mas trate de encontrá-lo. Encontre-o e ao maldito vigia. — Tentando movimentos lentos e delicados, Gabe correu as mãos sobre o corpo de Kelsey, à procura de possíveis fraturas. Localizou uma inchação na parte posterior da cabeça e manteve os dedos ali, com a delicadeza de um beijo, enquanto erguia bruscamente os olhos para Jamison. — Chame um médico, e a polícia. Agora.

— Ela está ferida? — Jamison continuou a acariciar o potro, que tremia. — É grave?

— Não sei. Faça o que eu lhe pedi!

Como que em resposta, Kelsey se mexeu e gemeu.

— Kelsey. — Ele lutou terrivelmente contra o impulso de agarrá-la e abraçá-la. — Kelsey, não se mexa.

— Gabe. — Ela abriu vacilantemente os olhos, mas tudo parecia girar, fazendo-a sentir náuseas. — Deus. — Ela os fechou, esforçando-se para respirar normalmente.

— Não tente mover-se.

— Não vou tentar. Creia-me. — Ela concentrou seus esforços em improvisados exercícios de inspiração e expiração. Quando, aparentemente, sua respiração melhorou, ela abriu os olhos e, dessa vez, conseguiu focalizar o rosto de Gabe. Havia dor em seus olhos, pensou. Em seguida, lembrou-se. — O potro. Alguém estava aqui com o potro.

— Não se preocupe. Ele está bem. — Gabe praguejou automaticamente quando ela franziu o rosto de dor. — Vou levá-la para casa agora. E vou cuidar de você.

— Alguém esteve aqui. O cavalariço estava ausente e a porta, aberta. Mas eu não pude ver quem era. Feriram *Double*?

— Não. — Gabe olhou para Jamison, que fechava a porta da baia. — Faça as ligações, Jamie. Quero o tenente Rossi aqui. E Gunner também. Veja se ele pode vir agora para examinar o potro.

— Ele parece estar bem — arriscou Jamison, mas também ansiava. Seus olhos estavam vermelhos e tensos. — Vou convencê-lo a vir, Gabe. Leve-a lá para cima. Veja o que pode fazer. Eu mesmo vigiarei o potro esta noite.

— Quero dois homens vigiando-o. — Gabe pegou Kelsey nos braços cuidadosamente, como se manuseasse cristal. — Não menos de dois homens em cada turma. Fui claro?

— Sim.

— E trate de achar Kip. Quero falar com ele.

— Tudo bem. — Com o coração contrito, Jamison observou Gabe carregar Kelsey nos braços e sair das baias. Em seguida, virou-se para o potro, esfregou os olhos cansados e foi fazer as ligações.

— Eu estou bem, acredite — disse Kelsey, mas manteve os olhos fechados enquanto era levada das baias à casa. — Sinto apenas dor de cabeça.

— Fique quieta — aconselhou Gabe, tentando manter a serenidade da voz. — Só descanse.

Seus maxilares trancaram quando ele sentiu suas botas pisarem os cacos das canecas. Se não se tivesse demorado em casa para fazer o maldito chá, se estivesse com ela...

— Tem certeza de que *Double* está bem? Não pude verificar...

— Pare de se preocupar com o maldito cavalo — explodiu Gabe, liberando sua emoção. — Acha que posso estar preocupado com aquele cavalo neste momento? Eu mesmo o teria matado se ele a tivesse ferido.

— Gabe...

— Cale-se! Droga! — O rosto de Gabe era uma máscara de intensa raiva ao abrir a porta. Kelsey sobressaltou-se, principalmente porque o tom de voz dele fez-lhe a cabeça girar.

— Não precisa gritar. Você tem o direito de estar aborrecido, mas...

— Aborrecido? — Ele a deitou no sofá da sala de estar. Do jeito que seus músculos estavam tremendo, ele não teve certeza de conseguir subir as escadas com ela nos braços. — É assim que você acha que eu estou me sentindo? Acha mesmo que estou aborrecido? Ou talvez um pouco transtornado por alguém ter atacado você e a ter deixado inconsciente? Sim, você está certa. É assim mesmo que estou me sentindo.

Ele cerrou o punho e, numa tentativa de relaxar um pouco sua emoção, esmurrou violentamente a parede.

As palavras que Kelsey ia pronunciar calaram-se. Ela fitou a marca na parede e depois os escalavrados nós dos dedos de Gabe.

— Acho que estou transtornado porque a encontrei inconsciente numa baia com um cavalo assustado que poderia tê-la matado a qualquer momento.

Kelsey não tinha pensado nisso, e a possibilidade gelou seu estômago. Ela começou a tremer.

— Gabe. Não fique assim.

— Fiquei transtornado por pensar, ainda que por um minuto, o minuto mais longo da minha vida, que você estava morta. — As lágrimas começaram a escorrer por seu rosto. Uma, duas, e depois um rio. — Acho que "transtornado" não seria bem o termo. Deus. — Sentindo-se subitamente esgotado, ele esfregou as mãos no rosto. Mas não adiantou muito; tentou então refazer-se ao aconchego de Kelsey, e a trouxe para junto de si, abraçando-a como se fosse uma criança em seu colo. — Deus, Kelsey, perdi o controle — disse ele, beijando-a gentilmente, e secando-lhe as bochechas com os lábios. — Desculpe. Vou pegar um pouco de gelo para você.

— Não, não vá. Não saia daqui agora.

— Está bem. Mas deixe-me ver se tem outro machucado.

— É só a cabeça que dói. Acho que ele estava atrás de mim. Foi estupidez minha ter corrido daquele jeito, mas eu não consegui pensar direito. Vi que não havia ninguém na cama de lona e, depois, que a porta da baia estava aberta. Tudo em que pude pensar foi no que poderia ter acontecido antes. E lembrei do que aconteceu com *Pride*.

— Da próxima vez, pense somente no que poderia acontecer comigo. — Tocando-lhe o queixo com a ponta dos dedos, ele a fez levantar o rosto. — Eu não poderia mais viver sem você.

Ela segurou as mãos dele e beijou-lhe as esfoladuras.

— Acho que nós dois precisamos de um pouco de gelo.

— Sim.

Mas eles permaneceram no mesmo lugar até que Rossi batesse à porta.

Uma hora depois, Gabe saía das baias novamente, dessa vez com Rossi ao lado.

— Você tem uma falha em seu sistema de segurança, sr. Slater.

— Tenho consciência disso. — Uma falha enorme, pensou ele, que permitira que alguém tivesse tido acesso ao potro enquanto o vigia noturno fazia a ronda externa.

— É possível que tenha sido alguém vindo de fora. Alguém que conheça a fazenda e seu esquema de trabalho. Você tem uma propriedade grande, e isto proporciona muitas formas de entrar e sair daqui.

Rossi examinava a escuridão e não invejava Gabe; preferia mil vezes o aconchego de seu bem cuidado apartamento, a claustrofobia e o conforto da cidade.

— Gosto de facilidades para observar os fatos.

Gabe também fazia isso, vasculhando na memória cada empregado que tivesse herdado de Cunningham, todo homem e toda mulher que tivesse sido contratado ou despedido, nos cinco anos em que estava na fazenda.

— Você já tem a lista de todos os que trabalham para mim. Faça o que tiver que fazer com ela.

— Pretendo.

— Providenciei para que dois homens de cada vez vigiem o potro o tempo todo. Eu mesmo pretendia ser um deles, mas não acho bom ficar longe de Kelsey mais do que o estritamente necessário.

— Não o posso censurar por isso. — Rossi fez uma pausa. Estava bonita a noite ou o que dela restava. Usufruía um pouco do saudável frescor da brisa. — Acho que ela vai superar isso muito bem. Eu diria mesmo que o golpe que ela sofreu na cabeça fará menos mal a ela do que o sofrido pelo seu cavalariço.

— Talvez a cabeça dela seja mais dura. — Haviam encontrado Kip na baia adjacente à de *Double*, gemendo e recuperando a consciência. — Não tivemos problema em mandá-lo logo para o hospital.

— E a srta. Kelsey logo estará bem. — Curioso, Rossi empurrou um caco de porcelana com a ponta do sapato.

— Eu estava carregando um par de canecas de chá quando ouvi o cavalo relinchar — explicou-lhe Gabe. — E deixei-as cair.

— Mmmm. Como eu disse, ela logo estará bem. Você está com um dos ombros caído.

Num impulso instintivo, Gabe o endireitou.

— Não é nada sério. O potro me atingiu. — Se não tivesse sido nele seria em Kelsey; seu rosto, sua cabeça. Só em pensar nessa possibilidade, ele sentiu um frio no estômago. — Investigou o meu passado, não investigou, Rossi?

— Coisa de rotina.

— Então, sabe alguma coisa sobre meu pai.

— O suficiente para saber que ele não ganharia o prêmio de "Pai do Ano".

— Ele está na cidade. Aliás, há várias semanas. — Gabe falava quase sem entonação, como se estivesse comentando as condições do tempo. — Eu poderia dizer que fui uma de suas primeiras vítimas. Livrei-me dele dando-lhe algum dinheiro. Mas nem a décima parte do que ele queria; o que costuma aborrecê-lo. E o fato é que ele sabe como se movimentar no hipódromo, e como chegar às baias.

— Acha que seu pai poderia tentar prejudicá-lo dessa forma?

— Ele me odeia até as entranhas — disse Gabe simplesmente. — Ele me prejudicaria da forma que lhe fosse possível, principalmente se pudesse lucrar com isso. Acho que o vi em Churchill Downs durante a semana que antecedeu o dia do Derby. E um dos cavalariços de Three Willows também o viu. Eu o encontrei em Laurel há alguns dias. Ele negou. — Gabe enfiou a mão no bolso para pegar um charuto que não tinha. — Ele está mentindo.

Entendendo o gesto, Rossi pegou seu maço de cigarros e ofereceu-lhe um.

— Vou verificar isso.

— Faça isso, tenente. — Gabe continuou fitando Rossi por trás da chama do palito de fósforo. — E enquanto estiver fazendo, tenha em mente que são grandes as possibilidades de ele ter conhecido Lipsky. E que Rich Slater é um homem que gosta de trapacear. Para ele, ganhar um jogo dessa forma é mais divertido. E, pelo que pude observar, ele tem andado com muito dinheiro no bolso.

— Vou tentar descobrir como ele conseguiu ganhá-lo.

— Há muitos anos, quando eu era criança, um cavalo desta fazenda tinha como sério concorrente um cavalo de Three Willows. — Gabe tragou e, quando exalou a fumaça, observou-a ser levada pela brisa. — O potro de Three Willows tropeçou e fraturou as pernas. Eles tiveram que sacrificá-lo. Meu pai arranjou muito dinheiro depois dessa corrida também.

— Isso deve ter sido em Lexington. Na primavera de 73.

Gabe olhou para Rossi através de uma nuvem de fumaça.

— Isso mesmo. Exatamente isso.

— Engraçado que você não tenha mencionado isso antes.

— Ele não tinha ferido Kelsey antes.

— Com licença. — Matt Gunner aproximou-se deles. Seus cabelos ainda estavam despenteados, por causa da noite de sono interrompida. — O potro está bem, Gabe.

— Ótimo. Agradeço-lhe por ter vindo.

— Sem problema. — Matt relanceou o olhar pela casa. — E Kelsey, como está?

— Ela está descansando. O médico aconselhou uma visita ao hospital, mas ela acha que isso não é necessário.

— Gostaria de fazer-lhe uma visita quando for possível.

— Claro. — Gabe despediu-se dele e depois se virou para Rossi. — É melhor você o encontrar antes que eu o faça.

— Você não tem provas de que seu pai esteja envolvido nisso.

Gabe jogou o cigarro no chão e apagou com a bota

— Não preciso provar nada.

Kelsey ouviu Gabe subindo as escadas e, com extremo cuidado, pôs-se sentada. Os comprimidos que o médico receitara haviam minorado as dores, mas ela não queria arriscar-se muito.

— Como está *Double*? — perguntou logo que Gabe entrou no quarto.

— Matt disse que ele está bem. — E Gabe havia inutilizado e substituído pessoalmente a refeição noturna do potro.

Kelsey suspirou e relaxou.

— Graças a Deus. Fiquei aqui o tempo todo pensando em mil possibilidades.

— Você deveria estar descansando. — Ele se sentou na cama, evitando agitar muito o colchão. — Você está com olheiras novamente — acrescentou ele, acariciando-as com as pontas dos dedos. — Por que será que eu sempre as acho tão sensuais?

— Machismo à procura de vulnerabilidade — disse ela, sorrindo. — Venha deitar-se. Talvez consigamos dormir algumas horas antes de partir.

— Quero que fique aqui, Kelsey. Quero dizer, aqui não — corrigiu ele —, mas em Three Willows. Você não está suficientemente bem para viajar; é mais seguro e mais inteligente você ficar com Gertie. Talvez Rossi possa arranjar uns dois homens para proteger a casa.

— Gabe. — Ela lhe segurou o rosto com ambas as mãos, beijou-lhe os lábios e depois falou com ele docemente. — Por nada deste mundo.

— Escute-me.

— Eu poderia — concordou ela. — Eu poderia escutá-lo, e você poderia escutar-me, e nós ficaríamos nesse jogo de pingue-pongue até amanhecer. Mas eu iria assim mesmo. Portanto, por que simplesmente não fingimos que já discutimos?

— Você está sendo egoísta. — Ele se levantou da cama e começou a tirar a roupa. — Não quer perder a corrida e por isso pouco se importa com o fato de que não serei capaz de me concentrar nem me distrair.

Ela correu a língua pelo lábio superior lentamente.

— Essa foi boa. O sentimento de culpa sempre funciona comigo, mas não funcionará desta vez. Você se preocupará. Esteja eu lá ou não. E eu estarei lá para você, Gabe. Para o que der e vier.

— Maldita mula.

— Isso não vai funcionar também, embora xingar seja aceitável numa discussão. Eu poderia revidar, chamando-o de asno superprotetor, mas não farei isso porque sou uma dama. Portanto... — ela se interrompeu. — Oh, meu Deus, o que foi isso nas suas costas?

Ele virou a cabeça para trás, mas só conseguiu ver um pedaço do machucado progressivamente arroxeado no ombro.

— Levei um coice.

— Quando? Você não estava assim antes... — Kelsey subitamente atinou quando e como exatamente aquilo tinha acontecido. — Agora eu vou mesmo chamá-lo de asno. Que heroísmo idiota é esse? O médico saiu daqui há pouco. Ele poderia ter cuidado disso.

— Não foi heroísmo idiota ou como você queira. Eu estava distraído — disse ele, movimentando o ombro cuidadosamente. As pontadas de dor não eram tão ruins, mas os latejos chegavam às profundas camadas de pele e pareciam ter dentes. — Um pouco de ungüento será suficiente.

— Idiota.

Antes de começar a revidar, ele suspirou, vencido.

— Eu a amo também. — Depois de deitar-se na cama, ele a puxou para junto de si.

— O que você está fazendo?

— Tentando dormir. Vou precisar acordar a cada duas horas para verificar como você está. Não temos muito mais do que isso mesmo.

— E o ungüento?

— Mais tarde. A única coisa que eu quero agora é abraçar você.

Feliz com isso, Kelsey procurou relaxar e tirou-lhe os cabelos dos olhos.

— Gabe, irei com você.

— Eu sei. Mas agora durma.

Capítulo 23

Ninguém a deixou trabalhar. Durante os dois primeiros dias em Nova York, Kelsey foi praticamente barrada no hipódromo, sendo preterida por todos, desde Gabe até seu mais humilde empregado. Tudo indicava que a viagem em si seria sua única vitória.

Com muito tempo disponível e passando a maior parte dele sozinha, ela concluiu que tinha duas escolhas: poderia optar por enlouquecer no silêncio da solidão ou encarar a viagem como umas férias curtas.

As férias lhe pareceram a escolha mais saudável.

Assim, resolveu fazer uso das comodidades do hotel, nadando todas as manhãs para manter em forma os músculos que desenvolvera durante os últimos meses; também iniciou uma relação de amor e ódio com os equipamentos de ginástica da academia. E tentou bravamente afastar o tédio de várias formas.

Gabe ajudou-a quando decidiu dar uma festa no salão de bailes do hotel na véspera do dia do Belmont. Kelsey sentiu-se útil, cuidando de todos os detalhes, entrosando-se com o florista e com o fornecedor do bufê do hotel. Gabe, depois de dar uma olhada na monumental lista, acovardou-se, e deixou todas as providências ao encargo dela.

Nada poderia ter-lhe sido mais agradável.

Ela gastou horas com o gerente do hotel, com o zelador, com o *chef*, discutindo o que poderia e o que não poderia ser feito. Já que Gabe não havia determinado limite no orçamento, ela decidiu que nada havia que não pudesse ser feito e tratou de convencer a equipe.

— Eu teria sido mais inteligente se tivesse colocado um forcado em suas mãos e deixado você limpar as baias durante a semana inteira. — Gabe pegou uma xícara de café e observou Kelsey examinar o cardápio final da noite da festa. — Você teria descansado mais.

— Pare de me amolar. Foi você quem teve a idéia de fazer isso.

— Achei que era realmente uma boa idéia. — Ele se aproximou e se pôs atrás dela, afagando-lhe os ombros enquanto ela resmungava e consultava seus papéis. — Boa comida, boa música, e bar livre. Nunca podia ter imaginado uma produção David O. Selznick* — disse ele, semicerrando os olhos. — *Quanto* champanha isso vai me custar?

— Saia daqui — disse ela, movendo os ombros sob a ação relaxante das mãos dele. — De qualquer modo, você não vai beber mesmo. Você me deu carta branca, Slater, e eu a estou usando. Trate de estar trajando seu *smoking* por volta das 20 horas.

— Agora você está mais para Bligh** do que para Selznick.

— E você está parecendo o fornecedor do serviço de bufê. Vá se distrair com os repórteres.

— Estou farto deles.

— Está é com ciúme por terem colocado *Double* na capa da *Sports Illustrated* em vez de você.

— Vou ganhar uma reportagem na *People* — comentou Slater, mordiscando-lhe a orelha. — Esta é uma das partes do corpo mais gostosa — murmurou. — Mas eu poderia bancar o temperamental e faltar à entrevista.

O frêmito delicioso que lhe percorria o corpo a divertia e relaxava. Gabe aproveitou-se disso e desabotoou os dois primeiros botões da blusa de Kelsey antes que ela pudesse desvencilhar-se dele.

— Pare com isso! Tenho um compromisso daqui a quinze minutos.

— Serei rápido.

— Estou falando sério. — Sem fôlego, ela escapuliu de suas mãos, levantando-se da cadeira. — Preciso ir ao cabeleireiro.

---

* David Oliver Selznick (1902-1965), cineasta americano famoso por suas produções cinematográficas de alta qualidade artística e de grande sucesso comercial realizadas durante as décadas de 30 e 40, como *...E o Vento Levou*, um dos maiores sucessos de bilheteria da história do cinema. (N. do T.)

** Almirante William Bligh (1754-1817), vítima do célebre motim da tripulação do HMS *Bounty*, navio por ele comandado. Até hoje, fomenta-se uma polêmica questão (pelo menos nos países de língua inglesa) em torno do caráter dessa figura histórica. Sabe-se, no entanto, com certeza, que ele era autoritário, e que insultou vários de seus oficiais.

Ele sorriu, retendo nas mãos o colorido elástico que prendia os cabelos dela.

— Gosto dos seus cabelos exatamente como estão.

— Fique longe de mim, Slater. Vou estar ocupada o resto do dia, durante cada minuto dele, e não reservei tempo algum para brincar de pique com você.

— Dê um jeito.

— Talvez para você isso seja apenas uma festa. — Embora achasse ridículo, ela correu para trás da mesa, que ficou entre eles. — Mas considerando bem as coisas, trabalhei como uma louca durante a semana inteira. Para mim, isso é um investimento emocional.

— Para mim também. — Ele apoiou as mãos espalmadas sobre a mesa, e inclinou-se para frente. — Venha cá.

— De jeito nenhum.

— Tenho algo para lhe dar.

— Oh, por favor. — Ela teria revirado os olhos se ousasse desviá-los de Gabe.

— Você está mentindo.

Ele se aprumou e arqueou uma sobrancelha.

— Um presente. — Tirou do bolso uma caixinha forrada de veludo. — E, agora, você não se envergonha de ter dito isso?

— Um presente? — Apesar das mostras de instantânea satisfação, ela olhou desconfiada para o objeto. — Isso é um engodo?

— Abra. Eu ia entregar depois da corrida, mas pensei que daria sorte entregar antes.

Seduzida, ela contornou a mesa para pegar o estojo das mãos dele. Depois, levantou o rosto e o beijou.

— Obrigada.

— Mas você nem a abriu ainda.

— Primeiro pela intenção.

Kelsey suspirou, encantada, ao erguer a tampa. O cavalo brilhava sobre o veludo negro. Um animal no vôo de um galope, majestoso. O broche era feito de jade, tão delicado e com detalhes tão primorosos, que ela pensou poder sentir-lhe a contração dos músculos ao roçar nele a ponta de um dedo, o olho, um minúsculo diamante, refletia triunfo.

— É lindo. Perfeito. — Ela o olhou. — Como você.

— Era exatamente isso o que eu ia lhe dizer. — Ele lhe enlaçou a cintura com os braços e a aproximou de si. — Venha cá — disse ele pouco antes de beijá-la.

Claro que ela estava atrasada. Apressada, Kelsey entrou no salão pedindo desculpas. Depois, confiada às atenções da manicure, de vez em quando Kelsey olhava ansiosamente para o relógio, enquanto a profissional tentava fazer algo elegante nas descuidadas unhas.

— Que tal um estilo em ponta, querida?

— Não, eu as quebraria logo. — Os cabelos de Kelsey estavam cheios de enormes rolos de plástico, seu rosto coberto por uma camada de creme verde-claro, de cujo efeito ela se deixara convencer. Enquanto isso, os ponteiros do relógio avançavam impiedosamente. — Apenas lixe, limpe e passe um esmalte em tom claro.

— Você não gostaria de algo um pouco mais vistoso e na moda?

Kelsey relanceou os olhos furtivamente pelas unhas compridas e fatais da manicure, decidindo que não queria nada tão vermelho e vulgar.

— Não, prefiro algo mais discreto.

Com um meneio de cabeça, a mulher mergulhou a mão direita de Kelsey num pote de água morna.

— Como quiser, querida.

— Você é Kelsey, não é? — A mulher ao lado sorriu para ela. — Sou Janet Gardner. Overlook Farms, Kentucky.

— Ah, sim. Senhora Gardner. — Kelsey achou melhor não dizer que não se lembrava dela. Não do jeito que estava, com os cabelos ruivos cobertos por um brilhante creme azul e o rosto besuntado com uma coisa rosa-choque que só Deus sabia o que era. — Que bom vê-la novamente.

— Uma operação plástica sem bisturi; foi o que me disseram — explicou enquanto ria e tocava a máscara quase seca com um dos dedos. — Vamos ver se faz efeito mesmo. E a sua?

— Alguma coisa para relaxar. Acho que estou muito ansiosa.

— Mas quem não fica ansioso quando o dia do Belmont se aproxima? Meu Hank e eu vamos dormir durante duas semanas quando voltarmos para casa. Foi o que nos prometemos.

Então Kelsey lembrou-se de Hank... o cavalheiro pegajoso com quem dançara na noite anterior; rosto bronzeado, um bigode fino que parecia traçado com lápis preto e a voz tão doce quanto melaço. Tentara ensinar Kelsey a dançar tango.

— Dê lembranças minhas a seu marido. Ele é um ótimo dançarino.

— Ah, meu Hank é mesmo — tornou Janet, rindo e dando mostras de envaidecimento. — Todas as mulheres querem dar um giro no salão com ele. Ele gosta de dizer às pessoas que eu me casei com ele por causa de seus pés de valsa.

Procurando colaborar com a manicure, Janet tirou do dedo um anel de esmeralda que bem poderia servir de peso de papéis.

— Vi sua mãe hoje no hipódromo. É difícil acreditar que nós duas circulamos por aí há... Bem, isso não seria nada discreto.

— Conhece Naomi há muito tempo?

— Desde que me casei com um criador. E sei que, ao contrário de mim, ela nasceu e foi criada numa fazenda. — Muito mais interessada em bisbilhotar do que ver a revista que ela estivera folheando com a mão livre, Janet a pôs de lado. Seus olhos brilharam de curiosidade. — Assim como você.

— Atrasada.

— Talvez tenha voltado atrasada, porque me lembro de você num hipódromo quando ainda usava fraldas.

— Verdade?

— Oh, Deus, e como é. Naomi tinha mais orgulho de você do que de qualquer troféu. Nós costumávamos chamar você de o puro-sangue de Naomi. Mas você não se lembra disso.

O "puro-sangue" de Naomi. A idéia tanto a agradou como a entristeceu.

— Não, não me lembro.

— Conversei com seu pai uma ou duas vezes. Pobre homem, ele parecia sempre tão perdido. Ele era bibliotecário?

— Meu pai é diretor da Faculdade de Língua Inglesa da Universidade de Georgetown.

— Ah, sim — Janet prosseguiu desatenta à frieza do tom de voz de Kelsey; mergulhou os dedos na água morna seguindo a orientação de sua manicure. — Eu sabia que tinha alguma coisa a ver com livros. Naomi era louca por ele. Todos nós achamos uma pena as coisas não terem dado certo entre eles. Mas, infelizmente, isso acontece com freqüência, não é verdade?

— Pelo menos é o que dizem as estatísticas, não é?

— Hank e eu tivemos sorte. Vinte e oito anos em setembro.

— Parabéns. — Já que não tinha saída, Kelsey tentou mudar de assunto. — Vocês têm filhos?

— Três. Dois homens e uma mulher. Nossa Deedee já está casada e tem duas filhas. — Se estivesse com as duas mãos livres, Janet trataria de pegar imediatamente fotografias na carteira. — Meus meninos dizem que ainda estão procurando. É natural. O meu caçula não completou nem 20 anos ainda; está estudando engenharia de estruturas. Não que eu saiba algo sobre isso.

Ela continuou a falar sobre os filhos durante um longo tempo até que Kelsey relaxou no ritmo do discurso.

— Mas há algo de especial nos laços que unem mãe e filha — disse Janet, retomando astutamente o assunto em torno da vida da mãe de Kelsey. — Você não acha? Quero dizer, depois de todos esses anos de separação, Naomi e você parecem tão bem juntas. Para lhe ser franca, já se passou tanto tempo, que muitas pessoas esqueceram até mesmo que ela tinha uma filha, se é que sabiam disso.

Janet ergueu uma das mãos e examinou a primeira camada do esmalte cor de malva.

— Ótimo, querida, está ótimo. — Voltando a atenção para Kelsey novamente, ela retomou a conversa em tom confidencial. — Espero que você não se ofenda se eu lhe disser que a maioria de nós que conhecia Naomi e a situação pela qual ela passou torceu por ela. Quero dizer, a idéia de tirar uma filha de sua mãe nos pareceu muito cruel.

Consciente de que ambas as manicures tinham os ouvidos sintonizados na conversa, Kelsey procurou dar à voz simulada serenidade.

— Tenho certeza de que Naomi ficaria feliz em saber disso.

— Não que isso tenha ajudado. Lamento dizer que ela mesma foi seu pior inimigo durante aquela difícil fase de sua vida. Sempre achei que era o ódio que ela nutria por seu pai que a fez comportar-se tão imprudentemente. E um escândalo social naquela época tinha mais... repercussão. Além disso, ela se envolveu com Alec Bradley. Naomi deveria saber que aquilo era uma canoa furada. Oh. — Lembrando-se do resultado desse envolvimento, Janet sobressaltou-se, pestanejando. — Oh, querida, desculpe. Isso deve ser um assunto muito delicado para você.

A idéia de considerar um assassinato e o confinamento de uma pessoa na prisão durante uma década um assunto delicado poderia ter feito Kelsey rir em outras circunstâncias. Mas interessava-lhe agora o fato de Janet ter mencionado o nome de Alec na conversa.

— Conheceu Alec Bradley?

— Oh, sim. A maioria do pessoal daquela época chegou a conhecê-lo. Como diria a minha Deedee, ele era bonito de doer. Alto, moreno e lindo, com um sorriso capaz de derreter o coração de qualquer mulher. E ele sabia disso. Creia-me, ele sabia que era bonito e se aproveitava disso. Chegou até a engraçar-se para mim de uma certa forma... mas Hank cortou-lhe as asas logo de início — disse ela, rindo jovialmente. — Admito que fiquei um tanto lisonjeada, mesmo conhecendo sua fama.

— E que fama era essa?

— Bem, querida — ávida para soltar a língua, ela se inclinou para Kelsey —, a família não gostava muito dele. Tinha sofrido alguns reveses financeiros, mas o sangue deles ainda era azul. E também houve aquele escândalo com a primeira esposa. — Ela se inclinou ainda mais, assumindo a posição típica do cochicho. — Sabe, ele gostava de mulheres mais velhas do que ele. Mais velhas e ricas. Todos sabiam que, antes de se divorciarem, a primeira esposa e ele fizeram um excelente acordo para beneficiá-lo e para que ela se livrasse de um escândalo maior ainda. Não que isso tenha adiantado alguma coisa, pois todos sabiam que já antes do divórcio ele estivera, digamos, prestando favores a mulheres insatisfeitas.

Então ele era um mulherengo.

— Ah, um verdadeiro campeão. E o boato que corria era o de que ele cobrava pelos favores.

— Ele... as mulheres lhe pagavam para ter relações sexuais?

Um tanto embaraçada, Janet soltou uma risadinha. Ela preferia lançar mão de eufemismos.

— Não sei se poderia dizer assim tão cruamente, mas todos sabiam que ele podia ser alugado como acompanhante. Nos hipódromos havia muitas mulheres solteiras ávidas por aventuras, mulheres separadas, divorciadas ou simplesmente mulheres que traíam seus maridos. Alec podia ser contratado para preencher vazios. Um belo braço para se enlaçar numa festa ou numa corrida. Ele era, como eu disse, muito bonito e charmoso. E costumava apostar pesado. E perder pesado.

Quando ela sorriu, flocos rosados soltaram-se da máscara, caindo sobre a capa preta e dourada que lhe protegia a roupa, como se fossem caspa colorida.

— Mas ninguém achava que o relacionamento entre ele e sua mãe era algum tipo de negócio. Uma mulher como Naomi poderia ter tido o homem que quisesse. Ainda pode. Alec era louco por ela, embora continuasse a dar suas escapadelas. Naomi não era mulher de tolerar esse tipo de coisa. Eles discutiram acaloradamente por isso, e ela pediu que ele fosse embora.

Dessa vez, o embaraço de Janet foi indubitavelmente genuíno.

— Quero dizer...

— Você estava lá naquela noite? — Tentando impedi-la de usar de evasivas ou ter um acesso de escrúpulos, Kelsey pressionou-a. — Na noite em que ele morreu?

— Sim, estava. — Janet umedeceu os lábios, surpresa e um pouco nervosa por ver-se pressionada a responder à pergunta de Kelsey de forma tão direta. — Hank e eu estávamos na Virgínia a negócios. Algumas pessoas do *métier* estavam na festa do Clube Campestre. Lembro-me perfeitamente. — Ela ergueu as mãos e as manteve suspensas. — E, por falar em festas, mal posso esperar a de hoje. Aquele seu moço bonitão nos tem deixado ansiosos desde o momento em que teve essa idéia.

— Eles discutiram — disse Kelsey, ignorando o protesto de sua manicure quando retirou subitamente a mão de seus cuidados e pressionou o braço de Janet. — Naquela noite, eles discutiram?

— Sim, querida. — Arrependida por ter-se deixado levar por fofocas, Janet procurou ser gentil. — Depois das... dificuldades, muitos de nós foram interrogados a respeito do que havia acontecido. Eles discutiram em altos brados, e Naomi disse-lhe, de forma crua e direta, que o relacionamento deles estava acabado. Ambos tinham bebido um pouco além do razoável. E a discussão agravou-se. Naomi atirou uma taça de champanha no rosto dele e se retirou. Foi a última vez que eu a vi durante muito tempo.

Com o olhar enternecido, apesar da máscara de palhaço que lhe cobria o rosto, Janet prosseguiu.

— Eu gostava de Naomi. E ainda gosto. Aquele homem não a merecia, querida. Ele simplesmente não merecia um minuto sequer dela. Acho que o único crime que ela cometeu foi só ter percebido isso depois que já era tarde demais.

Durante todo o resto da tarde, Kelsey tentou guardar no fundo da mente a conversa com Janet; mais tarde, consideraria todas as palavras separadamente. Fazia diferença, não fazia? O fato de que Alec Bradley alugava o próprio corpo para a satisfação sexual de mulheres ricas fazia, de certa forma, alguma diferença.

Mas, embora isso alterasse o quebra-cabeça que ela desejava tão ardentemente montar, havia muitas coisas que a impediam de concentrar-se naquele momento.

Qualquer que fosse seu estado de espírito, não queria de modo algum estragar uma ocasião tão importante para Gabe nem o contentamento de sua mãe.

Vestiu-se cedo e deixou um bilhete para Gabe no meio da cama, pedindo-lhe que a encontrasse no salão de festas precisamente às 20 horas.

Os últimos detalhes seriam seus, gostassem ou não o fornecedor, o florista e os funcionários do hotel. Tudo deveria estar perfeito. Quando ela se posicionou no centro do salão e observou em redor, constatou que finalmente tudo havia ficado a contento.

O vermelho e o branco, as cores de Longshot, predominavam: nas toalhas de mesa, nas velas, nas flores. Para homenagear as três jóias da Tríplice Coroa, arranjos de rosas vermelhas, margaridas amarelas e cravos brancos enfeitavam as mesas em belas cestas. Garçons de uniformes pretos alinhavam-se para inspeção do *maître*, enquanto o pessoal do bufê dava o toque final em três enormes mesas.

A maior inspiração de Kelsey, sua *pièce de résistence* e maior dor de cabeça tinha sido o jogo.

Enormes cédulas seriam vendidas para a efetuação de apostas, e todo o dinheiro arrecadado seria doado a instituições de caridade. Mas, para superar os obstáculos legais e concretizar essa idéia, ela precisou correr de um lado para o outro durante vários dias, lutando contra a burocracia oficial. Por fim, depois de muito empenho, o "puro-sangue" de Naomi conseguiu vencer todos os oponentes.

E agora ela podia relaxar e admirar as roletas, os dados e as mesas de vinte-e-um, pois sabia que estava presenteando Gabe com a festa do ano, uma festa, pensou ela, absolutamente de acordo com ele.

Enquanto a orquestra afinava os instrumentos, ela caminhou até a roleta e a fez girar uma ou duas vezes, apenas por distração e contentamento.

— Vermelho — arriscou ela, rindo da própria atitude; virou-se e se deparou com Gabe. — Chegou na hora certa.

— Você está linda. — Ele não se aproximou logo de Kelsey; queria admirá-la. Estava de branco, um branco brilhante, ofuscante, das curvas do seio até os tornozelos; o cavalo que lhe dera de presente sobre seu coração; os cabelos parcialmente presos com presilhas rutilantes caíam em cachos sobre os ombros nus. Brincos de diamantes e rubis pendiam-lhe das orelhas. — Realmente, incrivelmente linda.

— As suas cores — tornou ela, estendendo os braços para ele. — O que você acha?

— Acho que você me assombra. — Ainda segurando-lhe as mãos a distância, ele relanceou o olhar admirado pelo salão. — O que você fez aqui?

— Além de levar todos os comerciantes e várias autoridades da cidade num raio de cinqüenta quilômetros à loucura? Montei um cassino para você nesta noite de festa. Slater's.

— E o faturamento?

— Vai para um abrigo de mulheres e crianças vítimas de maus-tratos em Washington.

Comovido, os olhos dele perderam um pouco do brilho, e ele os volveu para suas mãos entrelaçadas.

— Você me comove, Kelsey.

— Eu o amo, Gabe.

Excitado, ele levou as mãos dela aos lábios.

— Que giro de roleta trouxe você para mim?

— O mais venturoso de sua vida. — Ela abaixou o olhar e sorriu ao ver em qual sulco da roleta a bolinha metálica se havia alojado. — Vermelho — murmurou ela. — Você ganhou novamente. Sabe, Gabe, isto aqui não é apenas para homenageá-lo.

— Não?

— Não. — Ela se aproximou mais e enlaçou os braços no pescoço dele. — Quero ver você "trabalhando" esta noite. Tenho o pressentimento de que vou achar isso muito excitante.

E achou mesmo. Horas mais tarde, quando o salão estava fervilhando de gente, as mesas dizimadas, a pista de dança cheia de casais, ela se apoiava no ombro de Gabe para observar sua técnica.

Acreditava ter entendido como se joga vinte-e-um, um jogo de cartas que envolve sorte e lógica, cujo objetivo é aproximar-se ao máximo de vinte e um pontos. Se se ultrapassa, perde-se. Mas ela não conseguiu entender de forma alguma como Gabe passava e conseguia ganhar com míseros quinze pontos numa rodada, e jogava, e ganhava, com dezesseis na outra.

— São apenas números, querida. Nada além de números.

Era exatamente o que ela pensava. Até que o viu jogar.

— Não há como você se lembrar de tantos números, de todas as combinações.

Ele apenas sorriu, bateu nas cartas que tinha nas mãos e acrescentou-lhes outra, valendo quatro pontos, o que totalizou vinte e um.

— Pegue — sugeriu, entregando-lhe uma pilha de fichas vermelhas e outra de fichas brancas. — Jogue um pouco.

— Tudo bem. Vou tentar. — Ela se sentou no lugar que ele havia ocupado e, erguendo o olhar, viu a mãe acomodar-se do seu lado.

— Acabei de perder uns trocados nos dados. Vou jogar aqui durante uns dez minutos e depois vou tentar convencer Moses a dançar comigo — disse Naomi, prendendo parte dos cabelos atrás da orelha e cruzando as pernas. Depois de casar algumas fichas, ela passeou o olhar pelo salão. — Uma senhora festa.

— Sua filha é espantosa.

— Eu sei. — Naomi franziu a testa enquanto observava suas cartas. — Dê-me uma — solicitou ela e logo bufou. — Estou fora.

— Mas é por uma boa causa. A derrota deveria comover-lhe o coração. — Mordendo o lábio inferior, Kelsey manteve os olhos fitos em seu cinco e seu oito. — É, acho que vou querer uma. Um oito! Um outro oito! Ganhei! — Ela ainda estava rindo quando pegou as fichas, até que seu olhar se deparou com o de Naomi. — Bem, a vitória também aquece o coração. Dance com mamãe, Gabe, que eu vou continuar por aqui para ver quanto do seu dinheiro consigo perder.

— Como eu poderia recusar a honra de dançar com a sua mãe? — Ele estendeu o braço e segurou a mão de Naomi. — Você está maravilhosa esta noite — disse quando deram os primeiros passos na pista de dança.

— Como pode saber? Você não olhou para ninguém além de Kelsey.

Ele nada disse durante algum tempo.

— Acho que não tenho uma resposta educada para isso.

Inclinando a cabeça para trás, ela o observou cuidadosamente.

— Eu ficaria desapontada se você tivesse. Gosto de ver o que ela sente por você estampado no rosto. E gosto de saber que o que você sente por ela o faz errar o passo. Embora de uma forma singular, vocês dois se estruturaram muito bem. Vocês se harmonizam.

— Mas você está preocupada.

— Não com o que há entre vocês dois. Mas com todas as outras coisas. — Ela dirigiu seu olhar para a mesa de vinte-e-um, onde Kelsey ria, casando mais fichas. — Sei que ela procurou esquecer o que lhe aconteceu naquela noite. Mas eu estou terrificada.

Gabe tentou simular serenidade no olhar.

— Aquilo nunca poderia ter acontecido. Eu deveria ter estado com ela o tempo todo.

— Sim, nunca poderia ter acontecido — concordou Naomi, o olhar ainda voltado para a filha, e não para Gabe. — Acho que ela deveria ficar em Three Willows ou, melhor ainda, voltar para a casa do pai e permanecer lá até que o que aconteceu esteja esclarecido e resolvido.

Ele também pensara nisso, mas ouvir essa idéia nada adiantava.

— Mesmo que ela concorde, não podemos saber quanto tempo será necessário para resolver tudo.

— Tudo?

Outro passo em falso, pensou ele, maldizendo-se. Que Naomi soubesse, só havia problema com os cavalos.

— Quero dizer, descobrir quem conseguiu romper o meu esquema de segurança e o que pretendia. Por outro lado, tudo poderá estar terminado amanhã, depois da corrida.

— Vou torcer por isso. Eu não poderia suportar nada de errado que acontecesse com ela. Odeio pensar na idéia de que tenha sido atingida, ainda que minimamente, pelos respingos dessa lama sórdida, esse jogo sujo que Milicent sempre afirmou fazer parte do nosso mundo. — Ela pendeu a cabeça para trás, fitando-o com os seus olhos brilhantes. — Mas não faz. As coisas não são bem assim. E nós não jogamos sujo. Mas, quando acontece uma sujeira qualquer, é a única coisa da qual as pessoas se lembram.

— Você está preocupada com a opinião de Milicent Byden?

— É claro que não. — O velho desafio voltou a aflorar. — Mas não lhe darei mais motivos para ter razão quanto ao que quer que seja. E diabos me levem se eu permitir que ela manche minha reputação outra vez. Portanto, quero esclarecer o que aconteceu. Por Kelsey, por você. E por mim.

O quarto estava frio e escuro quando Kelsey acordou. Mudou preguiçosamente de posição enquanto algumas lembranças do que havia acontecido na noite anterior lhe vinham à memória. Cores e luzes, vozes e música. O vertiginoso giro da roleta, o excitante arremesso dos dados. Ela tinha perdido a metade dos ganhos de Gabe nas cartas; ele os tinha ganho em dobro nos dados.

Mas, acima de tudo, lembrou-se de quão elegante ele estava, enigmático e perigoso no *smoking* preto, com aqueles olhos azuis de dar água na boca observando o giro da roleta, a queda das cartas. E o jeito com que eles fitavam os seus, levando-a a perder o fôlego. Lembrou-se também do momento em que, depois de ficarem a sós, depois que a noite, o barulho e as pessoas haviam ficado para trás, ele a levou para a cama; de como suas mãos habilidosas tinham brincado com o corpo dela, arrancando-lhe gemidos, excitando-lhe desejos insuspeitos. Haviam feito amor como Kelsey jamais imaginara permitir, muito menos desejar.

Agora, ao despertar, ela sentia o corpo mole, frágil, doído e acarinhado. Olhos fechados, ela deslizou a mão sobre o lençol, querendo-o. Tonta, apoiou-se nos cotovelos, descobrindo-se sozinha na cama.

Ele não iria escapar tão facilmente assim, pensou ela. Oscilando ainda entre o sonho e o despertar, ela saiu da cama e cambaleou até a sala de estar da suíte, amarrando a faixa do roupão.

Sob a intensa claridade que invadia o recinto por entre as cortinas descerradas, Kelsey franziu os olhos, protegendo-os com uma das mãos e segurando a maçaneta da porta com a outra.

— Deus. Que horas são?

— Dez e alguma coisa. — Pegando o bule de café de sobre a bandeja do serviço de quarto, Naomi encheu uma xícara. — Você acordou em boa hora, Kelsey. O desjejum acabou de chegar.

— Desjejum? Dez horas? — estranhou ela, olhando a mãe com os olhos apertados e por entre os dedos espalhados, que lhe protegiam a vista sonolenta da claridade. — E Gabe?

— Ah, está no hipódromo desde que o dia raiou.

— Mas... — Completamente desperta, então, ela retirou a mão da frente da vista. — Aquele idiota! Ele prometeu que eu iria junto com ele esta manhã.

— Mmmm. — Naomi serviu uma xícara à filha. — Segundo ele, você parecia um trapo humano, e lhe pediu para deixá-la continuar dormindo quando ele sugeriu que era hora de acordar.

— Não fiz nada disso! — Ela bebericou o café. — Ou fiz? Ele lhe disse isso para justificar o fato de ter ido sozinho.

— Ou talvez ele quisesse que você descansasse um pouco mais.

— Ele é meu amante, e não o meu zelador — disse Kelsey, mas logo em seguida enrubesceu. Afinal de contas, embora o relacionamento entre as duas fosse incomum, Naomi era sua mãe. Ela pigarreou e sentou-se. — O que está fazendo aqui? Achei que estaria no hipódromo.

— Para nós, a corrida de hoje não é importante; uma simples milha e meia — disse Naomi, dando de ombros e passando geléia de amoras silvestres em meia torrada. — Gostaríamos apenas que *High Water* fizesse uma boa corrida. Parece que estamos com sorte, porque o potro de Arkansas está com problemas.

— Com problemas? Desde quando? E como isso aconteceu?

— Ele mancou no treino de ontem. Sofreu uma entorse numa das pernas dianteiras. Acho que esqueci de lhe dizer.

Depois de um muxoxo, Kelsey mordiscou uma fatia de *bacon*.

— Sinto-me como se estivesse do lado de fora da festa, com o rosto colado na vidraça enquanto todos comem bolo.

— Sinto muito, querida. Vai ter de tolerar o fato de que todos estamos preocupados com você. Quando penso no que poderia ter acontecido... — Interrompeu-se, suspirando e passando geléia em outra torrada. — Está bem, está bem, não vou mais falar sobre isso. Conheço esse olhar de não-se-intrometa-nas-minhas-coisas em seu rosto. Já o vi muitas vezes no espelho.

— Não é bem isso — disse Kelsey sorrindo. — Só não quero que você se preocupe.

— É coisa de mãe, mesmo que tenha estado ausente da vida da filha durante tanto tempo. Agora, trate de comer. Fui incumbida de verificar sua alimentação.

— Gabe novamente.

— Suponho que você saiba que ele a ama.

— Sim, sei.

— Mas sabe também que ele está perdidamente apaixonado?

Dessa vez, o sorriso iluminou o rosto de Kelsey.

— Você acha mesmo?

Naomi apenas riu.

— Não importa. Você conhece a resposta. É emocionante, não acha, e ao mesmo tempo terrível, ter um homem preso e enfeitiçado desse jeito?

— Sim. E duas vezes mais emocionante e terrível quando você também está presa e enfeitiçada por ele. Sei que talvez seja cedo para eu me envolver tão intensamente com alguém depois do divórcio, mas...

— Kelsey, não estou em condições de opinar, mas, mesmo assim, vou me permitir apontar que você e seu ex-marido estavam separados há dois anos.

— Apesar disso — disse Kelsey, meneando a cabeça —, tenho me autocondenado, porque não acho correto o que tenho feito, embora sinta que é correto. — Hesitante, por não ter certeza se aquele seria o momento propício, Kelsey brincou com a bandeja antes de perguntar. — Quando se separou de papai, você ainda o amava? Perdoe-me — disse ela, erguendo o olhar. — Alguém me disse algo ontem que me levou a considerar a questão. Se preferir não responder, compreenderei.

— Eu lhe disse uma vez que tentaria responder a qualquer coisa que você me perguntasse. — Mas aquela era muito difícil; reabria velhas e quase esquecidas feridas no coração. — Sim, ainda o amava. Eu o amei por muito, muito tempo depois de isso se ter tornado uma tolice. Por ter continuado a amá-lo, senti muita raiva dele e de mim mesma, e decidi provar, em vão, que não me importava mais com ele.

— Foi por isso que você...

— Atirei-me em festas? Gostava de espalhar boatos sobre relacionamentos com outros homens? Flertava com pequenos escândalos? Sim, pelo menos em parte; não estava pronta para admitir que fracassara. Queria que Philip sofresse, que ele ficasse muitas noites sem dormir, pensando que eu aproveitava minha liberdade. E, porque de fato consegui fazer isso, ele se afastou mais e mais de mim, de tal forma que o que eu mais queria acabou tornando-se impossível de ser obtido.

— Você o queria de volta.

— Desesperadamente. Eu era vaidosa o suficiente para acreditar que poderia tê-lo do meu jeito, e somente assim.

— E quanto a Alec Bradley? — Ela percebeu Naomi sobressaltar-se, mas obrigou-se a completar a pergunta. — Você o usou para fazer papai sofrer?

Naomi abandonou o café e pegou um pouco d'água.

— Ele me serviu para dar um tapa de luva. Era um homem de ascendência tão nobre e excelente quanto a de Philip, mas de uma fraqueza e insipidez de caráter abomináveis.

Kelsey sentiu o estômago revoltando-se. Mas precisava saber e, para saber, tinha de perguntar.

— Você o contratou?

O desconforto nos olhos de Naomi esvaiu-se.

— Contratá-lo? — repetiu ela, sem entender a pergunta.

— Fiquei sabendo que ele oferecia suas habilidades no mercado — disse ela, tomando um generoso gole de café. — Por assim dizer.

A última reação que Kelsey poderia esperar era o riso. Mas foi o que aconteceu, forte e divertido por sobre a mesa.

— Deus, que idéia. Que idéia! A última coisa que eu poderia querer de Alec Bradley seriam serviços sexuais. A última coisa... — ela acrescentou gravemente, abandonando o riso.

— Desculpe. Foi uma pergunta tola. Não quis dizer exatamente o que você pensou. Só queria saber se você o contratou para acompanhá-la socialmente.

— Não, eu não o contratei. Embora lhe tenha emprestado dinheiro uma ou duas vezes. Ele estava sempre envolvido com alguma dificuldade — disse ela secamente. — Sempre com problemas de dinheiro. Talvez seja vaidade de minha parte, para colorir a memória, mas, se me recordo bem, ele não largava do meu pé. Não que eu o evitasse — acrescentou ela, pegando uma framboesa da bandeja. — Eu queria atenção, precisava disso, e ele era muito charmoso. Mesmo conhecendo seu avesso, ele conseguia fazer você crer que era a única mulher na sala. Eu estava consciente de sua reputação e do fato de que ele podia ser comprado. Suponho que isso aumentava a atração que eu sentia por ele. O fato de ele me acompanhar, de tentar me agradar, esperando me conquistar, já que perdera o controle sobre si mesmo, fazia maravilhas ao meu ego. — Boa parte daquilo, lembrou-se, era, na verdade, pura vaidade. — Por fim, ele se recusou a aceitar ou não foi capaz de aceitar o fato de que eu não queria ser conquistada. E foi isso que o matou.

— Mas o estupro não tem nada a ver com sexo.

— Não. — Chegara a pensar que sim ou quis pensar que sim, porque sexo era mais fácil. — Ele queria me magoar, me humilhar. Eu realmente nunca entendi por que ele parecia tão desesperado naquela noite. Não havia paixão nos olhos dele. Não havia luxúria. Acho que eu poderia ter lidado com isso, ter controlado; foi o desespero nos olhos dele que me fez pegar a arma.

Naomi ergueu os ombros e desafogou seus pulmões com um longo e quase inaudível suspiro.

— Tinha esquecido tudo isso.

— Desculpe-me por tê-la feito lembrar-se. — Decidindo pensar mais tarde em tudo o que a mãe lhe havia dito, Kelsey cobriu uma das mãos de Naomi com as suas. — Esqueçamos isso agora. Hoje é um dia para pensarmos no futuro, e não no passado. Que tal dar uma olhada nas roupas que comprei para assistir à corrida? Aliás, se não me vestir logo, chegaremos atrasadas para o primeiro páreo.

CAPÍTULO 24

RENO TRAJAVA UM TERNO CINZENTO-AZULADO E USAVA UMA GRAVATA castanho-avermelhada. Suas confortáveis botas italianas reluziam como espelhos. A mulhe. que lhe dava o braço, esguia como um bambu e um palmo mais alta do que ele, mantinha o rosto caprichosamente maquiado voltado para as câmeras.

Um homem baixo tentando provar sua masculinidade ao se envolver sempre com mulheres mais altas e vistosas. Ele sabia que isso era um patético lugar-comum, mas não se importava com o que pensassem. Precisava agora de algo para provar a sua macheza, seu valor; seus *cojones*.

A tipóia que lhe sustentava o braço era da mesma seda de sua gravata; as únicas sedas, ele sabia, que iria usar naquele dia.

Ele sorria e posava para as câmeras, tão ávido de atenção quanto a mulher que sorria e posava a seu lado. Mas, velado sob a fanfarrice, as respostas curtas e irreverentes relacionadas à sua próxima corrida, à sua próxima temporada, havia um furacão de nervos e de miséria psicológica.

Observando os jóqueis caminharem para o padoque, sabia o que cada um deles estava pensando e sentindo; a concentração, os pequenos artifícios mentais para manter alta a taxa de adrenalina.

Apenas um deles venceria, mas os demais testariam o próprio valor participando da corrida. Alguns continuariam tentando. Numa próxima corrida. Num próximo ano. Outros desistiriam... engordando, perdendo interesse ou literalmente caindo do cavalo. Outros talvez decidissem perseguir o sucesso pelo interior do país, preferindo obter vitórias de segunda classe a sofrer derrotas de primeira categoria. Os grandes continuariam no circuito, enriquecendo, traçando o próprio destino, evitando e superando fraturas de ossos, quedas espetaculares e suas seqüelas.

Os medíocres peregrinariam de hipódromo em hipódromo, seguindo treinadores, importunando empresários ou simplesmente desaparecendo, para depois ressurgir como cavalariços ou meros ajudantes, ou treinadores-assistentes de uma acanhada fazenda de um sertão qualquer.

Mas nada disso era visível agora. Naquele momento, eram guerreiros, soldados, estrelas, os olhos tensos e semicerrados atrás dos óculos de proteção, os corpos esguios, tesos e lestos cobertos por sedas, os pés diminutos acomodados em botas macias e elegantes; os capacetes colocados sobre os bonés de algodão, eles traziam no braço o número da posição de largada.

Alguns deles teriam acordado, ao raiar do dia, para exercitar pessoalmente suas montarias. Outros teriam dormido até altas horas da manhã, seu relacionamento com os cavalos era meramente profissional, e não baseado em afeição. O medo da balança teria mantido a maioria deles longe de qualquer tipo de comida, e os teria seduzido a submeter-se a mais uma sessão de transpiração na sauna.

Já haviam passado pela pesagem e estavam prontos. Reno os observava com inveja e desespero corrosivos.

Deveria ser um dos que escutavam agora, com ares de grande atenção e acatamento, as últimas instruções do treinador; os elogios, a admiração e as manifestações de otimismo do criador.

Era ele quem deveria *voar* pela pista com o chicote entre os dentes.

Seu maior receio era nunca mais poder voltar a fazer isso.

Curvou-se para frente e plantou no rosto o sorriso fácil e presunçoso.

— Senhora Naomi.

— Reno. — Naomi estendeu a mão automaticamente, segurando-lhe o braço livre. — Você parece ótimo.

— Estaria melhor se estivesse vestindo as cores de sua fazenda.

— Logo, logo você vestirá — disse Naomi, voltando o olhar para a mulher que ele havia deixado distraindo os repórteres. — Bela moça. Ela me parece familiar.

— Deve tê-la visto em alguns comerciais. De xampus e pastas de dente. Ela está tentando entrar para o cinema. — Ele ergueu os ombros para a namorada e voltou a atenção para o potro. — Ele fará uma bela corrida sra. Naomi.

— Sim, eu sei que fará.

— Justamente a pessoa que eu queria ver — disse Kelsey, aproximando-se dos dois. — Estive pensando na possibilidade de você ter algum tempo nas próximas semanas para dar uma olhada na minha potranca novamente, Reno. *Honor* precisa de um jóquei que saiba como tirar o máximo dela.

Reno sentiu o estômago revolver-se fortemente.

— Claro, claro. Farei isso. O que eu mais tenho é tempo. Agora, vou falar com Joey.

— Será que eu disse alguma coisa errada? — murmurou Kelsey ao vê-lo retirar-se apressadamente.

— Não sei — respondeu Naomi, distraída e com o olhar voltado na direção de Moses. — Acho que ele deve estar tão tenso quanto todos nós.

— Você tem razão. Vou desejar boa sorte a Gabe. Encontro-a no camarote.

— Ajude-me a entrar para a história do turfe, Joey — disse Gabe a seu jóquei, apertando-lhe a mão.

— Farei isso, sr. Slater — respondeu o jóquei, flexionando os dedos e estalando-os.

— Trate de segurar-lhe um pouco as rédeas, exatamente como eu lhe disse — acrescentou Jamison. — Não quero vê-lo forcejar muito antes do início da reta final. Não viemos aqui para bater um recorde. Viemos para vencer.

— Eu e *Double* poderíamos dar-lhes as duas coisas. — Ele sorriu e cumprimentou Reno, que se juntou a eles. — Sente-se na primeira fileira, amigo. E mantenha aquele fino champanha de que você tanto gosta esperando um pouco.

— Farei isso, Joey. — Reno manteve o sorriso no lugar enquanto abanava a cabeça para Gabe. — Boa sorte, sr. Slater. Este seu cavalo é único em um milhão. — Sua mão suava dentro do bolso. — Eu gostaria de ter uma chance de montá-lo um dia desses.

— Conversaremos sobre isso quando você estiver totalmente recuperado.

— O jóquei fica mal-acostumado montando o tipo de cavalo que eu montei nos últimos dois anos. — Seus olhos fitaram os de Jamison. — É isso mesmo o que acontece, não é, Jamie? Ficamos mal-acostumados.

— Pode-se dizer que sim, Reno — volveu Jamison, ainda segurando *Double* pela cabeça.

— Ganhei o Belmont para vocês há dois anos, lembram-se? Todos disseram que minha vitória foi uma "zebra", que o potro era um azarão, e o jóquei, aprendiz. Mas a verdade é que aqueles foram o meu dia e o meu cavalo. E aquela, a minha corrida. — Dentro do bolso, sua mão suada abria e fechava, abria e fechava. — Mas, infelizmente, as pessoas esquecem todas as corridas, todas as vitórias. Só se lembram do Derby. Só o Derby mantém as recordações.

A mão dele tremia quando ele a tirou do bolso e a pousou, espalmada, no pescoço do potro.

— Bem, mas você ganhou o Derby e muito mais. — Ele forçou um sorriso. — Ganhando ou perdendo, ninguém esquecerá este Belmont. Mas trate de vencê-lo. E vença-o valorosamente.

— Cavaleiros em suas montarias!

Ao ouvir isso, Reno afastou-se. Seu rosto estava pálido e brilhando de suor. Virando-se rapidamente, ele se retirou. Kelsey segurou-lhe o braço quando ele passou por ela.

— Reno?

— Sinto muito — foi tudo o que ele disse antes de livrar-se dela e sair apressadamente do padoque.

— Jóqueis. — Jamison ajudou Joey a montar. — Temperamentais.

— Ele me parece doente — murmurou Kelsey. Mas não havia tempo para preocupações, e muito menos para pensar. Depois da corrida, prometeu-se, iria tentar encontrá-lo e ver se podia ajudar. Mas aquele era um momento muito especial para Gabe. E ela não iria deixar que nada o estragasse.

— Embora você tenha me abandonado esta manhã, vim desejar-lhe boa sorte.

— Eu precisaria ter nas mãos um pé-de-cabra para arrancá-la da cama àquela hora. — Ele realmente quis a manhã só para si, para tentar identificar qualquer sinal da presença do pai no hipódromo. Não encontrara. Mais relaxado agora, Gabe inclinou a cabeça para observá-la. Os cabelos dela estavam presos e cobertos por um chapéu de palha branco, a aba larga caindo charmosamente sobre um dos olhos. Kelsey usava um vestido vermelho e justo, sob uma jaqueta branca. O broche cavalgava em seu peito.

"Agora que eu estou vendo o bem que mais algumas horas de sono lhe fizeram, fico feliz por não ter tido um pé-de-cabra por perto ao acordar.

— Uma bela maneira de escapar, Slater.

— Também acho — disse ele, dando-lhe o braço. — Você está usando as minhas cores.

— Elas são as únicas cores que valem a pena ser usadas hoje. — Ela levou a mão ao peito enquanto caminhavam para o camarote dele. — Por que você não está nervoso?

— O nervosismo não altera o rumo das coisas.

— Diga isso ao meu estômago — murmurou ela, enfiando a mão na bolsa para pegar os binóculos. — Estou começando a achar que desejo essa conquista mais intensamente do que você.

— Não, você está enganada.

Ele manteve uma das mão sobre as dela enquanto os cavalos eram levados para os portões.

Os guichês de apostas foram fechados, e o dinheiro apostado devidamente recolhido. No céu sem nuvens, o mágico azul do verão. A pista oval, uma milha e meia de grama escrupulosamente tratada, estava rápida. A multidão assistia a tudo de pé, conversando em meio a alguns gritos e vivas.

Era fácil esquecer a enormidade do espetáculo. Para quem assistia pela televisão, tudo poderia parecer pequeno e íntimo, em vez do mundo grandioso, que de fato era.

Aquele se havia tornado, pela ambição, pela sorte e pelo inalterável esforço íntimo, o mundo de Gabe. Agora, o prêmio maior de todo o trabalho realizado, de todos os desapontamentos sofridos, de todos os triunfos já obtidos e de todas as esperanças cultivadas dependia de uma única corrida. De um único cavalo.

Observando *Double* ser colocado, Gabe lembrou-se da noite em que o potro nascera, de como a égua ofegava, de como o vento soprava, silvando nas paredes da cocheira. Da neve e da chuva caindo sem parar, da eterna espera enquanto a égua se esforçava para parir. E, depois, do momento em que as pernas extremamente frágeis do potro começaram a agitar-se no aperto em que se demoravam, prorrompendo pelo corpo da mãe afora junto com um jorro de sangue, expondo-se pela primeira vez ao mundo. E do gemido da égua, um lamento entre sobrenatural e quase humano, anunciando a última pontada das dores do parto.

Aquele pequeno e úmido ser continuou deitado na palha suja, tomando o primeiro alento, que o levaria, a ele, *Double or Nothing*, nascido de *Bold Courage*, aos portões de largada do Belmont Park, em Long Island.

E agora, três anos mais tarde, Gabe também se lembrou do frêmito de emoção que lhe percorreu o corpo, com a velocidade de uma flecha, quando ele fixou o olhar nos olhos do potro.

— Amo esse cavalo.

Ele não percebeu que havia dito isso em voz alta, até que os dedos de Kelsey apertaram os seus.

— Eu sei que você o ama.

Os portões se abriram com um forte rangido metálico. Quase no mesmo instante em que isso aconteceu, a assistência soltou um abafado grito de espanto, pois *Double* guinou para a direita ao sair do portão de largada, quase derrubando o jóquei. Independente do que o havia assustado, o movimento desastroso o fez ficar atrás de uma muralha de cavalos, com o jóquei tentando recuperar o equilíbrio.

Todas as cuidadosas instruções de Jamison sobre a estratégia da corrida tornaram-se inúteis numa fração de segundo. O único objetivo de Joey agora era fazer com que *Double or Nothing* voltasse a participar do Belmont.

Tinha de tomar uma decisão rapidamente, fosse para levar o cavalo a forcejar pela pista adiante ou para fazê-lo percorrê-la como pudesse. Mas a decisão foi tomada tanto pelo cavalo quanto pelo cavaleiro. E os dois avançaram com movimentos largos e impetuosos, numa atitude que, dependendo do resultado da corrida, seria considerada tola ou valorosa. Como se soubesse o que tinha de ser feito, o cavalo decidiu dar tudo de si.

Disparou pela pista afora, devorando a distância que o separava dos demais concorrentes com espantosa velocidade. Quando cruzaram a linha de chegada pela primeira vez, ele estava um corpo atrás do líder, e aproximando-se.

Confortavelmente acomodado em seu camarote, Gabe mantinha os binóculos diante dos olhos, concentrando o foco num único cavalo. A corrida em si ficou quase relegada ao esquecimento, ofuscada pela luz da admiração. Havia, naquele esforço a que o potro se dedicava, mais do que beleza. Havia coragem. Perdendo ou ganhando, ele nunca esqueceria aquela corrida.

A primeira meia milha do percurso foi coberta em exatos quarenta e oito segundos, com *Double* e o líder afastando-se cada vez mais do bolo. A multidão urrava. Mas Gabe ouvia apenas a voz de Kelsey, murmurando calmamente palavras de encorajamento. Era como se, em pé e de mãos dadas no camarote, apenas os dois assistissem ao empenho de um único cavalo.

Na última curva, *Double* lançou seu desafio, passando a lutar definitivamente para conquistar a liderança assim que o líder e ele contornaram e alcançaram o início da reta final. Era aí, nessa exigente e derradeira extensão do percurso, nesses metros finais de enfartar corações, que o Belmont punha à prova o valor do animal. O potro de Kentucky tentou recuperar o terreno perdido, arremessando-se em direção aos ponteiros como uma flecha.

Mas era tarde demais. O que havia nascido com o potro de Longshot naquela noite ventosa de fim de inverno, e o que Gabe tinha visto em seus olhos durante os primeiros gloriosos momentos de sua vida o fez avançar mais rapidamente do que o chicote que lhe fustigava o dorso conseguia fazê-lo.

Com coragem, com honradez, ele cruzou a linha de chegada com dois corpos de vantagem na liderança. Para vencer o Belmont Stakes e a Tríplice Coroa.

Durante algum tempo, a única coisa que Gabe conseguiu fazer foi manter os olhos fitos na pista. As emoções lhe afloraram tão rápida e intensamente, que, apesar de ter tentado, ele não conseguiu deixar que apenas o júbilo pela vitória se manifestasse. Aquele era o seu cavalo, movendo-se tranqüilamente a meio galope agora, com o jóquei quase em pé nos ferros. Aquele era o seu sonho, coberto de suor, poeira e glória. O que quer que acontecesse dali por diante, ninguém iria poder tirar dele ou de seu espetacular potro o sabor daquele momento.

— Um tremendo cavalo — murmurou Gabe com a voz um tanto embargada. Fascinado, ele olhou para Kelsey e viu suas bochechas molhadas de lágrimas. — Um tremendo cavalo.

— Sim. — Ainda com as lágrimas rolando pelo rosto, um riso escapou-lhe da garganta. Ela levantou os braços e os atirou em torno do pescoço dele. — Parabéns, Slater. Você conseguiu.

— Deus. — Nenhuma reserva de autocontrole poderia reprimir o sorriso largo que inundou seu rosto. — Meu Deus, nós conseguimos! — Ele a suspendeu e a girou no ar, ignorando as câmeras. Ela ainda estava rindo quando a boca de Gabe cobriu a sua.

Em sua sala a algumas centenas de quilômetros de distância dali, Rich olhava fixamente para a tela de seu aparelho de televisão. Não tinha ido a Nova York. Dado o que esperava que acontecesse, era mais inteligente e mais seguro permanecer exatamente onde estava.

Ao ver as imagens do potro vitorioso darem lugar às de seu proprietário, ele abanou positivamente a cabeça.

— Divirta-se enquanto puder, garoto — murmurou ele, fazendo um brinde a si mesmo com uma dose de uísque escocês envelhecido. E, ao ver o beijo da vitória, ao ouvir o locutor informando que Gabriel Slater e Kelsey Byden eram rivais muito cordiais, seus lábios franziram num sorriso irônico.

Rich recostou-se e aguardou o caos. O potro seria submetido ao exame de antidopagem, como acontecia depois de toda corrida. E, então, pensou ele, então Gabe não mais sorriria tanto assim. Desse jeito seria melhor, concluiu ele. Seria muito melhor ter a satisfação de vê-lo devolver o prêmio já entregue.

As coisas estavam melhores do que havia esperado. Graças à bela garotinha de Naomi. Se ela não tivesse ido até as baias naquela noite e não tivesse interrompido o que estava planejado para o potro, ele nunca teria corrido.

Mas ele havia corrido e tinha vencido a corrida. Agora, dali a alguns instantes, os organizadores do evento anunciariam, para surpresa geral, que os exames de antidopagem de *Double or Nothing* acusaram a presença de uma droga ilegal em seu sangue.

Gabe não iria apenas perder o que supostamente havia ganho, mas também enfrentaria o escândalo, o escárnio e a vergonha.

Preparando-se para sua própria vitória, Rich tratou de tomar o restante do drinque. Enquanto fazia isso e ao ouvir o anúncio do resultado oficial da corrida, sua mão tremeu com um movimento brusco e sobressaltado, derramando um pouco da bebida.

Nove. Cinco. Dois. O potro de Gabe teve a vitória confirmada.

Seu cérebro abalado não chegou a registrar os comentários sobre a premiação e a entrega simbólica do cheque. Boquiaberto, ele olhava para a televisão enquanto a tela mostrava o cavalo e o cavaleiro vitoriosos, cada um com sua manta de cravos brancos. Viu Gabe, o braço enlaçando possessivamente os ombros de Kelsey enquanto dava parabéns ao jóquei e curvava-se para, tão sentimental quanto um vaqueiro de filme de faroeste, beijar o suado cavalo.

O copo que ele tinha na mão atingiu a tela do aparelho violentamente, e ambos se espatifaram, impregnando o ar do cheiro de bebida. Perdendo a cabeça, Rich saltou abruptamente da cadeira, chutou e esmurrou o aparelho até que as suas mãos sangrassem. Em seguida, ele o varreu da mesinha, atirando-o no chão. Seu único desejo era destruí-lo, destruir o aparelho que lhe mostrava aquelas imagens repulsivas.

Quando finalmente parou, ofegante e esgotado, o ar cheirava a fumaça, a uísque e a suor. Seus dedos estavam sangrando, sua respiração descompassada fazendo vibrarem rouca e sinistramente as cordas vocais. Recuando do que lhe havia restado do aparelho, ele chutou uma cadeira quebrada e pegou a garrafa de uísque. A maior parte se tinha derramado no tapete, mas havia ainda o suficiente para remover-lhe o nó na garganta e para desanuviar-lhe a mente. Ele tomou a bebida diretamente no gargalo.

Cabeças vão rolar, prometeu a si mesmo. E já que não podia confiar em ninguém para a execução de uma simples tarefa, ele mesmo iria cuidar das coisas.

Na semana seguinte à da conquista da Tríplice Coroa por *Double*, mal havia tempo para pensar. Os trabalhos em Three Willows tinham de prosseguir, apesar da celebridade de seu vizinho. A temporada não terminava com o Belmont, e os necessários cuidados diários com os cavalos e seus treinamentos não autorizavam ninguém a se acomodar nos louros da vitória.

E Kelsey tinha suas próprias ambições, não sendo a formação de seu próprio campeão a menor delas. Ganhara a oportunidade quando recebeu *Honor* de presente e estava determinada a aproveitá-la ao máximo.

Não que houvesse esquecido seu objetivo de montar o quebra-cabeça do passado. Charles Rooney se havia recusado a atender e a retomar suas ligações, mas ela tinha a intenção de vencê-lo pelo cansaço. Ele voltaria a conversar com ela outra vez. Pretendia também fazer outra visita ao capitão Tipton. E, se fosse necessário, procuraria o pai e pediria que ele revivesse e narrasse para ela todos os meses daquela fase de sua vida, dia após dia, até que seu entendimento formasse um quadro claro e perfeito com os fatos relevantes do passado.

Porque o que começava a tomar forma agora era o de uma mulher que amara seu marido. Uma mulher que certamente tinha cometido erros, por orgulho e por vaidade, e que também tinha cometido a imprudência de tentar forçá-lo a tomar uma decisão.

Mas o que Kelsey ainda precisava, agindo com calma, como vinha fazendo até então, era descobrir por que uma mulher jovem, teimosa e até mesmo inconseqüente se havia tornado uma assassina.

— Ei, mana.

— Channing. — Kelsey virou-se, com a esponja na mão, para beijá-lo. — Até agora não tive cinco minutos livres para dizer-lhe como estou contente por você estar aqui.

— Apesar das dores nas costas, estou aqui há apenas umas duas horas. — Sua camiseta estava molhada de suor. — Moses me pôs para trabalhar tão rapidamente, que a impressão que tenho é a de que nunca parti.

— Não achei que você fosse voltar. — Com suaves movimentos da esponja, Kelsey limpava o focinho da potranca. — Estamos em meados de junho.

— Não foi por falta de vontade que não vim logo.

— Candace ainda se opõe a que você visite a fazenda?

— Podemos afirmar seguramente que ela não está muito feliz comigo. Tivemos uma discussão terrível.

— Sinto muito.

— Não, foi bom. Muita coisa engasgada foi posta para fora. Minhas, logicamente. Ela queria que eu desse continuidade à tradição da família. Durante toda a minha vida, isso foi ponto pacífico. Eu seria um cirurgião brilhante, assim como meu pai ou como o pai dele, e assim por diante. Era o que ela esperava de mim. E eu a deixei ficar esperando.

— E não é isso o que você quer?

— Vou fazer veterinária — disse ele, mantendo os olhos fitos nos de Kelsey, como se esperasse algum tipo de protesto ou, pior, uma imediata e impiedosa risada. Mas, em vez de rir, Kelsey deu alguns passos à frente e o beijou.

— Ótimo.

— Você acha?

— Se quiser, posso expor minuciosamente como é impossível e frustrante tentar viver de acordo com as expectativas das outras pessoas. Principalmente com as da família. Tenho vivido essa experiência nestes últimos meses. Mas acho que você já sabe disso. Ela mudará de idéia, Channing. Ela o ama, e no fundo, no fundo, ela quer o que você quer.

— Talvez — ele murmurou, pisoteando a camada de palha. — Detesto discutir com ela. E detesto saber que eu teria cedido se o mestre não tivesse me apoiado.

— Papai? Verdade?

— Foi como se a Sétima Cavalaria viesse em meu socorro, mas sem armas e cornetas — disse ele, sorrindo. — Só argumentou, daquele seu jeito pausado e paciente. Eu nunca o tinha visto ficar contra ela assim. Acho que foi o choque que ela experimentou com o fato de ele ter tomado o meu partido em vez do dela que a fez transigir um pouco.

— Papai ama você também — Mordiscando o lábio inferior, Kelsey voltou a trabalhar. — Eles estão tendo problemas, Channing?

— As coisas estão um pouco tensas entre eles. Mas comigo aqui, eles terão tempo e privacidade para tentar reverter a situação. Aliás, ela culpa mais você do que o mestre.

Kelsey fez uma careta.

— Acho que devo tentar remediar as coisas entre nós.

— Mamãe não é de guardar rancor. Não por muito tempo. Seu conceito de ordem foi abalado, só isso. E ela vai levar algum tempo para se acostumar.

— Com licença. — Reno deteve-se à porta da baia.

— Oi, Reno. — Kelsey mudou de posição, mas suas mãos continuaram ocupadas com a limpeza da potranca. — Acho que você se lembra de Channing, meu irmão.

— Claro. Como vai?

— Bem. E o ombro?

Reno o balançou instintivamente.

— Está melhorando. Estarei pronto para voltar daqui a algumas semanas. Recebi alguns convites para participar do circuito europeu nesta temporada.

— Ouvi Moses mencionar isso — disse Kelsey. — Embarcaremos *High Water* em poucas semanas. Espero que você possa montá-lo.

— É possível. Essa é *Honor*, não é? *Naomi's Honor*.

— Com certeza. O que acha dela?

— Vou deixar vocês dois conversando sobre cavalos — disse Channing. — Se Moses me pega perdendo tempo, ele corta meu salário. Prazer em vê-lo novamente, Reno.

— Obrigado. Vejo você por aí. — Ele entrou na baia e se agachou. As pernas de um puro-sangue são sempre a primeira coisa a ser examinada. Sem dizer nada, ele se movimentou em torno do animal, correndo as mãos pelo tórax, pelos flancos e pela cernelha antes de examinar os olhos e os dentes.

— Uma bela égua — disse Reno finalmente. — Excelente forma, tórax robusto. — Você já lhe ensinou a conduzir-se nos portões?

— Ah, sim. Ela não tem nenhuma dificuldade com relação a isso, embora se assustasse algumas vezes. Mas, desde que começamos a usar anteolhos nela, não houve mais esse tipo de problema. — A potranca roçou suavemente o focinho no braço de Kelsey que, entendendo o gesto, pegou uma cenoura do bolso. — Ela é meiga, mas dentro dela arde um fogo intenso. Moses acha que deveríamos testá-la em algumas corridas no próximo ano. Você estaria interessado?

— É uma bela égua — repetiu Reno, estremecendo de emoção e desespero. — Por que quer que eu a monte?

— Eu o vi correr. E gosto do fato de você não montar um cavalo só para as corridas; comparece aos treinos e visita as baias; estabelece companheirismo. — Ela hesitou, acariciando a égua. — Sei que você amava *Pride*,

Reno. O que sentia por ele e achava dele era patente. É esse tipo de jóquei que eu quero para *Honor*.

Ele desviou o olhar, sufocando o impulso de se encolher sobre a palha e chorar. As palavras dela eram como pequenas facas pontiagudíssimas cravando-se nele.

— Eu realmente amava aquele cavalo. — Ele não conseguiu controlar a voz e desistiu de tentar. — Ele faria qualquer coisa por mim. E arrebentou seu coração por minha causa.

— Reno, você não pode se culpar pelo que aconteceu.

— Eu jamais o teria ferido. Mas como poderíamos prever que aquela corrida o mataria? — disse ele, fitando o rosto de Kelsey, mas com vagueza no olhar. — Como poderíamos prever isso?

— Nós não poderíamos, Reno — respondeu ela gentilmente. — Mas, mais cedo ou mais tarde, descobriremos quem fez isso.

Reno respirou, apreensivo.

— Mais cedo ou mais tarde — repetiu, dando um passo atrás. — Uma bela égua.

— Você a montará?

Reno lançou-lhe um olhar tão desesperado que Kelsey aproximou-se dele. Mas quando ela estendeu o braço, ele deixou escapar um som baixo e quase animalesco da garganta, e se retirou.

Capítulo 25

— Partiu meu coração, Gabe.

Kelsey segurava o copo de vinho com ambas as mãos, sentada sobre as pernas dobradas no longo sofá de Gabe. Era uma noite agradável, portas e janelas abertas acolhiam a brisa perfumada pelas flores. Mas o rosto de Reno não se apagava de sua memória, o semblante de completa desesperança na penumbra da baia de *Honor*.

— Ele precisa voltar a montar.

Gabe estava deitado no mesmo sofá, soltando a fumaça do charuto na direção do teto, os pés no colo de Kelsey. Não que não se compadecesse do apuro de Reno, mas o fato era que estava, pura e simplesmente, exausto. Como poderia adivinhar que uma longa e vertiginosa série de entrevistas, homenagens, telefonemas e pedidos de toda natureza seria mais cansativa do que, por exemplo, cavar um fosso durante uma semana?

Naquele momento, ele preferia ter uma pá nas mãos e as costas suadas em vez de esgotar o que lhe restava das forças mentais examinando cifras, contratos e prestações de contas apresentados por advogados, contadores e corretores.

Naquela mesma tarde, ele teve de recusar uma oferta para a compra dos direitos sobre a história da sua vida e da de *Double*, para a produção de uma minissérie para a televisão.

— Não sei — Kelsey continuou enquanto Gabe divagava mentalmente. — Eu também achava que ele só precisava participar de uma corrida. Até que... — Ela descansou a cabeça numa almofada. Gabe havia colocado Mozart para agradá-la; sabia que ele preferia o *rock* tradicional ou o lamento do *blues* à clássica junção de piano e orquestra. — Não foi apenas altruísmo da minha parte eu ter pedido que ele montasse *Honor*. Quero o melhor para mim, mas também achei que isso o ajudaria. Mas acho que piorei as coisas.

— Como pode ter certeza disso?

— Você não viu a cara dele. Quando penso no que aconteceu, compreendo o que a perda de *Pride* me fez, o quanto magoou. E, embora eu amasse aquele potro, não poderia ser tão ligada a ele quanto Reno. Ele está se culpando, Gabe, porque era ele quem montava o potro quando caíram — disse ela, brincando com o vinho. — Estive pensando em perguntar a Naomi se ela seria capaz de persuadi-lo a submeter-se a algum tipo de terapia. Você acha que... — Ela se interrompeu, olhando para Gabe, cujos olhos estavam fechados. — Eu o estou impedindo de dormir?

— Desculpe — ele murmurou, abrindo um dos olhos. — Eu não estava prestando atenção.

— Não, sou eu que devo pedir desculpas. — Ela mudou de posição e começou a massagear os pés dele. — Você está esgotado. Percebi isso quando passei por aquela porta. Eu deveria estar perguntando como foram suas reuniões de hoje em vez de ficar inventando teorias psicológicas.

— Se continuar a massagear meus pés, pode inventar o que quiser.

Ela riu e pôs o copo de lado para trabalhar melhor.

— E então, como foram as reuniões? Já podemos comemorar o novo recorde do contrato para o acasalamento de *Double*?

— Não. — Estava sendo fascinante, pensou ele, e compensador descobrir quantas zonas erógenas havia na sola do pé. — Não vou acasalar *Double*.

— Não? — Ela interrompeu a massagem. — Mas, Gabe, as últimas cifras que você mencionou eram astronômicas.

— Não quero compartilhá-lo com ninguém. — Ele abriu os olhos novamente e fitou os dela. — Ouvi todos os conselhos, recebi várias ofertas, vi muitas cifras, mas decidi que vou fazer o que eu quero. Quando algo é meu, é só meu.

— Essa é uma decisão emocional e muito pouco prática.

— Aonde exatamente você quer chegar?

Ela abanou a cabeça.

— Bem, lá se vai a minha chance de conseguir algumas ações do ganhador da Tríplice Coroa.

— Há outra forma de possuir uma parcela desse patrimônio. — Ele usou toda a sua força de vontade para manter os músculos relaxados e o tom de voz firme. — Você pode ter metade dele.

— Metade? — Suas sobrancelhas arquearam-se enquanto seus dedos massageavam-lhe o peito do pé. — Acho que isso está muito além dos meus recursos.

— Muitas pessoas diriam que você está certa. Realmente, você não pode pagar o preço que ele vale. Nem mesmo a metade dele.

Isso a fez esboçar um muxoxo.

— Acho que só eu sei o que posso e o que eu não posso pagar. Mas tudo bem. Qual é a forma?

— É apenas uma — respondeu ele, seu olhar brilhando intensamente enquanto ele a fitava. — Basta que se case comigo.

Reno foi primeiramente até as baias. As baias que haviam pertencido a Cunningham. E não foi barrado por ninguém. Os guardas, os cavalariços, todos o conheciam. Tinha um encontro com Jamison, alegou, e todos acreditaram nele.

Sentia a necessidade de ver cavalos novamente, de tocá-los, de lhes sentir o cheiro, na verdade também pensara em procurar Jamison para desabafar. Mas que diferença isso faria agora? Nada poderia ser mudado. Nada poderia ser remediado.

Nas últimas semanas passara a maior parte do tempo lançando dardos de culpa em todas as direções, até que, afinal, entendeu que todos eles voltavam e o atingiam. Porque fora ele quem usara a fatídica seringa. Fora ele quem injetara o veneno no corpo daquele belo e corajoso animal.

Não importava como a seringa tinha vindo parar em suas mãos. Agora podia entender e aceitar isso. Assassinara um ser que ele amava e, fazendo isso, destruíra-se.

Tal pai, tal filho. Reno encostou-se no flanco de uma égua e chorou. Estava no sangue. Estava na criação que recebera. As desculpas que sempre usara eram fumaça e espelho. Acreditava de fato estar vingando o pai que ele nunca conheceu? Aquela era a arma usada contra ele tão seguramente quanto ele usara a agulha no cavalo.

Fraco. Ele era fraco como o pai havia sido. E maldito, maldito como ele.

Assim, restava-lhe uma única coisa a fazer. Usaria o mesmo fim que o pai usara. E assim completaria o ciclo iniciado por um homem que só conhecera por fotografias e recortes de jornais. Um homem cujo espírito ele honrara mais do que sua própria dignidade.

Como num sonho, Reno saiu das baias, deixando o cheiro dos cavalos para trás, e dirigiu-se para o barracão da candelária, que também havia sido de Cunningham.

Durante quase dez segundos, Kelsey ficou sem voz. Aquela era, achou ela, uma proposta típica de um homem como Gabe: desafiadora, arriscada, e feita calmamente. Devagar ela tirou os pés de Gabe do seu colo e pegou o copo de vinho.

— Se eu me casar com você, terei direito à metade do título de propriedade de *Double*.

— Isso mesmo. — Ele tivera quase certeza ou pelo menos estivera esperando que ela fosse ter outro tipo de reação. — E à metade de Longshot, e de tudo o que houver nela.

Ela bebericou o vinho, observando-o.

— E à metade de você, Slater?

Isso o irritou, tanto quanto a divertida paciência na voz de Kelsey. Ele tirou as pernas do sofá e pôs-se de pé.

— Não sou Wade, Kelsey. Se nos casarmos, entraremos na posse recíproca e integral de nós dois. Nosso casamento não será de brincadeira nem uma rodada de pôquer sem apostas.

— Entendo. Se eu aceitar a aposta, não tenho como voltar atrás.

— É exatamente isso. E já que eu fiz a aposta, vou mostrar-lhe as cartas que tenho nas mãos. Eu quero você. Essa é a carta mais alta que eu tenho. E acho que vai ser muito difícil você conseguir batê-la. Talvez pense que seja um jogo de cartas marcadas. Mas não é. Você foi lesada uma vez e não quer que isso aconteça novamente. Este é um jogo diferente, com jogadores diferentes, e, da minha parte, as paradas são muito mais altas.

Kelsey manteve os olhos no copo de vinho. Ele havia dito que ela não podia blefar, lembrou-se ela com certo orgulho. Contudo, sabia muito bem que não deveria deixá-lo observar seu rosto até que ela estivesse pronta para aceitar.

— Você acha que eu não quero casar outra vez, que estou me esquivando de um compromisso sério só porque eu perdi uma vez? Isso é absolutamente insultante. Tanto quanto essa proposta desajeitada que você acabou de fazer.

— Você quer flores e luz de velas, e um anel no meu bolso? — Na verdade, ele tinha a intenção de dar tudo isso a ela. Mas o fato de ter se precipitado só o irritou ainda mais. — Não vou dar a você as mesmas coisas que Wade deu.

Ela ergueu o rosto, mantendo no olhar fingida irritação para disfarçar sua emoção.

— Diga-me, Slater, quem está tolhido pelo passado? — perguntou ela, batendo o copo na mesa e levantando-se. — Por que você simplesmente não me leva a... a Las Vegas? Lá seria um ambiente perfeito, não seria? Poderíamos dizer nossos *sins* sobre uma mesa de jogo.

Ele abanou a cabeça gravemente.

— Ótimo. Se é isso o que você quer...

— O que eu quero é uma pergunta simples e direta, à qual eu possa dar uma resposta simples e direta. Portanto, ou você me pede em casamento, ou vai para o inferno.

Com os olhos semicerrados, ele a observou sem conseguir entender imediatamente a expressão de seu rosto. Como poderia, deu-se conta, quando, pela primeira vez em sua vida, outra pessoa tinha todas as cartas na mão?

— Você quer se casar comigo?

— Sim — disse ela. — Claro que sim.

Ainda avaliando sua atitude, ele exalou um pouco do ar que estivera retendo ansiosa e inconscientemente nos pulmões.

— É tão simples assim?

— Sim, é — confirmou ela. — E, então, quem vai recolher as fichas?

Os lábios dele curvaram-se lentamente.

— Na verdade, acho que o que devemos fazer é dividir a bolada. — Ele deu um passo à frente e, com as mãos espalmadas, correu os dedos pelos cabelos dela, segurando-a firmemente em seguida. — Eu a amo, Kelsey.

— Deve amar muito ou não seria tão desajeitado.

— Desajeitado? Para o inferno com isso. — Ele a beijou ardentemente. — Você é minha, não é?

— Sim. — Rindo, ela enlaçou o pescoço de Gabe com os braços. — Sim, sou.

Feliz, ele a pegou no colo.

— E quanto àquela viagem a Las Vegas?

— Não.

— Você não está considerando bem as possíveis vantagens. — Com apenas um objetivo em mente agora, ele se dirigiu com ela nos braços para as escadas. — Lá, tudo é rápido, conveniente, pitoresco. Poderíamos passar a primeira noite de nossa lua-de-mel numa grande cama em forma de coração sob um teto totalmente espelhado.

— Embora isso seja altamente tentador, vou "passar". Por que não...

Ao ouvir alguém batendo ruidosamente à porta dos fundos da casa, Gabe colocou-a no chão.

— Fique aqui — ordenou, empurrando-a preocupadamente em direção às escadas. Antes de conseguir cobrir a metade da distância que o separava do chamado urgente, um de seus cavalariços entrou, alvoroçado, pálido e com os olhos esbugalhados.

— Sr. Slater. Meu Deus, sr. Slater, venha comigo. É Reno. Oh, meu Deus, sr. Slater, acho que ele está morto.

Não havia dúvida quanto a isso. Embora alguém tivesse tido a coragem e a compaixão de tirar Reno do lugar em que fora encontrado, suspenso a cerca de um metro do chão pela corda que lhe enlaçava o pescoço, e com a outra extremidade amarrada numa das vigas do telhado do barracão, não havia dúvidas de que ele estava morto.

Kelsey não conseguia desviar o olhar daquele quadro fúnebre: o corpo flácido vestido com sedas de jóquei, o horrível ângulo em que lhe pendia a cabeça, as lívidas marcas que a corda lhe deixara no pescoço.

— Chame a polícia — ordenou Gabe, virando Kelsey na direção contrária rudemente. — Saia daqui. Vá para casa.

— Não, vou ficar. Eu estou bem e vou ficar com você.

Ele não tinha tempo para discutir.

— Espere lá fora, droga! — explodiu, vendo que, teimosa, ela permanecia a seu lado. — Espere lá fora!

Kelsey apenas sacudiu a cabeça, e, finalmente conseguindo parar de olhar para o corpo de Reno, fitou Jamison, cujos olhos pareciam vitrificados, por choque ou miséria, ela não tinha certeza, mas caminhou até ele e o conduziu gentilmente a uma cadeira.

— Sente-se, Jamie.

— Fui eu que o encontrei. Um funcionário me disse que ele estava na fazenda e que havia perguntado por mim. Não sei por que eu vim aqui, não sei por quê, só sei que vim. E o encontrei. Exatamente como aconteceu na primeira vez. Eu o encontrei.

— Primeira vez?

— Benny. Como Benny. Oh, Deus — disse ele, ocultando o rosto entre as mãos. — Oh, Deus, quando isso vai parar?

— Há um bilhete, sr. Slater. — Um jovem funcionário aproximou-se de Gabe e sussurrou, como se a morte tivesse ouvidos. — Há um bilhete ali no banco. Não peguei porque sempre ouvi dizer que não se deve tocar em nada.

— Isso mesmo. Agora vá esperar a polícia lá fora, está bem?

— Claro, sr. Slater. — Ele hesitou, mas, por fim, disse, nervoso. — Nós cortamos a corda. Talvez não devêssemos ter feito isso, mas não poderíamos deixá-lo ali daquele jeito. Tínhamos que descer o corpo dele.

— Vocês fizeram a coisa certa — disse Gabe, pousando uma das mãos no ombro do rapaz. — Espere lá fora agora. — Antecipada e tremendamente apreensivo com o que poderia encontrar, Gabe caminhou até o banco, até a única folha de papel, até o bilhete manuscrito.

Desculpem-me. Sei que esta é uma atitude covarde, mas é a única que conheço. Nunca montarei um cavalo novamente. Matei o melhor cavalo que já montei em toda a minha vida. Deus é testemunha de que eu não sabia que a dose era letal. Pensei que ela o desclassificaria, apenas isso. E que assim eu acertaria umas contas. Nunca acreditei que meu pai fosse culpado. Pelo menos até hoje. O que ele fez, eu fiz também. O que ele fez, eu farei também. Sangue ruim. Não temos como nos livrar do sangue que herdamos.

Gabe afastou-se do bilhete e olhou para seu treinador.

— Você sabia, Jamie?

As lágrimas pingaram nas mãos de Jamison quando ele abanou positivamente a cabeça.

— Sabia. Eu sabia que Reno era filho de Benny Morales. Deus tenha piedade deles!

As peças se encaixavam perfeitamente quando trazidas à luz. Benny Morales, arruinado, desesperado, enforcara-se, deixando uma jovem e grávida viúva. Ela tinha fugido da Virgínia e se havia estabelecido no Kansas, protegendo-se e ao filho do escândalo.

Quando Reno tinha 5 anos, ela se casou novamente. Reno recebeu o sobrenome do padrasto, mas nunca deixou de pensar em seu pai verdadeiro, de quem herdara a baixa estatura, as mãos hábeis, e o amor por cavalos. Assim, seguiu os passos do pai, trabalhando e promovendo-se de ajudante a treinador e, depois, a aprendiz de jóquei.

Obcecado pela memória do pai, mudou-se para a Virgínia. E só confiou seu segredo ao melhor amigo de seu falecido pai, Jamison, que o guardara muito bem.

— Ele tinha vários álbuns com recortes de reportagens sobre o pai e fotografias dele. — Dois dias depois do suicídio, Rossi compartilhava alguns detalhes do caso com Gabe. — Quase uma biblioteca. Vários deles continham reportagens sobre as acusações feitas contra o pai, sobre a investigação e o suicídio. Sua mãe e seu padrasto chegam hoje do Kansas para trasladar o corpo. Posso dizer-lhe, com base na conversa que tive com ela, que confirmará sem hesitar o fato de que ele tinha uma obsessão mórbida pelo pai. Reno o julgava um herói e um bode expiatório, e estava determinado a esclarecer o velho e suposto equívoco.

— Drogando o potro de Naomi — disse Gabe serenamente. — Desclassificando-o do Derby.

— Morales estava montando para os Chadwick quando sofreu a queda que o manteve longe das pistas por mais de um ano. — Rossi não precisava consultar suas anotações, mas, por hábito, folheava o bloco. — Então, quando o cavalo, *Sun Spot*, teve de ser sacrificado em Keeneland, Matthew Chadwick foi quem mais levantou acusações contra Benny Morales. Ele tinha, afinal de contas, perdido um vultoso investimento por causa da tramóia.

— Sangue ruim. — Gabe cerrou os dentes. — Precisamos saber ainda como Reno conseguiu a droga. Talvez ele tenha usado a seringa no cavalo algum tempo depois da pesagem e antes que o animal fosse posicionado nos portões. Mais provavelmente no momento em que atravessaram o túnel. Mas como ele a obteve e de quem?

— Talvez não fosse tão difícil para um homem na posição dele, sr. Slater. Reno freqüentara os hipódromos desde a adolescência; provavelmente conhecia as pessoas certas. E as erradas também.

— Se ele mesmo tivesse conseguido a droga, não teria errado a dose; e não pretendia matar o cavalo, tenente. Isso para mim está claro.

— Ele cometeu um erro.

— Ou foi enganado. Já conseguiu investigar meu pai?

— Essa é uma questão verdadeiramente familiar, não é? Não — ele mesmo respondeu ao ver que Gabe preferiu calar-se. — Ele se mudou e não deixou o novo endereço. O único motivo que me faz seguir esse caminho é a confiança que deposito em sua intuição. Se ele aparecer no hipódromo ou em qualquer outro lugar, nós o deteremos para interrogatório.

— Ele aparecerá. É vaidoso demais para saber quando deve parar.

Ele não tinha acreditado na culpa do pai. Kelsey estava de pé junto à janela de seu quarto, recém-saída de um banho de fim de tarde, e tinha o olhar fixo na direção das colinas. Não acreditando na culpa do pai, Reno havia passado a maior parte de sua vida perseguindo o fantasma do desagravo. Queria vingar-se, mas acabou descobrindo algo sobre o homem que lhe dera vida e sobre si mesmo que não conseguiu suportar, cuja convivência lhe foi impossível.

Era sempre arriscado escancarar as portas do passado. Vinha encorajando Gabe a livrar-se do jugo de sua herança e a ser quem ele realmente era, ainda que ela mesma não conseguisse fazer isso.

Investigando o que havia atrás daquela porta, não estaria pondo em risco tudo o que havia construído com Naomi nos últimos meses? E quando finalmente conseguisse abri-la, quando descobrisse o que jazia oculto e empoeirado atrás dela, seria capaz de conviver com a realidade que isso representasse?

Esqueça isso, ordenou-se em pensamento. Por que forçar a fechadura de uma porta que todos desejavam trancada? Tinha uma vida inteira pela frente. Uma vida com Gabe. Recomeços em todos os sentidos. Tudo o que precisava fazer era desistir das sombras do passado e aceitar a realidade.

— Senhorita Kelsey?

Kelsey respondeu sem se mexer.

— Sim, Gertie?

— Uma ligação do escritório do sr. Lingstrom. Ele desejava falar com sua mãe, mas, já que ela não está, disse que pode ser com a senhorita mesmo.

— Tudo bem, Gertie. Vou atender lá embaixo.

Ela atendeu à ligação no escritório de sua mãe, na linha executiva, e o escutou atentamente, fazendo comentários apropriados. Quando a ligação terminou, Kelsey recolocou o fone no gancho lentamente e ainda estava sentada à mesa quando Naomi chegou.

— Que Deus me poupe desses almoços estúpidos, que só servem para se perder tempo. Não sei o que me faz pensar que sou obrigada a ir. A única coisa boa que aconteceu hoje foi ter entrado numa butique depois que o almoço terminou. Encontrei um vestido incrível, absolutamente perfeito para um casamento no campo. Podem reservá-lo vinte e quatro horas se nós...

Naomi calou-se, controlando o ímpeto de entrar e ir diretamente ao encontro da filha. Kelsey a olhava fixamente, suas mãos tensas apoiadas nos braços da cadeira.

— O que houve? — perguntou Naomi. — É sobre Reno? Descobriram mais alguma coisa?

— Não, não é sobre Reno. — Ela observou o rosto de Naomi invadido pelo alívio. — O seu advogado acabou de telefonar.

Novo acesso de ansiedade fez Naomi erguer a mão e entreter-se com o broche em forma de estrela preso em sua lapela.

— Ele me pediu que lhe informasse que a minuta dos documentos que você solicitou está pronta e aguardando sua aprovação. — Ela fez uma pausa. — A minuta dos documentos que transferirão a metade de Three Willows para o meu nome.

— Bem, ótimo.

— Por que está fazendo isso?

— Isso é algo que seu avô e eu discutimos antes de ele morrer; sempre foi o meu desejo, Kelsey, e o dele também. Eu só estou legalizando.

— Sem me dizer nada.

— Eu não queria que essa transferência assumisse ares de obrigação — disse Naomi cuidadosamente. — Tanto da minha parte, quanto da sua. Eu não tenho sido capaz de dar muitas coisas a você. Isso eu posso. Papai deixou a meu critério o momento e a forma de fazer isso, mas, basicamente, é a herança dele para você. Achei que este seria o momento e esta a forma. Não se trata de uma corda para prendê-la aqui, Kelsey. Ou prendê-la a mim.

— Sabe muito bem que estou presa a este lugar e a você. Você apostou que isso aconteceria quando me convidou a vir para cá.

— Sim, apostei. Não poderia adivinhar que você viesse a sentir algo por mim; nem esperava. Mas tinha certeza de que se renderia a Three Willows.

— Three Willows e você são muito parecidos.

O lampejo de um sorriso iluminou os lábios de Naomi.

— Já me falaram isso muitas vezes.

— É muito difícil amar e respeitar um sem amar e respeitar o outro. —

Ela se levantou e estendeu os braços por sobre a mesa. — Eu não consegui. E não vejo por que deveria.

— Quase ninguém me daria a chance de provar isso — disse Naomi, segurando as mãos da filha firmemente.

Quase ninguém, pensou Kelsey. Mas ela correria o risco e tentaria mudar isso.

Eram quase 17 horas quando ela estacionou o carro em frente à casa de Tipton, atrás de sua empoeirada e velha caminhonete. O cachorro do vizinho começou a latir insuportavelmente, correndo de um lado para o outro ao longo da cerca que separava os gramados, como se a advertisse de que seus domínios eram sacrossantos. Uma mulher debruçou-se à janela e, antes de se dirigir a Kelsey, gritou para que o cão parasse de latir.

— Procurando Jim?

— Sim. Ele está em casa?

— Na oficina. — Ela apontou para os fundos da casa e abanou a cabeça. — Não está ouvindo o barulho?

Claro que estava, sobretudo agora que o cachorro se aquietara, conformado com inaudíveis rosnados. Orientando-se pelo forte ruído da serra elétrica instalada no quintal, ela avançou por um dos lados da casa e se deparou com um pequeno barracão de madeira, daqueles que se podem montar a partir de um *kit*.

Kelsey bateu à porta do barracão desnivelado, que se abriu quase espontaneamente, chocando-se contra a parede interna.

Tipton estava diante de uma bancada, óculos de segurança e protetores de ouvido em seus devidos lugares, o boné Orioles que lhe cobria a cabeça emprestando-lhe ares de apanhador de um time de beisebol. A serragem saltava impetuosamente da lâmina enquanto ele serrava uma tábua de duas por quatro polegadas. Kelsey achou que seria mais seguro, tanto para ele quanto para ela, se esperasse a máquina ser desligada.

— Agora acertei você, seu filho da mãe — murmurou Tipton quando um pedaço de madeira caiu no chão.

— Capitão Tipton.

Ele se virou bruscamente, parecendo personagem de um filme de terror de segunda categoria, os olhos cobertos por embaçadas lentes de plástico, os protetores de ouvido salientes e cinzentos, e manchas vermelhas tingindo sua camiseta.

— Oh, Deus, está ferido!

— O quê? Onde? — Alarmado, Tipton examinou-se para ter certeza de que seus dedos continuavam no mesmo lugar, enquanto Kelsey precipitou-se em sua direção. — Ah, isto aqui? — Sorrindo, ele apalpou o peito. — Isto é suco de uva. A patroa não gosta que eu trabalhe com roupas boas.

Kelsey encostou-se, trêmula, na bancada e praguejou.

— Assustei você, não é? — Ainda rindo, ele tirou os protetores de ouvido e suspendeu os óculos. — Quer sentar-se?

— Não, estou bem.

— Estou fazendo algumas prateleiras. — Ele pegou uma tábua larga e a examinou, verificando se estava empenada. — A patroa e eu temos este acordo: eu faço prateleiras e ela enche de bugigangas. Assim, ficamos sempre contentes.

— Que ótimo! Poderia me conceder alguns minutos de seu tempo?

— Talvez eu consiga encaixá-la em minha concorrida agenda. Limonada? — Sem esperar resposta, ele pegou uma grande jarra de plástico e encheu dois copos de papel. — Soube que vocês tiveram mais problemas.

— Sim. Uma estranha coincidência, não acha? O fato de Reno ter-se espelhado na vida e na morte do pai...

— O mundo está cheio de estranhas coincidências, srta. Byden. — Aquela, entretanto, não o deixava muito contente. Ele havia terminado a investigação da vida de Benny Morales e só reunira todos os detalhes horas antes do suicídio de Reno. Mais vinte e quatro horas, e os acontecimentos poderiam ter tomado outro rumo. — Contudo, isso soluciona um dos seus problemas. Agora você sabe quem matou seu cavalo.

— Reno não teve a intenção de matá-lo. Tenho certeza disso. — Ela bebericou a limonada, azeda e sem coar. A esposa dele, pensou, deveria limitar-se a fazer apenas a sua própria limonada. — Alguém o usou, capitão. Há muito disso no mundo também. Pessoas usando outras.

— Não posso contestá-la quanto a isso.

— Minha mãe usou Alec Bradley para provocar ciúmes em meu pai, para tentar provar sua própria independência e até mesmo para provocar boatos. Eu me pergunto, no entanto, como Alec Bradley a teria usado.

A jovem tinha uma mente lúcida, brilhante, concluiu Tipton. Ele pegou uma lixa e começou a alisar uma prancha curva.

— Ela é uma mulher bonita.

— Não se trata de sexo, capitão. Estupro não é sexo.

Tipton bufou.

— Talvez não. Mas só temos a palavra dela sobre a tentativa de estupro.

— Eu acredito nela. E você também acreditou. Você já se perguntou por quê, se ela realmente disse a verdade, Alec Bradley escolheu aquela noite exatamente para atacá-la? Eles estavam sendo vistos juntos há várias semanas. Ela não é o tipo de mulher que continuasse a se encontrar com um homem que tivesse cometido abusos ou ameaçado cometer.

Tipton continuou a lixar a madeira. Ele estava fazendo uma cadeira de balanço para dar de presente de aniversário à neta em setembro.

— Se realmente ela disse a verdade, srta. Byden. Se. Ele estivera bebendo. Eles haviam tido uma discussão em público. Ela tinha dado o fora nele e jogado uma taça de champanha no rosto dele... Essa combinação pode levar certos homens a trilhar caminhos errados — disse ele, assoprando suavemente o pó da madeira. — Mas, como eu disse, não há evidências que sustentem isso.

— A camisola dela estava rasgada. E ela tinha equimoses. — Kelsey bufou impaciente quando ele deu de ombros. — Já sei, poderiam muito bem ter sido feitas por ela mesma. Mas se eu disser que isso não aconteceu, que não acredito nisso, como poderei provar? Com certeza investigou o passado dele. E, se houvesse outra mulher, outra pessoa de quem ele tivesse abusado ou que tivesse atacado, isso pesaria a favor de Naomi, não é verdade?

— Nunca consegui encontrar nenhuma. Muitos estupros não são denunciados. Principalmente se são do tipo de que estamos falando. Estupro de namorada.

Ele não gostava dessa expressão. Estupro de namorada ou de conhecida; tornava amistoso um lado brutal.

— E, há vinte anos, as pessoas se comportavam de forma diferente. Bradley tinha má fama, mas violência não fazia parte dela. Tinha pesadas dívidas — prosseguiu Tipton, como que para si mesmo — e quase na mesma época em que começou a sair com sua mãe, ele saldou uma parte delas. Cerca de 20 mil dólares. Mas precisava de pelo menos o dobro para ficar quite com os credores.

— Então ele precisava de dinheiro. Minha mãe tinha dinheiro.

— Ele nunca pediu a ela mais que poucos milhares de dólares. — Tipton pôs a madeira de lado. — Ela mesma declarou isso. Ele nunca lhe pediu uma quantia elevada. Essa é uma das coisas que estranhei. Porque era bem próprio dele viver à custa de mulheres.

— Talvez ele estivesse aguardando o momento propício. Ou... talvez contando com outra fonte.

— Cheguei a pensar nisso. — Tipton tirou uma barra de chocolate do bolso traseiro das calças, partiu-a ao meio e ofereceu a metade a Kelsey. — Mas nunca consegui esclarecer de fato. Sempre me perguntei onde ele teria conseguido aqueles 20 mil; talvez no hipódromo. Mas, que eu saiba, ele tanto ganhava quanto perdia, e o que ganhava era insignificante. E gostava de contar vantagens — acrescentou Tipton com a boca cheia de chocolate. — Dizia que tinha participação em negócios. Conversa fiada, que eu saiba.

— Mas, se fosse verdade, se tivesse algo a ver com minha mãe... — Kelsey começou a andar de um lado para o outro do barracão enquanto pensava. — Ela rompeu o namoro com ele, disse-lhe que estava tudo acabado. Ele se desesperou e tentou intimidá-la. Se ela se livrasse dele, o negócio deixaria de existir. E ele precisava de dinheiro. Muitas pessoas sabiam que ele precisava de dinheiro. Mas quem o teria usado para se aproximar de minha mãe?

Quando a resposta lhe veio à mente, ela parou. A mão que segurava o copo fechou-se firmemente, transformando-o numa disforme e úmida bola de papel.

— Esse é o problema quando se levanta uma pedra; em geral não se gosta do que se encontra debaixo dela. Nunca consegui descobrir qualquer ligação entre Alec Bradley e seu pai. E bem que tentei. Investiguei as contas e os extratos bancários de seu pai, passei um verdadeiro pente-fino neles para ver se encontrava aquele pagamento de 20 mil dólares. Ele estava limpo. Nas contas telefônicas também. Nenhuma ligação para Alec Bradley ou dele recebida; nem na conta da casa no Potomac, nem na da universidade.

— Ele nunca faria uma coisa dessas. — Os lábios de Kelsey endureceram. — Meu pai nunca faria uma coisa dessas.

— Tudo indica que você esteja certa. Por outro lado, isso apenas ratifica a culpa de sua mãe.

— Há outra explicação para o que aconteceu — disse Kelsey, virandose bruscamente para ele. — Eu sei que há.

— Você *quer* outra explicação — disse Tipton gentilmente. — Talvez você a encontre. Talvez não goste dela. — Ele suspirou e estendeu o braço para pegar o copo esmagado da mão dela. — Eu só achei uma ligação entre Philip Byden e o que aconteceu naquela noite: Charles Rooney.

CAPÍTULO 26

ERA ÓBVIO QUE HAVIA ALGO ERRADO. KELSEY O PROCUROU DEPOIS DO anoitecer, dizendo que só queria ficar com ele. Gabe quis acreditar que fosse só isso, que fosse verdade.

Mas seu olhar estava distante, seu sorriso, muito intenso, os cantos da boca, tensos. Seu desejo, permanente deleite para ele, aflorado, mas, ainda que tivessem feito sexo com ardente desenvoltura, Kelsey não conseguiu mascarar seu desespero.

Foi como se ela precisasse purgar alguma coisa, pensou Gabe, agora que a tinha deitada serenamente a seu lado. Verdade que o corpo dele lhe retribuíra o estímulo e o próprio desejo, e que mais uma vez se haviam encontrado e completado. Nenhum dos dois, entretanto, ficara satisfeito, concluiu ele, enquanto o silêncio que reinava entre eles se prolongava.

— Você está pronta agora?

Ela virou a cabeça, procurando um lugar mais fresco para apoiar o rosto no lençol aquecido pelo contato de seus corpos.

— Pronta?

— Para dizer o que a está incomodando.

— O que poderia ser? — Sua voz mostrava enfado, cansaço. — Um homem que eu conheci e do qual gostava suicidou-se há alguns dias.

— O que está sentindo não tem nada a ver com Reno; só com você.

Ela se deitou com o ventre para cima e fitou a clarabóia refletindo a escuridão. Céu sem lua esta noite, pensou. Algumas nuvens a ocultavam, como se fosse fumaça. De fato, bastava muito pouco para muito esconder.

— Ele amava o pai — disse ela. — Nem mesmo o conhecia, mas o amava. E acreditava nele. Tudo que Reno fazia era motivado pelo amor que sentia pelo pai, pela confiança que tinha nele. Amor e confiança cegos, incondicionais. — Kelsey suspirou. — E, quando percebeu que se havia equivocado, que se havia enganado com relação à probidade do pai, não conseguiu suportar.

Inquieta, Kelsey mudou de posição, ouvindo o atrito de sua pele nos lençóis.

— Teria sido melhor para ele se tivesse dado as costas para o passado, não acha? Melhor para ele, melhor para todos, se tivesse esquecido o que aconteceu há tantos anos. O que se quer provar, Gabe? O que se quer solucionar insistindo em olhar o passado?

— Ora, tudo depende da forma de olhar e do que seja descoberto. — Ele lhe acariciou os cabelos, deixando alguns fios caírem por entre seus dedos. — Isso tem a ver com você, não é, Kelsey? Com você e Naomi.

— Para ela, o que aconteceu são águas passadas. Por que não posso fazer o mesmo? Não posso voltar no tempo e devolver-lhe todos aqueles anos que ela perdeu, que eu e ela perdemos. Ela matou Alec Bradley, e eu deveria aceitar isso; não deveria me preocupar tanto em saber por que isso aconteceu.

Kelsey mexeu-se novamente, sentando-se na cama, encolhendo os joelhos e abraçando-os, numa atitude de autopreservação que comoveu Gabe.

— Então, esqueça.

— Esqueça — repetiu ela. — Seria a atitude mais sensata a tomar. Afinal de contas, o que quer que ela tenha feito de mal, que tenha feito de errado, teve um preço. E ela o pagou. Eu não a conhecia então e não me lembro de tê-la conhecido antes; portanto, o que me faz pensar que posso mergulhar no passado e descobrir tudo? Ou que deveria fazer isso? Ela está feliz. Papai está feliz. Talvez nenhum dos dois me agradeça por devassar suas vidas. Não tenho direito de abrir velhas feridas apenas para satisfazer as minhas ridículas necessidades de conhecer a verdade, de fazer justiça.

Cerrando fortemente os olhos, ela pressionou a cabeça contra os joelhos.

— Elas nem sempre são compatíveis, não acha? A verdade e a justiça?

— Deveriam ser. Uma das suas coisas mais admiráveis é que você quer que elas sejam. — Ele acariciou os ombros dela, percebeu-lhes a tensão, e começou a massageá-los. — O que a fez ficar assim, Kelsey?

Depois de respirar longa e profundamente, Kelsey lhe contou a visita a Tipton. Ele evitou interrompê-la e tentou sufocar a raiva que sentia por ela não o ter chamado.

— E, agora, está preocupada com a possibilidade de seu pai estar envolvido de alguma forma.

— Ele não poderia estar — afirmou Kelsey, levantando a cabeça bruscamente. Na escuridão, seus olhos brilharam desafiadores e, ao mesmo tempo, entristecidos por falta de entendimento. — Ele não faria isso, Gabe. Você não o conhece.

— Não, não o conheço. — Irritado consigo mesmo, Gabe afastou-se dela e estendeu o braço para pegar um charuto na mesa-de-cabeceira. — Esquecemos este pequeno gesto de civilidade.

Cansada, Kelsey passou a mão nos cabelos. De certa forma, ela o tinha magoado.

— Aconteceu tudo tão rapidamente entre mim e você. E o relacionamento de minha família está meio complicado. Eu não estou evitando que você se aproxime dele.

— Esqueça isso. — Ele acendeu o isqueiro e se aproximou da chama. — Esqueça — repetiu ele mais brandamente. — Isso não vem ao caso agora. E não está me incomodando. O fato é que eu gostaria de ter ido com você à casa de Tipton. Eu deveria ter estado com você.

— Não pude resistir ao impulso. — Era verdade, pensou ela. Ou, mais precisamente, meia-verdade. — Não sei bem. Talvez eu quisesse mesmo ir sozinha. Talvez eu precisasse ir sozinha. Não quero ser protegida, Gabe. Fui superprotegida durante toda a minha vida, às vezes sem sequer tomar conhecimento. Não posso viver sempre assim.

— Há uma diferença entre ser protegida e ser apoiada. Preciso que você conte comigo, Kelsey. Da mesma forma que preciso saber se posso contar com você.

Depois de alguns segundos, ela lhe segurou a mão.

— Você tem sempre que ter razão?

— Não, mas prefiro assim — disse ele, levando os dedos dela aos lábios. — O que quer fazer?

— Quero esquecer. Deixar as coisas exatamente como elas estão. Mas não posso. Tenho de saber. E, quando descobrir, terei de conviver com a verdade. Seja ela qual for. — Ela espalmou a própria mão contra a de Gabe e entrelaçou seus dedos nos dele.

— Farei uma visita a Rooney amanhã à tarde. Você irá comigo?

Mais mentiras, pensou Kelsey. Daquelas pequenas e inofensivas.

— Você vai adorar o vestido — disse Naomi, segurando o cartão cor de alfazema. — O nome da vendedora está atrás. Ilsa. Eles fazem os ajustes lá mesmo.

— Ótimo.

— Se achar que não fica bem em você, não se preocupe. Tenho certeza de que encontrará outro facilmente. É uma excelente butique. Ah, falei com o fornecedor do clube. Sei que você quer um casamento simples, mas precisamos providenciar algo para comer. Ele vai preparar alguns cardápios para você escolher. E... — Ela pegou outra lista. — Sei que Gabe tem um jardim maravilhoso e um jeito todo especial com flores, mas vocês vão precisar de algumas plantas ornamentais e alguns enfeites para preencher espaços. Assim que decidir que cores pretende usar, basta pedir-me o que quer que seja e eu providenciarei.

— Ótimo. Obrigada.

— Bem... — Rindo de si mesma, Naomi guardou as listas na gaveta da mesa novamente. — Acho que caí na armadilha de mãe de noiva. Estou sendo chata.

Kelsey esboçou um sorriso e tentou fazê-lo refletir-se nos olhos.

— Não, eu realmente fico muito agradecida. Mesmo um casamento simples em casa envolve muitos detalhes.

— Dos quais você poderia cuidar perfeitamente — completou Naomi. — Sei que teve um casamento pomposo e badalado, Kelsey, e que quer que agora seja diferente.

— Sim, quero. — Kelsey revirou o cartão da vendedora nas mãos e, depois, com a consciência pesada, guardou-o no bolso. — Candace cuidou de tudo. A única coisa que precisei foi estar presente. — Refletindo sobre o que acabara de dizer, ela suspirou. — Parece ingratidão. Mas não é. Ela foi maravilhosa.

— Mas deste casamento você mesma gostaria de cuidar.

— Digamos que eu não me satisfaria apenas em participar da cerimônia e da festa. Mas não me importo de que alguém me ajude a organizar as coisas.

— Nunca imaginei que teria esta oportunidade: planejar o casamento de minha filha. — Entusiasmada, ela reuniu todas as listas numa única pilha sob o peso de papéis em bronze. — Pode puxar minhas orelhas se eu me exceder. E... — Exultante e descontraída, ela se sentou num dos ângulos da mesa. — Quanto ao vestido, prometo que não direi uma palavra se você não gostar dele. Mas você vai gostar. Agora, é melhor você ir antes que eu tente acompanhá-la em lugar de Gabe.

— Quando for comprar o seu vestido, eu lhe farei companhia — disse Kelsey com peso cada vez maior na consciência. — Que tal no fim de semana?

— Sim, seria ótimo. — Feliz, Naomi deu o braço a Kelsey e foi com ela até a porta. — Assim, terei oportunidade de cansá-la de tanto falar sobre álbuns e fotógrafos. Agora, vá e divirta-se.

Kelsey murmurou ainda uma ou duas palavras e saiu no momento em que Gabe parou o carro na frente da casa.

— Precisamos fazer uma parada antes de seguir para Alexandria — disse-lhe Kelsey, pegando o cartão depois de se acomodar no banco do carona.

Ele ergueu uma sobrancelha.

— Compras?

— Desencargo de consciência.

Mas não funcionou. Mesmo quando descobriu que Naomi estava inteiramente certa com relação ao vestido. Ou, talvez, justamente por isso.

Sob quaisquer outras circunstâncias, o vestido a teria arrebatado, com o rosa-claro de suas sedas, a elegantíssima cauda, as formas simples realçadas por minúsculas pérolas. Um sonho de vestido, assegurou-lhe Ilsa, que parecia ter sido feito para ela. E eles não tinham também a mais encantadora grinalda para usar com ele?, comentou a vendedora. Uma coisinha linda e delicada com um véu simplesmente irresistível, que se estendia até a ponta dos dedos. Perfeito, nas palavras de Ilsa, para uma cerimônia íntima e ao ar livre.

E sapatos, claro. Clássicos escarpins de cetim que poderiam ser tingidos no tom do vestido. Que espécie de flores ela usaria para o buquê? Não sabia? Rosas brancas seriam encantadoras, asseguraram-lhe. O branco sempre combina com a noiva. E, então, levaria o vestido, o véu e a grinalda com ela ou preferiria que fossem entregues em casa?

Kelsey levou-os, efetuando a compra como se estivesse num sonho. Tão estranho. E tão simples.

— Você não me deixou ver como ficou — comentou Gabe enquanto voltava com ela para o carro.

— Dá azar — disse ela, ausente. Em seguida, deteve-se, pondo as mãos nas bochechas enrubescidas. — Deus, eu acabei de comprar meu vestido de casamento!

— Aparentemente, sim. — Ele a segurou pelos ombros e a fez ficar de frente para ele. — Mudou de idéia?

— Não. Claro que não. Tudo está acontecendo tão rapidamente. Eu acabei de comprar meu vestido de casamento e a grinalda, e os sapatos estão sendo tingidos. E eu não disse nada à minha família.

— Pode remediar isso hoje. Se é isso o que você quer. — Ele colocou as caixas no porta-malas.

— Sim — disse ela com um aceno positivo da cabeça e estendendo a mão para abrir a porta. Gabe segurou-a e a retirou gentilmente de sobre a maçaneta.

— Então, use isto para nos dar sorte. — Pôs no dedo dela uma jóia com um solitário diamante de corte quadrangular engastado no centro de uma cinta de ouro incrustada de pedrinhas de rubi. — Minhas cores. Nossas cores agora, oficialmente.

Os olhos de Kelsey encheram-se de lágrimas. Estavam de pé num estacionamento com o sol de verão castigando-lhes a pele, mas, para ela, estar ali naquele momento era o mesmo que estar a bordo de um navio de cruzeiro numa noite de luar.

— É lindo, Gabe. Eu não precisava disso.

— Mas eu sim.

Do outro lado do estacionamento, Rich encolhia-se em seu carro e observava a cena, o abraço. Tomou um gole de sua garrafa de bolso. Que belo casal eles formam, pensou amargamente. Seu filho e a filha da prostituta.

Era culpa de Gabe o fato de ele estar fugindo novamente, de ele ter de desarmar a barraca e botar o pé na estrada mais uma vez. Não haveria viagem triunfante a Las Vegas por enquanto. Os tiras estavam fazendo perguntas. Rich conseguiu arrancar essa informação de Cunningham quando o procurou para extorquir-lhe mais 2 mil.

Deixe-os perguntar, pensou ele, virando a chave da ignição quando o motor do Jaguar roncou no estacionamento. Ele não estaria por perto para responder. Não, de modo algum. Rich Slater iria pegar a auto-estrada para o México assim que fizesse um servicinho.

Saiu do estacionamento, sem perder o Jaguar de vista.

— Vamos ter que ser chatos — disse Kelsey a Gabe enquanto avançavam pelo tráfego de Alexandria. — Rooney recusou-se a atender a todas as minhas ligações.

— Então, seremos chatos.

— Você acha que estou perdendo tempo.

— O que importa é o que *você* acha. Quer conversar com ele? Conversaremos com ele.

Inquieta, ela se mexia constantemente no banco, desejando chegar logo e desejando nunca chegar.

— Acho que o que eu quero é saber qual o envolvimento de meu pai na contratação de Rooney. Se papai conhecia Alec Bradley ou apenas tinha ouvido falar nele. Preciso esclarecer isso. Não vai mudar nada do que aconteceu naquela noite, mas, mesmo assim, preciso saber.

— Pode perguntar a seu pai.

— Terei de fazer isso, mais cedo ou mais tarde. Por enquanto, prefiro... — Kelsey endireitou-se abruptamente no assento e inclinou-se para frente logo que Gabe entrou com o carro no estacionamento subterrâneo do edifício de Rooney.

— O que houve?

— Aquele carro; o que acabou de sair.

Gabe relanceou o olhar pelo retrovisor a tempo de ver o carro dobrar à esquerda e seguir o curso do tráfego.

— O Lincoln preto?

— Minha avó — disse Kelsey, esfregando os braços arrepiados. — Aquele era o carro de minha avó. O homem ao volante era o motorista dela. Eu o reconheci.

— Há muitos escritórios neste edifício, Kelsey.

— E a vida está cheia de estranhas coincidências. Não. — Ela sacudiu a cabeça e tinha os olhos fitos no espaço quando Gabe estacionou o carro numa vaga. — Não acredito nisso. Ela veio aqui para falar com Rooney. E vou descobrir por quê.

Quando eles seguiram para os elevadores, Gabe deu-lhe o braço. Kelsey tremia inteira de irritação e nervosismo.

— Se entrar no escritório neste estado, só conseguirá assustá-lo.

— Ele que se dane. — Kelsey entrou no elevador e apertou o botão do andar do escritório de Rooney.

Ela parecia armada até os dentes, pensou Gabe, ao vê-la abordar a funcionária na elegante recepção do escritório do detetive.

— Kelsey Byden e Gabriel Slater. Queremos falar com o sr. Rooney.

O sorriso profissional da jovem abriu-se em seu rosto.

— Têm hora marcada?

— Não.

— Lamento, srta. Byden, sr. Slater...

— Não lamente — interrompeu-a Kelsey, debruçando-se sobre a mesa de tal forma que apagou quase totalmente o sorriso profissional da recepcionista. — Só lhe diga que estamos aqui. E que não sairemos antes de falar com ele. Ah, e pode mencionar que vi a minha avó acabar de sair daqui. Milicent Byden.

Funcionou. Dez minutos depois, foram conduzidos à sala de Rooney, que não se levantou dessa vez, mas apenas os cumprimentou com um único e curto abano da cabeça.

— Chegaram num momento inadequado. Sinto muito dizer que só posso dispor de cinco minutos.

— Poderíamos ter combinado uma hora mais conveniente, sr. Rooney, se tivesse atendido a pelo menos uma das minhas ligações.

—Senhorita Byden. — Como se tentando aparentar paciência, Rooney entrelaçou os dedos e pôs as mãos sobre a mesa. Parecia alguém que implorava. — Tentei poupar a nós dois aborrecimentos e perda de tempo. Não a posso ajudar, senhorita.

— Por que estava lá naquela noite, sr. Rooney? Sabe, essa é uma pergunta que não me sai da cabeça. Talvez seja porque isso aconteceu há muito tempo e eu a veja de um ponto de vista diferente do de quem estava próximo ao calor dos fatos. Mas por que aquela noite? Justamente aquela?

— Eu estava fazendo minha vigilância de rotina. Talvez fosse cabível perguntar-se por que sua mãe escolheu justamente aquela noite para matar Alec Bradley.

— Eu sei a resposta para essa pergunta — disse Kelsey firmemente. — Mas eu me pergunto se você sabe. O quanto realmente viu?

— A resposta para isso está nos meus relatórios. — Para evidenciar que o tempo que lhes tinha concedido se havia esgotado, Rooney levantou-se. — Não os posso ajudar.

— Até onde meu pai lhe disse para ir? Ele aprovou sua decisão de invadir a propriedade de minha mãe e espreitar o que acontecia janelas adentro?

— Sou pago para usar meu próprio juízo.

— Deve ter conhecido muito bem minha mãe e Alec Bradley durante aquelas semanas em que os seguiu. Alguma vez seguiu apenas ele? Viu com quem se encontrava, com quem conversava ou quem poderia ter-lhe dado dinheiro?

Ele mal conseguia engolir a própria saliva, mas depois percebeu que não era necessário. Ele não tinha saliva alguma na boca.

— Fui contratado para investigar a vida de sua mãe.

— Mas ele fazia parte da investigação. Até que ponto meu pai conhecia Alec Bradley?

Rooney trancou os maxilares.

— Que eu saiba, eles não se conheciam.

Apesar de estar apenas aparentemente calma, Kelsey ergueu uma sobrancelha.

— Ele não teve nenhum interesse em saber como era o homem com quem a esposa dele alegadamente estava tendo um caso?

— Esposa separada. Não. Naquele momento Philip Byden só estava interessado na filha dele.

— Mas quando você prestava contas a ele...

— Eu prestava contas aos advogados dele. Não sei dizer se ele lia ou não a cópia dos relatórios que lhe enviavam. Ele não queria se envolver. — Um ligeiro sorriso aflorou nos lábios de Rooney. — Achava indigna a idéia de contratar um detetive.

— Mas ele contratou você?

— Talvez tivesse acreditado que os fins justificavam os meios. Tenho hora marcada com outro cliente. Devem me dar licença.

— Por que minha avó veio aqui hoje?

— Isso é confidencial.

— Ela é sua cliente?

— Não os posso ajudar — disse ele, lentamente. Em seguida, olhou para Gabe, mas desviou rapidamente o olhar.

Rooney continuou sentado à mesa, respirando fundo para tentar normalizar seu ritmo. Logo depois, enfiou a mão no bolso e tirou um *Tums* da embalagem, o que certamente não lhe amenizaria a queimação no estômago.

Como aquilo podia reaparecer daquela forma? Depois de todos aqueles anos? Seguira rigorosamente o figurino. Ao pé da letra durante vinte e três anos. Como uma noite tão distante no tempo podia pular sobre ele como um tigre?

Sobressaltou-se quando a campainha de sua extensão soou e lançou impropérios na direção do aparelho. Não era deixando-se dominar pelo nervosismo, no entanto, que iria conseguir superar aquele momento difícil, pensou, atendendo à chamada.

— Senhor Rooney, alguém deseja falar com o senhor. Pediu-me que lhe dissesse que é o velho Rich.

— Não conheço nenhum... — Sua boca ressecou novamente, suas mãos umedeceram-se de suor. Desesperado, Rooney passeou o olhar pela sala, tentando descobrir um meio de fugir. Não havia como, concluiu. Estava tão preso ali quanto o peixe empalhado pendurado na parede.

— Mande-o entrar e não me passe ligações, por gentileza.

— Sim, senhor.

Rich sorria efusivamente quando entrou na sala de Rooney.

— Há quanto tempo não nos vemos!

— O que você quer?

Rich sentou-se, apoiando os pés na mesa.

— Você engordou um pouco, Charlie. Mas está muito bem assim; perdeu um certo ar de espantalho. Por que não oferece um drinque a seu velho amigo?

— O que você quer? — repetiu Rooney.

— Bem, você poderia dizer-me o que o meu garoto e aquela bela namorada dele queriam com você — disse Rich, pegando um cigarro. — Comecemos por aí.

— Não me sinto melhor — disse Kelsey assim que eles entraram no carro. — Deveria ficar contente por saber que meu pai contratou aquele homem, mas se manteve a distância para não sujar sua dignidade? Ou deveria sentir-me aliviada por saber que ele não tinha nada a ver com Rooney ou com Alec Bradley?

— Talvez devesse se perguntar por que Rooney estava tão nervoso.

— Nervoso? Ele me pareceu frio, distante e irritado, mas não nervoso.

— Ele entrelaçou os dedos para manter as mãos firmes — disse Gabe enquanto tirava o carro da vaga em marcha à ré. — O ar-condicionado pareceu-me ligado no máximo, mas, mesmo assim, ele estava suando. Seus maxilares estavam tão fortemente cerrados, que fez um tique num dos cantos da boca. Ele blefou o tempo todo. — Gabe pagou ao funcionário do estacionamento e levou o carro para o trânsito. — E outros pequenos detalhes o traíram. Seus olhos. Seu olhar é de um homem que está cheio de lixo, mas que continua derrubando a lata.

Curiosa e fascinada, Kelsey o observou.

— Você aprendeu tudo isso no jogo?

— Isso é um dom. Alguma coisa o está incomodando.

— Tudo o que precisamos fazer é descobrir o quê — disse Kelsey, suspirando. — Preciso de uma cabine telefônica, Gabe. Acho que está na hora de reunir a família.

Milicent aceitou o copo de xerez que o filho lhe ofereceu e, magnânima, deu-lhe uns tapinhas na mão.

— Finalmente ela recuperou o juízo. Não fique tão preocupado, Philip. Estou inteiramente disposta a esquecer o que aconteceu nestes últimos meses. Afinal de contas, ela é um Byden — afirmou, recostando-se, suspirando, bebericando. — O sangue não nega.

— Espero que ela traga Channing com ela. — Candace caminhou até a janela e agitou a cortina de renda, impaciente. — Não vejo razão para ele permanecer naquele lugar se Kelsey está vindo para casa.

— Channing está fazendo o que acha que é bom para ele — comentou Philip, pousando suavemente a mão no ombro de Candace. Uma parte dela quis tirá-la dali, mas a outra, mais sensível e generosa, não pôde suportar a idéia da troca de mais palavras ásperas entre eles.

— Eu quero que ele seja feliz, Philip. Você sabe que quero.

— Claro que você quer.

— Ele acabará mudando de idéia — assegurou-lhe Milicent. — Isso é apenas um arroubo juvenil. Rebeldia. Veterinário? Está bem. Por enquanto. Isso passa — acrescentou ela, descartando o sonho de Channing com um leve abanar da elegante mão. — Ora, imagine só, houve uma época, quando Philip ainda era garoto, lembra-se, querido?, em que ele queria ser jogador de beisebol. Era tudo o que ele queria.

— Lembro-me — murmurou Philip. Ele tinha 16 anos então, e estava entusiasmadíssimo com a idéia; apesar do jeito de garoto estudioso, seus braços eram como foguetes. Naturalmente, esse sonho havia sido abortado em sua fase embrionária. Um Byden jamais jogaria como profissional. Um Byden *era* um profissional.

— Channing dará ouvidos à razão, assim como Philip. Seu erro, Candace, foi não impor sua autoridade.

— Channing é maior de idade — disse Candace secamente.

— Mãe é sempre mãe. — Milicent sorriu confortadoramente ao ouvir a campainha soar. — Ah, deve ser a filha pródiga. Deixe-a desculpar-se primeiro, Philip. Ela se sentirá melhor por isso. Depois comemoraremos.

Kelsey não parecia disposta a pedir desculpas quando entrou na sala de estar, com Gabe a seu lado. Sorriu para o pai e foi até ele para beijá-lo. Esperando reabilitar-se, abraçou Candace e, depois, virou-se para a avó.

— Obrigada por me receberem — disse ela, e inclinou-se para beijar a empoada face de Milicent. — Vovó, papai, Candace, este é Gabriel Slater. Gabe, Milicent, Candace e Philip Byden.

— Prazer em conhecê-lo — disse Philip, oferecendo-lhe a mão.

— Não quero ser rude — interpôs Milicent, fitando Gabe friamente —, mas tenho a impressão de que temos questões familiares para serem discutidas.

— Sim, temos. Velhas e novas. Vou começar pelas novas. Gabe e eu vamos casar.

Houve um momento de profundo silêncio antes que Philip se recuperasse.

— Bem... que surpresa! Uma boa surpresa.

— Uma bomba — corrigiu Candace. — Bem própria de você, Kelsey. — Mas, diante da perspectiva de flores de laranjeira, suavizou-se. — Imagino que agora não basta xerez. Teremos de arranjar champanha.

— Não vou tolerar isso — prorrompeu Milicent, seu rosto pálido como o de um defunto, apesar do ruge. — Não vou tolerar esse insulto em minha própria casa.

— Mãe... — arriscou Philip.

— Minha casa — disse ela novamente, socando o braço da cadeira. — Isso é um tapa no meu rosto? — perguntou a Kelsey. — Um insulto sutil? Como se atreve a trazer esta pessoa à minha casa? A deixá-la fazer parte desta família?

Mesmo conhecendo Milicent, Kelsey ficou chocada com sua reação.

— Não é um tapa nem um insulto, nem uma ameaça. É um fato. Nós vamos casar em poucas semanas, na casa de Gabe, na Virgínia. Eu ficaria muito contente se todos vocês pudessem estar presentes.

— Claro que poderemos. — Ávida para remediar a situação, Candace prosseguiu. — Só estamos todos um pouco aturdidos pela subitaneidade da notícia, mas não perderíamos isso por nada deste mundo. Espero que você me deixe ajudá-la nos preparativos.

— Basta! — Milicent bateu com o copo no braço da cadeira com tanta violência, que lhe espatifou a frágil haste. O que restava do líquido escorreu, manchando o tapete. — Não haverá casamento algum. Pelo que vejo, Kelsey, você se deixou seduzir por um rosto atraente. Isso é uma tolice, mas não é irreparável.

Com esforço, Kelsey procurou normalizar a respiração e manter o autocontrole.

— Não houve nenhum anúncio público, portanto não há o que reparar. Você — ela apontou para Gabe — pode sofrer menos constrangimento se for embora agora.

— Não concordo — disse ele tranqüilamente. — Quero ser constrangido.

— Nós dois vamos embora. — Tremendo de raiva, Kelsey agarrou-lhe a mão. — Foi um erro. O que tenho a dizer à minha avó pode ser dito em outra ocasião. Eu não deveria tê-lo trazido aqui, submetendo-o a isto.

— Espere. — Gabe levou suas mãos unidas aos lábios e beijou o anel de Kelsey. — Deixe-a terminar.

— Peço a vocês que aceitem minhas desculpas. — Philip interpôs-se entre a mãe e a filha. — Essa notícia foi realmente uma surpresa. Talvez seja melhor conversarmos sobre isso mais tarde.

— Não proteja essa garota. — Milicent levantou-se e caminhou até uma escrivaninha estilo Chippendale. — Você fez isso durante muito tempo. Já é hora de ela aprender a encarar a realidade.

— É o que eu tenho feito — murmurou Kelsey. — Nestes últimos meses.

— Então encare isto — desafiou Milicent, pegando uma pasta na escrivaninha. — Compilei uma boa quantidade de informações sobre você, sr. Slater. Uma boa quantidade. Jogador profissional, ex-presidiário. Filho de um bêbado itinerante, sem aparentemente nenhum meio de subsistência, e de uma faxineira. Fugiu de casa, viveu nas ruas e passou algum tempo na prisão por jogo ilegal.

Ela manteve a pasta fechada na mão enquanto observava a fisionomia de Gabe com olhar frio e condenatório.

— Talvez tenha desenvolvido um gosto por coisas requintadas e tenha conseguido reunir algumas delas, mas isso não o faz deixar de ser quem é.

— Não, não faz — concordou Gabe. — Da mesma forma que ter nascido com elas não a faz deixar de ser quem é.

Milicent atirou a pasta furiosamente sobre a escrivaninha.

— Saia da minha casa.

— Espere. — A mão de Kelsey fechou-se convulsivamente em torno do braço de Gabe. — Como se atreveu a fazer isso!? Como se atreveu a intrometer-se na vida de Gabe!? E na minha!?

— Farei o que for necessário para preservar o sobrenome Byden. E você, apesar do súbito apego que desenvolveu por aquela mulher, é uma Byden.

— Aquela mulher é minha mãe. Você levantou seu dossiê também? — perguntou Kelsey. — Tentou descobrir alguns segredos sórdidos da vida dela para atirar na cara de papai e assim conseguir impedi-lo de casar-se com ela?

— Essa foi, para a minha infelicidade, uma das poucas vezes na vida de Philip que ele não quis me escutar.

A cena havia sido bem parecida com esta, lembrou-se Milicent. Philip tinha gritado com ela e lhe tinha dado um ultimato: ou ela aceitava aquela mulher ou perdia o único filho.

— Não, ele não quis me escutar — repetiu ela. — E os resultados foram desastrosos.

— E eu sou um desses resultados — devolveu Kelsey. — Era isso o que você esteve fazendo no escritório de Rooney esta tarde?

Milicent usou um dos braços para manter-se de pé, apoiando-se na escrivaninha.

— Não sei sobre o que você está falando.

— Eu a vi. Você o contratou novamente, não foi? Para ele espreitar Gabe, para investigar seu passado.

— Foi apenas um mal necessário. Um meio de conseguir informações que a fizessem recuperar o juízo — defendeu-se Milicent.

— Bem você desperdiçou seu dinheiro. Não faz diferença alguma para mim. Eu já sabia tudo sobre a vida dele.

— Então você se parece mais com sua mãe do que eu desejava crer; merecerá o que eventualmente lhe acontecer.

— Você tem razão. — Kelsey virou-se para o pai. — Você deixou de amá-la, papai? Ou permitiu que alguém o induzisse a deixar de amá-la?

— Kelsey — disse ele com voz rouquenha, pois, de repente, não sabia a resposta —, o que aconteceu, aconteceu. Peço-lhes desculpas do fundo do coração por tudo. — Praticamente imóvel de choque e constrangimento, ele virou o rosto para Gabe. — A vocês dois.

— Desculpas? — Milicent voltou à carga. — Você me ouviu dizer que espécie de homem ele é, que espécie de homem ela está usando para humilhar nossa família e ainda lhe pede desculpas?

— Sim. — Olhos eivados de tristeza, Philip olhou para a mãe. — Eu me desculpo por você. Pelo fato de você ter usado o sobrenome da família como um chicote. Um sobrenome que para você sempre significou mais do que algo tão simples como a felicidade.

Pálida como um defunto, Milicent segurou a borda da mesa.

— Não vou tolerar que meu filho fale assim comigo em minha própria casa — ameaçou, olhando bruscamente para Kelsey. — Aquela mulher é o pivô de tudo. Naomi é o pivô de tudo.

Kelsey abanou a cabeça lenta e positivamente.

— Talvez. Desculpem-me. Não voltarei mais. Vamos para casa, Gabe.

— Kelsey. — Corada de emoção, Candace precipitou-se na direção deles, detendo-os junto à porta. — Por favor, não culpe seu pai.

— Estou tentando.

— Ele nunca teria permitido isto acontecer se soubesse... Tenho certeza de que você sabe que tipo de homem ele é.

Kelsey fitou o rosto de Candace, vendo-lhe a preocupação no olhar.

— Sim, sei. Sabe, sempre achei que você e papai combinavam muito bem. E que vocês se completavam, preenchendo-se reciprocamente. — Inclinando-se para a frente, ela beijou suavemente o rosto de Candace. — Mas até agora eu não tinha percebido o quanto você o ama. E eu deveria ter percebido. Diga-lhe que telefonarei para ele mais tarde, está bem?

— Sim. Sim, eu direi. E... Kelsey... — seu sorriso era um pouco sem graça, mas estava lá — os meus melhores cumprimentos e votos de felicidade. A vocês dois.

CAPÍTULO 27

— UMA TREMENDA FAMÍLIA ESSA QUE VOCÊ TEM, QUERIDA.

— Que seja, Gabe. — Assim que ele estacionou o carro em Three Willows, Kelsey saltou e fechou a porta vagarosamente. — Mas agora não é hora de bancar o engraçadinho.

— Não; estou falando sério. Deixei você desabafar ao longo da metade do caminho para casa e fritar os miolos ao longo da outra metade. Achei que tinha sido bastante para você esquecer o que aconteceu.

Não, para Kelsey não havia sido.

— E não foi por minha causa. Com certeza; mas por sua causa.

— E daí? — Num gesto descontraído, ele pousou o braço nos ombros de Kelsey. — Já me atiraram coisas muito piores na cara. Ela nem mencionou a garota de programas em Reno nem o que aconteceu em El Paso.

— Não é essa a questão. — Kelsey parou subitamente antes de dar o segundo passo. — Que garota?

— Consegui chamar sua atenção! — Ele a beijou fraternalmente. — De todo modo, gostei de seu pai e de sua madrasta. Dois em três é razoável.

Perplexa, ela só conseguia fitá-lo.

— Você não está nem ao menos aborrecido; nem irritado com o que ela fez. Gabe, ela contratou um detetive para investigar sua vida, para fazer sua ficha, como se você fosse um criminoso.

— E o que ela conseguiu, Kelsey? Você já conhecia o que eu tenho de pior e defendeu até isso. E essa atitude tornou o fato de eu ter posto as cartas na mesa antecipadamente a melhor jogada que já fiz na minha vida.

— O que não a desculpa.

— Mas prova que ela só perdeu tempo. Talvez eu a compreenda até certo ponto; nunca tive uma família para defender.

Kelsey deteve-se novamente.

— Você está defendendo minha avó?

— Não. Acho que ela tomou a atitude errada, o que acabou custando muito mais caro a ela do que a mim.

Kelsey assoprou as mechas de cabelo caídas na frente dos olhos.

— Talvez eu precise de um pouco mais de tempo para aprender a ser uma pessoa de mente aberta. Pegue o vestido no carro para mim, está bem? Naomi ficará feliz ao vê-lo. Pelo menos uma pessoa nós conseguiremos fazer feliz hoje.

— E se eu as levasse para jantar? — propôs ele, passando o dedo sobre o anel que lhe tinha dado. Gostava de vê-lo ali. — Para comemorarmos?

— Por que não? Vou falar com ela.

Ela entrou apressadamente em casa, sacudindo o corpo, como se se livrasse dos piores momentos do dia. Estava na metade das escadas, quando Naomi a chamou.

— Ah, você estava aí! — Com uma das mãos deslizando sobre o corrimão, Kelsey desceu rapidamente as escadas. — Você estava absolutamente certa com relação ao vestido. Gabe foi pegá-lo no carro e depois ele vai nos levar para jantar fora. Acha que deveríamos tentar arrancar Moses das baias?

Naomi continuava parada no vestíbulo, as mãos entrelaçadas.

— Precisamos conversar. É melhor sentarmos.

— O que houve? Oh, Deus, não foi um dos cavalos, foi? *Justice* parecia um pouco resfriado, mas eu lhe dei os remédios exatamente como Moses me disse.

— Não houve nada com os cavalos, Kelsey. Por favor, venha cá e sente-se.

A estranha estava de volta. A mulher calma e controlada que convidara Kelsey para tomar chá. Aturdida, Kelsey sentou-se ao lado dela.

— Está zangada comigo?

— Não; não acho que zangada seria a expressão adequada. — Ela desviou o olhar e viu Gabe passando pela porta. — Seria melhor discutirmos isso em particular.

— Não; não há nada que você não possa me dizer na presença de Gabe.

— Está bem, então. — Naomi levantou-se e caminhou até a janela, mantendo o olhar voltado para o exterior. Precisaria de toda a sua capacidade de autocontrole agora, de toda a autoconfiança que fora obrigada a desenvolver na prisão para sobreviver. — Ligaram para você enquanto estava fora. Gertie anotou o recado e o deixou sobre a escrivaninha de seu quarto. Entrei lá há alguns minutos para levar a lista de convidados que havia organizado.

Naomi virou-se, o rosto inexpressivo.

— Peço-lhe desculpas por ter lido, mas não foi intencional. Estava lá e não pude evitar de bater os olhos nele.

— Por que simplesmente não me diz quem telefonou?

— Charles Rooney. O recado diz que é urgente. Ele quer que você entre em contato com ele o mais rapidamente possível.

— Então, acho melhor eu saber logo do que se trata.

— Por favor — disse Naomi, erguendo uma das mãos. — Depois de mais de vinte anos, não posso crer que haja algo tão urgente assim. Você conversou com ele?

— Sim, duas vezes.

— Com que propósito, Kelsey? Eu não respondi às suas perguntas?

— Sim. Essa é uma das razões por que o procurei. Porque você respondeu às minhas perguntas.

— E você? — Ela se virou para Gabe, um lampejo de irritação escapando-lhe do olhar. — Você a encorajou a fazer isso?

— Não se trata de encorajamento. Mas eu compreendo.

— Como você poderia compreender? — perguntou, áspera. — Como algum de vocês poderia compreender? Não podem saber o que senti quando vi o nome dele naquele pedaço de papel. Passei mais de uma década de minha vida tentando esquecer. Depois, controlei-me para conseguir trazer tudo à tona novamente. O preço, pensei esperançosa, que precisava pagar para trazer minha filha para o meu convívio outra vez. Isso não foi suficiente?

— Não foi para magoá-la que fui procurá-lo. Sinto muito se isso aconteceu. Procurei-o porque queria ajudá-la, porque eu esperava descobrir algo que pudesse mudar as coisas.

— Elas não podem ser mudadas.

— E para tentar saber se ele viu algo naquela noite que ele não disse à polícia. Se escondeu algo.

Estupefata, Naomi deixou-se cair sentada no braço do sofá.

— Você pensou, de verdade, que poderia descobrir algo capaz de limpar meu nome? Foi isso o que pretendia fazer, Kelsey? Uma tardia lavagem da roupa suja da família? — Com uma débil risada, Naomi esfregou os olhos. — Meu Deus! Que diferença isso poderia fazer agora? Você não pode me devolver um segundo sequer do tempo que perdi. Não pode apagar de minha memória os cochichos, o escárnio, os olhares de esguelha. Está feito — disse ela, deixando cair as mãos. — O que aconteceu está morto e sepultado, como Alec Bradley.

— Não para mim. Fiz o que achei que era certo. E se Rooney telefonou, teve algum motivo. Ele não quis conversar comigo hoje; estava nervoso. Talvez até mesmo com medo.

— Esqueça isso.

— Não posso. — Ela se levantou, avançou alguns passos e segurou as geladas mãos de Naomi. — Além do mais, há outras coisas. O acidente de *Pride*, o suicídio de Reno. Tudo muito parecido com o que aconteceu há tantos anos. Com o seu cavalo, com Benny Morales. É como se um terrível eco tivesse levado muito tempo para nos alcançar novamente. E ainda não acabou. Até a polícia está se perguntando se há ligação entre o que aconteceu e o que está acontecendo.

— A polícia? — O que ainda restava de cor no rosto de Naomi desapareceu. — Você falou com a polícia?

Kelsey soltou as mãos de Naomi e recuou.

— Conversei com o capitão Tipton.

— Tipton. — O estremecimento a sacudiu sem que ela pudesse evitar. — Oh, Deus.

— Ele acreditou em você — disse Kelsey, observando a mãe levantar a cabeça. — Ele me disse que acreditou em você.

— Mentira. — Tremendo, ela se levantou. — Você não esteve lá, naquela sala horrível, com perguntas bombardeando-lhe a cabeça sem parar. Ninguém acreditou em mim, muito menos Tipton. Se acreditou, por que me mandou para a prisão?

— Ele não tinha provas. As fotografias...

— De volta a Rooney — interrompeu-a Naomi, com um riso sarcástico. — Acha mesmo que pode mudar as coisas? Que pode descobrir uma evidência longamente negligenciada de que eu estava tentando preservar a minha honra? — A dor invadiu seu coração e sua voz. — Bem, você não pode. E mesmo que queira ajudar, não seria capaz. Porque eu não suportaria passar novamente por tudo aquilo. Eu não suportaria.

Saindo da sala, ela subiu as escadas correndo. Logo depois, eles ouviram a porta do quarto ser fechada violentamente.

— Que besteira. — Kelsey deixou-se cair numa poltrona e fechou os olhos. — Que besteira que eu fiz.

— Não, você não fez besteira alguma. Você apenas provocou um alvoroço. Talvez isso tenha sido necessário.

— Nós tínhamos feito um imenso progresso. Ela e eu tínhamos caminhado tanto, Gabe. E eu estraguei tudo.

— Acredita mesmo nisso?

— Não sei. — Ela ergueu as mãos e, logo em seguida, as deixou cair. — No início me disse que estava fazendo perguntas por mim, porque tinha o direito de saber. Depois de algum tempo, convenci-me de que era por ela. Mas acho que, de fato, foi por mim; eu queria botar as coisas em seus devidos lugares. Limpar o que estava sujo. Afinal de contas, se acredito nela, todos devem acreditar também.

— Isso não faz de você uma vilã, Kelsey. — Ele caminhou até ela e sentou-se no braço da poltrona. — O que pretende fazer agora?

Kelsey respirou fundo e soltou o ar dos pulmões lentamente.

— Vou telefonar para Charles Rooney. Preciso terminar o que comecei.

Encontraram-se com ele num bar. Não numa sórdida espelunca, que poderia dar clima a um encontro clandestino, mas num confortável e bem cuidado saguão, próprio para executivos. Rooney usara toda a sua habilidade, todos os seus truques ao longo do caminho para ter certeza de que ninguém o tinha seguido.

Quando os viu chegarem, terminou seu primeiro gim-tônica. Estava acabado e sabia disso. Passara as horas subseqüentes à saída de Rich Slater de seu escritório fazendo planos para desaparecer. Tinha o conhecimento, os contatos e, agora, o motivo para tanto.

— Senhor Rooney.

— Sentem-se. Permitam-me recomendar-lhes o vinho da casa.

— Ótimo — concordou Kelsey, abanando positivamente a cabeça para a garçonete.

— Café — pediu Gabe. — Preto. Disse que era urgente — lembrou a Rooney.

— Sim, disse. — Ele deu um tapinha em seu copo para pedir outro. A saideira, pensou. Pela manhã estaria bebericando no Rio. — Desculpem-me, mas eu estava um pouco nervoso quando fiz a ligação. Foi o dia das visitas inesperadas no escritório. E a última não foi nada agradável. Sou detetive há mais de vinte e cinco anos. Bastante tempo. Tive muitos casos interessantes. Não usei arma uma única vez sequer. — Ele deu duas batidas na mesa. — Gosto do meu trabalho. Sempre gostei. É difícil formar uma clientela adequada. Certo tipo de pessoas, as pessoas certas, em geral não se importam de se relacionar abertamente com alguém do meu ramo de atividade. Contratam-nos com o mesmo tipo de desconfiança e relutância com que contratam alguém para exterminar baratas de suas casas. Querem resultados, é natural, mas raramente discutem a execução do serviço. Mas há outras que preferem um envolvimento participativo.

Ele fez uma pausa enquanto os drinques eram servidos.

— Isso é fascinante, Rooney — comentou Gabe. — Mas não é propriamente urgente.

— Milicente Byden — disse ele, percebendo a boca de Kelsey endurecer — é uma pessoa acostumada a dar ordens a criadas, sempre exigindo que sejam cumpridas de acordo com suas instruções.

— Sabemos que ela o contratou para investigar a vida de Gabe — disse Kelsey, tentando tirar o gosto ruim que tinha na boca com um gole do vinho. Espero que tenha conseguido um bom advogado, sr. Rooney. Creia-me, ela não está nada satisfeita com os resultados.

— Você os atirou de volta na cara dela, não foi? — Achando engraçado, ele riu com a boca praticamente tocando a bebida do copo. — Talvez haja alguma justiça neste mundo. Ela ficou satisfeita com os resultados quando me contratou pela primeira vez.

— Primeira vez?

— Foi sua avó quem me contratou para conseguir a documentação do processo de custódia.

— A informação que eu tenho é que você foi contratado pelos advogados do meu pai.

— *Dela*, srta. Byden. Deve lembrar-se que eles eram advogados dela também. E era assim que ela queria que fosse.

Ele pegou a fatia de limão de seu drinque e espremeu o sumo no copo.

— Eu tinha feito um serviço para uma conhecida dela. Divórcio. Ela deve ter achado que fiz um trabalho bom e discreto; portanto, eu preenchia seus requisitos. Eu era ambicioso e muito jovem; deixei-me impressionar facilmente pela pessoa que ela era, pela pessoa que o marido dela era, pelo tamanho de seu cheque.

Ele deu de ombros e levou a mão à tigela cheia de pretzels* em forma de caracteres chineses.

— Não vejo a diferença que possa fazer a origem dos advogados que o contrataram — comentou Kelsey.

— Claro que faz. Nunca me encontrei com seu pai. Eu o vi no julgamento, mas nunca ficamos cara a cara. Era assim que sua avó queria as coisas. E ela era boa em fazer com que as coisas fossem feitas do jeito dela. Ela queria que a sua mãe ficasse fora, para sempre fora da vida dele e da sua. E ela concebeu um plano bem simples para conseguir isso. Minha tarefa era seguir Naomi, tirar fotos, fazer relatórios. Foi tudo que Milicent Byden me disse. Mas eu sou um bom detetive, srta. Byden. Já era naquela ocasião e descobri mais coisas.

— Mais coisas? — Kelsey percebeu que a porta se havia aberto um pouco mais e teve medo, muito medo, do que poderia encontrar atrás dela.

— É muito fácil achar a pessoa certa no hipódromo e negociar com ela. Uma de minhas fontes tinha toda a ficha de Alec Bradley; sabia que ele jogava pesado e que tinha dívidas com gente não recomendável. Bradley não era muito bom em guardar segredos e revelou a negociata em que estava envolvido. Tudo o que ele precisava fazer era flertar com uma bela mulher, e sua parte no esquema estaria devidamente cumprida. Bradley e minha fonte tornaram-se muito amigos. Não freqüentavam o mesmo círculo, mas certamente eram farinha do mesmo saco. Bradley falava demais, e minha fonte acabou pressionando-o para que falasse mais ainda e depois me vendeu as informações que conseguira arrancar dele.

— Está demorando muito a cruzar a linha de chegada, Rooney — disse Gabe.

— Então, deixe-me tentar simplificar as coisas. — Ele afrouxou o incômodo nó da gravata. — O processo de custódia estava sendo favorável a Naomi. Os juízes não gostam de tirar um filho de sua mãe. Talvez ela gostasse de festas, talvez ela gostasse de homens, mas não se permitia nem uma coisa nem outra quando a criança estava por perto. Tinha dinheiro e recursos, e havia muitas pessoas dispostas a testemunhar que era uma mãe boa e

* Biscoitinhos salgados originários da culinária alemã. (N. do T.)

devotada. Assim, os Byden precisavam de alguma coisa para fazer a balança pender a favor deles. Milicent a encontrou em Alec Bradley.

— Minha... — Kelsey precisou de um instante para firmar a voz — minha avó conhecia Alec Bradley?

— Sim, ela o conhecia; conhecia seus pais e seu caráter. E contratou Bradley para seduzir sua mãe. Para envolvê-la numa situação comprometedora. No tipo de situação que iria fazê-la parecer tudo, exceto moral e maternal.

Kelsey segurou uma das mãos de Gabe por debaixo da mesa.

— Está dizendo que minha avó contratou Alec Bradley? Pagou-lhe para... Por que eu deveria acreditar em você?

— Acredite no que quiser. — Rooney não ligava a mínima. Estava apenas limpando a mesa, por assim dizer, antes de se aposentar. — Veio buscar respostas, senhorita Byden. Não me culpe se elas não lhe agradam. Ela deu a ele 20 mil como adiantamento.

Kelsey estremeceu ao ouvi-lo mencionar a cifra.

— A questão é que Naomi não parecia disposta a fazer o jogo deles. Não como Bradley e sua avó queriam que ela fizesse. Naomi estava conseguindo manter Alec sob controle. E, do jeito que o processo de custódia se desenrolava, sua avó precisava de ação. Então, descobriu outro ingrediente para acrescentar à mistura. Houve problemas no hipódromo. Um cavalo morto, um jóquei morto. Mas a publicidade em torno disso acabou favorecendo os Chadwick.

Gabe ergueu uma das mãos.

— Está querendo dizer que há ligação entre esses fatos?

— Está tudo ligado. Bradley precisava de dinheiro, mas Milicent estava determinada a manter a carteira bem fechada até que ele produzisse resultados. Diante disso, Bradley e seu comparsa do hipódromo conceberam um pequeno plano. Quando o cavalo caiu, Bradley recebeu uns trocados, mas não conseguiu pôr as mãos na grana que esperava, já que o destino resolveu ficar do lado de Naomi. Milicent deu-lhe um prazo.

Rooney ficou observando o que ainda restava de seu drinque, perguntando-se se deveria pedir mais um. A menos de duas horas do embarque no avião, decidiu que seria melhor manter a mente lúcida.

— Ela me mandou preparar a câmera e comprar bastante filme. E ficar nas proximidades da casa. Eu fui primeiro para o clube e vi Bradley representar a cena de ciúme.

— Representar? — Kelsey repetiu.

— É mais fácil reconhecer uma farsa quando não se está envolvido. Além do mais, minha fonte já me alertara. Seria naquela noite. Bradley deveria irritá-la. Mas não acho que ele esperava que ela fosse dar o fora nele. Ele se achava irresistível para as mulheres. Quando sua mãe foi embora, eu saí logo atrás. Não havia mais ninguém na casa. Pelo menos até que Bradley chegasse. Minhas instruções eram para tirar fotos, mas só as que pudessem favorecer os Byden.

— Instruções dadas por minha avó — completou Kelsey acertadamente.

— Isso mesmo. No começo parecia prometedor: ela de camisola, abrindo a porta para ele, deixando-o entrar. Tomaram um drinque, e ele procurou seduzi-la. Pela janela, consegui uma boa foto deles se beijando. Não me dei ao trabalho de fotografá-la empurrando-o. Não era parte do meu trabalho. Eles começaram a brigar e pude ouvir trechos da discussão quando ela gritava, dizendo-lhe para ir embora, que estava tudo encerrado. Ele a agarrou e começou a afagá-la grosseiramente.

Rooney levantou o rosto e olhou para Kelsey.

— Houve um momento em que pensei em entrar e fazer alguma coisa para ajudá-la. Ela estava em apuros. E não havia dúvidas quanto ao tipo de apuros. Mas não entrei. Tinha um trabalho a fazer. Em todo caso, ela conseguiu desvencilhar-se dele; estava furiosa, muito mais furiosa do que amedrontada. Gritou com ele e se precipitou na direção do telefone, mas ele a seguiu. Não acho que ela tivesse dúvida quanto ao que iria acontecer. E ela correu.

Rooney fez uma pausa, passando a mão na boca.

— Ele sabia que eu estava lá. O filho da mãe sabia que eu estava lá, olhou na direção da janela e apontou, assim. — Rooney levantou o dedo indicador para o teto. — Lá em cima, ele indicou, tentando sinalizar que iria fazer o serviço no segundo andar. Assim, tratei de fazer aquilo para o que fora contratado e subi na árvore. Não pude ouvir nada, não com meu coração disparado. Não me permiti pensar. Tinha um trabalho a fazer, um grande trabalho, que me abriria as portas para muitos outros. Ora, fora ela quem pedira isso, eu me dizia. Sim, pedira quando o trouxera pela coleira durante todo aquele tempo.

— Você sabia que ele iria estuprá-la — conseguiu articular Kelsey. — Você sabia. E não fez nada.

— Isso mesmo. — Rooney bebeu o restante do drinque. — Ela entrou no quarto correndo. A essa altura, ela estava apavorada, mas também me pareceu ensandecida. A fina camisola caía-lhe do ombro, na parte em que havia sido rasgada. Ele entrou no quarto também e sorriu, parecendo amistoso, reconciliador. Pude vê-los através da janela, encarando-se tão intensamente um ao outro, as roupas dela caindo e a camisa dele aberta. Pareceu provocação. Até sensual. Não sei o que ele lhe disse, mas ela meneou a cabeça e recuou. Em seguida, ele abaixou as mãos, como se fosse desabotoar as calças, e ela deu um tapa no rosto dele. — Rooney umedeceu os lábios. — Essa foto eu fiz. Ele lhe devolveu o tapa. Isso eu não fotografei.

Rooney precisou de outra pausa. Não imaginara que contar minuciosamente o que havia acontecido naquela noite poderia afetá-lo tanto. Naquela noite, sentira-se mesquinho e atemorizado. Agora, sentia-se apenas mesquinho.

— Ela se abaixou, ficando fora do alcance de minhas lentes por alguns instantes. Ainda sorrindo, ele levantou as mãos, mas seu sorriso já não era amistoso. Então pude vê-la novamente e vi a arma.

"Eu comecei a fotografar rapidamente, então. Eu estava assustado e continuei batendo uma foto atrás da outra, mesmo depois que ela já havia atirado nele, mesmo depois que não havia mais o que registrar.

— Foi legítima defesa. — Os dedos de Kelsey entrelaçaram-se nos de Gabe. — Exatamente o que ela afirmou o tempo todo.

— Sim, foi. Talvez, talvez ela o pudesse manter a distância depois de ter apanhado a arma, mas estava apavorada. Ela foi vítima de uma armadilha. Se todos os fatos tivessem vindo à baila, não acho que a tivessem acusado nem mesmo de homicídio culposo. Com certeza não a teriam condenado.

— Mas os fatos não vieram à baila.

— Não. Eu os reportei diretamente a Milicent Byden. Não conseguia pensar e fui à casa dela no meio da noite; tirei-a da cama. Ela me serviu uma dose de conhaque e sugeriu que eu me sentasse. Em seguida, escutou o que eu tinha para lhe contar. Do começo ao fim. Depois, disse-me que o que tinha acontecido era o melhor para todos e que eu esperasse um dia ou dois antes de procurar a polícia.

— Ela sabia — murmurou Kelsey. — Então, ela sabia de tudo.

— Ela planejou tudo. Se Naomi não fosse presa, eu deveria entregar o filme aos tiras e prestar depoimento. Deveria dizer-lhes o que vira, apenas o que vira, e não o que eu supusera ou interpretara. Então ela me disse o que eu vira: uma mulher vestida de forma provocante, recebendo o amante na casa vazia. Os dois tomando um drinque juntos, e se abraçando. Depois a discussão. A mulher mostrando ciúme. Isso era óbvio depois da cena no clube. Indo para o andar superior, o amante a seguindo para pedir-lhe desculpas, reconciliar-se e, talvez, tentar seduzi-la. Mas, enlouquecida de ciúme, a mulher pegando uma arma e o matando. Ela me deu mais 5 mil em espécie naquela noite e me prometeu muitas referências.

Pálida, Kelsey levantou-se. Com uma das mãos no estômago, ela se precipitou para fora do salão.

Gabe observou-a afastar-se da mesa e se deu conta de que seus punhos estavam cerrados sob a mesa.

— Você é um tipo revoltante, Rooney. Uns poucos milhares de dólares e alguns nomes elegantes em seu cadastro de clientes. Por isso, testemunhou uma tentativa de estupro e depois ajudou a trancar a vítima na cadeia.

— E há mais coisas — antecipou Rooney. — Esperemos Kelsey voltar.

— Diga-me uma coisa. Por que você resolveu trazer tudo isso à tona agora? Há algumas horas, nada tinha a dizer.

— As coisas estão ficando complicadas. Não gosto de ser pressionado por dois lados. — Rooney deu de ombros. — Quando isso se tornar público, e eu decidi que se tornará, minha reputação ficará arruinada. A sensação que tenho é a de que estou prestes a me aposentar antes da hora. E achei que poderia fazer isso limpando um pouco a minha ficha.

— Estou me perguntando — disse Gabe, em tom de voz calmo, destacando sintomaticamente as palavras — se devo levá-lo lá para fora e transformá-lo em massa ou se devo deixá-lo simplesmente viver com isso.

Rooney pegou o seu copo e bebericou lentamente a água do gelo derretido.

— Todos fazemos nossas escolhas, sr. Slater. É um jogador. Quando descobre que a casa marcou as cartas, arrisca-se a jogar?

— Alguns jogos simplesmente não se jogam. — Ele se levantou quando Kelsey retornou à mesa.

— Estou bem. Desculpem-me. — Ainda estava pálida em torno dos lábios, mas sua mão estava firme quando segurou a de Gabe.

— Tente agüentar-se um pouco mais — disse-lhe ele, virando-se em seguida para Rooney. — Conte-nos logo o que está faltando.

— Vocês não vão gostar. Milicent Byden não me contratou apenas para montar seu dossiê, sr. Slater. Isso foi agora. Meses atrás, assim que Kelsey entrou em contato com Naomi Chadwick, Milicent tornou a me procurar.

Kelsey apertou os lábios, rezando para que seu estômago se acalmasse.

— Não entendo. — Mas, no fundo, ela achava que entendia e se sentia aterrorizada por achar que podia entender.

— A verdade é que — prosseguiu Rooney — ela não queria você na fazenda. Não queria correr riscos de que você e Naomi se entendessem.

— E como pretendia evitar?

— Bem, já que nada desabonava a reputação de Naomi desde que saíra da prisão, Milicent lançou mão do passado. Depois que Alec Bradley foi morto, eu lhe entregara meus arquivos. Todos. E neles havia muitos detalhes, que não se restringiam a Naomi; sou muito meticuloso e havia reunido informações sobre Bradley e seu comparsa. O acidente na corrida e minhas suspeitas do envolvimento de Cunningham. Quando ela a pressionou, Kelsey, e

você não lhe satisfez a vontade, ela usou aquelas informações.

— Como? — perguntou Kelsey, e procurou reunir forças para ouvir a resposta. — Diga-me como.

— Ela mandou que eu procurasse o velho amigo de Bradley e o atraísse para a região com a promessa de um serviço; não me disse qual, mas não levei muito tempo para descobrir. Também, com a história se repetindo... Uma corrida marcada, um potro morto. Boatos e suspeitas espalhados em torno de Naomi e de você — ele apontou o dedo para Gabe. — Milicent não o queria perto de sua neta. Kelsey precisava achar as corridas repugnantes e desumanas e voltar correndo para casa.

— Mas não voltei. — Kelsey sentiu as lágrimas aflorarem, mas não as liberou. Agora não. Ainda não. — Está querendo dizer que ela estava por trás disso? Por trás da morte de *Pride* e... Deus... de Mick?

— Nem mesmo uma mulher como Milicent consegue controlar um homem sem escrúpulos. Eu diria que seu contratado escapou de seu controle. Quando o cavalariço foi assassinado ela ficou furiosa. Advertiu-me severamente, como se eu mesmo tivesse esfaqueado o desgraçado. — Ele abanou a cabeça, lembrando. — Quanto ao cavalo, era isso que ela queria. A reedição de um crime, um escândalo para dar uma lição na neta.

— Por minha causa — murmurou Kelsey com a mão colada na de Gabe. — Tudo isso por minha causa.

— Você é a última descendente dos Byden — salientou Rooney. — Isso é muito importante para ela, que odeia Naomi com um tipo de paixão tão virulenta, que não se dilui com o tempo. Para destruir Naomi novamente e manter o controle sobre você, tudo vale a pena. Ela enviou a Cunningham muito dinheiro para ele comprar aquela égua, *Big Sheba.* Mais do que o suficiente para o manter sob controle e persuadi-lo a trabalhar com seu "teleguiado". Não que gostasse — acrescentou Rooney — de se envolver, mesmo que a distância, com esse tipo de gente. Mas os fins...

— Não conheço essa mulher de quem você está falando — disse Kelsey lentamente. — Não a reconheço. Como pôde ter arruinado tantas vidas?

— Controlá-las — corrigiu-lhe Rooney. — Jamais considerou o que fez mais do que um controle necessário. E eu me deixei levar por isso. — Ele esfregou o espaço entre suas sobrancelhas. — A primeira vez eu era jovem, ávido, e impressionável. Agora, eu me senti encurralado. Droga, era apenas um trabalho. Meu último visitante mudou o rumo das coisas. — Ele observou Gabe demoradamente. — Talvez eu esteja ficando velho. Deus sabe quanto estou cansado. Por isso, quando ele apareceu, tentando fazer um novo acordo, resolvi dar um basta. E talvez goste de ter pensado que já estava na hora de fazer uma pequena reparação.

Rooney semicerrou os olhos.

— Querem saber como o filho de Benny Morales matou o potro dos Chadwick? Como alguém quase matou um dos seus também, sr. Slater? Lembra-se de sua organização e de seu velho. É isso aí — disse ele, quase sorrindo. — Rich Slater arrancara muitos segredos de Alec Bradley. E ficou mais do que feliz em poder fazer uso deles, reeditando os acontecimentos do passado quando Milicent mandou buscá-lo. Vingança e controle, vingança e dinheiro; os motivos dela e os dele; uma senhora combinação.

CAPÍTULO 28

— PARE UM INSTANTE, POR FAVOR.

A meia milha de distância de Longshot, Gabe parou no acostamento.

— Está enjoada novamente?

— Não. — Estava, mas não fisicamente, como ele imaginava. — Preciso caminhar um pouco. Vamos? — Sem esperar resposta, ela saiu do carro.

Uma noite perfeita, pensou ela. Uma típica noite de verão no campo, com céu amplo, estrelado e enluarado. Nem uma nuvem sequer para toldar seu esplendor. O ar recendia a madressilva que, pacientemente, cobria a cerca que se estendia ao longo das terras à direita. O gramado fervilhava com o ruído de grilos. Caminhavam, seus pés afundando na terra fofa do acostamento.

— É muita coisa — murmurou. — É simplesmente muita coisa. Como contar a ela, Gabe? — Ela se virou subitamente, suas mãos estendidas à procura das dele e, talvez, de uma solução. — Como posso dizer a minha mãe que foi tudo planejado, que tudo o que aconteceu era parte de um esquema para mantê-la longe de mim?

— Antes de tudo — ele ergueu uma das mãos para prender parte de seus cabelos acima de uma das orelhas —, pare de se culpar.

— Não estou me culpando. — Debruçada sobre a cerca, contemplou as colinas. — Mas estou furiosa por terem me usado como se eu fosse marionete. Ela não pensou na criança que eu era. Isso está claro para mim agora. Nem na criança, nem, com certeza, no ser humano. Só na descendência — disse Kelsey, amargurada. — Isso é tudo o que eu era. Tudo o que eu sou para ela. Apenas uma Byden.

Para tentar consolá-la, Gabe começou a falar, mas desistiu, acreditando que, às vezes, é melhor apenas ouvir.

— Acho — prosseguiu Kelsey —, acho que ela quis de fato me amar, que tentou e até conseguiu em certos momentos. Mas o que ela sente por minha mãe e, talvez, a culpa, meu Deus, eu espero, a culpa em que vive por ter feito o que fez tornem isso quase impossível. Ela queria que eu fosse um crédito para o nome da família. Fui educada nas melhores escolas, iniciada nas artes, competente em música e outras habilidades aceitáveis. Meus amigos tinham de pertencer às famílias "certas". E qualquer ato de rebeldia, qualquer lampejo de minha própria personalidade ou dos meus anseios eram vistos como o reflexo da mulher que ela havia arruinado.

Kelsey arrancou alguns ramos de madressilva da cerca e, lenta, sistematicamente, começou a dilacerar seus botões.

— Quanto completei 12 anos, ela queria que eu fosse estudar num internato na Inglaterra. Papai não deixou. Foi uma das poucas vezes que eu os vi discutirem. Eu precisava de disciplina, eu precisava de orientação. Papai disse que eu precisava de infância.

Suspirando, ela esfregou as pétalas entre as mãos, e o perfume impregnou o ar.

— Será que ele tinha consciência de que o estava usando também? Fazendo dele outra marionete? O quanto ela foi responsável, Gabe, por ter destruído o casamento deles, quaisquer que tenham sido as possibilidades de eles conseguirem fazê-lo dar certo? Contudo, isso é o menos importante agora — murmurou, deixando as pétalas caírem de suas mãos. — Agora preciso descobrir qual a melhor forma de dizer à minha mãe o porquê. Como. E quem. E a meu pai. Tenho de contar-lhe também, não tenho? Ele tem o direito de saber tudo o que ela fez então. E tudo o que ela fez agora.

Virou-se para ele, aninhando o rosto em seu peito, feliz com o fato de os braços dele estarem ali para envolvê-la.

— Tanto desperdício. Tantas vidas perdidas e arruinadas. E tudo isso por orgulho familiar distorcido.

— E outros pecados mortais — disse Gabe calmamente, pensando no próprio pai. — Inveja, ambição, luxúria. Sempre acreditei mais na sorte do que no destino. Mas esse círculo vicioso foi criado por algo mais forte do que a sorte. — Ele a afastou um pouco para ver seu rosto. — Você e eu, Kelsey, temos sido parte dele desde o começo.

— E talvez não estivéssemos tão perto de destruí-lo se não tivéssemos nos encontrado um ao outro. Vai querer encontrá-lo, não vai? Seu pai?

— Tenho de fazer isso.

— Poderia deixar por conta de Rossi — sugeriu Kelsey, abraçando-o com mais força. — Gabe. Ele quer machucar você. Se foi ao escritório de Rooney logo depois que nós saímos, provavelmente esteve nos seguindo. Ele está tentando descobrir um jeito de pegar você.

— Eu o pegarei antes. Esse círculo é meu, Kelsey. E pretendo fechá-lo.

— Mas se procurarmos a polícia...

— Por que ainda não fizemos isso?

Kelsey virou o rosto. Gabe conhecia profundamente seus sentimentos e anseios.

— Está bem. Antes, preciso falar com Naomi, e você precisa encontrar seu pai. Depois, colocaremos um ponto final nisso. Acho que é melhor você me levar para casa.

Quando chegaram a Three Willows, Kelsey dispensou a oferta de Gabe de acompanhá-la. Precisava enfrentar aquilo sozinha. Ele a esperou entrar, e a luz da varanda se apagar.

Gabe tinha seus próprios demônios a enfrentar. E seu pai não era o primeiro.

Dentro de casa, Kelsey relanceou o olhar pelas escadas. Era tarde. Sem dúvida, Naomi já estaria na cama. Esperaria até amanhecer, pensou. Depois de tanta espera, uma noite não faria diferença. Mas isso era covardia. Suspirando, dirigiu-se à cozinha, faria um bule de chá primeiro. Isso lhe daria oportunidade de pensar na melhor forma de iniciar a conversa com a mãe.

— Gertie? — Kelsey ficou surpresa ao ver a empregada acordada, enchendo o lava-louças.

— Oh, srta. Kelsey, me assustou. — A empregada levou a mão ao transpasse de seu roupão cor-de-rosa.

— Já passa de meia-noite. Você não deveria estar trabalhando até essa hora.

— Ah, eu só estava cuidando dos pratos. Passou um filme de Bette Davis na televisão hoje à noite. Comi torta de limão e chorei bastante. — Ela suspirou, recordando-se. — Não fazem mais filmes assim, srta. Kelsey.

— É verdade. Já estão todos dormindo? — perguntou, forçando-se a prolongar a conversa enquanto pegou mecanicamente a chaleira de sobre o fogão e foi até a pia para enchê-la.

— Quer chá? Deixe-me fazer. — Dominando aquele espaço, Gertie pegou a chaleira de suas mãos e a colocou no fogo. — Channing saiu com Matt Gunner. O potro dos Williams, *Tennessee Walker*, teve uma infecção. Não se sabe se sobreviverá.

— Que pena.

— Bem, é uma vergonha, mas é a verdade. — Gertie aqueceu um bule de porcelana enquanto a água fervia. — Mas, com certeza Channing ficou muito excitado com a idéia de ficar acordado nas cocheiras praticamente a noite inteira. Eu lhe disse que deixaria a porta da cozinha destrancada e um prato de frango na geladeira.

— Então ele se sentirá no paraíso quando chegar.

— É um prazer tê-lo aqui.

— Para mim também. Preciso de duas xícaras, Gertie. Quero levar uma para minha mãe.

— Ah, está dormindo, querida. — Gertie decidiu que camomila seria o mais adequado e separou a porção sem medir. — Na verdade ela me pareceu tão esgotada e aborrecida com alguma coisa, que eu a convenci a tomar uma pílula para dormir não faz mais de uma hora.

— Uma pílula para dormir?

— Ela disse que eu estava exagerando, mas ela não me parecia bem; pálida, esgotada. Uma boa noite de sono é tudo de que está precisando, e eu disse isso a ela. Vou vê-la antes de me deitar.

— Pode deixar que eu vou. — Kelsey, olhou para o bule com resignação e alívio. — Apenas uma xícara, então, Gertie, obrigada. Conversarei com ela de manhã.

— Amanhã ela estará bem. Deve ser só cansaço, eu espero. — Gertie pôs numa bandeja o bule, o pires e a xícara. — Ela tem estado bem, e feliz, nestes últimos meses, como não ficava há muito, muito tempo. Graças a você. Independente de qualquer caso, coração de mãe é movido pelo filho.

— Eu estou aqui agora.

— Sei disso, querida. Não fique acordada até tarde.

— Está bem. Boa noite, Gertie.

Kelsey levou a bandeja para cima e a deixou em seu quarto antes de ir dar uma olhada na mãe. Com o luar atravessando as vidraças descortinadas e banhando parcialmente a cama, ela pôde ver Naomi dormindo tranqüila e profundamente.

Então, a conversa seria pela manhã, pensou, voltando para seu quarto a fim de esperar o dia amanhecer.

Gabe não se deu ao trabalho de estacionar o carro diante da casa, indo direto para as baias. Viu que a luz do segundo andar do barracão de coudelaria estava acesa; carrancudo, subiu as escadas, e entrou sem bater.

Jamison estava sentado à mesa, seus papéis organizados e empilhados; a um canto, um copo de conhaque; levantou a cabeça, pestanejando, como uma coruja.

— Gabe. O que faz aqui a esta hora?

— Eu poderia lhe fazer a mesma pergunta.

— Ah, bem... — Com um sorriso cansado, Jamison apontou para as pilhas de papéis. — Há sempre algo para fazer. E à noite é mais fácil concentrar-se, no silêncio. Há uma jarra de café ali — indicou. — Se você quiser, é só esquentar na chapa elétrica.

— Não. — Gabe observou seu treinador, seu amigo, à luz amarelada do abajur sobre a mesa. A tensão e a preocupação dos últimos meses haviam deixado marcas nele. As manchas sob seus olhos pareciam equimoses; as rugas ladeando a boca, tão acentuadas e profundas, como se tivessem sido feitas por faca.

Aquele não era o rosto de um homem que recentemente treinara o cavalo vencedor da Tríplice Coroa.

— Eu costumava demorar nas baias durante longas horas quando eu trabalhava aqui, não é verdade, Jamie? Sempre atrás de você e do Mick.

— E como. — Jamison relaxou a musculatura dos ombros, que tensionara sob o olhar escrutinador de Gabe. — Ou conseguia nos seduzir para uma rodada de pôquer e nos arrancava o pagamento da semana.

— Cunningham nunca o deixava em paz, se bem me recordo. Se você conseguia uma vitória, ele queria duas. Sempre uma corrida mais compensadora, uma premiação maior. Lembro-me de que ele sempre dizia que "Moses, em Three Willows, sabia fazer campeões. E que, se você não aprendesse, ele iria procurar alguém que conseguisse.

— Era muito difícil trabalhar para ele. Treinei e formei bons cavalos para ele e ganhei muitas corridas. Ganhei o Cavalo do Ano na década de 1980 com *Try Again*. Mas nunca consegui satisfazê-lo.

— Ele queria um vencedor do Derby. E isso você nunca lhe deu. Mesmo depois que os Chadwick perderam aquele potro em Keeneland em... quando foi mesmo?... 73 e o de Cunningham era o favorito, mesmo assim você não conseguiu.

A voz de Gabe estava serena, calma.

— O potro dele terminou a corrida em terceiro, que eu me lembre. Um frustrante terceiro lugar. Deve ter sido difícil para você suportar depois de se ter esfalfado para que ele cruzasse a linha de chegada em primeiro.

A lembrança fez a boca de Jamison contorcer-se.

— Chegar entre os três primeiros no Derby não é vergonhoso. O potro não deu tudo o que podia dar naquele dia e só perdeu a corrida nos últimos duzentos metros. E as coisas estavam difíceis por aqui, muito difíceis. — Ele pegou o copo de conhaque, e tomou um gole. — Depois que Benny se enforcou.

— Você e Benny eram íntimos.

— Éramos bons amigos.

— Sim. Bons amigos. — Gabe puxou uma cadeira e sentou-se. — Até que ponto você se envolveu nisso, Jamie? Antes e agora?

— Aonde você está querendo chegar?

— Você e Benny eram amigos. Você o convenceu a arranjar o resultado da corrida, ou apenas se deixou levar pela força das circunstâncias? Vou lhe dizer o que acho que aconteceu — prosseguiu Gabe, sem esperar resposta. — Acho que você lhe pediu que ele o ajudasse. Dando uma "espetadinha" no potro. Cunningham o estava pressionando para que você fizesse isso. Talvez lhe tivesse oferecido uma comissão maior. Talvez simplesmente o tivesse pressionado, até você quebrar, e, quando quebrou, você levou Benny Morales junto.

Gabe não desviou o olhar do rosto de Jamison por um segundo sequer.

— Vencer o Derby. Algo que você sempre quis e que até então não havia conseguido.

— Está falando besteira, Gabe. Você me conhece há muito tempo.

— Conheço, Jamie. Eu o conheço há tanto tempo, que jamais me preocupei com o fato de que tudo o que acontece naquelas baias tem a marca de suas mãos. Não o associei ao que aconteceu com o potro de Three Willows desta vez ou ao que quase aconteceu com o meu. Foi o meu erro — disse ele, vendo Jamison baixar a cabeça. — Nunca pensei que você pudesse matar um cavalo para ganhar uma corrida. Qualquer corrida.

Gabe pegou um charuto e o examinou de ponta a ponta, enquanto Jamison permanecia em silêncio.

— Foi isso o que me toldou a vista, Jamie, até Reno suicidar-se. Ele não sabia que a dose era letal. Nem você. Você só queria que meu potro levasse uma inofensiva "espetadinha", não é? Já que, infelizmente, *Pride* acabou tendo de ser sacrificado. Foi assim que meu pai colocou as coisas para você, Jamie? Dê você mesmo a "espetadinha"?

— Eu queria um lugar ao sol — sussurrou Jamison. — Um homem merece isso depois de cuidar durante tantos anos do lugar ao sol de outra pes-

soa. Em outras circunstâncias, aquele potro teria vencido o Derby rindo. Por que Moses tinha de ter um cavalo que competisse com ele? Por quê?

— Por azar. — Gabe acendeu o charuto. Já não era dor o que ele estava sentindo agora. Já não era mágoa.

— Você queria aquela vitória, Gabe. Não me diga que não queria.

— Sim, eu a queria. Não vou lhe dizer que não.

— E vai dizer que não teria pensado de outra forma se soubesse o que estava acontecendo?

Os olhos de Gabe lampejaram. Não, não havia dor neles e muito menos mágoa.

— Se pensa assim, por que escondeu tudo de mim?

— Você é um sujeito rebelde. Foi assim que Rich colocou as coisas. Um sujeito rebelde, em quem não se podia confiar. Lembre-se de como aquele potro correu, Gabe — disse ele, desesperado. — Pense nisso. Ele levou as três jóias e nada poderia detê-lo.

— A que preço? Não foi apenas um cavalo morto, Jamie. Também Mick e Reno.

Os olhos de Jamison encheram-se de lágrimas.

— Esse serviço não foi meu. Meu Deus, Gabe, não é possível que você acredite que eu tenha feito aquilo. Lipsky agiu por conta própria. Eu só soube depois que tudo havia acontecido. E, então, era tarde demais.

A voz de Jamison falhou. Durante alguns instantes, ouviu-se apenas sua árdua respiração. Com esforço, ele se recobrou.

— Rich queria algo que o fizesse pensar, mas não me disse o que era antes de ter acontecido. Eu sabia que ele pretendia fazer mal a *Double*, Gabe. Deus é testemunha. O alvo deveria ser o potro de Three Willows. Um escândalo, uma desclassificação.

Ele tremeu de emoção, e esperou que Gabe falasse, inclinando-se em direção à borda da mesa em meio ao absoluto silêncio.

— Você tem de acreditar que foram Rich e Cunningham que planejaram tudo, Gabe. Você precisa acreditar nisso.

— É verdade. Preciso.

— A desclassificação não bastava para Rich. O dinheiro que ele ganhou para fazer isso não lhe foi suficiente. Ele é ambicioso, você sabe. Ele nos usou para matar o potro. Sofri muito quando aquele cavalo caiu; quando percebi o que nos levara a fazer. E Reno... — Ele mergulhou o rosto entre as mãos. — Eu gostava daquele cara. Depois de tudo, eu tentei convencê-lo de que não tinha sido culpa dele, mas ele não quis me escutar. Rich é o responsável. Por tudo. Depois ele apareceu aqui para alterar as regras do jogo.

— Como?

Jamison deixou caírem as mãos e passou o dorso de uma delas na boca. Pegou o conhaque e o tomou, como se tomasse um remédio.

— Ele não queria que você ganhasse a Tríplice Coroa, Gabe. O fato de você ter chances o estava corroendo por dentro. Disse-me que era apenas um servicinho para ajudá-lo a ganhar uma aposta que fizera. Mas o que ele queria mesmo era muito dinheiro. Ele me enganou, você entende? A mim e a Reno. Eu não pretendia machucar *Double,* você precisa acreditar nisso. Eu mesmo providenciei a droga desta vez; apenas o suficiente para desclassificá-lo.

Gabe semicerrou o olhar, faiscando.

— Na noite em que Kelsey foi até as baias... foi você, não foi? Foi você quem a feriu.

— Não cheguei a feri-la de fato. Só precisava sair dali sem que ela me visse. E também tirei Kip do caminho. Mas não lhe dei mais do que um pouco de dor de cabeça. Depois, quando ela chegou, não pude terminar o serviço. Eu apenas...

— Eu poderia quebrá-lo ao meio só por isso, Jamie. — Rápido como uma serpente, Gabe agarrou o pescoço de Jamison. — Só por isso — murmurou ele, transtornado.

— Eu estava apavorado, Gabe. — Desesperado, Jamison tentava desvencilhar-se do férreo aperto. — Por Deus, não entende que eu perdi a cabeça?

— Vejo muitas coisas agora. — Enojado, Gabe o soltou.

A vermelhidão do rosto de Jamison começou a esvair-se à medida que ele respirava.

— Rich me armou uma armadilha. Não percebe? Eu lhe disse que não iria fazer aquilo, mas ele retrucou que, se o serviço não fosse feito, nós nos arrependeríamos. Por isso, tentei fazê-lo. Eu tentei, embora de coração partido. Mas não funcionou. Reno deveria tentar fazer então no dia do Belmont, mas não foi capaz. Por Deus, Gabe, ele se enforcou. Não vale a pena morrer por causa de um cavalo.

— E vale a pena matá-lo?

— Eu lhe disse, eu não...

— Diga a si mesmo — Gabe o interrompeu rispidamente. — Diga a si mesmo que você foi vítima, Jamie. Que você foi usado. Que o que aconteceu com Benny Morales, e com Mick, e com Reno, e até mesmo com Lipsky, foi apenas azar. Depois veja se consegue viver em paz com isso. — Gabe levantou-se, chutando a cadeira para o lado.

— Fiz o que tinha de fazer. E o enfrentei. Ainda há pouco eu o enfrentei.

Gabe levantou bruscamente a cabeça.

— Do que você está falando?

— Rich esteve aqui. Não faz mais de uma hora. Bêbado, agressivo. Disse que ia matar os cavalos, incendiar as baias. Deus sabe o que ele teria feito se eu não o tivesse impedido.

Gabe virou-se rapidamente e desceu as escadas correndo, com Jamie gritando e seguindo-lhe os passos. Acendeu as luzes das baias, aliviando seu medo a cada uma que examinava cuidadosamente.

— Eu lhe disse que eu não o deixei entrar aqui — disse Jamison. — Eu o mandei embora, dormir e esquecer tudo; que estávamos rompidos e que eu não faria mais nenhum trabalho sujo para ele. Não depois do que tinha acontecido com Reno. Fossem quais fossem as conseqüências.

Gabe permaneceu do lado de fora da baia de *Double*. O potro aproximou-se dele, procurando-lhe preguiçosamente a mão com o focinho.

— Você está acabado, Jamie. Arrume suas coisas e saia daqui hoje mesmo.

— Um homem tem direito de ter um lugar seu. Você deveria saber disso.

— Eu sei. Mas o seu já não é mais aqui.

Em cerca de vinte minutos, Gabe acordou três cavalariços e os postou nas baias. Até que encontrasse seu pai, haveria vigilância permanente. Ele iria voltar, pensou Gabe, enquanto retornava para casa. Ódio e ambição o trariam de volta.

Nada satisfaria Rich Slater senão a completa miséria do filho. O que fosse mais importante para ele e mais querido deveria ser destruído.

Mas, desta vez, tudo iria ser diferente. Desta vez... O sangue abandonou o rosto de Gabe. O que fosse mais importante, mais querido.

Kelsey.

Gertie estava experimentando um novo creme facial para a noite, que encomendara por meio de um canal de compras que ela às vezes assistia na televisão da cozinha, um prazer raro e quase "culpado" que se concedia em meio a seus afazeres. A alegre e entusiasmada vendedora preconizara enfaticamente as qualidades cosméticas do produto, que, segundo ela, proporcionava um verdadeiro renascimento.

Gertie não esperava milagres, mas gostaria de adiar o surgimento de novas rugas, que pareciam estar riscando seu rosto com crescente rapidez.

Vaidade, disse para si mesma, rindo-se de seu reflexo no espelho. Tola vaidade de uma mulher que já tinha vivido mais de cinqüenta anos neste mundo. Mas toda vez que ela se olhava de perto, pensou, tinha a esperança de surpreender alguma diminuição nas marcas em torno dos olhos, onde mais cruel e profundamente a gralha do tempo havia cravado suas garras.

Satisfeita com o novo ritual noturno, ela se levantou para tirar o roupão e sorriu ao ouvir o rangido da porta da cozinha.

Com certeza, aquele garoto atacaria a geladeira, pensou ela, e provavelmente deixaria a cozinha toda desarrumada. Rapazes da idade de Channing não gostavam de limpar migalhas. Seria melhor ir até lá e preparar-lhe um prato e um copo de leite antes que ele tomasse outro refrigerante.

— Ouvi você chegando — disse assim que saiu de seu quarto, contíguo à cozinha. — Não adianta entrar na ponta dos pés. Trate de sentar-se logo, que eu... — Ela se deteve, espantada. À luz do corredor, que tinha deixado acesa para ele, havia apenas silêncio e ordem. — Meus ouvidos estão começando a me pregar peças — murmurou ela. — Talvez anunciem na tevê alguma coisa para remediar isso.

Quando começou a se virar, uma explosão de dor invadiu um dos lados de sua cabeça. Soltando um grito que mais parecia um pio de passarinho, ela desmoronou no chão.

Rich deteve-se de pé diante do corpo inerte de Gertie e sorriu. Acertei a filha da mãe com seu próprio rolo de massa, pensou, golpeando triunfalmente a mão com o pesado utensílio uma ou duas vezes. Cutucou-lhe levemente um lado do corpo com a ponta do sapato e quase caiu, desequilibrando-se ao se apoiar apenas numa perna.

Você está precisando de balanceamento, Rich, meu velho, disse para si mesmo, levando a mão ao bolso traseiro da calça para pegar o frasco de bebida. Quando não mais que umas poucas e míseras gotas umedeceram-lhe a língua, ele praguejou. Depois de guardar o frasco vazio no bolso, avançou por sobre o corpo de Gertie à procura da sala. Com certeza há bebida nesta casa, pensou. E, provavelmente, de primeira. Assim que se reabastecesse, iria à caça da bela pombinha de Gabe.

No segundo andar, Kelsey tomava outra xícara de chá, andando de um lado para outro do quarto. Ansiava pelo retorno de Channing; assim, teria com quem conversar. E quem poderia entender aquele conflito das lealdades familiares melhor do que ele? Nem mesmo Gabe, apesar da total solidariedade, poderia compartilhar tão bem lembranças, sentimentos e frustrações. Channing, quando o problema era sério, era uma verdadeira rocha.

Pela manhã, dali a poucas horas, contaria a Naomi tudo o que ouvira. E, assim que a história fosse divulgada, Kelsey sabia, libertaria uma das mulheres que amava e condenaria outra.

Pois, apesar de toda a amargura, de todo o ódio e de todo o doloroso desapontamento, ainda amava sua avó.

Milicent, a magnífica, pensou ela, fechando os olhos. Como ela sobreviveria ao escândalo e enfrentaria as conseqüências legais que inevitavelmente surgiriam?

E como ela própria, Kelsey, conviveria com o fato de mandar para a prisão, pelo que ela havia feito e pelo que iria fazer, sua própria avó?

O barulho de vidro quebrando no primeiro andar assustou-a. Channing, pensou, pondo a xícara de lado. Não ouvira o carro, mas, com certeza, ele estava lá embaixo, tateando desastradamente na escuridão, numa inútil tentativa de evitar acordar os que dormiam.

Aliviada, Kelsey saiu rapidamente do quarto e desceu apressada as escadas a fim de encontrá-lo.

— Channing, seu idiota. O que você quebrou? Se foi um dos cavalos de cristal de Naomi, terá que ralar muito para pagá-lo.

Ao chegar no sopé da escada, ela se deteve, estranhando. A casa estava em perfeito silêncio. Um arrepio percorreu seus braços. Deixe disso, disse a si mesma, esfregando-os.

— Vamos, Channing. Não estou com vontade de brincar. Preciso conversar com você.

Ela acendeu a luz do vestíbulo.

— Sei que você está aqui. Essa sua mania de brincar de gato e rato nunca dá certo; eu sempre o encontro. É importante, Channing.

Irritada, foi até a sala de estar. Iluminados pelo luar... os cacos de vidro sobre o tapete.

— Droga! Foi um dos cavalos. Belo trabalho, campeão. — Caminhando em direção aos cacos, ela se ajoelhou para recolhê-los.

— Todos os cavalos da rainha — disse Rich, acendendo as luzes. — Todos os homens da rainha — acrescentou, sorrindo para Kelsey. — Mas poderá a adorável filha da rainha reconstituí-los novamente?

E jogou a cabeça para trás, rindo de sua absurda poesia.

Capítulo 29

Kelsey ofegou de dor e surpresa ao contrair inadvertidamente a mão em torno de uma lasca de vidro. O sangue brotou-lhe na palma delicada.

— Cuidado, doçura. — Rich aproximou-se dela. — Pode machucar-se seriamente. — Ao ver-lhe o corte na mão, ele mostrou fingida preocupação e ofereceu galantemente um lenço. — Não tive a intenção de assustá-la, mas achei que estava na hora de termos uma conversa, já que você está aquecendo a cama do meu garoto quase todas as noites.

— Você é o pai de Gabe. — Kelsey pôs-se rapidamente de pé, mas não adiantou; Rich conseguiu agarrá-la pelo braço.

— Há uma certa semelhança, não acha? As mulheres sempre diziam que nós formávamos uma bela dupla, eu e meu garoto. — Os olhos dele, brilhando pelo álcool e por antecipado prazer, passearam pelo rosto de Kelsey. — Ora, vejam só. Você é ainda mais bonita de perto, rosto de boneca. Não é difícil entender por que meu garoto fica rondando você. Não é mesmo. De jeito nenhum. Agora, tome isto. — Ele pôs o lenço na mão sangrenta de Kelsey. — Enrole isso aí.

Ela obedeceu mecanicamente.

— Se está procurando Gabe... ele está lá em cima. Vou avisá-lo de que está aqui.

— Uma coisa que nunca tolerei numa mulher é a mentira. — Com um movimento brusco, ele a empurrou e a fez cair sentada numa cadeira. — Acho melhor você não tentar bancar a engraçadinha. — Ele se inclinou, encurralando-a ao apoiar as mãos nos braços da cadeira. — Gabe não está lá em cima, não é verdade? Eu o vi deixar você aí na frente da casa com aquele carro elegante dele não faz muito tempo. Não sei por que ele prefere ir para casa deitar-se numa cama fria quando tem uma mulher como você. Mas sempre tive muita dificuldade para conseguir ensinar o que quer que fosse àquele garoto.

Ele deu uns tapinhas na bochecha dela, comprazendo-se em aumentar a intensidade dos golpes e vê-la contrair-se, receosa.

— Mas assim está ótimo. Apenas eu e você, conhecendo um ao outro. Uau! O que é isso que temos aqui? — Rindo, ele pegou o braço dela com a ponta do polegar e do indicador e a forçou a mostrar o anel. — Que colosso! Será que é o que eu estou pensando? — Ele meneou o dedo médio na frente do rosto dela. — O meu garoto vai fazer de você uma mulher honesta, doçura? Bem, pelo menos você está num degrau superior ao das vagabundas com quem ele se deitava antes. Sem ofensas, é claro.

— Não — disse ela, esperando estender a duração do jogo a que ele se entregava. — Não fiquei ofendida. Gabe e eu vamos casar em agosto. Espero que possa ir ao casamento.

Mais por choque do que por dor, Kelsey gritou quando o dorso da mão dele atingiu-lhe o rosto em cheio. A máscara de cordialidade com que Rich bancava o palhaço continuou no mesmo lugar.

— O que eu disse sobre mentir? Você e aquele meu garoto gostariam mesmo era de me mandar para o inferno aqui e agora, não é verdade?

Ela pestanejou, tentando clarear a visão.

— Não sei — disse cuidadosamente; sabia apenas que estava com medo e que seu tremor a denunciava.

— Você me conhece. Posso apostar que meu amado filho lhe disse tudo sobre mim. E a sua mãezinha também. — Ao lembrar-se de Naomi, seu sorriso mostrou-se amargo. — Ela certamente tem o que dizer sobre o bom e velho Rich.

Kelsey endureceu o queixo para impedir que ele tremesse.

— Sinto muito, ela nunca mencionou nada sobre você.

O sorriso dele abandonou-lhe quase totalmente o rosto.

— Vagabunda. Ela sempre foi uma vagabunda. E você puxou a ela.

— De certa forma. Está me machucando, sr. Slater.

— Rich, doçura. Ou, melhor ainda, chame-me de papai, já que vamos ser da mesma família. — A idéia o fez rir até as lágrimas escorrerem. — Uma família grande e feliz. Aposto que aquela jararaca está fumegando. Deve estar espumando por saber que sua orgulhosa netinha pretende brincar de casinha com meu filho. Ela odeia sua mãezinha, você sabia? Ela a odeia até as entranhas.

— Sei.

— Sabe o que eu acho? — Ele estendeu o braço e beliscou a bochecha de Kelsey com força suficiente para fazê-la gritar. — Acho que você deveria servir um bom drinque para nós dois. Depois, poderemos nos conhecer.

— Tudo bem. — Quando ele se afastou, Kelsey levantou-se lentamente da cadeira, os olhos voltados alternadamente para as portas que se abriam para o pátio e para o vestíbulo; tinha certeza de que, se conseguisse sair da sala, ele não a alcançaria.

— Você não deveria tentar fazer isso, doçura. — Rich voltou a agarrar seu braço, apertando-o com força. — Você não deveria.

— Há conhaque naquele armário ali. Napoléon.

— Isso é uma maravilha. E muito fino. — Ele a levou pelo braço até onde a bebida se encontrava. — Sirva-nos para brindarmos.

Ele já está bêbado, pensou ela desesperadamente. Se lhe servisse uma dose generosa, talvez conseguisse abater seu domínio.

— Gabe disse que você já viajou bastante.

— Estive aqui e ali.

— Gosto de conhecer lugares diferentes. — Ela sorriu e entregou-lhe um copo. — Saúde — Ela tocou seu copo no dele.

— Você é uma mulher fria. — Rich tomou um generoso gole do conhaque e, satisfeito, estalou a língua. — Essa é uma das coisas que mais me atraíam em sua mãe. Ela era como um generoso e gelado gole d'água, aquela Naomi. Contudo, nunca me deixou beber de sua água. Deixou muitos homens fartarem-se, mas nunca deixou o bom e velho Rich tomar um golinho sequer. Talvez ela deixe agora. Aposto que posso fazê-la mudar de idéia. Ela está lá em cima?

— Ela não está em casa. — Mal as palavras lhe saíram da boca, o corpo dela girou bruscamente para trás. Caída no assoalho, Kelsey teve a impressão de que mil estrelinhas giravam diante de seus olhos.

— Vagabunda mentirosa. — Sorrindo, Rich tomou um pouco mais do conhaque. — Fria, vagabunda e mentirosa igual a sua mãe. Talvez prefira que eu experimente você em vez dela. — Ele riu até sentir dor ao ver a expressão de pânico estampada no rosto de Kelsey. — Não, não, isso não seria decente, transar com a namorada do meu garoto. Além do mais, eu prefiro uma mulher mais... madura. E Naomi já tem algumas voltas na pista, não é? Sabe, se sua avó tivesse me contratado em vez daquele Bradley cheirador de pó, as coisas teriam sido diferentes. Agora, por que não vamos lá em cima para eu dar uma bicadinha na água de sua mãe?

— Fique longe dela. — Nauseada, Kelsey teve a impressão de que a sua cabeça girava enquanto tentava pôr-se de pé. O olho atingido estava embaçado. — Eu o matarei se você tocar nela.

— Sim, como sua mãe matou um homem só por ele ter seguido o curso natural das coisas.

— Nós sabemos tudo sobre você. — Tonta, ela se encostou no armário. Precisava de apenas um minuto, pensou, para a dor na cabeça aliviar e ela se sustentar nas pernas trêmulas. — Gabe não está aqui porque foi chamar a polícia. Chegarão a qualquer momento.

Ela cambaleou para trás, quase caindo quando ele levantou a mão para ela novamente.

— Trate de falar a verdade, doçura. Ou eu estragarei esse seu rosto bonitinho.

— É a verdade. Nós nos encontramos com Charles Rooney esta noite. Ele me telefonou depois que você saiu de seu escritório. E nos contou tudo. — Rezando para conseguir distraí-lo e ganhar tempo, ela começou a contar detalhes. Ele acreditara dessa vez; ela podia ver isso no rosto dele. E o que viu lhe indicava que ele poderia fazer coisa muito pior do que simplesmente esbofeteá-la outra vez.

— Eles o pegarão se o encontrarem aqui — prosseguiu ela. — Eles o pegarão e o meterão atrás das grades, como fizeram com minha mãe. Talvez você ainda tenha tempo de fugir. Talvez não o encontrem mais se fugir agora.

— Eles não sabem nada sobre mim. Nada. — Ele pegou a intocada dose de conhaque de Kelsey e bebeu de um único gole. — É tudo mentira. E você está se esquecendo do envolvimento de sua avó.

— Não, não estou. Eles prenderam minha mãe com mentiras. Será fácil prendê-lo com a verdade.

— É, de fato ele me delataria. — Enfurecido, Rich atirou o copo para longe, fazendo-o espatifar-se na lareira, como num bárbaro ritual. — Minha própria carne, meu próprio sangue... e ele me delataria. Vou ter que fazê-lo arrepender-se disso, Arrepender-se muito.

Rich se aproximou. O pavor e sua agilidade fizeram Kelsey esquivar-se para o lado, de tal forma, que a ele não foi possível agarrar mais do que a ponta da manga de sua blusa. Quando o pano se rasgou, ela disparou pelo interior da casa à procura da porta que dava acesso ao vestíbulo.

Mas ele a alcançou, interrompendo-lhe a fuga com um bote tão brusco e atravancador que a fez sentir ondas de dor a se lhe irradiarem até mesmo pelo interior dos ossos. Ofegante e aos soluços, Kelsey entregou-se a golpes cegos e impetuosos, conseguindo atingir-lhe ombro e tórax enquanto avançava centímetro por centímetro sobre o tapete.

Ele iria matá-la agora, tinha certeza. Iria surrá-la até a morte ou sufocá-la com as suas grandes mãos criminosas. E, quando tivesse terminado o serviço, iria atrás de Naomi.

Ela gritou quando ele a puxou pelos cabelos, trazendo-lhe a cabeça bruscamente para trás, um clarão diante dos olhos materializando a dor. Se tivesse conseguido recuperar a voz, teria suplicado para parar com aquilo. Suplicado, suplicado. Mas, só o ar ocupava sua garganta.

— Peguei você, não foi? Peguei. Você não é uma vagabunda tão esperta quanto pensa.

Os dedos dela cravaram-se no tapete e esforçaram-se para alcançar algo, e finalmente conseguiram pegar uma lasca de cristal. Louca de pavor e dor, ela o atacou.

Dessa vez, foi ele quem gritou e afastou-se dela, com o sangue escorrendo copiosamente da bochecha, onde a delicada perna de puro-sangue de cristal lhe havia rasgado a pele.

Chorando, ela se levantou com dificuldade e correu pela sala, apavorada, com Rich a perseguindo.

Desesperada, ela caiu na escada, tentando recuperar o fôlego e livrar-se do medo para que pudesse pensar melhor. Gritou para avisar à mãe, mas apenas débeis miados escaparam de sua garganta. Com medo e sangue amargando-lhe a boca, ela se agarrou desesperadamente ao corrimão e continuou subindo; quase no topo da escada ouviu Rich aproximar-se ferozmente dela.

— Não! — Ela arrebatou um vaso de lírios e o arremessou na direção dele escada abaixo. O impacto do objeto contra o corpo de Rich e o gemido de dor proporcionaram a Kelsey poucos e preciosos segundos, desperdiçados quando ela se atrapalhou ao tentar manusear a maçaneta da porta do quarto da mãe com as mãos ensangüentadas.

— Mamãe! Oh, meu Deus, mamãe! — Num esforço supremo, conseguiu abrir a porta com um forte encontrão, fechando-a atrás de si rápida e violentamente.

— Mamãe! Acorde! — Chorava, enquanto lutava com a chave, os dedos dormentes de terror. — Pelo amor de Deus, acorde! — Num salto, subiu na cama da mãe e sacudiu, e implorou, e tentou levantar Naomi segurando-a pelos ombros.

— O quê? — Ainda sob a ação do sonífero, Naomi rechaçou a mão da filha, aborrecida. — O que é isso?

— Ele está vindo para cá. Levante-se. Temos que sair daqui. Você está me entendendo?

— Quem está vindo? — Naomi pestanejava os olhos pesados de sono. — Kelsey? O que está acontecendo?

— Ele vai nos matar! Saia da cama, droga! — Ela gritou novamente quando Rich arremessou o corpo contra a porta. — Saia da cama! — Respiração ofegante, ela volveu o olhar terrificado para a porta. — Ela não vai agüentar. Jesus Cristo, ela não vai agüentar. A arma. Você ainda tem aquela arma?

Kelsey balbuciou uma ou duas preces a Deus quando abriu a gaveta da mesinha-de-cabeceira. Estava lá, sua cromagem cintilando ao luar.

— O que você está fazendo? — Mesmo confusa e com a vista ofuscada, Naomi conseguiu transpor a névoa do sono, e ajoelhou-se na cama. — Meu Deus, Kelsey, o que você está fazendo? Quem está lá fora?

A resposta de Kelsey foi manter os olhos fitos na porta, enquanto a madeira cedia pouco a pouco às violentas investidas do corpo de Rich. Ela segurou a arma com ambas as mãos, esforçando-se para impedi-la de lhe cair dos dedos trêmulos.

Ele irrompeu quarto adentro, o sangue reluzindo em seu rosto. E viu apenas Naomi, ajoelhada na cama com a fina camisola de seda pendendo-lhe graciosamente dos ombros. Os dentes dele brilharam quando avançou na direção dela. Kelsey sentiu a arma coicear, como se estivesse viva, vibrações em seus braços, que se deslocaram até os ombros.

Não ouviu o tiro.

— Alec? — A estranheza da cena e a sonolência em que ainda se encontrava levaram Naomi a misturar confusamente memórias do passado e o que acabara de acontecer agora.

— Não é Alec. — Kelsey ouvia-se como se estivesse a uma grande distância da própria voz. — É o pai de Gabe. Eu matei o pai de Gabe.

— Slater? — Meio sonolenta, Naomi saiu da cama e, exatamente como há muitos anos, inclinou-se sobre o corpo inanimado. Num gesto mecânico, tomou-lhe o pulso antes de se aprumar novamente. — Rich Slater? — Confusa, esfregou as mãos nos olhos. — O que está acontecendo aqui?

— Eu o matei. — Kelsey abaixou os braços, e a arma pendeu-lhe frouxamente dos dedos.

Naomi fitou o rosto da filha e distinguiu o choque, a descrença e o medo. E obrigou suas trêmulas pernas a se moverem.

— Sente-se, Kelsey. Está tudo bem, sente-se. — Ela a conduziu gentilmente até a beira da cama. Nada mais importava agora; nada senão Kelsey.

— Dê-me a arma. Tudo bem. — Naomi pôs a arma de lado até que pudesse lidar com ela mais sensatamente. Logo tudo estaria resolvido. — Agora ponha a cabeça entre as pernas e respire fundo.

— Não posso. Não posso respirar.

— Sim, você pode. Lenta e profundamente. Isso, querida. — Enquanto Kelsey procurava fazer o que a mãe lhe sugeria, esta, por sua vez, concebia um plano. — Agora vou dizer-lhe o que vamos fazer, e eu quero que você me escute muito atentamente e que faça exatamente, exatamente mesmo, o que eu lhe disser. Entendido?

— Ele ia matar-me, e a você também. Ele teria matado nós duas. Mas eu o matei antes. Não me lembro de ter apertado o gatilho, mas devo ter apertado. — Os dentes dela começaram a bater. — Pois ele está morto.

— Não, *eu* o matei. Olhe para mim, Kelsey. — Naomi levantou gentilmente o rosto transtornado da filha. — Oh, meu Deus — disse ela, estremecendo e cravando as unhas na palma da mão até que a dor minorasse a intensidade do choque. — Escute, querida. Ele arrombou a porta, e ele... — Ela roçou levemente a mão próximo a um corte no rosto de Kelsey. — E ele feriu você. Então, eu peguei a arma, e o matei.

— Não, está enganada. Eu não consegui acordá-la.

— Não, não, querida. Eu acordei quando você entrou. Você entrou aqui para fugir dele. Depois ele arrombou a porta e eu atirei nele. Agora vou chamar a polícia, e é exatamente isso o que nós vamos dizer aos policiais.

— Não. — Kelsey levou a mão à cabeça, que ainda parecia girar. — Não. — Virou-se subitamente e gritou ao ouvir o rumor de passos ressoando escadas acima.

— Meu Deus. — Gabe relanceou os olhos pelo corpo do pai, depois fitou as duas abraçadas sobre a cama. — Kelsey! — Num único passo, ele se aproximou e ajoelhou-se diante dela, segurando-lhe as mãos feridas. — Ele feriu você. Olhe para o seu rosto. — Indignado, ele se levantou de um salto, o olhar endurecido, mortífero. — Eu mesmo o matarei.

— Já fiz isso — disse Naomi calmamente. — Gabe, tire-a daqui. Leve-a para o quarto dela. Eu vou chamar a polícia.

— Eu estou bem — insistiu Kelsey, mas o quarto pareceu quase sumir-lhe da vista quando ela se pôs de pé.

— Você precisa deitar-se. — Gabe a pegou nos braços. — Eu cuido de você. — Ele tornou a olhar para Naomi. — Vou cuidar dela.

— Faça-a ficar lá dentro até que eu tenha terminado isso — disse Naomi, pegando o telefone.

— Ele estava lá — murmurou Kelsey, tremendo, enquanto Gabe a carregava para deitá-la na cama de seu quarto. — Ele estava lá. E quebrou um dos cavalos de cristal.

— Procure apenas descansar. — Ele queria abraçá-la. Mas também queria esmagar alguma coisa e transformá-la em pó. Depois de pô-la na cama, estendeu uma colcha sobre seu corpo que tremia intensamente, as pupilas reduzidas a pontos escuros pelo trauma sofrido. E o rosto dela... Gabe cerrou fortemente os punhos. O rosto dela estava marcado, ferido, ensangüentado. Ele não conseguia pensar; naquele momento, ele não podia permitir-se pensar no que o seu pai havia feito a ela.

Ele foi rapidamente até o banheiro, umedeceu uma toalha e encheu uma xícara com água.

— Aqui, querida. — Ele passou o braço gentilmente por baixo do pescoço e do ombro dela e trouxe a xícara até os seus lábios. — Beba um pouco disso.

— Ele estava lá embaixo. — As mãos dela agitavam-se sob a colcha. — Não era o Channing. O cavalinho espatifou-se, e ele estava lá. Ele sorria o tempo todo. Ele me agredia e sorria.

A mão que segurava o pano umedecido cerrou-se com tanta intensidade que os nós dos dedos se descoraram.

— Ele não vai feri-la nunca mais. — Com os dedos quase tão trêmulos quanto os de Kelsey, ele limpou o sangue do rosto dela. — Confie em mim, Kelsey. Ninguém mais ferirá você.

— Eu não podia blefar. — Tremendo, ela se aconchegou ao corpo dele. Ela estava com frio, com muito frio, e ele tinha o calor de que precisava. — Eu tentei não blefar, mas estava com tanto medo, e com tanta raiva. E ele sabia disso, e por isso continuou a agredir-me. — Ela aninhou o rosto maltratado no pescoço de Gabe. — Ele tinha mãos tão grandes.

E preferia usá-las, pensou Gabe com o semblante carregado, em mulheres.

— Eu o teria matado por isso — murmurou ele. — Eu o teria matado com as minhas próprias mãos por ele ter encostado em você.

— Não era eu. — De repente, ela se sentiu cansada, terrivelmente cansada. — Era você. Ele queria ferir você.

— Eu sei. — Ele virou a cabeça apenas o suficiente para roçar os lábios na sobrancelha dela, deitando-se cuidadosamente sobre o travesseiro. — Está tudo acabado agora.

Ela deixou os olhos fecharem-se por alguns instantes. Quando as piores lembranças lhe afloraram à memória, as suas dores recrudesceram. Ela sentia-se como se o seu corpo tivesse sido pisoteado por uma multidão.

— Você veio. — Ela tateou a cama, procurando-lhe a mão, e a encontrou.

— Sim — tornou Gabe, observando o entrelaçamento de suas mãos. — Um pressentimento. Só que demorei muito a agir.

Os olhos dela abriram-se novamente, e novo surto de pavor acometeu-a impiedosamente.

— Naomi?

— Ela está bem. Se você estivesse sozinha... — Gabe sentiu um frio no estômago ao pensar nessa possibilidade. — Kelsey, eu vou desistir de você. Agora.

— Desistir? — Embora ela não tivesse certeza se iria gostar do que viria, levantou a mão para reconhecer pelo tato o estado do seu rosto.

— Se quiser ser honesto comigo, terei de sumir.

— Sumir? — O denso nevoeiro se dissipava. Ela podia ver Gabe nitidamente agora, e a tensão que invadia a beleza de seu rosto, o torvelinho de emoção que lhe agitava os olhos. — Gabe. — Ela pousou a mão em sua face, como se procurasse devolver-lhe cor e serenidade. — Não faça isso. Eu estou bem agora.

— Ele praticamente desfigurou seu rosto e rasgou suas roupas. Ele a aterrorizou. — Cuidadosamente, ele se desvencilhou do aperto da mão de Kelsey e levantou-se. — Ele era meu pai. Nada adiantou eu ter lutado a vida inteira para me livrar de qualquer herança dele. Eu tenho isso no sangue e sempre terei. Não tenho lugar em sua vida, Kelsey. O maior favor que posso lhe fazer é sair dela.

Com algum esforço, Kelsey conseguiu pôr-se sentada na cama. As dores ocupavam todos os ossos agora.

— E eu lhe pedi algum maldito favor? — perguntou rispidamente. Logo em seguida, crispou o rosto ao ouvir o barulho de sirenes ferindo o silêncio da noite e sua cabeça latejante. — Se você quer me fazer de fato um favor, trate de arranjar-me um vidro de aspirina, e guarde suas grandiosas atitudes para você.

Ele quase sorriu.

— Estou tentando ser nobre.

— Você não é muito bom nisso. E eu não gosto de nobres. Eu gosto de você. — Jogando os cabelos para trás com uma das mãos, o fitou intensamente. — Você acha que só porque estou assim você poderá escapar de mim? Nós fizemos um acordo, Slater, e você não vai me passar a perna.

— Eu nunca faço isso. — Ele se sentou na beira da cama novamente e pôs as mãos suavemente nos ombros dela. — E é somente nesse sentido que consigo ser nobre. Que porcaria de herói eu sou. Eu deveria ter atirado nele, Kelsey.

Ela passou a mão por sobre o próprio corpo para segurar a dele.

— Não. Você não podia adivinhar que ele iria estar aqui, que ele iria fazer isso. E, mesmo assim, você veio — disse ela, franzindo a testa. — Por que você veio?

— Isso não importa agora. Mas era eu mesmo quem deveria tê-lo matado. Eu mesmo, e não Naomi.

Kelsey afastou-se dele, seu rosto empalidecendo novamente.

— Mas não foi você — disse ela lentamente. — E não foi Naomi. Quem matou seu pai fui eu, Gabe.

Sentada na cozinha, Naomi bebericava lentamente o conhaque. Sua vista doía à intensidade das luzes. E suas mãos tremiam.

Mas ela podia enfrentar a situação. E ela iria enfrentá-la.

Tudo em que conseguia pensar agora era que a filha estava lá em cima no quarto, ferida, aterrorizada, e Gertie, a doce Gertie, numa ambulância a caminho do hospital.

— Ele deve ter entrado por aqui — disse ela. — E agrediu Gertie. Ela ficará bem, não ficará? — Seu autocontrole diminuiu um pouco, e os seus lábios tremeram. — Ela é tão delicada e inofensiva.

— Os enfermeiros disseram que ela estava lúcida, sra. Chadwick. — Rossi procurava falar com suavidade. A mulher dava-lhe a impressão de que iria desmantelar-se a qualquer momento. — Procuraremos saber como ela está assim que tenham chegado ao hospital.

— Moses deveria ter ido com ela. Eu o deveria ter feito ir.

— Ele não se afastaria de você. Nós estamos tendo bastante trabalho para mantê-lo lá fora. Por gentileza, agora diga-me o que aconteceu.

Naomi respirou fundo e começou a contar.

— Ele entrou na casa. Não sei como. Eu estava lá em cima, dormindo. Um barulho despertou-me. Antes que eu pudesse levantar-me, Kelsey entrou correndo em meu quarto. Ela estava apavorada, totalmente descontrolada... E vi que ele a tinha agredido.

Ela pressionou a mão contra a boca. Ela estava dormindo quando isso aconteceu. Estava dormindo enquanto ele surrava a sua filha.

— Pouco depois, ouvimos o barulho de violentas pancadas na porta do quarto, como se alguém estivesse arremessando o próprio corpo contra ela. Então peguei a arma guardada na gaveta da mesinha-de-cabeceira. Quando ele conseguiu arrombá-la e entrar, atirei nele.

Rossi a observou levantar o copo e segurá-lo com as duas mãos, tentando mantê-lo firme.

— Estava na cama quando atirou nele, sra. Chadwick?

— Sim. Não. — Naomi pôs o copo de lado. Ela tinha que ter cuidado, muito cuidado. — Eu estava em frente da janela. Eu já me tinha levantado. Tudo aconteceu muito rapidamente.

— Disse que um barulho a acordou, mas sua filha entrou no quarto antes que pudesse levantar-se e ver o que era?

— Sim. — Por que eles sempre repetiam o que ela dizia? Eles tinham feito aquilo antes, lembrou-se ela. O que ela dizia não importava. Nunca importava.

— Permaneceu na sala desde o momento em que chamou a polícia, sra. Chadwick?

— Não — respondeu ela, comprimindo os lábios. Se era uma armadilha ela não entendeu. — Eu não desci. Permaneci lá em cima até que você chegasse.

— Fiquei impressionado com a bagunça naquela sala. Sangue, móveis quebrados. Eu diria que tanta desordem assim só pode ser fruto de um bom espaço de tempo. Tempo suficiente para qualquer pessoa levantar-se da cama e procurar saber o que estava acontecendo.

— Eu... eu estava com medo. — Ela deveria dizer a ele que havia tomado uma pílula para dormir? Sim. Não. — Fiquei no quarto porque estava com medo.

— Com um telefone ao lado e uma arma na gaveta?

Ela ergueu o olhar e o enfrentou.

— Ele arrombou a porta do meu quarto — disse ela firmemente. — E eu o matei.

— Não, ela não fez isso. — Kelsey havia acabado de chegar à cozinha. Embora estivesse grata pelo apoio do braço de Gabe, afastou-se dele e se aproximou dos dois para tomar parte na conversa. — Ela não matou ninguém.

— Você não deveria ter descido. — Desesperada, Naomi afastou-se da mesa. — Leve-a de volta para cima, Gabe. Ela está ferida. — Ela segurou tensamente o braço de Rossi. — Veja como ela está ferida. Veja o que aquele desgraçado fez à minha filha. Ela está traumatizada; nem sabe o que aconteceu.

— Pare com isso. — Kelsey aproximou-se da mesa. Sob a incidência da luz intensa, os cortes e as equimoses destacaram-se em sua pele clara. — Não vou deixar você fazer isso. Não é necessário. E não é justo.

— Por que não se senta, srta. Byden? — sugeriu Rossi. — E me diz o que aconteceu?

— Não. — De um salto, Naomi contornou a mesa e abraçou os ombros de Kelsey. — Escute-me, Kelsey. Você está ferida. E confusa. Gabe a levará para o hospital, e eu cuidarei disso.

— Não. — Ela meneou a cabeça, aproximando-se de Naomi. — Não, mamãe.

— Não vou deixá-la passar por isso. Não vou! — Tremendo agora, ela abraçou fortemente a filha. — Você não tem a mínima idéia de como essas coisas são. Não importa o que você disser. O que realmente aconteceu não importa. Eles a levarão embora, Kelsey. Por favor, por favor, escute-me!

— Importa, sim — murmurou Kelsey. — Não é como antes.

Mas era, pensou Naomi. Claro que era.

— Minhas impressões digitais estão na arma. — Endurecida, Naomi voltou-se para Rossi. — A arma estava no meu quarto. Ele foi morto lá. Isso lhe deve bastar.

— Naomi — disse Gabe gentilmente. — Sente-se.

— Você disse que iria cuidar dela — disse Naomi, virando-se para Gabe. — Disse que iria cuidar dela; leve-a para cima.

— Senhora Chadwick. — Rossi observou-lhe o olhar. — Basta fazermos um teste simples para esclarecer quem disparou a arma.

— Eu não ligo a mínima para os seus testes. Você não vai pôr minha filha numa cela.

— Acho que concordamos sobre isso. Sente-se, por favor — acrescentou Rossi.

— Vamos, mamãe. — Kelsey pôs o braço em torno dos ombros de Naomi. — Não há nada com que você deva preocupar-se. Eu garanto.

— Gostaria de tomar um pouco de conhaque, srta. Byden? — ofereceu Rossi quando ela se acomodou à mesa.

Kelsey olhou para o copo e estremeceu.

— Não. Perdi o prazer desse gosto. — Respirando fundo, ela começou a relatar. — Ouvi barulho de vidro quebrando...

CAPÍTULO 30

O ORVALHO CINTILAVA SOBRE A RELVA. SENTADA NUMA CADEIRA NO PÁtio, Kelsey o observava refletir os raios de sol, sabendo que logo eles seriam suficientemente fortes para evaporá-lo.

Lá embaixo os cavalos estavam sendo tratados, as baias limpas, as gamelas abastecidas. Seu corpo ainda doía o suficiente para impedi-la de lamentar o fato de estar afastada daquela rotina por pelo menos uma semana.

Passeou seu olhar e o deteve na porta que se abria atrás dela, e sorriu para a mãe.

— E Gertie?

— Ela está se sentido melhor. Mas está preocupada com o serviço da casa. — Suspirando, Naomi sentou-se e esticou as pernas. Pensou em pegar um pouco de café do bule que Kelsey tinha posto sobre a mesinha, mas estava com muita preguiça. — Estou usando a culpa para ver se consigo mantê-la na cama por mais um ou dois dias. Se ela se levantar, quem ficará preocupada serei eu.

— Frágil argumento.

— Mas funciona. Neste momento, ela está fazendo compras pelo canal de vendas da televisão. Como você está?

— Sinto-me ótima até chegar ao espelho — Ela ria. No decorrer dos últimos dois dias, algumas equimoses haviam desaparecido, mas outras se apresentaram. — Se não chego no espelho, tudo isso me parece um sonho. Não sei se é apenas uma fase por que estou passando. Sei que matei um homem, mas não estou horrorizada.

— E nem se deixe sentir. Você fez o que precisou fazer para se proteger. E para me proteger. — Naomi ergueu o rosto para o sol. — Eu nem mesmo me lembro dele. Não mesmo. Acho que o vi no hipódromo uma vez ou outra. Talvez tenha até falado com ele. Mas realmente não me lembro dele. Estive pensando que talvez fosse melhor se eu pudesse lembrar-me, se tudo estivesse bem vívido em minha mente. Como não consigo me lembrar de um homem que alterou tanto os rumos de minha vida?

— Ele nunca teve importância para você. E ele sabia disso. E isso aumentou o ódio que sentia. Descobriu uma forma de fazê-la pagar e lucrar com isso. — Ela empurrou um prato de *croissants* na direção da mãe.

— *Sun Spot* — murmurou Naomi. — Deus, eu amava aquele cavalo. Sim, ele realmente me fez pagar.

— Ela... a vovó... usou Alec Bradley e Cunningham para fazer isso e muitas outras coisas.

— Bill. — Com um longo suspiro, Naomi meneou a cabeça. — Ele é muito mais idiota do que eu imaginava. E que benefícios reais tirou disso, Kelsey, no passado e no presente?

— Ele não pagou pelo que fez antes. Mas pagará agora. A polícia, o comitê organizador da corrida... eles vão providenciar para que Cunningham pague pelo que fez a *Pride* e a *Sun Spot.*

— Depois de todos esses anos. Ninguém nunca conseguiu solucionar esse caso.

— E tudo poderia ter continuado assim, com as mentiras triunfando, se Gabe não tivesse voltado a Longshot e tirado aquela seqüência real. — Ela sorriu quando Naomi mordiscou um *croissant.* — Se ele não tivesse feito de si mesmo o homem que é.

— E se você não tivesse se apaixonado por ele. E é isso que compensa o que houve de ruim em tudo por que passamos, Kelsey. Quando penso no que poderia ter acontecido...

— Mas não aconteceu. Rich Slater pagou o preço dele pela participação que teve. E agora o caso está encerrado. Legítima defesa.

— Acho que foi uma tolice minha ter mentido para a polícia. — Naomi abandonou o que lhe restava do *croissant* sobre a mesa. — Ela não acreditou em mim. Uma ironia, não acha? Antes eu disse a verdade; agora eu menti. Nem uma coisa nem outra funcionou.

— Você tentou proteger-me. — Estava na hora de dizer isso, pensou Kelsey, esperançosa de que o significado de suas palavras fosse entendido. —

Tentou proteger-me antes, quando eu era criança. E agora também. Mas estava errada nas duas vezes. E estava certa em ambas.

— Nem tudo tem solução fácil.

— E eu levei muito tempo para entender que nem sempre há um único tipo de solução para o mesmo problema. — Ela comprimiu os lábios antes de prosseguir. — Sou-lhe grata pelo que está fazendo por Milicent. Não, por favor, não fique irritada comigo. Sou-lhe grata, embora eu não possa resolver isso em meu coração, embora seja mentira. Sou-lhe muito grata.

— Que diferença faria agora, Kelsey, tornar pública toda a história e destruir o que lhe resta de vida? — Os pássaros cantavam, reconfortadamente. — Isso não me devolveria o tempo perdido. Não mudaria o que aconteceu com Mick, *Pride* ou Reno.

— Ela é responsável por isso. Por tudo isso. — Vergonha e amargura entrechocavam-se no íntimo de Kelsey. — Pouco importa o fato de que ela não queria que ninguém morresse. Ela é a responsável. Contratar outras pessoas para fazer o que ela achava necessário para proteger o nome da família? Que nome ela vai proteger agora? — perguntou Kelsey. — Que honra?

— Ela terá de conviver com isso. Não fiz por causa dela.

— Eu sei.

Naomi ergueu uma sobrancelha.

— Não que seja puro egoísmo de minha parte. Mas não quero passar por certas situações outra vez; a imprensa, a polícia. E, afinal, ganhei o melhor presente: saber que você acreditou em mim. E acreditou o suficiente para manter-se a meu lado.

— Não fui a única pessoa que acreditou em você. E todo mundo iria saber o que aconteceu com Alec Bradley, com *Pride*, e todas as outras coisas, se a história se tornasse pública.

— Não ligo para todo mundo. — Naomi decidiu afinal tomar um pouco de café. — Eu tive uma boa conversa com Moses ontem à noite, e concordamos. — Ela sorriu, e acrescentou creme ao café. — Quando uma mulher tem um homem que se mantém fielmente ao lado dela nos piores momentos de sua vida, todas as outras coisas são fáceis.

Naomi desviou o olhar ao ouvir o ronco do motor de um carro.

— Deve ser Gabe.

— É bom que seja; combinamos escolher o cardápio para a recepção depois do café da manhã.

— Então é melhor deixá-los a sós.

— Não, por que não fica? Assim pode concordar com o que eu já escolhi e ajudar-me a fazer a minha vontade prevalecer.

Kelsey inclinou-se para frente e segurou a mão da mãe.

— Eu a amo.

A emoções borbulharam e se acalmaram.

— Eu sei — respondeu Naomi.

Kelsey levantou-se e cruzou o pátio para receber Gabe; e arregalou os olhos ao ver quem ele trazia no banco do carona.

— Papai?

Philip saiu do carro e, instintivamente, emoldurou o rosto da filha nas mãos.

— Oh, Kelsey. Oh, querida. — Nada do que Gabe lhe contara o deixara preparado para aquele encontro.

— Eu estou bem. Verdade. Só que parece pior do que realmente é. Eu ia visitá-lo dentro de alguns dias. — Quando estivesse com melhor aparência, pensou ela, e olhou duramente para Gabe.

— Seu noivo fez bem em contar-me toda a história. Toda a história — repetiu ele. — Você omitiu muitos detalhes quando me telefonou, Kelsey.

Outro tipo de mentira, pensou ela. O pecado da omissão.

— Achei que seria melhor. Só queria que soubesse que eu estava bem, antes que os jornais publicassem o que aconteceu. E eu realmente estou bem.

— Foi o que me disseram. — Ele voltou o olhar para Gabe, e depois o desviou, fixando-o por sobre o ombro de Kelsey, que se moveu um pouco, mantendo-se entre o pai e a mãe.

— Papai queria saber pessoalmente se eu estava bem — disse ela.

— Claro que sim. — Naomi abanou positivamente a cabeça e manteve as mãos caídas. — Olá, Philip.

— Naomi. Você parece ótima.

— Você também.

— Ah... — Kelsey procurou descobrir uma forma de desfazer o clima de certo constrangimento. — Channing está nas baias. Por que você não vem comigo até lá, papai? Vai se divertir vendo-o trabalhar, e ele certamente fará uma exibição especial para você — propôs ela, olhando desamparadamente para Gabe.

— Tenho certeza de que deseja conversar com Kelsey — disse Naomi. — Eu estava indo exatamente lá para baixo. Direi a Channing que você está aqui.

— Não, eu... — prorrompeu Philip, mas logo em seguida se recompôs. — Na verdade, eu gostaria de conversar com você. Se tiver tempo...

— Tudo bem.

— Vamos dar uma caminhada — murmurou Gabe, pegando a mão de Kelsey.

— Não sei por onde começar, Naomi. Gabe me contou tudo. Tudo — repetiu Philip, coração contrito. — Ele teve a gentileza de esperar-me para que eu pudesse vê-la. Eu precisava vê-la — acrescentou ele — antes de vir aqui.

— Eu compreendo.

— Compreende? — Insuportavelmente cansado, ele enfiou os dedos por sob as lentes dos óculos e esfregou os olhos. — Eu não consigo. Não consigo compreender. E quando eu a pressionei, ela se mostrou inflexível, inabalável — disse ele, e deixou as mãos caírem. — Ela não considera nada do que fez algo mais do que simplesmente necessário. Pessoas morreram, mas ela não se sente responsável por isso. Nem pelo que aconteceu com eles, nem com você.

— E isso o surpreendeu?

Philip sobressaltou-se, franzindo o rosto.

— Ela continua sendo minha mãe, Naomi. Mesmo sabendo tudo o que sei. Pensei em centenas de formas para tentar desculpar, e nenhuma delas me pareceu convincente para os erros que ela cometeu, que eu cometi. — Ele tirou os óculos, esfregou os olhos novamente, e os pôs de volta no lugar. — E a verdade pura e simples é que... Eu não sei o que lhe dizer.

— Está tudo terminado agora, Philip.

— Eu a abandonei. Todos esses anos eu a abandonei.

— Não. Houve um tempo em que achei que sim. De alguma forma, me ajudou, embora não fosse verdade. Eu não era quem você queria que eu fosse. Seja lá o que ela tenha feito, Milicent não pode ser responsabilizada por isso; só por ter garantido que você acreditasse nisso.

— Ela poderia ter evitado que você fosse presa.

— Sim.

— E o que ela fez agora a você... a Kelsey. — Ele prendeu a respiração à imagem do rosto ferido da filha. — Meu Deus, Naomi, ela poderia ter sido morta.

— Mas conseguiu se proteger. E a mim também. — Ela o observou, a dor e a incredulidade estampadas no rosto. — Não posso lhe dizer para não sentir o que está sentindo agora. Kelsey foi ferida, e foi forçada a tirar a vida de uma pessoa para se defender. Você e eu nunca esqueceremos isso. Também nunca esqueceremos quem deu início a essa série de acontecimentos. Talvez — disse ela lentamente — isso seja punição suficiente para Milicent.

— Não há nada que eu possa fazer. — A voz de Philip falhou. — Nada que eu possa fazer para compensar isso.

— Não há nada que você tenha que fazer. Apesar de tudo, Kelsey conseguiu o que queria, e eu também. — Os lábios dela curvaram-se docemente. — Eu tenho tudo o que eu quero. A fazenda, um homem que me ama. A minha filha. Você fez dela uma excelente pessoa, Philip. Sempre achei que você iria fazer.

— Ela se parece muito com você. — Ele observou a mulher que tinha sido sua esposa. Tanta coisa havia mudado nela, e também tão pouca coisa. — Deus do céu, Naomi, se eu pudesse voltar no tempo e fazer alguma coisa. Qualquer coisa.

— Mas não pode. — Ele sempre foi tão correto, pensou ela. Tão honrado. Agora ele sofria porque não havia correção ou honra que lhe curasse a dor. — Nós queríamos coisas um do outro que não nos podíamos dar. E cometemos erros, erros que usamos contra nós mesmos, e que outras pessoas também usaram contra nós. Fomos vítimas dos anseios de terceiros, Philip.

— Você pagou caro por isso.

— Mas também ganhei com isso. Kelsey me ama. E para mim isso é o que importa. É simples. É maravilhoso. Portanto, deixe o resto ficar onde ele merece. E assunto encerrado. — Naomi respirou fundo. — Sabe, sempre me perguntei como eu me sentiria se o visse novamente.

— Eu também. E como está se sentindo, Naomi?

— Estou feliz por vê-lo, Philip.

— Você acha que deveríamos deixá-los a sós durante tanto tempo assim?

— Sim, acho. — Para confirmar isso, Gabe lhe deu uma sugestiva cutucada com o cotovelo. — Eles têm velhas questões para solucionar.

— Mas... — Kelsey relanceou o olhar por sobre o ombro. Eles continuavam de pé, a uma grande distância um do outro. — Ele me pareceu tão triste.

— O mundo dele foi abalado. Gravemente. Mas irá recompor-se outra vez. Talvez não volte a ficar como antes, mas irá recompor-se.

— Candace não o deixará ficar pensando muito tempo no que aconteceu e, conseqüentemente, afligir-se com isso. — Ela se virou para ele. — Gabe, o que fez você trazê-lo aqui?

— Precisamos ajudá-los a fechar o círculo antes de dar início ao nosso.

— Gostei disso — Kelsey inclinou a cabeça em direção ao ombro dele. — Você é terrivelmente esperto, Slater. E dissimulado também, indo à casa dele sem que eu soubesse e trazendo-o aqui.

— A idéia de ir vê-lo foi minha. A decisão de vir aqui foi dele. Ele precisava fazer as pazes com Naomi.

— E fará — disse ela, sorrindo consigo mesma. Aquele era, afinal de contas, o seu conto de fadas pessoal. — Amo isto aqui — murmurou ela. — Amo todas as coisas deste lugar. Já imaginou quantos campeões nós iremos fazer, Gabe?

— Você está se referindo apenas a cavalos?

Ela abanou a cabeça e riu para ele.

— Não, não apenas a cavalos. E você quer mesmo isso?

— Para mim isso será ótimo.

Gabe a levou para longe das baias e dos funcionários, para junto das ondulações das colinas onde algumas éguas pastavam com os seus filhotes, que apostavam corrida com a própria sombra.

— Na próxima primavera, nascerá outro filhote. De uma fêmea de Three Willows e de um garanhão de Longshot. — Ele a puxou e a envolveu em seus braços. — Eu me lembrarei do dia em que ele foi concebido, de como a olhei e quis que você pertencesse a mim.

— E eu pertenço. — Ela enlaçou o pescoço dele com os braços. — E depois disso?

— Temos um baralho novo — disse ele, dando um tapinha no bolso. — Tudo pode acontecer.

— Tudo? Bem... — Ela atraiu a boca de Gabe para a sua. — Então, trate de dar as cartas.

Impresso no Brasil pelo
Sistema Cameron da Divisão Gráfica da
DISTRIBUIDORA RECORD DE SERVIÇOS DE IMPRENSA S.A.
Rua Argentina 171 – Rio de Janeiro, RJ – 20921-380 – Tel.: 2585-2000